KU-181-111

LE ROBERT
& NATHAN
Langues actuelles

Vocabulaire de l'anglais contemporain

JACQUELINE FROMONOT
ISABELLE LEGUY
GILBERT FONTANE

Agrégés d'anglais

Cette table des signes phonétiques permet de vérifier ou d'apprendre des prononciations difficiles tout en étudiant une série de mots.

Certains mots sont en effet accompagnés de leur transcription phonétique lorsque leur prononciation est inattendue, imprévisible ou source de confusion pour des francophones. Par ailleurs, sur chaque mot comportant deux syllabes ou plus, l'accent principal est marqué par un souligné. Vous pourrez ainsi assimiler des mots nouveaux en étant sensibilisés à leur rythme, leur sonorité, et vous exercer à les prononcer.

Nécessaire à un apprentissage complet, l'aspect oral est également un instrument actif de mémorisation.

ISBN 978-2-09-185381-9

Alphabet phonétique et valeur des signes

sons	voyelles
[iː]	**bee**, **ea**st, fi**e**ld, p**eo**ple
[ɪ]	g**i**ve, man**a**ge
[e]	w**e**ll, m**a**ny, d**ea**d
[æ]	bl**a**ck, br**a**nd
[ɑː]	st**ar**, h**ear**t
[ɒ]	cl**o**ck, wh**a**t, bec**au**se
[ɔː]	str**aw**, d**au**ghter, b**or**n, w**ar**
[ʊ]	p**u**sh, b**oo**k, w**o**lf
[uː]	c**oo**l, m**o**ve, s**ou**p, cr**ew**
[ʌ]	**u**ncle, c**o**me, en**ou**gh, d**oe**s
[ɜː]	t**ur**n, g**ir**l, **ear**th
[ə]	**a**bout, Americ**a**
sons	**diphtongues**
[eɪ]	l**a**te, w**ai**t, p**ay**, gr**ey**, gr**ea**t
[aɪ]	n**i**ce, d**ie**, sp**y**
[ɔɪ]	v**oi**ce, b**oy**
[əʊ]	n**o**, st**o**ne, gr**ow**, b**oa**t
[aʊ]	h**ou**se, t**ow**n
[ɪə]	b**ee**r, h**ea**r, p**ie**rce
[eə]	h**ai**r, sh**a**re, w**ea**r
[ʊə]	p**oo**r, t**ou**r
sons	**consonnes**
[p]	**p**ay, ha**pp**y
[b]	**b**a**b**y, **b**u**bb**le
[t]	**t**oas**t**, bu**tt**er, look**ed**
[d]	**d**ay, **d**eci**d**e**d**
[k]	**c**ard, s**k**ate, lu**ck**, **ch**aos
[g]	**g**old, an**g**le
[f]	**f**ine, o**ff**er, lau**gh**, **ph**one
[v]	**v**ery, ri**v**al, o**f**
[θ]	**th**ree, you**th**
[ð]	**th**at, o**th**er
[s]	**s**ilk, fa**c**e, **sc**ience
[z]	**z**ero, lie**s**, reali**s**m
[ʃ]	**sh**ell, o**c**ean, na**t**ion, **s**ugar
[ʒ]	deci**s**ion, plea**s**ure
[tʃ]	**ch**eese, ma**tch**, pi**c**ture
[dʒ]	**j**oke, **g**in**g**er, su**gg**est
[h]	**h**ill, a**h**ead
[m]	**m**ouse, su**mm**er
[n]	**n**ever, **kn**ow, fu**nn**y
[ŋ]	ki**ng**, you**ng**, thi**n**k
[l]	**l**ove**l**y, vi**ll**age
[r]	**r**oad, **wr**iter, be**rr**y
[w]	**w**oman, t**w**in
[j]	**y**ard, mi**ll**ion

Avant-propos

Avoir du vocabulaire : employer le mot juste qui reflète fidèlement notre pensée, s'exprimer à propos et en termes choisis. Tâche délicate dans une langue étrangère, où nous nous voyons trop souvent contraints de simplifier grossièrement une pensée que l'on voulait précise, riche et nuancée. L'approximation nous guette, voire l'erreur.

Ce qui nous fait alors cruellement défaut, c'est le nécessaire rapport de **familiarité** qu'il faut entretenir avec les mots d'une langue — et parfois avec la réalité culturelle qu'ils véhiculent.

Fonctionnel et pédagogique, **l'anglais contemporain** multiplie explications et conseils qui permettront à tous de bien saisir tant le sens des mots que les principaux usages qui s'y rattachent.

Les thèmes et les mots proposés répondent aux besoins lexicaux rencontrés dans la plupart des **situations de communication** et permettront d'optimiser les échanges oraux ou écrits, de prendre part aux débats actuels et, plus généralement, d'enrichir l'expression personnelle.

Originalité importante de l'ouvrage, un soin particulier a été apporté à **la mise en contexte**, avec un approfondissement à plusieurs niveaux :

- ► en regard des mots, de **nombreuses aides** permettent d'apprivoiser les subtilités de la langue anglaise (formation des mots, polysémie, variantes linguistiques, irrégularités…) ;
- ► **l'aspect oral**, marqué, participe à la bonne mémorisation des mots ;
- ► **l'entraînement pratique** active l'assimilation et permet d'éprouver les acquis ;
- ► **les illustrations** jouent un rôle à la fois explicatif et mnémotechnique ;
- ► **la dimension culturelle**, très présente, apporte d'utiles éclairages sur le sens et la formation de mots hérités du passé ou nés de l'actualité ;
- ► **les expressions idiomatiques**, par leur portée métaphorique, invitent à manier une langue colorée et imagée.
- ► Enfin, la **modernité du vocabulaire** proposé fait de ce recueil un reflet fidèle du monde d'aujourd'hui.

Au-delà de la simple compilation de mots, le lecteur trouvera en l'**anglais contemporain** une source d'inspiration et de créativité, un outil stimulant ouvrant tant aux richesses de la langue anglaise qu'à celles de la pensée anglo-saxonne.

◆

Table des matières

L'individu et le citoyen

L'homme et le monde

Les échanges

Traditions, savoirs et techniques

Art et culture

Les outils de l'expression

Annexes

Guide d'utilisation

Pour tirer le meilleur parti de l'ouvrage

30 chapitres thématiques

Communiquer et trouver des idées, au gré des besoins

- 29 thèmes généraux couvrent les domaines essentiels de l'activité humaine et de la pensée.
- Le dernier chapitre prolonge les listes thématiques en offrant des structures incontournables de l'expression (expression des opinions, des appréciations, etc.)

► La classification des mots

Consulter, apprendre et mémoriser :

- L'alignement en colonnes permet l'accès par le français ou par l'anglais et favorise l'apprentissage et la révision.
- Sont regroupés noms, verbes, adjectifs.
- Les trois catégories sont séparées par un filet de couleur rouge.
- Les traductions sont données sous la forme du masculin singulier.

► L'aspect oral

Prononcer correctement :

- Le souligné indique l'accent principal sur chaque mot.
- La transcription en alphabet phonétique international accompagne les mots difficiles.

facetious [fə'siːʃəs]

► Les bulles d'aide

Comprendre et retenir :

(!) sensible:
sensé, raisonnable

- **les registres**

coll. (colloquial)	terme familier
slang	argot
lit. (literary)	littéraire

- **les variantes linguistiques**

US	anglais-américain
Brit.	anglais britannique
Ir.	irlandais
Scot.	écossais
abbrev.	abréviation ou acronyme

- **les pièges déjoués**

irr.	verbe irrégulier
!	faux ami, difficulté orthographique…

- Les caractères **gras** signalent des particularités à retenir, comme :

a spec**ies**	forme irrégulière
several wom**en**	pluriel irrégulier
carr**ied**, carr**ying**	graphie irrégulière
sewage **is** processed	nom indénombrable

- les nuances de sens

also	autre sens
≠	antonyme
≈	équivalent culturel

- la formation et la dérivation des mots

re-use-able	repérage des éléments de composition
from...	étymologie

PRACTICE

Mémoriser par la pratique

- Les exercices portent sur le réemploi en contexte, la formation des mots, la phonologie, le sens, l'emploi grammatical, etc.
- Avec des corrigés pour évaluer les acquis.

MORE WORDS

Mieux connaître le monde anglo-saxon

► **The Contemporary Context**
Découvrir le contexte culturel :

Du patrimoine linguistique aux toutes dernières créations dictées par l'actualité, cette rubrique donne les nécessaires explications sur les termes spécifiques à la civilisation anglo-saxonne.
Les termes culturels sont indexés en fin d'ouvrage.

► **Idioms and Colourful Expressions**
S'exprimer dans une langue imagée, colorée, vivante :

Les mots du chapitre sont ici utilisés dans un contexte métaphorique.

► **Focus on...**

Gros plan sur des termes mis en vedette pour la richesse de leur polysémie.

► **Sayings and Proverbs**

Dictons et proverbes donnent le dernier mot à la sagesse populaire.

Childhood
L'enfance

1 The Family — La famille

Parents and Relatives — Parents et famille

> a relative: *un parent (sens large)*
> a parent: *père ou mère*

The Nuclear Family — La famille nucléaire

> the parents-in-law, the in-laws: *les beaux-parents*

> the forbears/forebears: *les aïeux, les ancêtres*

> a foster family: *une famille adoptive*

> ≠ the father-in-law: *le beau-père (père du conjoint)*

> ≠ the mother-in-law: *la belle-mère (mère du conjoint)*

• **the family cell**	• la cellule familiale
• **the parents**	• les parents (père et mère)
• **parenthood**	• la maternité, la paternité
the grandparents	les grands-parents
the great-grandparents	les arrière-grands-parents
the foster-parents	les parents adoptifs
a one-parent family	une famille monoparentale
• **the father**	• le père
the grandfather	le grand-père
the great-grandfather	l'arrière-grand-père
the stepfather	le beau-père (remariage)
the godfather	le parrain
• **the mother** ['mʌðə]	• la mère
the grandmother	la grand-mère
the great-grandmother	l'arrière-grand-mère
the stepmother	la belle-mère (remariage)
a single mother	une mère célibataire
the godmother	la marraine
a godchild	un(e) filleul(e)
a godson	un filleul
a goddaughter	une filleule
• **a guardian**	• un tuteur
• **a ward**	• un pupille

The Extended Family — La famille étendue

> be akin to: *être semblable à*

• **a relative, a relation**	• un parent, un membre de la famille
• **the next of kin**	• les proches (administratif)
kinship	la parenté
• **an uncle**	• un oncle
• **an aunt** [ɑːnt]	• une tante
• **a nephew** ['nevjuː]	• un neveu
• **a niece** [niːs]	• une nièce
• **a cousin** ['kʌzn]	• un cousin, une cousine
a first cousin	un cousin germain
a distant cousin	un cousin éloigné
a cousin through/by marriage	un cousin par alliance

• **be close** ['kləʊs]	• être proche
• **be related/ unrelated**	• avoir un lien de parenté/ être sans lien de parenté

Children — Les enfants

Children	Les enfants
• the offspring	• la progéniture
the progeny	la progéniture, la descendance
a descendant (of)	un descendant (de)
posterity	la postérité
an heir [eə], an heiress ['eərɪs]	un héritier, une héritière
• a child [tʃaɪld]	• un enfant
an only child	un enfant unique
a grandchild	un petit-fils/une petite-fille
an adopted child	un enfant adoptif
an orphan ['ɔːfən]	un orphelin
• a daughter ['dɔːtə]	• une fille
a granddaughter	une petite-fille
a stepdaughter	une belle-fille (remariage)
a goddaughter	une filleule
• a son [sʌn]	• un fils
a grandson	un petit-fils
a stepson	un beau-fils (remariage)
a godson	un filleul
• the siblings	• les frères et sœurs
• twins	• des jumeaux
identical twins	de vrais jumeaux
triplets	des triplés
• a brother	• un frère
a twin brother	un frère jumeau
a half-brother, a stepbrother	un demi-frère
a younger brother	un frère cadet
• a sister	• une sœur
a twin sister	une sœur jumelle
a half-sister, a stepsister	une demi-sœur
an elder sister	une sœur aînée
• look like	• ressembler à
• take after someone	• tenir de quelqu'un
• similar	• semblable
• identical	• identique
• indistinguishable (from)	• indifférenciable (de)
• adoptive	• adoptif

Side notes:

- the heir apparent/presumptive: *l'héritier présomptif*
- several child**ren**
- several grandchild**ren**
- ≠ a daughter-in-law: *une belle-fille (= bru)*
- ≠ a son-in-law: *un beau-fils (= gendre)*
- sibling rivalry: *rivalité entre frères et sœurs*
- a brother-in-law: *un beau-frère (= frère du conjoint)*
- a sister-in-law: *une belle-sœur (= sœur du conjoint)*
- the elder: *l'aîné de deux enfants* the eldest: *l'aîné de plus de deux enfants*
- be a chip off the old block (coll.): *être le fils de son père*

2 Family Relationships — Les relations familiales

Bonds — Les liens

Bonds	Les liens
• a household	• un foyer, une maisonnée
• motherhood	• la maternité
• fatherhood	• la paternité

Side note:

- mother-**hood**, child-**hood**

	• **brotherhood, sisterhood**	• la fraternité
	• **a large family**	• une famille nombreuse

provide sb with sth: *fournir qqch à qq'un*	• **provide for**	• subvenir aux besoins de
	• **devote one's time to**	• consacrer son temps à
	• **take care of, look after**	• s'occuper de
	• **watch (over)**	• surveiller, veiller (sur)

	• **family**	• familial
motherly love: *l'amour maternel*	• **maternal, motherly**	• maternel
	• **paternal, fatherly**	• paternel
	• **fraternal, brotherly, sisterly**	• fraternel
	• **caring**	• aimant
	• **devoted**	• dévoué

Upbringing — L'éducation

	• **parental authority**	• l'autorité parentale
	• **a role model**	• un modèle
	a private tutor ['praɪvɪt]	un précepteur
	a childminder, a nanny	une nourrice
	an au-pair	une jeune fille au-pair
	• **initiation (into)**	• l'initiation (à)
	• **gentleness**	• la douceur, la bonté
	• **patience** ['peɪʃəns]	• la patience
	• **indulgence**	• l'indulgence
	• **weakness**	• la faiblesse
	• **harshness, severity**	• la sévérité, la dureté
corporal punishment: *le châtiment corporel*	• **punishment**	• la punition, le châtiment
	• **deprivation**	• la privation

	• **bring up, raise, rear** [rɪə]	• élever
	• **give an education (to)**	• éduquer
	• **guide, direct**	• guider
initiate a plan: *être à l'origine d'un projet*	• **initiate** [ɪ'nɪʃɪeɪt]	• initier
	• **encourage** [ɪn'kʌrɪdʒ]	• encourager
	• **explain**	• expliquer
	• **show**	• montrer
	• **set limits**	• imposer des limites
(irr.) I spoilt, I have spoilt	• **spoil**	• gâter
"Don't indulge that child!": *"Ne passe pas tout à cet enfant !"*	• **indulge**	• gâter, céder à
	• **overindulge**	• satisfaire tous les caprices (de)
	• **pet**	• chouchouter, choyer, dorloter
The child was told off: *L'enfant s'est fait gronder.*	• **scold, tell off**	• gronder
	• **punish** ['pʌnɪʃ]	• punir
	• **deprive (of)** [dɪ'praɪv]	• priver (de)

≠ soft: *doux pour les sens*	• **gentle**	• doux (attitude)
	• **patient** ['peɪʃnt]	• patient
(!) comprehensive: *complet, étendu*	• **understanding**	• compréhensif
	• **polite** [pə'laɪt]	• poli

	• **rude** [ruːd]	• impoli, grossier
	• **boisterous** ['bɔɪstərəs]	• bruyant, turbulent
indulge oneself: *se faire plaisir*	• **lenient** ['liːnjənt], **indulgent**	• indulgent
	• **overindulgent**	• complaisant
	• **weak**	• faible
	• **harsh, severe** [sɪ'vɪə]	• dur, sévère
	• **strict**	• strict

Obedience and disobedience / L'obéissance et la désobéissance

	• **good breeding**	• la bonne éducation
	• **imitation**	• l'imitation
	• **independence**	• l'indépendance
	• **autonomy**	• l'autonomie
	• **kindness**	• la gentillesse, l'amabilité
	• **slyness**	• la sournoiserie
	• **sulkiness**	• la bouderie
"This child is full of mischief!"	• **mischief** ['mɪstʃɪf]	• l'espièglerie, la malice
	• **malice** ['mælɪs]	• la méchanceté, la malveillance
(US) willfulness	• **wilfulness**	• l'entêtement
stubborn-ness	• **stubbornness**	• l'obstination, l'opiniâtreté
	• **rebellion**	• la rebellion
	• **a clash**	• un conflit
	• **the generation gap**	• le fossé des générations
	• **grow up**	• grandir
	• **obey someone** [ə'beɪ]	• obéir à quelqu'un
	• **be good**	• être sage
	• **imitate**	• imiter
(!) copying, copied	• **copy**	• copier
	• **be/look sulky**	• faire la tête
	• **play up (coll.)**	• faire des siennes
	• **break free**	• s'émanciper
They rebelled against authority.	• **rebel**	• se rebeller
	• **clash**	• être en conflit, s'affronter
a runaway child: *un enfant fugueur*	• **run away**	• faire une fugue
	• **obedient** [ə'biːdjənt]	• obéissant
breed: *élever (des animaux)*	• **well-bred**	• bien élevé
	• **ill-bred, ill-mannered**	• mal élevé
	• **spoilt**	• gâté
"You naughty child!": *"Vilain enfant !"*	• **naughty** ['nɔːtɪ]	• vilain, méchant
	• **sulky**	• boudeur
(!) malicious: *méchant, malveillant*	• **mischievous** ['mɪstʃɪvəs]	• espiègle, malicieux
cheek: *la joue/le culot*	• **cheeky**	• effronté, insolent
	• **disobedient**	• désobéissant
(US) willful	• **wilful**	• entêté, volontaire
	• **stubborn** ['stʌbən]	• obstiné
	• **wayward** ['weɪwəd]	• difficile, rétif
	• **rebellious**	• rebelle, indocile

3 Children's Games — Les jeux d'enfants

Toys — Les jouets

rattle: *faire un bruit de crécelle*	• **a rattle**	• un hochet
stuff: *garnir, rembourrer*	• **a soft toy**	• un animal en peluche
	• **a teddy bear**	• un nounours
rock: *bercer, balancer*	• **a rocking horse**	• un cheval à bascule
	• **a doll**	• une poupée
	a china doll ['tʃaɪnə]	une poupée de porcelaine
a rag: *un chiffon* ; rags: *des haillons*	**a rag doll**	une poupée en chiffon
	• **a (spinning) top**	• une toupie
	• **a puppet** ['pʌpɪt]	• une marionnette
tin: *l'étain*	• **a tin soldier, a toy soldier**	• un soldat de plomb
a brick: *une brique (de construction)*	• **a box of bricks**	• un jeu de construction
	bricks	des cubes
	• **a Meccano®-set**	• un jeu de Meccano®
	• **a model railway**	• un train miniature

	• **pile**	• empiler
	• **knock down**	• faire tomber, démolir
	• **build up**	• construire
	• **put together**	• assembler, monter
	• **take apart**	• démonter
	• **experiment (with sth)**	• expérimenter, essayer
	• **tow** [təʊ]	• tirer, remorquer
(!) drag**ged**, drag**ging**	• **drag**	• traîner

Indoor Activities — Les activités à la maison

Board Games — Les jeux de société

(a board: *une planche, un damier*)

(US) checkers	• **draughts** [drɑːfts]	• un jeu de dames
	a draughtboard	un damier
	• **chess** [tʃes]	• les échecs
	a chess board	un échiquier
	• **a card game**	• un jeu de cartes
	cards	des cartes
	• **dominoes**	• des dominos
	• **a die, dice**	• un dé, des dés
cross: *traverser*	• **crosswords**	• des mots-croisés
a battleship: *un navire de guerre, un cuirassé*	• **battleships**	• la bataille navale
	• **darts**	• le jeu de fléchettes
	• **a video game** ['vɪdɪəʊ]	• un jeu vidéo
	• **an electronic game**	• un jeu électronique

	• **play chess/draughts**	• jouer aux échecs/aux dames
(irr.) I dealt, I have dealt	• **deal**	• distribuer
	• **sink**	• couler

	Artistic and Plastic Activities	Activités artistiques et plastiques
a puzzle: *une énigme* ; to puzzle: *intriguer*	• a drawing	• un dessin
	• a jigsaw puzzle	• un puzzle
	• a paint box	• une boîte de peinture
a pencil box: *un plumier*	• a box of pencils	• une boîte de crayons
(US) color	• colour ['kʌlə]	• colorier
	• daub [dɔːb]	• barbouiller
	• scrawl	• gribouiller, griffonner

	Imagination and Fantasy	Imagination et fantaisie
	• a book	• un livre
	a picture book	un livre d'images
	a comic strip	une bande dessinée
	• a tale	• un conte
	• a nursery rhyme	• une comptine
	• a lullaby ['lʌləbaɪ]	• une berceuse
	• a ditty	• une chansonnette
	• a riddle ['rɪdl]	• une devinette
	• role-play	• le jeu de rôle
	• fancy dress	• le déguisement
a cowboy outfit: *une panoplie de cowboy*	• an outfit	• une panoplie
	• tell a story	• raconter une histoire
	• sing	• chanter
	• ask a riddle	• poser une devinette
	• guess	• deviner
"I give in": *"Je donne ma langue au chat."*	• give in	• s'avouer vaincu
	• imagine, fancy	• imaginer
	• believe	• croire
make believe one is a cowboy: *jouer au cowboy*	• make believe	• feindre, faire semblant
	• pretend	• faire semblant
	• educational	• éducatif
	• instructive	• instructif
	• formative	• formateur
	• entertaining	• distrayant
	• imaginative	• imaginatif

	Outdoor Activities	Les activités de plein air
a pit: *une fosse*	• a sandpit	• un bac à sable
swing: *se balancer*	• a swing	• une balançoire
slide: *glisser*	• a slide	• un toboggan
	• a skipping rope	• une corde à sauter
	• a hoop	• un cerceau
play ball: *jouer au ballon*	• a ball	• une balle, un ballon
	a ball game	une partie de ballon
marble: *du marbre*	• marbles	• des billes
	• a kite [kaɪt]	• un cerf-volant

	• **hopscotch**	• la marelle
hide *(se cacher)* + seek *(chercher)*	• **hide-and-seek**	• le cache-cache
a leap *(un saut)* + a frog *(une grenouille)*	• **leapfrog**	• le saute-mouton
	a playground	une cour de récréation
merry: *joyeux*	• **a merry-go-round**	• un manège
dodgem = dodge *(esquiver)* + them	• **dodgems**	• les autos tamponneuses
	a fun fair	une fête foraine
	a theme park [θiːm]	un parc d'attractions (à thème)
	an amusement park	un parc d'attractions

play at soldiers: *jouer aux soldats* play hide-and-seek: *jouer à cache-cache*	• **play (at)**	• jouer (à)
	• **play (with)**	• jouer (avec)
on all fours: *à quatre pattes*	• **crawl**	• ramper
	• **stumble**	• trébucher
	• **teeter**	• vaciller
	• **jump**	• sauter
(!) ho**pping**, ski**pping**	• **hop, skip**	• sautiller
	• **somersault**	• faire des galipettes
(!) froli**ck**ing, froli**ck**ed	• **frolic about**	• s'ébattre, gambader
	• **run about/around**	• courir (de façon désordonnée)
	• **chase** [tʃeɪs]	• poursuivre
	• **swing**	• faire de la balançoire
	• **slide**	• faire du toboggan
	• **roll**	• rouler
	• **direct**	• diriger
	• **throw**	• lancer
	• **have fun, enjoy oneself**	• s'amuser
≠ be funny: *être comique*	• **be fun**	• être amusant, distrayant

	• **playful**	• joueur, badin
	• **lively** ['laɪvlɪ]	• vivant, plein d'entrain, pétulant
rest: *le repos*	• **restless**	• agité
	• **quick**	• vif
	• **reckless**	• téméraire

PRACTICE

1 Match Them Up! Retrouvez les paires !

Match each verb given below with a verb which has a similar meaning.

rear - misbehave - make believe - scold - assemble - take care (of) - disassemble - strike to the ground

a. take apart
b. tell off
c. bring up
d. play up
e. put together
f. knock down
g. pretend
h. look after

2 What is What? Qu'est-ce que c'est... ?

Match these words and the definitions listed below.

a playpen - a plaything - horseplay - a playboy - foul play - child's play - a playmate - a playground.

a. an extremely simple task or act
b. an area for children to play
c. a portable enclosure in which a baby may play safely
d. a person treated as lightly and as carelessly as a toy
e. a companion in play
f. a usually rich man whose life is devoted to pleasure
g. unfair treatment
h. rough, noisy fun or play

3 Reader's Corner: Le coin lecture

Childhood Memories

Place the following expressions back where they belong in the text.

a. I answer.
b. point a bread knife at my heart?
c. and still I say *no*?
d. I would refuse to eat,
e. I don't even want the food from my plate
f. and such idiocy.
g. a man or a mouse?
h. and made fun of,

Then there are the nights I will not eat. My sister, who is four years my senior, assures me that what I remember is fact: ... , and my mother would find herself unable to submit to such willfulness - ... . And unable to for my own good. She is only asking me to do something *for my own good* - ... Wouldn't she give me the food out of her own mouth, don't I know that by now?

But I don't want the food from her mouth. ... - that's the point.

Please! a child with my potential! my accomplishments! my future! [...]

Do I want people to look down on a skinny little boy all my life, or to look up to a man?

Do I want to be pushed around ... , [...] or do I want to command respect?

Which do I want to be when I grow up, weak or strong, a success or a failure, a man or a mouse?

I just don't want to eat, ...

So my mother sits down in a chair beside me with a long bread knife in her hand [...].

Which do I want to be, weak or strong, ... ?

Doctor, *why*, why oh why oh why oh why does a mother pull a knife on her own son? [...]

How can she (play with me) during those dusky beautiful hours after school, and then at night, because I will not eat some string beans and a baked potato, ...

from *Portnoy's Complaint*, by Philip Roth (1967)

► Corrigés page 410 ◄

The Contemporary Context

Associations Created for Children

Associations créées pour les enfants

- **Boy Scouts:** association créée par Lord Baden-Powell (en1908) afin de donner aux jeunes le goût de l'aventure et le sens des responsabilités. Les jeunes garçons sont répartis, des plus jeunes aux plus âgés, en **beavers** (castors), **cubs** (petits d'animaux) ou **scouts** (éclaireurs).
- **Girl Guides:** les Guides, équivalent féminin des Scouts. Les filles sont réparties en quatre groupes : les **rainbows** (arc-en-ciel), **brownies** (farfadets), **guides** (guides), et **rangers** (gardes).
- **The Save the Children Fund:** organisme fondé en 1919, dont le but est d'améliorer la condition des enfants. Ses modalités d'intervention varient selon les pays.
- **The NSPCC, National Society for the Prevention of Cruelty to Children:** association britannique pour la protection des enfants maltraités.

Child's Play

Un jeu d'enfant

Entertainment - Les spectacles :

- **Punch and Judy show:** spectacle traditionnel de marionnettes, inspiré de la Commedia dell'arte. Punch le bossu en est le héros, en compagnie de sa femme Judy, sans oublier le chien Toby.
- **a pantomime:** spectacle pour enfants donné à Noël dans lequel le héros est joué par une femme tandis que la femme mûre ("the dame") est interprétée par un homme. La participation du public est un élément essentiel du spectacle.

Characters in fairy tales - Les héros de contes :

- **Little Red Riding Hood:** le Petit Chaperon rouge
- **The Big Bad Wolf:** le grand méchant loup
- **Cinderella:** Cendrillon
- **Snow-White and the Seven Dwarves:** Blanche-Neige et les Sept Nains
- **Tom Thumb:** Tom Pouce
- **Puss in Boots:** le Chat botté
- **The Ugly Duckling:** le Vilain Petit Canard

Nursery rhymes - Les comptines :

"Three wise men of Gotham
Went to sea in a bowl;
If the bowl had been stronger,
My tale would be longer."

"Humpty Dumpty sat on a wall,
Humpty Dumpty had a great fall;
All the King's horses
And all the King's men
Couldn't put Humpty together again."

Idioms and Colourful Expressions

Focus on Family Words

- **a family man:** un bon père de famille.
- **a sugar Daddy (coll.):** un homme âgé qui “protège” une jeune fille, un vieux protecteur.
- **Father Christmas:** le Père Noël.
- **a grandfather clock:** une horloge comtoise.
- **a blue-eyed boy/girl:** un chouchou/ une chouchoute.
- **Mother's Day:** la fête des mères.
- **a mother's boy:** un petit garçon à sa maman.
- **a granny flat:** un appartement aménagé pour accueillir une personne âgée.
- **an Agony Aunt (coll.) (Brit.):** journaliste chargée du courrier du cœur dans un magazine.
- **a sister (Brit.):** une infirmière en chef.

Focus on Children

- **a bairn:** un enfant en dialecte écossais et du nord de l'Angleterre.
- **a brat (coll.):** un marmot (mal élevé), un moutard.
- **an urchin:** un polisson, un garnement.
- **a kid (coll.):** un gamin, un gosse (littéralement : un chevreau).
- **a lad (coll.):** un jeune garçon, un gars.
- **a lass (coll.):** une jeune fille, en dialecte écossais.

Focus on Games and Playing

- **to play one's ace:** jouer sa carte maîtresse.
- **to play ball with sb:** se montrer coopératif avec qqn.
- **to play into sb's hands:** faire le jeu de qqn.
- **to have the game in one's hands:** être sur le point de gagner.
- **the game is up (coll.):** l'affaire est à l'eau, les carottes sont cuites.
- **game over:** fin de partie (dans les jeux vidéos et électroniques).

Sayings and Proverbs

- **Like father, like son:** Tel père, tel fils.
- **Spare the rod and spoil the child:** Qui aime bien, châtie bien. (*a rod:* une badine)
- **The child is father to the man:** L'enfant est le père de l'homme.
- **Don't teach your grandmother to suck eggs:** On n'apprend pas à un vieux singe à faire la grimace (*to suck eggs:* gober des œufs).
- **It runs in the family:** C'est de famille !

Education
Les études

1 The Educational System — Le système scolaire

School Life — La vie scolaire

	The Educational System	Le système scolaire
	• the school year	• l'année scolaire
	• a term	• un trimestre
	• a school day	• une journée de cours
	schooldays	les années d'école
(US) a schedule	• a timetable	• un emploi du temps
	• a period, a class	• une séance (de cours)
	a free period	une heure de permanence
(US) a recess	• a break	• une pause, une récréation
	the lunch break	la pause déjeuner
(US) a school vacation	• a school holiday	• les vacances scolaires
	half-term holiday	des petites vacances
	the winter break	les vacances d'hiver
	the spring break	les vacances de printemps
	• attend school	• fréquenter l'école
	• go to school	• aller à l'école
	• have a (History) class	• avoir cours (d'histoire)
	• take a break	• faire une pause
(US) on vacation	• be on holiday	• être en vacances

Preschool Education — L'éducation pré-scolaire

	Preschool Education	L'éducation pré-scolaire
(US) a day-care center	• a daycare centre	• une crèche, une garderie
	• a child-minder, a nanny (coll.)	• une nourrice
(US) kindergarten	• a nursery school	• une école maternelle
	a preschool child	un élève de maternelle
	• a workplace nursery	• une crèche sur le lieu de travail
	• put a child into daycare	• mettre un enfant à la crèche
	• go to nursery school	• aller à la maternelle

Primary and Secondary Schools — Les écoles primaires et secondaires

	Primary and Secondary Schools	Les écoles primaires et secondaires
	• schooling	• l'instruction scolaire
	compulsory schooling	la scolarité obligatoire
	• school age	• l'âge scolaire
	• teaching	• l'enseignement
	• a school	• une école
	a public school (US)	une école publique
⚠ a **public** school (Brit.): *une école **privée*** *cf. p. 34*	a private/independent school	une école privée

	a boys' school	une école de garçons
	a girls' school	une école de filles
	• a vocational school (US)	• un lycée professionnel
	• a boarding-school	• un internat
	a boarder	un interne
	• compulsory, mandatory	• obligatoire
	• denominational	• confessionnel, religieux
	• non-denominational	• laïque
co-ed (abbreviation)	• mixed, co-educational	• mixte
	• state-run	• géré par l'État
fees: *les honoraires*	• fee-paying	• payant

Higher Education — L'enseignement supérieur

	• further education	• la formation continue
	a college of further education	un centre de formation continue
college sport: *le sport universitaire*	• a college	• un établ. d'enseignement supérieur
	• a state/private university	• une université d'État/privée
	• a polytechnic	• un I.U.T.
	• an engineering school	• une école d'ingénieur
	• a business school ['bɪznɪs]	• une école de commerce
a medic: *un étudiant en médecine*	• a medical school	• une faculté de médecine
	• a law school [lɔː]	• une faculté de droit
	• a graduate school (US)	• ≈ une université de 3e cycle
	• a lecture room/theatre	• un amphithéâtre
(!) facilities: *les équipements, l'infrastructure*	• a laboratory	• un laboratoire
	• research facilities	• les équipements de recherche
(!) *une librairie* : a bookshop	• a university library	• une bibliothèque universitaire
	• registration, enrolment	• l'inscription
(US) enrollment	• the intake	• les admissions
	• tuition	• les cours
	• a lecture	• un cours magistral
	• the (tuition) fees	• les frais de scolarité
grant: *accorder*	• a grant	• une bourse d'études (selon revenus)
	• a scholarship	• une bourse (selon résultats scolaires)
	• a fellowship	• une bourse de recherche
(US) enroll	• register, enrol	• s'inscrire
	• go to college	• aller à l'université
	• attend a lecture	• aller à une conférence
	• go to graduate school	• faire des études spécialisées
	• read (History)	• étudier, faire des études (d'histoire)
	• major in (US)	• se spécialiser en
	• have a college education	• avoir fait des études supérieures

Training — La formation

	• vocational training	• la formation professionnelle
(US) internship	• a training course	• un stage de formation
(US) an intern	a trainee	un stagiaire

(US) program	• a training scheme	• un programme de formation
	on-the-job training	la formation sur le tas
	off-the-job training	la formation hors entreprise
	in-house training	la formation en interne
	job-specific training	la formation à un emploi
	• work experience	• l'expérience professionnelle
	• a placement	• un (lieu de) stage
	• a customized course	• des cours sur mesure
	an intensive course	des cours intensifs/accélérés
	a refresher course	des cours de recyclage
	a sandwich course	une formation en alternance
	night school	les cours du soir

• train	• former, se former
• train for a job	• suivre une formation pour un post
• retrain	• former à nouveau, recycler
• improve, enhance	• améliorer
• go into training	• aller en stage
• coach [kəʊtʃ]	• entraîner, donner des leçons (à)

2 The School Community / La communauté scolaire

The School Staff / Le personnel éducatif

	• the principal, the (school) head	• le chef d'établissement
	• the vice-principal, the deputy-head	• l'adjoint du chef d'établissement
	• the faculty	• le corps enseignant
	• a Head of Department	• un chef de département
	• a teacher	• un enseignant
PE = Physical Education	a PE teacher	un professeur d'éducation physiqu
RE = Religious Education	an RE teacher	un professeur d'éducation religieus
	• a schoolmaster, a schoolmistress	• un instituteur, une institutrice
	• an educator	• un éducateur
	• a special needs teacher	• un éducateur spécialisé
(US) *président d'université*	• the chancellor (Brit.)	• le président honoraire d'universit
	• the vice-chancellor	• ≈ le président d'université
	• the dean of faculty	• le doyen de la faculté
	• an academic	• un universitaire
	• a professor	• un professeur
	a visiting professor	un professeur invité/associé
	a professor emeritus	un professeur honoraire
	a professorship	une chaire de professeur
(US) a fellow: *un boursier*	• a fellow (Brit.)	• un chargé de cours (à l'université)
	• a lecturer (Brit.)	• un maître de conférences
	• a tutor	• un professeur particulier, un tuteur
	• a coach	• un entraîneur sportif
(US) a guidance/careers counselor	• a careers officer	• un conseiller d'orientation
	• the governing body	• le conseil d'administration
	• the bursar	• l'intendant

	• **run, manage a school**	• diriger une école
	• **educate**	• éduquer
	• **teach**	• enseigner
	• **teach someone sth**	• enseigner qqch à quelqu'un
	• **do research**	• faire de la recherche

The Students — Les élèves, les étudiants

	• **the student body**	• le corps étudiant
	• **a student, a pupil**	• un étudiant, un élève
	a first-year student	un élève de première année
	• **a schoolboy**	• un écolier
	• **a schoolgirl**	• une écolière
a school-mate: *un copain*	• **a schoolfellow, a schoolfriend**	• un camarade de classe
He is only a learner: *Ce n'est qu'un débutant.*	• **a learner**	• un apprenant
	a slow learner	un élève lent
(US) a grade	• **a form**	• une classe
	a sixth-former (Brit.)	un élève de terminale
	• **an alumnus (US), a former pupil**	• un ancien élève
	an alumna (US)	une ancienne élève
several alumni (from the Latin: "pupil")	**the alumni association** [ə'lʌmnɑɪ]	l'association des anciens élèves
	• **an under-graduate**	• un étudiant pas encore diplômé

	• **educated**	• instruit
	• **self-educated, self-taught**	• autodidacte

3 Topics and Methods — Matières et méthodes

The Curriculum — Le programme scolaire

several curriculums or curricula

several syllabuses or syllabi	• **the syllabus** ['sɪləbəs]	• le programme (d'une matière)
	• **a subject**	• une matière
	a set topic	un sujet imposé
	the core subject	la matière principale
	• **a field**	• une discipline, un domaine
	• **the three Rs**	• les 3 compétences fondamentales
	reading	la lecture
	writing	l'écriture
	arithmetic	le calcul
	• **accounting**	• la comptabilité
	• **anthropology**	• l'anthropologie
(US) archeology	• **archaeology** [ɑːkɪ'ɒlədʒɪ]	• l'archéologie
	• **art**	• le dessin, les arts plastiques
study arts: *étudier les lettres*	• **arts**	• les lettres
	• **biology** [baɪ'ɒlədʒɪ]	• la biologie
	• **business studies**	• les études de commerce
	• **chemistry** ['kemɪstrɪ]	• la chimie
computer sciences/ computing: *l'informatique*	• **computer studies**	• l'informatique
	• **economics**	• les sciences économiques
	• **engineering**	• l'ingénierie, les études d'ingénieur

	• **foreign languages**	• les langues étrangères
	a classical/dead language	une langue morte
	a modern language	une langue vivante
	• **geography**	• la géographie
	• **geology** [dʒɪ'ɒlədʒɪ]	• la géologie
	• **history**	• l'histoire
	• **liberal arts**	• les arts et sciences humaines
(!) Linguistics **is** a fascinating subject.	• **linguistics**	• la linguistique
	• **literature** ['lɪtərətʃə]	• la littérature, les lettres
	• **mathematics, maths**	• les mathématiques
	• **music**	• la musique
	• **philosophy** [fɪ'lɒsəfɪ]	• la philosophie
(!) Physics **is** also a fascinating subject.	• **physics**	• les sciences physiques
	• **psychology** [saɪ'kɒlədʒɪ]	• la psychologie
	• **sociology**	• la sociologie
	• **technology**	• la technologie
	• **be on the syllabus**	• être au programme
	• **be taught** [tɔːt]	• être enseigné, être au programme

Educational Methods — Pratiques pédagogiques

	• **an educational goal**	• un objectif pédagogique
	• **teaching material**	• les documents pédagogiques
	• **a teaching tool**	• un outil pédagogique
	• **the learning process**	• le processus d'apprentissage
	• **teaching**	• l'enseignement
	student-centred teaching	l'enseignement centré sur l'élève
	group teaching	la pédagogie différenciée
a stream: *un courant*	• **streaming**	• la répartition en groupes de niveau
	the top/middle/bottom stream	le groupe fort/moyen/faible
	• **individual tuition**	• les cours particuliers (cadre scolaire
	• **a remedial course**	• le soutien pédagogique
	• **the pace**	• le rythme
	• **cramming (coll.)**	• le bachotage
(!) planned, planning	• **plan**	• prévoir
	• **organize**	• organiser
	• **lead** [liːd]	• mener, conduire
(!) developed, developing	• **develop**	• développer
	• **encourage**	• encourager
	• **reveal**	• révéler, mettre en valeur
	• **boost**	• stimuler, renforcer
	• **make (sb) aware of**	• faire prendre (à qqn) conscience d
	• **arouse (interest)**	• susciter, éveiller (l'intérêt)

Schoolwork — Le travail scolaire

• **a course** [kɔːs]	• un cours, une série de cours
• **a lesson**	• une leçon, un cours

	English	Français
	• an activity	• une activité
	• an exercise, a drill	• un exercice, un entraînement
	• an essay	• une rédaction
	• a paper	• un devoir écrit, une dissertation
	• a dissertation	• un mémoire
(!) a lot of **homework**	• homework	• les devoirs (à faire à la maison)

	English	Français
	• answer	• répondre (à)
volunteer an answer: *proposer une réponse*	• volunteer	• se porter volontaire
study at one's pace: *étudier à son propre rythme*	• study	• étudier
	• think out	• réfléchir (pour résoudre)
learn by heart/by rote: *apprendre par cœur*	• learn	• apprendre
	• proofread, doublecheck	• corriger, se relire
	• revise	• réviser
	• work hard, toil	• travailler dur
	• do one's homework	• faire ses devoirs

• attentive	• attentif
• willing	• volontaire, de bonne volonté
• active	• actif
• eager	• plein d'enthousiasme
• motivated	• motivé
• hard-working	• travailleur
• industrious	• zélé, travailleur, assidu
• painstaking	• minutieux, appliqué
• bookish	• studieux (péj.)

Discipline — La discipline

Authority — L'autorité

	English	Français
	• class management	• la conduite de la classe
	• detention	• la retenue, la colle
	• physical punishment	• les châtiments corporels
a cane: *une baguette*	caning	des coups de badine
	• expulsion	• l'exclusion, le renvoi
	• a disciplinary committee	• un conseil de discipline

	English	Français
	• direct	• diriger, donner des instructions (à)
channel the students' energy	• channel	• canaliser
(!) *demander* : ask	• demand [dɪ'mɑːnd]	• exiger
	• reprimand	• réprimander
	• punish	• punir
	• chastise [tʃæ'staɪz]	• châtier
	• cane	• infliger des coups de badine
	• suspend	• exclure temporairement
	• expel (from school)	• expulser, renvoyer (de l'école)

• manageable	• docile
• disciplined	• discipliné
• obedient [ə'biːdɪənt]	• obéissant
• respectful	• respectueux

Lack of Discipline — L'indiscipline

a peer: *un pair*	• peer pressure	• l'émulation, l'influence des autres
	• slapdash work (coll.)	• du travail bâclé
	• laziness	• la paresse
a truant: *un enfant qui fait l'école buissonnière*	• truancy	• l'école buissonnière
	• absenteeism [æbsən'tiːɪzəm]	• l'absentéisme
behave: *se comporter*	• misbehave	• mal se comporter
	• slacken one's effort	• relâcher ses efforts
	• cheat	• tricher
a crib: *une antisèche*	• crib (coll.)	• copier
	• talk back	• répondre (= avec insolence)
	• disrupt	• perturber
	• play truant	• faire l'école buissonnière
	• skip lessons	• "sécher" les cours
	• undisciplined, unruly	• indiscipliné
	• sloppy, untidy	• peu soigneux, négligé
	• careless	• négligent
	• absent-minded	• distrait
scatter: *disperser, éparpiller*	• scatter-brained	• étourdi
	• lazy	• paresseux
	• talkative	• bavard
	• boisterous	• turbulent
	• disobedient [dɪsə'biːdjənt]	• désobéissant
= dis - respect - ful	• disrespectful	• irrespectueux
= un - manage - able	• unmanageable	• incontrôlable
	• disruptive	• perturbateur

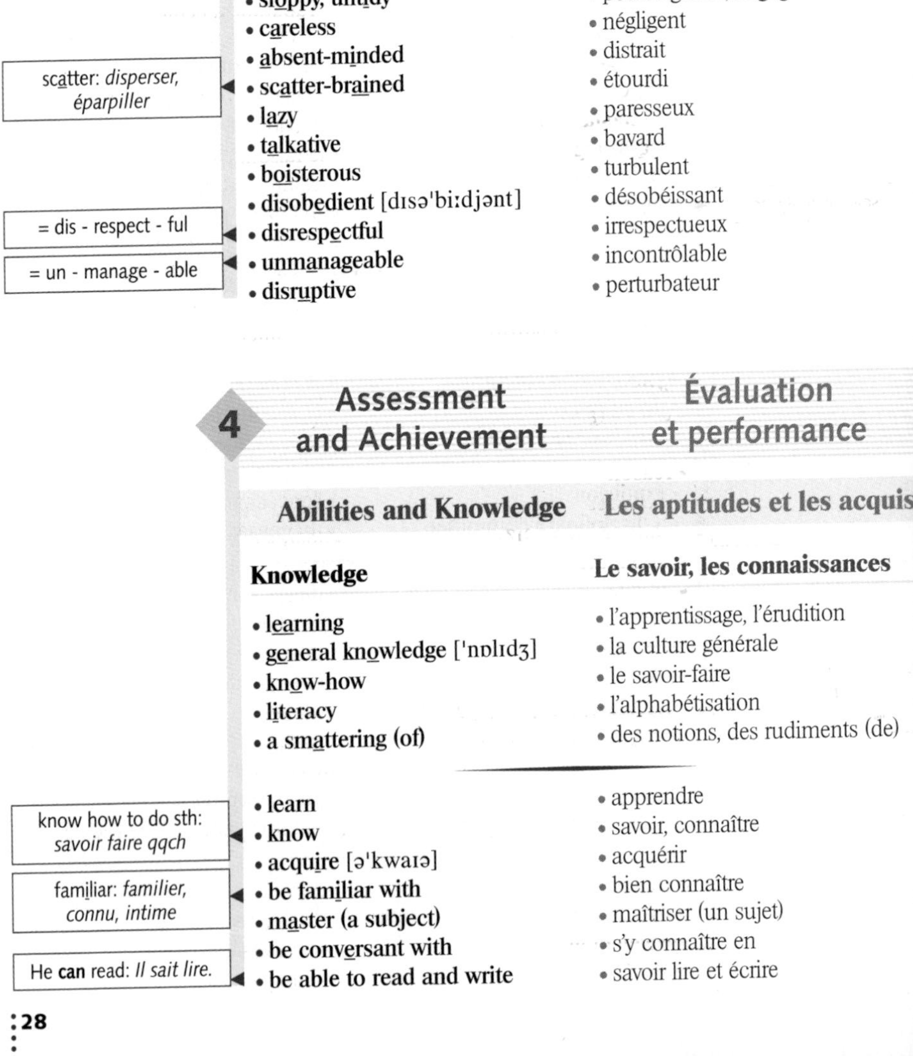

4 Assessment and Achievement — Évaluation et performance

Abilities and Knowledge — Les aptitudes et les acquis

Knowledge — Le savoir, les connaissances

	• learning	• l'apprentissage, l'érudition
	• general knowledge ['nɒlɪdʒ]	• la culture générale
	• know-how	• le savoir-faire
	• literacy	• l'alphabétisation
	• a smattering (of)	• des notions, des rudiments (de)
	• learn	• apprendre
know how to do sth: *savoir faire qqch*	• know	• savoir, connaître
	• acquire [ə'kwaɪə]	• acquérir
familiar: *familier, connu, intime*	• be familiar with	• bien connaître
	• master (a subject)	• maîtriser (un sujet)
	• be conversant with	• s'y connaître en
He **can** read: *Il sait lire.*	• be able to read and write	• savoir lire et écrire

	• reach (a level)	• atteindre (un niveau)
	• achieve (an objective)	• atteindre (un objectif)

= knowledge - able	• knowledgeable	• savant
	• learned ['lɜːnɪd]	• instruit, savant
	• educated, well-read [red]	• cultivé
	• skilled, qualified	• qualifié
	• competent	• compétent
	• well-rounded	• qui a reçu une éducation complète

Abilities / Les capacités

	• concentration	• la concentration
	• hard work	• le travail sérieux
(!) a **memory** from Ireland: *un **souvenir** d'Irlande*	• memory	• la mémoire
	• memorization	• la mémorisation
	• autonomy	• l'autonomie
	• a skill, a competence	• une compétence
	reading skills	l'aptitude à la lecture
	writing skills	l'aptitude à écrire
	reasoning skills	l'aptitude au raisonnement
	• literacy	• l'alphabétisation
	illiteracy	l'analphabétisme, l'illettrisme
	• understanding	• la compréhension
	• reasoning	• le raisonnement
	• interpretation	• l'interprétation
several analy**ses**	• analysis [ə'næləsɪs]	• l'analyse
	• a demonstration	• une démonstration

	• concentrate on, focus on	• se concentrer sur
	• decipher [dɪ'saɪfə]	• déchiffrer
	• read [riːd]	• lire
	• write	• écrire, rédiger
	• understand	• comprendre
	• grasp	• saisir, comprendre
	• reason	• raisonner
	• interpret	• interpréter
(US) analyze	• analyse ['ænəlaɪz]	• analyser
	• anticipate	• anticiper
	• induce, infer	• induire
	• deduce	• déduire
	• demonstrate	• démontrer
	• count	• compter
compute with a **computer**	• calculate, compute, reckon	• calculer
	• carry out (an experiment)	• exécuter, réaliser (une expérience)

	• literate	• qui sait lire et écrire
	• numerate ['njuːmərɪt]	• qui sait compter
	• logical	• logique
	• good at	• bon en
	• proficient at	• très bon en, fort en
	• excellent at	• excellent en
a gift: *un don*	• gifted (for)	• doué (pour)

	• clever, bright, intelligent	• intelligent
	• sharp	• vif
	• able	• capable

Assessment — L'évaluation

academic standards: *le niveau scolaire*	• a level, a standard	• un niveau
entrance requirements: *le niveau d'entrée*	• a requirement	• un niveau requis
	• the IQ (intellectual quotient)	• le Q.I. (quotient intellectuel)
	• a paper	• un devoir
	an examination paper	une copie, un sujet d'examen
	• a test	• un contrôle, un test
(US) a practice test	a mock exam (Brit.)	un examen blanc
	an oral/written test	un examen oral/écrit
	• an assessment	• un bilan, une évaluation
a competitive exam: *un concours*	• an examination, an exam	• un examen
	• a candidate	• un candidat
academic results: *les résultats scolaires*	• a performance	• un résultat
	• a score	• une note, un résultat
(US) a grade	• a (good/bad) mark	• une (bonne/mauvaise) note (à)
an average student: *un élève moyen*	the average mark	la moyenne
	• a school report, a report card	• un bulletin scolaire
	• a diploma, a degree	• un diplôme
	a pass degree	un diplôme sans mention

	• assess, rate	• évaluer
	• test	• tester
	• examine	• interroger
(US) grade	• mark	• noter, attribuer une note (à)
	• award (a diploma)	• décerner (un diplôme)
	• prepare for an exam	• se préparer à un examen
	• cram (coll.)	• bachoter
	• take an exam	• passer un examen
	• stand for/sit for an exam	• se présenter à un examen
	• hand in a paper	• rendre/remettre un devoir
Ph.D. = Philosophiae Doctor *(doctorat d'État)*	• defend a Ph.D.	• soutenir une thèse

Achievement — La réussite

graduation-day: *le jour de la remise des diplômes*	• graduation	• l'obtention d'un diplôme
	a graduate	un diplômé
	a high-school graduate	un bachelier
	an undergraduate	un étudiant (pas encore diplôm
	a post-graduate student	≈ un étudiant de troisième cycle
a Shakespeare scholar: *un spécialiste de Shakespeare*	• a scholar ['skɒlə]	• un érudit, un spécialiste
	• a high achiever	• ≈ qqn qui réussit, un gagneur
	an academic achiever	un élève brillant
	• a whizz-kid (coll.)	• un enfant surdoué, un phénomèn
a worm: *un ver*	• a bookworm (coll.)	• un rat de bibliothèque

	• pass an exam	• réussir un examen
	• graduate	• ≈ obtenir son diplôme

	• **get, obtain a degree**	• obtenir un diplôme
	• **achieve (a result)**	• obtenir, arriver à (un résultat)
	• **do well**	• bien réussir
	• **manage** ['mænɪdʒ] **to do sth**	• arriver/réussir (à faire qqch)
He succeeded in graduating from Harvard.	• **succeed in (doing sth)**	• réussir à (faire qqch)
	• **succeed at (a test)**	• réussir à (un test)
	• **be successful**	• réussir
sail through with flying colours: *réussir avec les honneurs*	• **sail through (coll.)**	• réussir avec aisance/haut la main
	• **be a credit to**	• faire honneur à
	• **shine at**	• briller en, être brillant en
	• **shine through**	• éclater au grand jour
	• **win a scholarship**	• obtenir une bourse

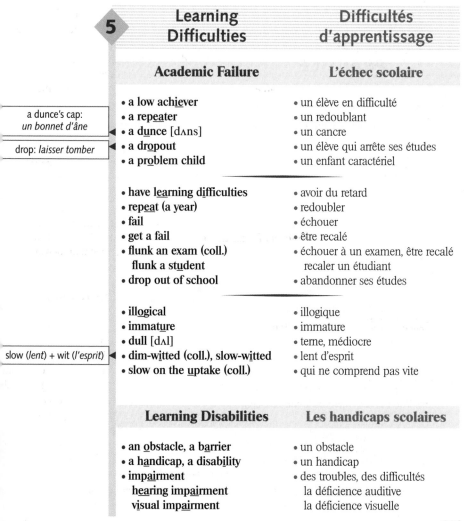

5 Learning Difficulties — Difficultés d'apprentissage

Academic Failure — L'échec scolaire

a dunce's cap: *un bonnet d'âne*	• **a low achiever**	• un élève en difficulté
	• **a repeater**	• un redoublant
	• **a dunce** [dʌns]	• un cancre
drop: *laisser tomber*	• **a dropout**	• un élève qui arrête ses études
	• **a problem child**	• un enfant caractériel
	• **have learning difficulties**	• avoir du retard
	• **repeat (a year)**	• redoubler
	• **fail**	• échouer
	• **get a fail**	• être recalé
	• **flunk an exam (coll.)** **flunk a student**	• échouer à un examen, être recalé recaler un étudiant
	• **drop out of school**	• abandonner ses études
	• **illogical**	• illogique
	• **immature**	• immature
	• **dull** [dʌl]	• terne, médiocre
slow (*lent*) + wit (*l'esprit*)	• **dim-witted (coll.), slow-witted**	• lent d'esprit
	• **slow on the uptake (coll.)**	• qui ne comprend pas vite

Learning Disabilities — Les handicaps scolaires

• **an obstacle, a barrier**	• un obstacle
• **a handicap, a disability**	• un handicap
• **impairment** **hearing impairment** **visual impairment**	• des troubles, des difficultés la déficience auditive la déficience visuelle

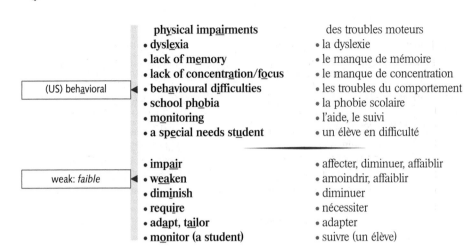

	physical impairments	des troubles moteurs
	• dyslexia	• la dyslexie
	• lack of memory	• le manque de mémoire
	• lack of concentration/focus	• le manque de concentration
(US) behavioral	• behavioural difficulties	• les troubles du comportement
	• school phobia	• la phobie scolaire
	• monitoring	• l'aide, le suivi
	• a special needs student	• un élève en difficulté

	• impair	• affecter, diminuer, affaiblir
weak: *faible*	• weaken	• amoindrir, affaiblir
	• diminish	• diminuer
	• require	• nécessiter
	• adapt, tailor	• adapter
	• monitor (a student)	• suivre (un élève)

PRACTICE

4 Word-formation: Formation des mots

Using the following prefixes : un- , il- , dis- , non-, give the opposite of the adjectives listed below.

a. literate
b. educated
c. respectful
d. academic
e. logical
f. forgettable
g. able

5 Beware of False Friends: Attention aux faux amis

Translate the following sentences.

a. That was a very exciting lecture!
b. David will go to college next year.
c. British public schools are renowned for their academic results.
d. Here, students' achievement is a priority.
e. Degrees and prizes will be awarded in June.
f. The facilities have been modernized.

6 Readers'Corner: Le coin lecture

Put this story back into the right order.

a. "They are moved by a story I have been telling them. We are having a history lesson," said Miss Brodie, catching a falling leaf neatly in her hand as she spoke.

b. The story of Miss Brodie's felled fiancé was well on its way when the headmistress, Miss Mackay, was seen to approach across the lawn. Tears had already started to drop from Sandy's little pig-like eyes and Sandy's tears now affected her friend Jenny [...].
c. "If anyone comes along," said Miss Brodie, "in the course of the following lesson, remember that it is the hour for English grammar. Meantime I will tell you a little of my life when I was younger than I am now." [...]
She leaned against the elm. [...]
d. "Crying over a story at ten years of age!" said Miss Mackay [...]. "I am only come to see you and I must be off. Well, girls, the new term has begun. I hope you all had a splendid summer holiday and I look forward to seeing your splendid essays on how you spent them. You shouldn't be crying over history at the age of ten. My word!"
e. "I am come to see you and I have to be off," (said Miss Mackay). "What are you little girls crying for?"
f. "I was engaged to a young man at the beginning of the War[1] but he fell on Flanders' Field,[2]" said Miss Brodie. [...] "He fell the week before Armistice was declared. [...] He was poor. He came from Ayrshire, a countryman, but a hard-working and clever scholar." [...]

from *The Prime of Miss Jean Brodie*, by Muriel Spark (1961)

1. The War: World War I
2. Flanders' Field: *La Bataille des Flandres*

▶ **Corrigés page 410** ◀

The Contemporary Context

Primary and secondary schools

Écoles primaires et secondaires

Types d'écoles :

- **Comprehensive school (Brit.):** école publique secondaire polyvalente.
- **Grammar school (Brit.):** lycée classique ; à l'origine, la grammaire latine y tenait une place importante, d'où l'appellation "grammar school".
- **Public school (Brit.):** école privée, ancienne et sélective qui accueille des élèves de 11 à 18 ans. **Eton** est la plus célèbre de ces institutions ; située à proximité de Windsor, elle a formé de nombreux hommes d'État.
- **Inner-city school (Brit. and US):** établissement de centre-ville, situé dans une zone sensible.
- **A magnet school** (*magnet:* aimant): une école pilote.

Pratiques :

- **assembly:** assemblée de tous les élèves avant les cours du matin, devant laquelle sont abordés des sujets d'actualité ou des questions morales (soit quotidiennement, soit occasionnellement, selon les écoles).
- **bussing** (ou **busing) (US):** le ramassage scolaire en bus, permettant aux élèves de gagner des écoles assez éloignées de leur domicile ; visant à favoriser la déségrégation et éviter l'effet ghetto.

Higher Education

L'enseignement supérieur

In Great Britain

- **Cambridge University,** fondée au XIIIe siècle, comprend aujourd'hui 28 "colleges".
  – **punts and punting:** respectivement les bateaux plats et leur maniement sur la rivière, activité très populaire à Cambridge.
  – **the River Cam:** la rivière qui borde les plus anciens "colleges".
- **Oxford University,** fondée au XIIe siècle, comprend aujourd'hui 35 "colleges".
- **Oxbridge:** mot-valise désignant les universités d'Oxford et de Cambridge.

In the United States

- **Junior college:** établissement qui prépare à l'entrée à l'Université les élèves qui n'ont pas le niveau requis à la sortie du lycée.
- **The Ivy League (the Ivies)** (la "ligue du lierre"): grandes universités du Nord-Est, surnommées ainsi à cause du lierre recouvrant leurs vieux bâtiments. En font notamment partie Harvard (Cambridge, Massachusetts, fondée en 1636), Yale (New Haven, Connecticut, fondée en 1701) et Princeton (Princeton, New Jersey, fondée en 1746).
  – **to go Ivy League:** s'inscrire à l'une de ces prestigieuses universités.
  – **an Ivy Leaguer:** un étudiant appartenant à l'une de ces **Ivies**. Par extension, le qualificatif "Ivy League" équivaut à "B.C.B.G." pour désigner la mentalité et le comportement prêtés à ces étudiants.
- Universités californiennes :
  – **University of California** à Los Angeles (UCLA), université publique.
  – **University of Berkeley,** université publique.
  – **Stanford University,** Stanford (Californie), université privée.

Diplomas
Les diplômes

In Great Britain:

- **O-level (Ordinary level):** ancien examen/diplôme passé au lycée en fin de seconde.
- **GCSE (General Certificate of Secondary Education):** diplôme délivré à la fin de l'année de seconde et qui a remplacé le "O-level".
- **A-level (Advanced level):** examen/diplôme équivalent du Baccalauréat.

In Great Britain and in the United States:

- **a BA (a Bachelor of Arts):** équivalent d'une licence-ès-lettres.
- **a BSc (a Bachelor of Science):** équivalent d'une licence-ès-sciences.
- **an MA (a Master's degree):** équivalent d'une maîtrise.
- **an MBA (a Master of Business Administration):** maîtrise de gestion.
- **a Ph.D (Doctor of Philosophy):** doctorat.

Idioms and Colourful Expressions

Focus on School

- **a school of thought:** une école de pensée.
- **a school (of fish or aquatic animals):** un banc (de poissons ou d'animaux marins).
- **a person of the old school:** une personne de la vieille école.
- **to school a horse:** dresser un cheval.
- **to go to the school of hard knocks:** aller à l'école de la vie.
- **school-leavers:** nouveaux bacheliers en quête d'emploi.

Focus on American School Words

- **a freshman:** un étudiant de première année (lycée ou université).
- **a sophomore:** un étudiant de deuxième année (lycée ou université).
- **a junior:** un étudiant de troisième année (lycée ou université).
- **a senior:** un étudiant de quatrième année (lycée ou université).
- **a preppy/preppie:** un élève issu d'un lycée privé *(a preparation school)* ; par extension : à l'allure B.C.B.G.
- **a sorority:** un cercle d'étudiantes.
- **a fraternity:** un cercle d'étudiants ; ces associations sélectives portent des noms formés de 2 ou 3 lettres grecques (ex: Sigma Phi, Alpha Kappa Gamma...).
- **the campus:** le terrain et les bâtiments d'une université.
- **off-campus:** tout ce qui a lieu en dehors du campus.
- **the class of 2000:** la promotion diplômée en 2000.
- **to take honours French:** se spécialiser en français, prendre "français renforcé".

Sayings and Proverbs

- **Don't tell tales out of school:** Il faut savoir tenir sa langue.
- **One is never too old to learn:** Il n'est jamais trop tard pour s'instruire.
- **You can't teach an old dog new tricks:** Il est difficile de changer les vieilles habitudes.

Politics and Citizenship
La politique et la citoyenneté

1 Political Regimes — Les régimes politiques

The State — L'État

• a government ['gʌvnmənt]	• un gouvernement
• a statesman	• un homme d'État
• a head of state	• un chef d'État
• a leader, a ruler	• un dirigeant
• a president	• un président
• a citizen	• un citoyen
• a national	• un ressortissant
• a country ['kʌntrɪ]	• un pays
• a nation	• une nation
• a nation-state	• un État-nation
• a (con)federation	• une (con)fédération

• govern ['gʌvn]	• gouverner
• rule/lead/run a country	• diriger/gouverner un pays

(irr.) I led, I have led

• national	• national
• (con)federal	• (con)fédéral
• (con)federate	• (con)fédéré
• in power ['paʊə]	• en place, au pouvoir

Democracy and Republic — La démocratie et la république

• direct democracy	• la démocratie directe
• representative democracy	• la démocratie représentative
• a people's republic/democracy	• une république/démocratie populaire
• legitimacy	• la légitimité
• separation of powers	• la séparation des pouvoirs
• pluralism	• le pluralisme
• the constitution	• la constitution
• human rights	• les droits de l'homme
• civil rights	• les droits civiques
• liberty, freedom	• la liberté
• equality	• l'égalité
• fraternity	• la fraternité
• a Democrat	• un démocrate
• a Republican	• un républicain

• democratic	• démocratique
• republican	• républicain
• presidential	• présidentiel
• legitimate	• légitime

Monarchy / La monarchie

His/Her Royal Majesty: *Son Altesse Royale*

a realm: *un royaume (sens figuré)*

(US) scepter

(!) destitution: *le dénuement*

my Lord: *mon Seigneur*
the Lord: *le Seigneur (Dieu)*

milady (= my lady): *votre grâce*

• **a monarch, a sovereign**	• un monarque, un souverain
• **the Royal Family**	• la famille royale
• **a king, a queen**	• un roi, une reine
• **a kingdom**	• un royaume
• **royalty**	• la royauté
• **a coronation**	• un couronnement, un sacre
• **the Crown**	• la Couronne
• **the throne**	• le trône
• **the sceptre**	• le sceptre
• **the reign**	• le règne
• **abdication**	• l'abdication
• **deposition**	• la destitution
• **a prince, a princess**	• un prince, une princesse
• **the heir apparent** [eə]	• l'héritier présomptif
• **the heiress** ['eərɪs]	• l'héritière
• **a duke, a duchess**	• un duc, une duchesse
• **a count/an earl, a countess**	• un comte, une comtesse
• **a baron, a baroness**	• un baron, une baronne
• **a peer**	• un pair
peerage	la pairie
• **an aristocrat**	• un aristocrate
the aristocracy	l'aristocratie
• **a nobleman, a noblewoman**	• un noble, une noble
the nobility	la noblesse
the gentry	la petite noblesse
• **a lord**	• un seigneur
• **a lady**	• une dame
• **a squire** ['skwaɪə]	• un châtelain
• **a subject**	• un sujet

• **reign (over)**	• régner (sur)
• **abdicate**	• abdiquer
• **usurp** [juː'zɜːp]	• usurper
• **succeed somebody**	• succéder à quelqu'un
• **depose (a king)**	• déposer, détrôner (un roi)

• **royal**	• royal, du roi
• **regal** ['riːgl]	• royal, majestueux
• **kingly**	• royal, d'apparence royale
• **aristocratic**	• aristocratique
• **noble**	• noble
• **by divine right**	• de droit divin

Other Types of Absolute Power / Autres types de pouvoir absolu

• **imperialism**	• l'impérialisme
• **an empire**	• un empire

an emperor, an empress	un empereur, une impératrice
• **a sultan**	• un sultan
• **an emir**	• un émir
• **a sheik(h)**	• un cheik
• **a warlord** ['wɔːlɔːd]	• un seigneur de guerre
• **despotism**	• le despotisme
a despot	un despote
• **tyranny**	• la tyrannie
a tyrant ['taɪərənt]	un tyran
• **a dictatorship**	• une dictature
a dictator	un dictateur
• **a military junta** ['dʒʌntə]	• une junte militaire
• **a coup** [kuː]	• un coup d'État
a coupster	un participant à un coup d'État
• **a putsch**	• un putsch
a putschist	un putschiste
• **a police state**	• un État policier
• **full powers** ['paʊəz]	• les pleins pouvoirs

foment/attempt a coup: *fomenter/faire une tentative de coup d'État*

the state police: *la police d'État*

• **imperial**	• impérial
• **tyrannic(al)**	• tyrannique
• **dictatorial**	• dictatorial
• **totalitarian**	• totalitaire

Political Doctrines and Trends / Doctrines et tendances politiques

• **anarchy** ['ænəkɪ]	• l'anarchie
an anarchist	un anarchiste
• **conservatism**	• le conservatisme
• **Christian democracy**	• la démocratie chrétienne
• **communism**	• le communisme
class struggle	la lutte des classes
• **fascism**	• le fascisme
• **the Labour doctrine** ['leɪbə]	• le travaillisme
• **monarchism**	• le monarchisme
• **national socialism**	• le national-socialisme
• **Nazism** ['nɑːtsɪzəm]	• le nazisme
• **radicalism**	• le radicalisme
• **royalism**	• le royalisme
• **socialism**	• le socialisme

(GB) the Conservative Party: *le Parti conservateur*

(GB) the Labour Party: *le Parti travailliste*

• **conservative**	• conservateur
• **Labour**	• travailliste
• **fascist**	• fasciste
• **left-wing, right-wing**	• de gauche, de droite
• **reactionary**	• réactionnaire
• **progressive**	• progressiste
• **revolutionary**	• révolutionnaire
• **moderate**	• modéré
• **extremist**	• extrémiste

Political Life and Elections — La vie politique et les élections

Party Structures — Les structures du parti

• **the ruling party**	• le parti au pouvoir, la majorité
an alliance [ə'laɪəns]	une alliance
• **an opposition party**	• un parti d'opposition
• **a splinter party**	• un parti dissident
political dissidence	la dissidence
a political dissenter	un dissident
a cleavage ['kliːvɪdʒ]	une division
a split, a rift	une scission
• **a manifesto**	• un manifeste
• **a platform**	• un programme
• **ideology** [aɪdɪ'ɒlədʒɪ]	• l'idéologie
an ideologist	un idéologue
• **financing**	• le financement
• **a slush fund**	• une caisse noire
• **the party members**	• les membres du parti
party membership	l'adhésion à un parti
• **the leadership**	• la direction
a party leader	un chef de file
a party official	un responsable du parti
• **a reformist**	• un réformateur
• **the rank-and-file**	• la base
• **activism**	• le militantisme
an activist	un militant
• **a party cell**	• une cellule du parti
• **a party congress/conference**	• un congrès du parti

a splinter: *un éclat, une écharde*

an apparatchik: *un apparatchik*

• **found (a party)**	• fonder (un parti)
• **finance**	• financer
• **join (a party)**	• adhérer (à un parti)
• **claim a membership of**	• revendiquer un effectif de
• **reform**	• réformer
• **hand out (pamphlets, tracts)**	• distribuer (des tracts)

(!) found (*fonder*) ≠ find (*trouver*)

Political Opinion — L'opinion politique

• **a political leaning**	• une tendance politique
• **a stance, a position**	• une position, une opinion
• **the left wing**	• la gauche
• **the right wing**	• la droite
• **the centre**	• le centre
• **a sympathizer** ['sɪmpəθaɪzə]	• un sympathisant
• **(a) support**	• un soutien
• **approval/disapproval**	• l'approbation/la désapprobation
• **agreement/disagreement**	• l'accord/le désaccord
• **a complaint**	• une doléance

a wing: *une aile*

(US) center

	• **a clash**	• un affrontement
a bone: *un os*	• **a quarrel, a bone of contention**	• une querelle, une pomme de discorde
a hard-liner: *un pur et dur*	• **hard-line approach**	• le jusqu'au-boutisme
	• **a swing to (the left)**	• un virage à (gauche)
(!) a U-turn: *un demi-tour*	• **a turnabout, a turnaround**	• une volte-face
	• **political dissent**	• la dissension politique

	• **advocate**	• préconiser
	• **urge** [ɜːdʒ]	• inciter
	• **back, support**	• soutenir
	• **defend**	• défendre
	• **take sides with, side with**	• prendre parti pour
	• **(dis)approve (of something)**	• (dés)approuver (qqch)
	• **(dis)agree (with)**	• (ne pas) être d'accord (avec)
	• **dispute**	• contester
	• **question** ['kwestʃən]	• mettre en doute
	• **contradict**	• contredire
	• **oppose (something)**	• s'opposer (à quelque chose)
	• **complain**	• se plaindre
	• **protest**	• protester
	• **lodge a protest**	• protester solennellement
(irr.) I swung, I have swung	• **swing to (the right)**	• virer à (droite)
	• **back-pedal**	• faire marche-arrière
soften, make soft: *adoucir, rendre doux*	• **soften an opinion**	• nuancer une opinion
harden, make tough: *durcir, rendre dur*	• **toughen a position** ['tʌfn]	• durcir une position
	• **disown**	• renier, désavouer
	• **criticize**	• critiquer
	• **challenge**	• remettre en question, contester
	• **condemn**	• condamner

Elections — Les élections

Electoral Systems — Les systèmes électoraux

	• **direct/indirect/universal suffrage**	• le suffrage direct/indirect/universel
	• **a referendum**	• un référendum
	• **a plebiscite**	• un plébiscite
	• **a voting system**	• un système électoral
	• **the list system**	• le système du scrutin de liste
	• **a flexible list**	• une liste panachée
	• **a one-round proportional system**	• une proportionnelle à un tour
	• **a secret ballot**	• un vote à bulletin secret
	• **a representative**	• un représentant
	• **(in)eligibility**	• l'(in)éligibilité
(US) Primaries: *les élections primaires*	• **the presidential election**	• les élections présidentielles
	• **general elections**	• les élections législatives
	• **local elections**	• les élections municipales
	• **multi-party elections**	• les élections multipartites
	• **a direct election**	• une élection au suffrage direct
	• **a two-stage/a two-tier election**	• une élection à deux tours
several bases	• **an election on a majority basis**	• une élection au scrutin majoritaire

• a by-election	• une élection partielle
• a cross-party/a coalition majority	• une majorité de coalition
• an election reform	• une réforme électorale

• call an election	• appeler aux urnes
• call an early election	• organiser des élections anticipées

The Election Campaign / La campagne électorale

an out-party candidate: *un candidat sans étiquette*

the rabble: *la populace*

• a constituency, a district	• une circonscription
• a candidacy	• une candidature
a candidate	un candidat
• a spin doctor	• un conseiller en communication
• a rabble rouser	• un harangueur (de foules)
• a debater	• ≈ un spécialiste du débat
a (TV) debate	un débat (télévisé)
• a rival, an opponent	• un rival
rivalry	la rivalité
• a contestant, a contender	• un concurrent
a contest	une lutte
• a campaigner	• un militant/candidat en campagne
• an opinion poll	• un sondage d'opinion
• the popularity rating	• la cote de popularité

• run for office	• se présenter à des élections
• stand as candidate	• se porter candidat
• campaign [kæm'peɪn]	• faire campagne
• launch a campaign	• lancer une campagne
• canvas a district	• faire du porte à porte électoral
• press the flesh	• prendre un bain de foule
• make a speech	• faire un discours
• woo voters	• flatter, courtiser les électeurs
• compete with sb for power	• rivaliser avec qqn pour le pouvoir
• challenge somebody	• défier quelqu'un
• contest a seat	• (se) disputer un siège

• sitting	• sortant (susceptible d'être réélu)
• outgoing	• sortant (non réélu)

Balloting / Le scrutin

protest: *la contestation*

• the electorate	• l'électorat
• an electoral roll	• une liste électorale
• a constituent	• un électeur de la circonscription
• a voter	• un électeur
• an abstainer	• un abstentionniste
• the voting age	• l'âge légal autorisant à voter
• a vote	• un vote, un suffrage, une voix
a proxy vote	un vote par procuration
a useful vote	un vote utile
a protest vote	un vote de protestation
a blank vote	un vote blanc
• the first/second ballot	• le 1er/2nd tour (de scrutin)

	• a round of voting/balloting	• un tour de scrutin
	the first round (of elections)/ballot	le premier tour (de scrutin)
	the run-off/the second round	le second tour
	• a ballot (paper)	• un bulletin de vote
	• a voting booth/polling booth (Brit.)	• un isoloir
	• a ballot box	• une urne (électorale)
	• the counting (of the votes)	• le dépouillement
	• the turnout	• la participation
	• abstention	• l'abstention
	the abstention rate	le taux d'abstention
	• over-representation	• la sur-représentation
	• under-representation	• la sous-représentation
	• electoral fraud [frɔːd]	• la fraude électorale
a landslide: *un glissement de terrain*	• a (landslide) victory	• une victoire (écrasante)
	• a defeat	• une défaite
	• relative majority	• la majorité relative
	• overall/absolute majority	• la majorité absolue
	• the silent majority	• la majorité silencieuse

	• be on the electoral roll/ be registered to vote	• être inscrit sur les listes électorales
	• take a ballot	• procéder à un scrutin
	• vote by proxy	• voter par procuration
	• go to the polls	• aller aux urnes
	• turn out	• participer
	• choose	• choisir
	• elect	• élire
	• abstain	• être abstentionniste
(!) rigging, rigged	• rig	• truquer
	• bribe	• soudoyer, suborner
stuff: *remplir, garnir*	• stuff ballot boxes	• bourrer les urnes
a gag: *un bâillon*	• gag the opposition	• bâillonner l'opposition
	• supervise, monitor	• superviser, contrôler
	• invalidate	• invalider
	• obtain a majority	• obtenir la majorité
	• win (over) 50% of the votes	• remporter (+ de) 50 % des voix
	• win the election	• remporter les élections
	• win office	• être élu à un poste
	• come into office/power	• arriver au pouvoir

3 Legislative Power — Le pouvoir législatif

Parliament — Le Parlement

Parliamentary Practices — Les pratiques parlementaires

	• the parliamentary season	• la saison parlementaire
	• a parliamentary session	• une session parlementaire
	• a parliamentary sitting	• une séance parlementaire
(!) *un agenda* : a diary	• the agenda	• l'ordre du jour

• the Constitution	• la Constitution	
• a Member of Parliament	• un parlementaire	(abbreviation) an MP
parliamentary privilege	l'immunité parlementaire	
• a speech	• un discours	
• a spokesman, a spokeswoman	• un(e) porte-parole	several spokesmen/spokeswomen
• a statement	• une déclaration	
• the proceedings	• les délibérations	
• parliamentary debates	• les débats parlementaires	
• a discussion	• une discussion	
• a controversy	• une controverse	
• an issue ['ɪʃuː]	• un sujet de débat	a much-debated issue: *un sujet fort controversé*
• a proposal	• une proposition	
• opposition	• l'opposition	
• a veto ['viːtəʊ]	• un véto	
• an adjournment	• un ajournement	
• a dissolution	• une dissolution	
• recess	• les vacances parlementaires	

• reconvene Parliament	• rouvrir la session parlementaire
• summon a session	• convoquer le Parlement
• be sitting	• être en session
• make a speech	• prononcer un discours
• state	• déclarer
• debate (a proposition)	• débattre (d'une proposition)
• discuss (a point)	• discuter/débattre (d'un problème)
• come under discussion	• faire l'objet d'un débat
• veto ['viːtəʊ]	• mettre son véto sur
• adjourn [ə'dʒɜːn]	• ajourner
• dissolve Parliament	• dissoudre l'Assemblée
• recess	• suspendre la séance

The British Parliament / Le parlement britannique

• the House of Commons	• la Chambre des communes
• the House of Lords	• la Chambre des Lords
a Lord, a Peer	un Lord, un Pair

The American Parliament / Le parlement américain

• Congress	• le Congrès	
a Congressman/Congresswoman	un membre du Congrès	several Congressmen/Congresswomen
• the House of Representatives	• la Chambre des députés	
a Representative	un représentant	
• the Senate	• le Sénat	
a Senator	un sénateur	

The French Parliament / Le parlement français

• the Chamber of Deputies	• la Chambre des députés
a deputy	un député
• the National Assembly	• l'Assemblée nationale
• the Senate	• le Sénat
a senator	un sénateur

Law in the Making — L'élaboration des lois

	• Law commission	• la commission des Lois
(US) a lawmaker	• a lawgiver, a legislator	• un législateur
	• a draft	• un avant-projet de loi
	• a bill	• un projet de loi
	• a reform	• une réforme
	• a law [lɔː]	• une loi
	a law against (smoking)	une loi interdisant (de fumer)
	a law on (crime)	une loi sur (la délinquance)
	• an Act of Parliament	• une loi (adoptée par le Parlement
	a motion	une motion, une proposition
	a motion of censure	une motion de censure
	an article	un article
	a provision	une disposition
	an amendment	un amendement
	• a decree	• un décret
	• an ordinance, an order	• une ordonnance, un arrêté
a lobby: *un couloir (qu'arpentent les groupes de pression)*	• a lobby/a pressure group	• un lobby, un groupe de pression
	lobbying	le lobbying
	• a petition	• une requête, une pétition
	• the repeal of a law	• l'abrogation d'une loi

	• draft a law/bill	• rédiger un avant-projet de loi
	• sponsor a bill	• introduire un projet de loi
	• take a vote	• procéder à un vote
	• pass a bill/a law	• adopter un projet de loi/une loi
	• amend	• amender
	• present a petition (to)	• soumettre une demande (à)
	• oppose a bill	• s'opposer à un projet de loi
	• filibuster ['fɪlɪbʌstə]	• faire de l'obstruction parlementaire
	• defeat a bill	• rejeter un projet de loi
(irr.) I withdrew, I have withdrawn	• withdraw a bill	• retirer un projet de loi
he lobb**ied**, he is lobby**ing**	• lobby	• faire pression
	• repeal a law	• abroger une loi

4 Executive Power — Le pouvoir exécutif

Governments — Les gouvernements

General Structures — Les structures générales

(US) the Administration	• the government	• le gouvernement
	a majority/minority government	un gouvernement majoritaire/minoritaire
	• the executive	• l'exécutif
(US) a secretary	• a minister	• un ministre
	• a State Secretary	• un Secrétaire d'État

• a governor (US)	• un gouverneur
• local government	• l'administration locale
decentralization	la décentralisation
regionalization	la régionalisation
a county/regional council	un conseil régional
• the local authorities	• les autorités locales
• the town hall	• la mairie, l'hôtel de ville
• a mayor ['meə]	• un maire
the town council	le conseil municipal
a town councillor	un conseiller municipal
• an assembly	• une assemblée
• a meeting	• une réunion
• a committee	• un comité
• a commission	• une commission
• a government employee	• un fonctionnaire
• a (senior) civil servant, a (top) government official	• un (haut) fonctionnaire
• an appointment	• une nomination
• a reshuffle	• un remaniement
• a policy	• une politique

(US) the city hall

(US) the municipal corporation

(US) a city councilman/councilwoman

• run a government	• diriger un gouvernement
• appoint	• nommer
• enter/join the government	• entrer au gouvernement
• reshuffle	• remanier
• dismiss a minister	• limoger un ministre
• resign	• se retirer, démissionner

The Budget / Le budget

• the economic policy	• la politique économique
• taxation	• l'imposition, les contributions
tax(es)	les impôts
tax levy	le prélèvement fiscal
income tax	l'impôt sur le revenu
property tax	l'impôt foncier
wealth tax	l'impôt sur la fortune
a tax break/cut	un avantage fiscal
tax exemption	l'exonération d'impôt
• the tax office	• le fisc
• a taxpayer	• un contribuable
a tax-evader, a tax-dodger	un fraudeur fiscal
• VAT (Brit.), sales tax (US)	• la T.V.A.
• duties	• les taxes douanières
• a tax haven	• un paradis fiscal

(!) economical = cheap *(bon marché)*

a(n income) tax return: *une déclaration de revenus*

(GB) Inland Revenue, (US) Internal Revenue

VAT: Value Added Tax

a haven: *un refuge, un havre/un port*

• levy/collect taxes	• prélever/percevoir des impôts
• pay taxes	• payer des impôts
• dodge/evade taxes	• frauder le fisc

The British Government / Le gouvernement britannique

• the Prime Minister (PM)	• le Premier ministre
• the Cabinet	• le Cabinet

• the Lord Chancellor the Lord Chancellor's Office	• le ministre de la Justice le ministère de la Justice
• the Chancellor of the Exchequer	• le chancelier de l'Échiquier
• the Treasury	• le Trésor
• the Foreign Office ['fɒrən]	• le ministère des Affaires étrangères
• the Department of Health [helθ]	• le ministère de la Santé
• the Home Secretary ['sekrətrɪ] the Home Office	• le ministre de l'Intérieur le ministère de l'Intérieur
• the Shadow Cabinet the Shadow Foreign Secretary	• le Cabinet fantôme (de l'opposition le porte-parole de l'opposition sur les affaires étrangères

équivalent du ministre des Finances (the Chancellor of the Exchequer)

a shadow: *une ombre*

The American Government / Le gouvernement américain

• the Cabinet	• le Cabinet
• the Attorney General [ə'tɜːnɪ]	• ≈ le ministre de la Justice
• the Secretary of the Treasury the Treasury Department	• le ministre des Finances le Trésor
• the State Secretary/Secretary of State the State Department	• le ministre des Affaires étrangères le ministère des Affaires étrangère

The French Government / Le gouvernement français

• the Premier, the Prime Minister	• le Premier ministre
• the Council of Ministers	• le Conseil des ministres
• the Minister/Ministry of Agriculture	• le ministre/ministère de l'Agricultur
• the Minister/Ministry of Culture	• le ministre/ministère de la Cultur
• the Minister/Ministry of Defence	• le ministre/ministère de la Défense
• the Minister/Ministry of Education	• le ministre/ministère de l'Éducation nationale
• the Minister/Ministry of Employment	• le ministre/ministère du Travail
• the Minister/Ministry of Environment	• le ministre/ministère de l'Environnement
• the Minister/Ministry of Finance	• le ministre/ministère de l'Économie et des Finances
• the Minister/Ministry of Foreign Affairs	• le ministre/ministère des Affaires étrangères
• the Minister/Ministry of Health	• le ministre/ministère de la Santé
• the Minister/Ministry of the Interior	• le ministre/ministère de l'Intérieu
• the Minister/Ministry of Justice	• le ministre/ministère de la Justice
• the Minister/Ministry of Research	• le ministre/ministère de la Recherche
• the Minister/Ministry of Trade	• le ministre/ministère du Commerc
• a Minister without portfolio, a senior minister	• un ministre d'État

The Police / La police

• the police force	• les forces de police
• a squad the crime squad	• une brigade la brigade criminelle

the narcotics squad	la brigade des stupéfiants
the vice squad	la brigade des mœurs
• the anti-riot police ['raɪət]	• une brigade anti-émeute
• a police station	• un commissariat
• a policeman/woman	• un policier/une femme policier
a cop (slang)	un flic (argot)
• a (detective) constable	• un inspecteur de police
• an (detective) inspector	• un inspecteur
• a sergeant ['sɑːdʒənt]	• un brigadier
• a police superintendent	• un commissaire de police
• a plain-clothes policeman	• un policier en civil
a police squad car	une voiture de police
a police/prison van	un fourgon cellulaire
• law enforcement	• le maintien de l'ordre
• an investigation, an inquiry	• une enquête
a clue [kluː]	un indice
• an identity check	• un contrôle d'identité
• an informer, a stool pigeon	• un indicateur
• a police roadblock	• un barrage de police
• a police raid	• une descente de police
• an arrest	• une arrestation
• a (body) search	• une fouille (corporelle)
a search warrant	un mandat de perquisition
• custody ['kʌstədɪ]	• la garde à vue
• an interrogation	• un interrogatoire
a confession	des aveux
• a (police) record	• un casier judiciaire
a clean record	un casier judiciaire vierge
• police blunders	• les bavures policières
• a release [rɪ'liːs]	• une mise en liberté

a riot: *une émeute*

(US) a precinct police station

(US) officer

(US) a lieutenant

(US) a detective

(US) a prowl car

(US) a patrol wagon; the Black Maria (slang): *le panier à salade*

"I haven't got a clue": *"Je n'en ai aucune idée."* clueless (about): *nul (en)*

clean: *propre, net*

• be on/off duty	• être de service/de repos
• be on the beat	• faire une ronde
• enforce the law	• faire respecter la loi
• investigate (a crime)	• enquêter (sur un délit)
• conduct an investigation	• mener une enquête
hold an inquiry (into a case)	enquêter (sur une affaire)
• check identity	• contrôler l'identité
• suspect	• suspecter, soupçonner
• want for murder	• rechercher pour meurtre
• hunt/track down	• traquer
• chase	• traquer, chasser, poursuivre
• shadow/trail a suspect	• suivre/filer un suspect
• be caught in the act	• être pris en flagrant délit
• arrest	• arrêter
be under arrest	être en état d'arrestation
• search a place/a suspect	• fouiller un endroit/un suspect
• interrogate/question a witness	• interroger un témoin
• confess to something	• avouer quelque chose
• fingerprint somebody	• prendre les empreintes de qqn
• keep somebody in custody	• maintenir qqn en garde à vue
• bully ['bʊlɪ]	• maltraiter, brutaliser

America's most wanted: *les criminels les plus recherchés d'Amérique.*

be caught red-handed: *être pris la main dans le sac*

	• harass, harry	• harceler, tourmenter
	• blunder	• commettre une bavure
	• lock somebody up	• enfermer quelqu'un
	• release	• relâcher, remettre en liberté
	• turn informer	• dénoncer ses complices
(slang) rat on somebody: *donner quelqu'un*	• inform against someone	• dénoncer quelqu'un
	• give somebody away	• dénoncer quelqu'un

5 Judiciary Power — Le pouvoir judiciaire

The Trial — Le procès

presumed innocent: *présumé innocent*	• presumption of innocence	• la présomption d'innocence
	• the alleged culprit	• le présumé coupable
	• a trial ['traɪəl]	• un procès (en droit pénal)
	• a lawsuit ['lɔːsuːt]	• un procès (en droit civil)
	• a case [keɪs]	• une affaire, un dossier
	• the courthouse	• le palais de justice
	• a (law) court [kɔːt]	• un tribunal
	• a court room	• une salle d'audience
	• a magistrate	• un magistrat
	• a judge	• un juge
	• a Justice of the Peace	• un juge de paix
(US) the committing magistrate	• the examining magistrate	• ≈ le juge d'instruction
(US) an attorney, a counselor	• a barrister, a lawyer ['lɔːjə]	• un avocat
	• a legal adviser	• un conseiller juridique
	legal aid	l'assistance judiciaire
(US) a court clerk	• the plaintiff	• le plaignant
	• an out-of-court settlement	• un règlement à l'amiable
	• the prosecution	• l'accusation, le ministère public
(US) the district attorney	• the public prosecutor	• le procureur
	• a charge, an accusation	• une inculpation, une accusation
	• the defendant, the accused	• l'inculpé, l'accusé
(US) the defense	• the defence	• la défense
(US) the defense council	the counsel for the defence	l'avocat de la défense
	• a plea	• une plaidoirie
objection sustained/overruled!: *objection retenue/rejetée !*	an objection	une objection
	• a summons to appear	• une citation à comparaître
	• a subpoena [sə'piːnə]	• une assignation à comparaître
	• an eye witness	• un témoin oculaire
(US) the witness stand	• the witness box	• la barre des témoins
	• a statement	• une déclaration
	• a testimony (on/under oath)	• un témoignage (sous serment)
	• perjury	• le parjure
a piece of evidence	• a proof (of), evidence (of)	• une preuve (de)
	• an alibi ['ælɪbaɪ]	• un alibi
	• an exhibit	• une pièce à conviction
	• the jury ['dʒʊərɪ]	• the jury

a juror, a juryman/jurywoman	un(e) juré(e)
• deliberation	• la délibération
• charge (with)	• accuser/inculper (de)
• try (somebody) for	• juger (quelqu'un) pour
• go to law	• aller devant les tribunaux
• take a case to court [kɔːt]	• porter une affaire en justice
• lodge a complaint (against sb)	• porter plainte contre qqn
• sue/take sb to court	• poursuivre qqn en justice
• take proceedings against sb	• engager des poursuites contre qqn
• prosecute somebody	• poursuivre quelqu'un
• defend	• défendre
• plead guilty/not guilty	• plaider coupable/non coupable
• summon (somebody) to court	• citer (quelqu'un) à comparaître
• subpoena somebody [sə'piːnə]	• assigner qqn à comparaître
• appear before a court	• comparaître devant un tribunal
• hear a witness	• entendre un témoin
• (be called upon) to give evidence	• (être appelé à) témoigner
• take an oath [əʊθ]	• prêter serment
• be under oath	• être sous serment
• commit perjury	• faire un faux serment ; se parjurer
• undergo (cross-)examination	• subir un (contre-)interrogatoire

> judge: *porter un jugement sur*

Condemnation or Acquittal / La condamnation ou l'acquittement

The Verdict / Le verdict

• case law ['keɪs lɔː]	• la jurisprudence
• miscarriage of justice	• l'erreur judiciaire
• a legal irregularity	• un vice de procédure
• innocence	• l'innocence
an innocent	un innocent
• guilt	• la culpabilité
a culprit	un coupable
• a conviction, a sentence	• une condamnation, une sentence
a fine	une amende
a ticket	une contravention
an alternative sentence	une peine de substitution
• a life sentence	• une peine de prison à perpétuité
• damages	• les dommages et intérêts
• a suspended sentence	• une condamnation avec sursis
• return a verdict	• rendre un verdict
• condemn [kən'dem]	• condamner
• acquit	• acquitter
• quash a decision	• annuler, casser un jugement
• find sb guilty/innocent	• reconnaître qqn coupable/innocent
• convict somebody	• reconnaître quelqu'un coupable
• fine somebody	• condamner qqn à une amende
• (lodge an) appeal	• faire appel

> a (case of) miscarriage of justice: *une erreur judiciaire*

> acquittal: *l'acquittement*

> damage: *les dégâts*

> three months two of them suspended: *trois mois dont deux avec sursis*

Imprisonment	L'incarcération
• a jail, a prison	• une prison
• a detention centre	• un centre de détention (pour mineurs)
• a reform school (US)	• une maison de redressement
a convict	un condamné, un détenu
• solitary confinement	• l'isolement carcéral
• a cell	• une cellule
• a visiting room	• un parloir
• a top-security unit ['juːnɪt]	• un quartier de haute sécurité
• a (prison) warder	• un gardien de prison
• a mutiny	• une mutinerie
• hard labour	• les travaux forcés
a penal colony ['piːnl'kɒlənɪ]	un bagne
• a reprieve	• une remise de peine
• amnesty	• l'amnistie
• release	• la libération
bail	la caution
• reintegration	• la réinsertion
• second offence	• la récidive
a second offender, a recidivist	un récidiviste
• escape	• l'évasion
an escapee [ɪskeɪ'piː]	un évadé

(US) a penitentiary

an ex-convict: *un repris de justice*

be out on bail: *être libéré sous caution*

(US) offense

(US) a repeater

a runaway: *un fugitif*

• sentence to prison	• condamner à la prison
sentence in absentia	condamner par contumace
• imprison, send to jail	• emprisonner
• go to jail	• aller en prison
• serve a (2-year) sentence	• purger une peine (de deux ans)
• serve a life sentence	• purger une peine à perpétuité
• release sb on parole	• mettre qqn en liberté conditionnelle
• release sb on bail	• libérer qqn sous caution
• reduce a sentence	• réduire une peine
for good behaviour/conduct	pour bonne conduite
• grant amnesty to sb for a crime	• amnistier qqn pour un crime
• escape	• s'évader
• repeat an offence	• récidiver

be paroled: *être libéré sur parole*

Death Penalty	La peine de mort
• capital punishment	• la peine capitale
• death row (US)	• le couloir de la mort
• an execution	• une exécution
• hanging	• la pendaison
• the gallows	• la potence
• a guillotine [gɪlə'tiːn]	• une guillotine
• beheading	• la décapitation
• the electric chair	• la chaise électrique
• death by injection	• la mort par injection
• an appeal	• un appel
• a petition for reprieve	• un recours en grâce
• a (free) pardon	• une grâce

> (!) be hung: *être suspendu (pour un vêtement)*; be hanged: *être pendu (par le cou)*

• **sentence/condemn to death**	• condamner à mort
• **execute sb, put sb to death**	• exécuter quelqu'un
• **hang**	• pendre
• **behead**	• décapiter
• **guillotine** [gɪlə'tiːn]	• guillotiner
• **pardon somebody**	• grâcier quelqu'un

PRACTICE

7 Do You Know Your Politics? Êtes-vous bon en politique ?

a. Classify the following words in three categories: legislative/executive/judiciary power.

a court - a regulation - a minister - a judge - a law - a Secretary of State - an acquittal - a bill - a policeman - a sentence - an investigation.

b. Do you know the name of the writer who defined these three types of power?

8 The Short Story of a Case: Histoire d'une affaire en bref

Classify the following actions by chronological order.

a. He was sent to jail.
b. He appeared before a court.
c. He was condemned to two years' imprisonment.
d. He was caught in the act of beating up his girl-friend.
e. He was charged with assault and battery.
f. The Court heard a witness give evidence.
g. When he was released, he found out that his girl-friend was happily married to a nice man.
h. The Court returned the verdict: the defendant was found guilty.
i. He served a 2-year sentence.
j. The case was taken to court.

9 Test your English-Speaking Culture: Testez votre culture anglo-saxonne

Give the British and American equivalents of the following institutions whenever it is possible.

a. "Matignon"
b. Le ministère des Affaires étrangères
c. Le ministre des Finances
d. Le ministre de la Justice
e. "L'Élysée"

▶ Corrigés page 411 ◀

The Contemporary Context

Expressions about Political Life

Expressions se rapportant à la vie politique

In Great Britain:

- **the maiden speech:** le premier discours d'un député au Parlement (*a maiden:* une jeune fille).
- **a whip/the Chief Whip:** un/le chef de file d'un parti politique (*a whip:* fouet ; *a whipper:* piqueur, à la chasse à courre).
- **a three-line whip:** un appel urgent aux membres d'un parti pour qu'ils siègent au Parlement et participent au vote (*three-line:* les trois traits qui figurent sur l'appel, et soulignent son urgence).
- **a frontbencher:** un parlementaire reconnu qui se tient sur les premiers bancs, signe de sa position prépondérante dans son parti ou dans le gouvernement, s'il est ministre (*a bench:* un banc).
- **a backbencher:** un parlementaire qui se tient sur les bancs de derrière, signe de sa position plus modeste au sein de son parti/un parlementaire sans portefeuille.
- **a crossbencher:** un député indépendant, sans étiquette.
- **10 Downing Street:** la résidence, à Londres, du Premier Ministre britannique ; par extension, le terme désigne le Premier Ministre et son équipe.
- **Whitehall:** rue de Londres où se trouve un grand nombre des ministères ; par extension, le terme désigne le gouvernement britannique lui-même.
- **"first past the post":** inspirée par la course de chevaux et le poteau d'arrivée, l'expression renvoie au système électoral britannique, qui donne la victoire au candidat obtenant le plus de voix à l'issue du premier tour de scrutin.

In the USA:

- **the White House:** la Maison Blanche, à Washington, DC (*DC = District of Columbia,* ville à distinguer de l'État de Washington, sur la côte pacifique).
- **the Oval Office:** le bureau ovale, le bureau du président à la Maison Blanche, et par métonymie, la Présidence des États-Unis.
- **the Capitol:** le Capitole, siège du Congrès, à Washington, DC.
- **Checks and Balances:** le système des poids et contrepoids, c'est-à-dire l'équilibre des trois pouvoirs dans le système politique américain.

Americans and the Law

Les Américains et la loi

A litigious nation - Un peuple procédurier :

- **a malpractice suit:** un procès pour négligence professionnelle, intenté surtout aux médecins.
- **a liability suit:** un procès en responsabilité civile, intenté par des consommateurs contre des fabricants, par exemple.
- **an alimony suit:** un procès visant à l'obtention d'une pension alimentaire (versée à un ex-conjoint).
- **a contingency fee:** les honoraires versés à l'avocat au prorata des sommes qu'il a obtenues pour son client.

The "Gates" of Scandals in the States

Les séries de scandales *(-gates)* aux États-Unis

- **Watergate:** scandale auquel était mêlé le Président Richard Nixon et qui l'a amené à démissionner en 1974. C'est le *Washington Post* qui a dévoilé cette affaire, dont l'issue démontre le poids considérable de la presse aux États-Unis.

  -gate s'accole désormais à d'autres substantifs pour désigner des scandales politiques :
- **Irangate (1986):** scandale des ventes d'armes à l'Iran, impliquant un conseiller de la Maison Blanche sous la présidence de Ronald Reagan.
- **filegate (1996):** obtention illicite en 1993 et 1994 par le service de sécurité de la Maison Blanche des fiches de police de 900 Républicains, établies par le FBI.
- **Monicagate (1998):** l'affaire Monica Lewinsky, pour laquelle le président Clinton a été reconnu coupable de faux témoignage, ce qui a occasionné une procédure de destitution *(impeachment)*, finalement abandonnée.

The Making of Europe

La construction de l'Europe

Structures of the European Community - Les structures de la Communauté européenne :

the Treaty of Rome	le Traité de Rome
European Union	l'Union européenne
member countries/states	les pays/États membres
enlargement	l'élargissement
union citizenship	la citoyenneté de l'Union
the European Parliament	le Parlement européen
a Euro MP	un député européen
the Commission	la Commission
a commissioner	un commissaire
the Common Market	le Marché commun
the Economic and Monetary Union/ the EMU	l'Union économique et monétaire
the European Exchange Rate Mechanism/the ERM	le mécanisme européen du taux de change
the European Monetary System (EMS)	le Système monétaire européen (S.M.E.)
the monetary snake	le serpent monétaire
the European Central Bank/the ECB	la Banque centrale européenne
Eurocurrency (the euro, the cent)	la monnaie européenne (l'euro, le cent)
the European Currency Unit/the ECU	l'écu/l'unité de compte européenne
the European Parliament	le Parlement européen
the European Council	le Conseil européen
the European Court of Justice	la Cour de Justice européenne
the Court of Audits	la Cour des comptes
EU regulations/Community regulations	les règlements communautaires européens
the Common Agricultural Policy/the CAP	la Politique agricole commune/la PAC

Eurospeak (le jargon utilisé pour parler des institutions européennes) :

- **Eurobabble:** le verbiage des débats européens (*babble:* blabla, bavardage).
- **Eurosclerosis:** l'inadaptation des institutions européennes aux nouvelles technologies (*sclerosis:* la sclérose).
- **Eurosceptic:** qui ne croit pas aux bienfaits de l'Union européenne.
- **Eurostats:** les statistiques européennes (*stats:* abréviation de *statistics*).
- **a Eurocrat:** un fonctionnaire des institutions européennes (mot-valise : *European* + *bureaucrat:* fonctionnaire).
- **a Eurodollar:** un eurodollar.

Idioms and Colourful Expressions

Focus on Monarchy

- **a king-pin:** une cheville ouvrière.
- **the prince of liars:** le roi des menteurs.
- **the royal road (to):** la voie royale (pour)
- **a friend at court:** des appuis, des amis haut-placés.
- **to send to kingdom come:** expédier dans l'autre monde (*kingdom come:* que vienne le règne de Dieu).
- **to queen/lord it:** jouer les grands seigneurs.
- **to crown it all:** (pour) couronner le tout.
- **to live like a lord:** vivre comme un prince, mener grand train.
- **fit for a king:** digne d'un roi.
- **king-size(d):** géant, grand format.
- **as drunk as a lord (coll.):** complètement ivre.
- **on the King's/Queen's highway:** sur la voie publique.

Focus on the Law

- **in the eyes of the law:** au regard de la loi.
- **"I arrest you in the name of the law...":** "au nom de la loi, je vous arrête..."
- **the law of the jungle:** la loi de la jungle.
- **a cast-iron case:** un dossier en béton.
- **the devil's advocate:** l'avocat du diable.
- **poetic justice:** la justice immanente.
- **to take the law into one's hands:** se faire justice soi-même.
- **to do oneself justice:** se montrer à sa juste valeur.
- **to do justice to something:** avantager, faire valoir (ex: *This photo doesn't do you justice:* Cette photo ne t'avantage pas !).
- **to do justice to a meal:** faire honneur à un repas.
- **to sign one's death-warrant:** signer son arrêt de mort.

Sayings and Proverbs

- **In the country of the blind, the one-eyed man is king:** Au pays des aveugles, les borgnes sont rois.
- **Necessity knows no law:** Nécessité fait loi.
- **Every law has a loophole:** Il y a toujours moyen de contourner la loi (*loophole:* brèche, échappatoire).

Time and Human Life
Le temps et la vie humaine

1 Measuring Time — La mesure du temps

Instruments — Les instruments

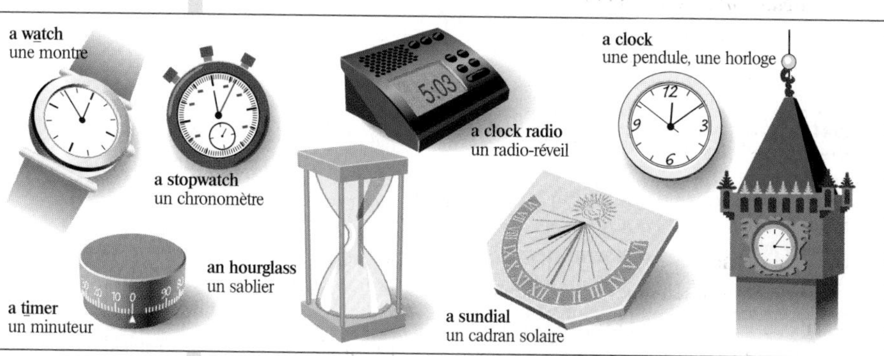

clock in/out: *pointer*	• a time clock	• une pointeuse
the biological clock: *l'horloge biologique*	• the speaking clock	• l'horloge parlante
	• the dial ['daɪəl]	• le cadran
	• the hands	• les aiguilles
	the hour hand ['aʊə]	la petite aiguille
	the minute hand ['mɪnɪt]	la grande aiguille
	the second hand	la trotteuse
	• liquid crystal display	• l'affichage à cristaux liquides
	• the chime	• le carillon
	• the winder [waɪndə]	• le remontoir
spring: *bondir, jaillir*	• a spring	• un ressort
	• a cog (wheel)	• un rouage
	• a battery	• une pile
	• a time machine	• une machine à voyager dans le temps

- **work** — fonctionner
- **tick** — faire tic-tac
- **ring** — sonner
- **chime** — carillonner
- **wind up (a watch) [waɪnd]** — remonter (une montre)
- **tell the time** — donner l'heure
- **time** — chronométrer
- **put a clock forward/ back one hour** — avancer/retarder une pendule d'une heure

---

a digit: *un chiffre*	• digital	• (à affichage) numérique
	• slow (clock)	• (pendule) qui retarde
	• fast (clock)	• (pendule) qui avance
	• accurate	• précis, exact
	• reliable	• fiable

Basic Units of Time / Les unités de temps élémentaires

Basic Units of Time	Les unités de temps élémentaires
• a second ['sekənd]	• une seconde
• a minute ['mɪnɪt]	• une minute
• an hour ['aʊə]	• une heure
a quarter of an hour	un quart d'heure
half an hour	une demi-heure
an hour and a half	une heure et demie
• a day	• un jour, une journée
• a week	• une semaine
weekdays	les jours de la semaine
the weekend	la fin de semaine, le week-end
• a fortnight	• une quinzaine
• a month	• un mois
• a quarter	• un trimestre
• a semester	• un semestre
• a year [jɪə]	• une année
a leap year	une année bissextile
a calendar year	une année civile, calendaire
• a season	• une saison
spring	le printemps
summer	l'été
autumn [ɔːtəm]	l'automne
winter	l'hiver
• a decade	• une décennie
• a century ['sentjʊrɪ]	• un siècle
• a millennium [mɪ'lenɪəm]	• un millénaire
• an era ['ɪərə]	• une ère
• wintry	• hivernal
• springlike	• printanier
• summery	• estival
• autumnal	• automnal

Monday, Tuesday, Wednesday, Thursday, Friday, Saturday, Sunday

January, February, March, April, May, June, July, August, September, October, November, December

a school term: *un trimestre scolaire*

Indian summer: *l'été indien*

(US) fall

BC (Before Christ): *avant Jésus-Christ*
AD (Anno Domini): *après Jésus-Christ*

a summary: *un résumé*

Organizing Time / La gestion du temps

Organizing Time	La gestion du temps
• a calendar	• un calendrier
• a diary	• un agenda
• a (personal) organizer	• un (agenda) organisateur
an electronic organizer	un agenda électronique
• a timetable	• un emploi du temps
• a slot/a window (in a timetable)	• un créneau (horaire)
• a schedule	• un programme, des horaires
• peak hours, the rush hour	• l'heure de pointe
• off-peak hours	• les heures creuses
• the main season, high season	• la haute saison
• the off-season	• la basse saison
• schedule ['ʃedjuːl]	• prévoir, programmer
• programme, plan	• programmer

(!) the agenda: *l'ordre du jour*

a scheduled flight: *un vol régulier*

the morning/evening rush hour: *l'heure de pointe du matin/soir*

(US) ['skedjuːl]

(US) program

• **spend time (doing sth)**	• passer du temps (à faire qqch)
• **save time**	• gagner du temps
• **waste time**	• gaspiller son temps
• **lose time**	• prendre du retard
• **take one's time**	• prendre son temps
• **make up for lost time**	• rattraper le temps perdu
• **be pressed/pushed for time**	• être pressé par le temps
• **have plenty of time**	• avoir beaucoup de temps
• **while away the time**	• faire passer le temps
• **kill time**	• tuer le temps

The Rhythm of Days and Nights / Le rythme des jours et des nuits

a.m. (**a**nte **m**eridiem): *le matin*

p.m. (**p**ost **m**eridiem): *l'après-midi*

• **dawn** [dɔːn], **daybreak**	• l'aube, l'aurore
at dawn, at first light	à l'aube
• **sunrise**	• le lever du soleil
• **the morning**	• le matin
in the morning	le matin, dans la matinée
• **noon, midday**	• midi
at noon	à midi
• **the afternoon**	• l'après-midi
in the afternoon	(dans) l'après-midi
• **the evening**	• la soirée
in the evening	en soirée
in the early/late evening	en début/ fin de soirée
• **dusk, twilight** ['twaɪlaɪt]	• le crépuscule
• **sunset**	• le coucher du soleil
at sunset	au coucher du soleil
• **night**	• la nuit
at night	la nuit
tonight	ce soir, cette nuit
• **midnight**	• minuit
at midnight	à minuit
• **in the daytime**	• le jour, pendant la journée
• **in the small/early hours**	• au petit matin
• **from morning till night**	• du matin au soir
• **in the middle of the night**	• au milieu de la nuit

• **rise, set (for the sun)**	• se lever, se coucher (pour le soleil)
• **break (for dawn)**	• poindre (pour l'aube)
• **get dark**	• s'obscurcir

a night owl/a night bird/ (US) a night hawk: *un noctambule*

it's pitch-dark: *il fait nuit noire*

• **diurnal** [daɪ'ɜːnl]	• diurne
• **nightly, nocturnal**	• nocturne
• **bright**	• lumineux, éclairé
• **dim**	• faiblement éclairé
• **(pitch-)dark**	• (très) sombre, obscur
• **previous** ['priːvɪəs]	• précédent
• **following**	• suivant
• **successive**	• successif, consécutif

2 The Passing of Time — L'écoulement du temps

Duration and Frequency — Durée et fréquence

Duration	La durée
• length	• la longueur
• brevity	• la brièveté
• a moment, an instant	• un moment, un instant
• a period of time	• une période
• a lapse of time	• un laps de temps
• an age, an era [ɪərə]	• une époque
• chronology	• la chronologie

It has been ages since...: *Cela fait une éternité que...*

• last	• durer
• elapse, go by	• passer, s'écouler
• persist	• persister
• prolong, protract	• prolonger, faire durer
• speed up, accelerate	• accélérer
• go on	• continuer
• shorten, curtail	• écourter
• take time/two minutes/ages	• nécessiter du temps/deux minutes/ une éternité

quicken one's pace: *accélérer le pas*

• long	• long
• lengthy	• (trop) long
• endless, unending	• sans fin
• lasting	• durable
• eternal, everlasting	• éternel
• provisional	• provisoire
• permanent	• permanent
• ceaseless	• incessant
• short	• court
• instant	• instantané
• sudden	• soudain
• passing, brief	• éphémère, bref
• temporary ['temprərɪ]	• temporaire
• momentary	• momentané
• ephemeral, transient ['trænzɪənt]	• éphémère, transitoire
• simultaneous [sɪməl'teɪnjəs]	• simultané
• (un)timely	• (in)opportun
• urgent	• urgent

urge sb to do sth: *presser qqn de faire qqch*

• in time	• à temps
• all the time	• tout le temps
• all day (long)	• toute la journée
• for a long time	• pendant/depuis longtemps
• forever	• pour toujours, à tout jamais
• at length	• en prenant tout son temps
• for a short while	• momentanément

on time: *à l'heure*

for the whole day: *pendant toute la journée*
during the war: *pendant la guerre*
since January: *depuis janvier*

from morning till night: *du matin au soir*
from 3 **to** 6: *de trois à six (heures)*

• **in the meantime**	• entre-temps
• **while**	• pendant que, tandis que
• **meanwhile**	• pendant ce temps
• **at the same time**	• en même temps
• **until, till**	• jusqu'à ce que
• **up to now, up to 2016**	• jusqu'à présent, jusqu'en 2016
• **as soon as**	• dès que
• **straight away, right away**	• tout de suite, sur le champ
• **at once** [wʌns]	• immédiatement
• **at last**	• enfin (soulagement)
• **later on**	• plus tard
• **already**	• déjà
• **not yet**	• pas encore

Frequency / La fréquence

• **repetition**	• la répétition
• **a habit**	• une habitude
• **rarity** ['reərətɪ]	• la rareté
• **a rhythm**	• un rythme
• **an interval**	• un intervalle

(!) recurring, recurred

(!) occurring, occurred

• **repeat**	• (se) répéter
• **recur** [rɪ'kɜː]	• se reproduire, revenir (événement)
• **happen**	• se passer
• **occur**	• se produire

• **frequent** ['friːkwənt]	• fréquent
• **(ir)regular**	• (ir)régulier
• **constant**	• constant
• **habitual**	• habituel
• **periodical**	• périodique
daily	quotidien
weekly	hebdomadaire
monthly	mensuel
quarterly	trimestriel
yearly, annual	annuel
• **chronic**	• chronique
• **repetitive, recurring**	• répétitif, récurrent
• **occasional** [ə'keɪʒənl]	• occasionnel
• **rare**	• rare
• **exceptional**	• exceptionnel

a couple of times: *deux ou trois fois*

• **once a year** [wʌns]	• une fois par an
• **once in a while**	• une fois de temps en temps
• **once too often** ['ɒfən]	• une fois de trop
• **twice (a week)** [twaɪs]	• deux fois (par semaine)
• **three times (a week)**	• trois fois (par semaine)
• **every other day**	• un jour sur deux
• **every (two weeks)**	• toutes les (deux semaines)
• **every time**	• chaque fois que
• **whenever**	• toutes les fois que
• **several times**	• plusieurs fois

	• from time to time	• de temps en temps
	• now and again, now and then	• de temps en temps
	• on and off	• par intermittence
	• by fits and starts	• par à-coups
	• always	• toujours
more often than not: *le plus souvent*	• often ['ɒfən]	• souvent
(!) sometime: *un jour ou l'autre*	• sometimes	• parfois
	• seldom, hardly ever	• rarement
	• never	• jamais

Past, Present and Future / Le passé, le présent, l'avenir

Past Times / Le passé

a pastime: *un passe-temps*	**Past Times**	**Le passé**
	• a historian	• un historien
(US) archeology	• archaeology [ɑːkɪ'ɒlədʒɪ]	• l'archéologie
(US) archeologist	an archaeologist	un archéologue
	• paleontology	• la paléontologie
	a paleontologist	un paléontologue
	• Prehistory	• la préhistoire
	the Ice Age	la période glacière
	the Stone Age	l'âge de pierre
	the Bronze Age	l'âge de bronze
	the Iron Age ['aɪən]	l'âge de fer
	• Antiquity	• l'Antiquité
	the Roman Empire	l'Empire romain
	• the Christian era ['ɪərə]	• l'ère chrétienne
	• the Middle Ages	• le Moyen-Âge
	the Crusades [kruː'seɪds]	les Croisades
	a crusader [kruː'seɪdə]	un croisé
	• the Hundred Years' War	• la guerre de Cent Ans
	• the Wars of the Roses	• la guerre des Deux-Roses
a holy war: *une guerre sainte*	• the War of Religion	• les guerres de religion
	• the Renaissance [rə'neɪsəns]	• la Renaissance
	• the Reformation	• la Réforme
	• the Age of Enlightenment	• le Siècle des lumières
	• the (French) Revolution	• la Révolution (française)
	• the Industrial Revolution	• la révolution industrielle
	• the Victorian era [ɪərə]	• l'ère victorienne
roar: *rugir*	• the Roaring Twenties	• les Années folles
(also) World War I/ World War II	• the $1^{st}/2^{nd}$ World War	• la $1^{re}/2^{nde}$ Guerre mondiale
	• the inter-war period	• l'entre-deux-guerres
	• the pre-war/post-war period	• l'avant-/l'après-guerre
	• the Cold War	• la guerre froide

(irr.) I dug, I have dug	• dig	• creuser
	• excavate	• faire des fouilles
	• dig out, dig up	• exhumer, déterrer
	• date something	• dater quelque chose
	• study the archives ['aːkaɪvz]	• étudier les archives

	• prehistoric	• préhistorique
	• historic	• historique, qui fait date
antiques: *des antiquités* an antique dealer: *un antiquaire*	• historical	• historique, lié à l'Histoire
	• ancient ['eɪnʃənt]	• antique
	• mediaeval [medɪ'iːvl]	• médiéval
	• revolutionary	• révolutionnaire

The Expression of the Past / L'expression du passé

Remembrance day: *le jour de l'armistice (11 nov.)* **(!)** a souvenir: *un objet souvenir*	• a remembrance, a memory	• un souvenir
	• a keepsake	• un cadeau souvenir
homesickness: *le mal du pays*	• nostalgia [nɒ'stældʒɪə]	• la nostalgie
	• date from	• dater de
	• go back to	• remonter à
	• remember (something)	• se souvenir (de qqch)
	• remind sb of sth	• rappeler qqch à qqn
	• recent ['riːsnt]	• récent
	• previous ['priːvjəs]	• précédent, antérieur
the former *(le premier, celui-là)* and the latter *(le second, celui-ci)*	• former	• précédent, ancien
	• latest	• dernier (d'une série non close)
last but not least: *le dernier mais non le moindre*	• last	• dernier
	• past	• passé
	• old	• vieux, ancien
	• antiquated	• vieillot, suranné
	• obsolete ['ɒbsəliːt]	• caduc, obsolète
	• archaic [ɑː'keɪɪk]	• archaïque
	• old-fashioned	• vieux-jeu, démodé, passéiste
His theory is out-of-date.	• out-of-date	• périmé, dépassé (attribut)
This is an outdated theory.	• outdated	• périmé, dépassé (épithète)
	• anachronistic	• anachronique
	• in the past, in former days	• jadis, par le passé
	• a long time ago, long ago	• il y a longtemps
	• for ages	• depuis/pendant des lustres
	• formerly	• autrefois
	• not long ago, lately	• naguère, dernièrement
	• then	• alors, à l'époque
	• at that time	• à cette époque
	• yesterday	• hier
	• the day before yesterday	• avant-hier
	• two days ago	• il y a deux jours
two days before: *deux jours auparavant*	• before	• avant
	• beforehand	• d'avance, au préalable
earlier this month: *au cours de ce mois-ci*	• earlier	• auparavant, plus tôt

The Present / Le présent

(!) actual: *réel*	• current, present	• actuel, présent
	• contemporary	• contemporain
	• up-to-date	• actuel, à jour

> fashion: *la mode*
>
> a trend: *une tendance*

• **fashionable** ['fæʃnəbl]	• à la mode
• **trendy**	• dans le vent
• **modern**	• moderne

> (US) presently: *actuellement*
> (Brit.) presently: *bientôt*

• **now**	• maintenant
• **at present, currently**	• actuellement
• **nowadays**	• de nos jours
• **today**	• aujourd'hui
• **at the moment, just now**	• en ce moment
• **for the time being**	• pour le moment
• **from now on**	• à présent, désormais

The Future / Le futur, l'avenir

> *un roman d'anticipation* : a science fiction novel

• **expectation**	• l'attente, l'espoir
• **a prospect**	• une perspective
• **a foretaste**	• un avant-goût
• **anticipation**	• l'anticipation

> (irr.) I foresaw, I have foreseen
> (irr.) I foretold, I have foretold
>
> the weather forecast: *le bulletin météo*

• **anticipate**	• anticiper
• **foresee, foretell**	• prévoir, présager
• **predict**	• prédire
• **forecast**	• donner des prévisions

> at some future date: *à une date ultérieure*

• **future**	• futur
• **subsequent**	• ultérieur
• **following**	• suivant
• **next**	• prochain
• **prospective**	• à venir
• **impending**	• imminent
• **ultimate**	• final, ultime

> (US) two weeks from tomorrow
>
> a long-term policy: *une politique à long terme*
>
> a short-term decision: *une décision à court terme*

• **in the near/distant future**	• dans un avenir proche/lointain
• **sooner or later**	• tôt ou tard
• **from now on**	• désormais, dorénavant
• **tomorrow**	• demain
• **the day after tomorrow**	• après-demain
• **the day after, the following day**	• le jour suivant
• **in years to come**	• dans les années à venir
• **subsequently** ['sʌbsɪkwəntlɪ]	• ultérieurement, par la suite
• **soon**	• bientôt
• **shortly, presently**	• bientôt, tout à l'heure
• **before long**	• sous peu
• **in a minute** ['mɪnɪt]	• dans un instant
• **after**	• après (que)
• **afterwards**	• après cela, ensuite
• **then**	• puis
• **a fortnight tomorrow**	• demain en quinze
• **next (Wednesday)**	• (mercredi) prochain
• **a week today**	• aujourd'hui en huit
• **in the long run**	• à long terme
• **in the short run**	• à court terme

3 Human Lifetimes / La vie humaine et le temps

Birth and Infancy / La naissance et la petite enfance

(!) the anniversary: *le jour anniversaire/commémoratif*

toddle: *faire ses premiers pas*

• **conception**	• la conception
• **reproduction**	• la reproduction
• **pregnancy**	• la grossesse
• **labour** ['leɪbə]	• le travail (de l'accouchement)
• **childbirth, delivery**	• l'accouchement
• **the date of birth**	• la date de naissance
• **the birthday**	• l'anniversaire
• **a newborn**	• un nouveau-né
• **an infant**	• un nourrisson
• **a baby**	• un bébé
• **a toddler**	• un tout petit, un bambin
• **twins**	• des jumeaux

(irr.) I begot, I have begotten

I **was** born: *je **suis** né*

• **conceive**	• concevoir
• **reproduce**	• se reproduire
• **beget**	• engendrer (biblique)
• **be expecting a baby**	• attendre un enfant
• **have a baby**	• avoir un bébé
• **give birth to**	• donner naissance à
• **be born**	• naître
• **feed**	• nourrir
• **breastfeed**	• allaiter

• **pregnant**	• enceinte
• **premature**	• prématuré
• **stillborn**	• mort-né

Growing Up / La croissance

several **children**

kid = baby goat *(chevreau)*

A **teen**ager is between thir**teen** and nine**teen.**

the generation gap: *le fossé des générations*

• **growth**	• la croissance
• **childhood** ['tʃaɪldhʊd]	• l'enfance
a child	un enfant
a kid (coll.)	un gamin, un mioche
• **youth**	• la jeunesse
a youth, a young person	un jeune
• **the age of reason**	• l'âge de raison
• **adolescence**	• l'adolescence
an adolescent, a teenager	un adolescent
• **puberty**	• la puberté
acne ['æknɪ]	l'acné
a pimple, a spot	un bouton
• **the young, young people, youngsters**	• les jeunes
• **the younger generation**	• la jeune génération

	• **grow**	• grandir, croître
	• **grow up**	• grandir, mûrir
	• **be (13)**	• avoir (13 ans)
	• **be under age**	• être mineur
	• **be/come of age**	• être/devenir majeur
	• **turn (18)**	• avoir ses (18 ans)
in one's **teens** = aged between thir**teen** and nine**teen** *(avoir entre treize et dix-neuf ans)*	• **be in one's teens**	• être adolescent

• **childlike**	• enfantin
• **childish**	• puéril, immature
• **young**	• jeune
• **gullible** ['gʌlɪbl]	• naïf, crédule
• **rebellious** [rɪ'beljəs]	• révolté
• **disobedient** [dɪsə'bi:djənt]	• désobéissant
• **idealistic**	• idéaliste

Adulthood — L'âge adulte, la maturité

• **manhood**	• l'âge adulte (pour un homme)
• **womanhood**	• l'âge adulte (pour une femme)
• **middle age**	• l'âge mûr
• **an adult**	• un adulte
• **the grown-ups**	• les grandes personnes
• **maturity**	• la maturité

• **mature**	• mûrir
• **reach/push (forty)**	• atteindre (la quarantaine)
• **be well-preserved**	• être bien conservé
• **look young for one's age**	• faire jeune pour son âge

	• **adult**	• adulte
	• **mature**	• mûr
	• **middle-aged**	• d'âge moyen (cinquantaine)
	• **young for one's age**	• qui fait jeune pour son âge
	• **in the prime of life, in one's prime**	• dans la force de l'âge
	• **on the right side of (forty)**	• n'ayant pas atteint (la quarantaine)
on the wrong side of: *du mauvais côté de*	• **on the wrong side of (forty)**	• ayant dépassé (la quarantaine)

Ageing and Old Age — Le vieillissement et la vieillesse

	• **old people, the elderly**	• les personnes âgées
	• **an old man**	• un vieil homme
	• **an old woman**	• une vieille femme
	• **a senior citizen** ['si:njə]	• une personne du troisième âge
(abbreviation) an O.A.P	• **a pensioner, an old age pensioner**	• un retraité
	• **an old people's home**	• une maison de retraite
	• **a home for the elderly**	• une résidence pour le 3e âge
	• **geriatrics** **a gerontologist**	• la gériatrie un gérontologue
	• **24-hour nursing**	• les soins permanents

	• a bedridden invalid	• un grabataire
ripe: *mûr (pour un fruit)*	• a ripe old age	• un âge très avancé
	• a septuagenarian an octogenarian a centenarian	• un septuagénaire un octogénaire un centenaire
	• senility	• la sénilité
	• life expectancy	• l'espérance de vie
	• a life span	• une durée de vie
	• a line, a wrinkle	• une ride
(US) gray	• grey/white hair	• des cheveux gris/blancs
	• a receding hairline	• un front dégarni
	• a hearing aid	• un appareil auditif
	• a denture/a dental plate	• un dentier
	• retire retire somebody take early retirement postpone retirement	• prendre sa retraite mettre qqn à la retraite prendre une retraite anticipée retarder le moment de sa retraite
	• grow, get old	• vieillir
age well: *vieillir bien*	• age	• prendre de l'âge
	• be getting on (in years)	• ne plus se faire tout jeune
	• live to a ripe old age	• atteindre un âge très avancé
	• wither	• se faner, dépérir
	• turn white	• blanchir
	• fail	• décliner, faiblir
	• ramble	• radoter
	• lapse into second childhood	• retomber en enfance
a dotard: *un vieillard gâteux*	• dote, be in one's dotage	• être gâteux
a long-standing friend: *un ami de longue date*	• old, elderly old-fashioned [əʊld'fæʃnd]	• vieux, âgé vieux jeu
	• ageing, aging	• vieillissant
	• middle-aged	• d'âge mûr
	• senior ['siːnjə]	• du troisième âge
	• wise, experienced	• sage, qui a de l'expérience
	• able-bodied	• agile, preste, ingambe
	• (still) green	• (encore) vert
	• autonomous	• autonome
(US) graying	• greying	• grisonnant
	• declining	• sur le déclin
	• infirm	• infirme
	• dependent	• dépendant
	• crippled	• invalide
	• senile ['siːnaɪl]	• senile
	• doddering, doting	• gâteux

Death / La mort

- the dead — les morts
  - a dead person — un mort
- the departed, the deceased — le(s) défunt(s)
- a suicide ['sjʊɪsaɪd] — un suicidé, un suicide

(US) a cadaver	• **a corpse, a dead body**	• un cadavre
	• **bereavement**	• le deuil, la perte
	the bereaved	la famille du défunt
	• **mourning** ['mɔːnɪŋ]	• le deuil
	a mourner	une personne endeuillée
	the mourners	l'entourage du défunt
	• **a widow**	• une veuve
	• **a widower**	• un veuf
	• **an orphan**	• un orphelin
	• **a (death) announcement**	• un faire-part de décès
	• **sympathy**	• la compassion, les condoléances
a family heirloom: *un objet de famille ;* inheritance: *l'héritage*	• **an heir** [eə]/**an heiress** ['eərɪs]	• un héritier/une héritière
	• **a mortuary**	• une morgue (à l'hôpital)
	• **a morgue** [mɔːg]	• une morgue (service judiciaire)
	• **the undertaker's**	• les pompes funèbres
(US) a mortician	**an undertaker**	un entrepreneur de pompes fun.
	• **a shroud** [ʃraʊd]	• un linceul
(US) a casket	• **a coffin**	• un cercueil
several wreaths	• **a wreath** [riːθ]	• une couronne de fleurs
	• **a wake**	• une veillée funèbre
	• **the funeral** ['fjuːnrəl]	• les obsèques
	the funeral procession	le cortège funèbre
	• **the burial** ['berɪəl]	• l'enterrement
	a burial place	une sépulture
	• **a cemetery** ['semɪtrɪ]	• un cimetière
	• **a church-yard**	• un cimetière (d'église)
	• **a tomb** [tuːm]	• un tombeau
	• **a grave**	• une tombe
	a tombstone, a gravestone	une pierre tombale
	• **cremation**	• la crémation
several crematoria (US) a crematory	**a crematorium**	un crématorium
	• **the ashes**	• les cendres
	• **an urn** [ɜːn]	• une urne

	• **die (from)**	• mourir (des suites de)
	• **pass away**	• mourir
	• **commit suicide**	• se suicider
	• **be dying**	• agoniser
	• **breathe one's last** [briːð]	• rendre son dernier soupir
	• **pass on, pass away**	• s'éteindre
	• **bury** ['berɪ]	• enterrer
opposite: exhume *(exhumer)*	• **inter**	• inhumer
be cremated: *se faire incinérer*	• **cremate**	• incinérer
	• **scatter the ashes**	• éparpiller les cendres
	• **mourn somebody** [mɔːn]	• pleurer la mort de quelqu'un
	• **be in mourning (for sb)**	• porter le deuil/être en deuil (de qqn
sympathy: *la compassion*	• **offer one's sympathy**	• présenter ses condoléances
	• **make a will**	• faire un testament
	• **inherit (something)**	• hériter (de quelque chose)

• **dying**	• mourant
• **dead, lifeless**	• mort, sans vie
• **fatal** ['feɪtl], **lethal** ['liːθl]	• mortel

The Fight Against Time — La lutte contre le temps

The Dream of Eternal Life — Le rêve de vie éternelle

the Fountain of youth: *la fontaine de Jouvence*

The Dream of Eternal Life	Le rêve de vie éternelle
• **immortality**	• l'immortalité
• **the quest for, the longing for**	• la quête de, le désir ardent de
• **life expectancy**	• l'espérance de vie
• **an endless life span**	• une durée de vie infinie
• **the cult of youth**	• le culte de la jeunesse
• **a beauty product**	• un produit de beauté
• **an anti-wrinkle cream**	• une crème anti-rides
• **plastic/cosmetic surgery**	• la chirurgie esthétique
• **a face-lift**	• un lissage, un "lifting"
• **moisturizer** [ˈmɔɪstʃəraɪzə]	• une crème hydratante
• **hair transplant**	• les implants capillaires
• **rejuvenate** [rɪˈdʒuːvɪneɪt]	• rajeunir
• **have plastic surgery**	• subir une chirurgie esthétique
• **extend the life span**	• allonger la durée de vie
• **refuse to die**	• refuser de mourir
• **protract, prolong**	• prolonger
• **last forever**	• durer pour toujours
• **immortal**	• immortel
• **eternal, everlasting**	• éternel
• **never-ending, perpetual**	• sans fin, perpétuel
• **limitless**	• sans limites
• **timeless**	• atemporel, intemporel

The Refusal of Death — Le refus de la mort

Faust : Faustus

The Refusal of Death	Le refus de la mort
• **reincarnation**	• la réincarnation
• **metempsychosis** [metempsɪˈkəʊsɪs]	• la métempsychose
• **a cycle of life**	• un cycle de vie
• **the after-life**	• l'au-delà
• **eternal life in heaven**	• la vie éternelle au Ciel
• **resurrection**	• la résurrection
• **a Faustian pact**	• un pacte faustien
• **cryogenics** [kraɪəˈdʒenɪks]	• la cryogénie
cryonics [kraɪˈɒnɪks]	la cryogénisation
cryogenic preservation	la cryoconservation
• **cloning**	• le clonage
• **an organ bank/reserve**	• une banque/réserve d'organes
• **reincarnate (into)**	• se réincarner (en)
• **sell one's soul (to the devil)**	• vendre son âme (au Diable)
• **make a pact (with the devil)**	• conclure un pacte (avec le Diable)
• **freeze**	• congeler
• **clone**	• pratiquer le clonage

PRACTICE

10 The Twilight Zone: La zone crépusculaire

Classify the following words and expressions in two categories : the world of day and the world of night. Which of them did you find it difficult to classify and why?
diurn - sunrise - midnight - noon - dusk - morning - pitch-dark - nocturnal - twilight.

11 Those Little Words Which Drive You Crazy: Ces petits mots qui vous rendent fous

Fill in the blanks with the appropriate prepositions or particles.

a. This text is really ancient: it dates ... the days ... Aristotle (*Aristote*).
b. My watch has stopped: I must have forgotten to wind it ... .
c. ... the past, time could only be read ... a sun-dial or an hourglass.
d. I can't come with you, I'm busy ... the moment.
e. Time goes ... so quickly! I'm so late that I'll never get there ... time!
f. Don't forget to look ... your watch ... future.

12 Readers' Corner: Le coin lecture

Read the following extract and answer the questions.

Dorian Gray, the hero of the story, has just discovered the portrait that his friend Basil has painted.

"How sad it is!" murmured Dorian Gray with his eyes still fixed upon his own portrait. "How sad it is! I shall grow old, and horrible, and dreadful. But this picture will remain always young. It will never be older than this particular day of June. [...] If it were only the other way! If it were I who was to be always young, and the picture that was to grow old! For that – for that – I would give everything! Yes, there is nothing in the whole world I would not give! I would give my soul for that!"

Oscar Wilde, *The Picture of Dorian Gray* (1891)

a. Pick out the adjectives referring to old age. Are they positive or negative?

b. What type of man do you think Dorian Gray is? Tick the right boxes:
☐ middle-aged ☐ old ☐ good-looking ☐ young ☐ melancholic

c. The last sentence: "I would give my soul for that!" means that...
☐ Dorian Gray renounces his life of enjoyment.
☐ Dorian Gray would like to make a pact with the devil.
☐ Dorian Gray wants to die.

d. Art is presented as...
☐ The enemy of man ☐ The symbol of passing time ☐ The symbol of eternity

▶ Corrigés page 411 ◀

The Contemporary Context

The Power of the Elderly ("Grey Power")

Le pouvoir des personnes âgées

- **the grey wave:** la "vague grise", l'arrivée en masse, dans la société, des personnes âgées.
- **a grey glut:** un surplus de personnes âgées.
- **a grey lobby:** un groupe de pression composé de personnes âgées.
- **to court the grey vote:** courtiser les électeurs du troisième âge.
- **to tap the grey vote:** exploiter le vote du troisième âge.
- **the silver industry:** l'économie qui s'organise autour du troisième âge (*silver:* argenté).
- **a silver mansion:** une résidence pour personnes âgées.
- **silver leisure services:** les loisirs pour le troisième âge.

Unforgettable Decades

Décennies mémorables

- **The Naughty Nineties:** Les années 90 (du XIXe siècle) teintées de "décadence" et de mœurs relâchées – avec, notamment, le procès retentissant d'Oscar Wilde en Grande-Bretagne (*naughty:* vilain, coquin, déluré).
- **The Roaring Twenties:** Les années 20 ou "années folles" (*roaring:* rugissant).
- **The Hungry Thirties:** Les années 30, dites "années noires" en raison des retombées de la crise économique de 1929 (*hungry:* affamé).
- **The Swinging Sixties:** Les années 60, qui connurent le triomphe du "swing" (*to swing:* balancer, aller en rythme).

Generation Problems

Les problèmes de générations

- **the Lost Generation:** la génération "perdue" ayant subi le traumatisme de la Première Guerre mondiale, et dont le désenchantement a été exprimé dans les romans de Francis Scott Fitzgerald.
- **the Me Generation:** la génération individualiste et égocentrique des années 80.
- **the Blank Generation, the X Generation:** la "bof" génération des années 90 (*blank:* blanc, vide).

Idioms and Colourful Expressions

Focus on Days

- **Black Thursday** (jeudi noir)**:** le jour du terrible krach boursier de 1929.
- **Black Friday** (vendredi noir)**:** le lendemain de Thanksgiving (journée d'action de grâces, qui aux États-Unis, commémore l'arrivée des premiers immigrants, et se fête le quatrième jeudi du mois de novembre), jour noir pour les commerçants, car personne ne fait ses courses ce jour-là, la fête étant à peine passée.

- **a Man Friday:** un homme à tout faire (en référence au domestique de Robinson Crusoe, Vendredi).
- **to be dressed in one's Sunday best:** être en habits du dimanche.

Focus on Time

- **to call it a day (coll.):** arrêter, ajourner quelque chose, décider de s'en tenir là.
- **to have a field day:** s'amuser comme un fou.
- **a clockwatcher:** quelqu'un qui a toujours l'œil sur sa montre (péjoratif).
- **a race against time:** une course contre la montre.
- **a time-lag:** un décalage, un retard.
- **jet-lag:** la fatigue du décalage horaire (due aux voyages aériens).
- **a has-been:** un ringard, une personne finie.

- **to go like clockwork:** aller comme sur des roulettes (*clockwork:* les mécanismes d'une horloge).
- **to bide one's time:** attendre son heure.
- **to have time on one's hands:** avoir du temps devant soi.
- **to have the time of one's life:** passer les plus beaux moments de sa vie.
- **to play for time:** essayer de gagner du temps.

- **it's high time (you did that):** il est grand temps (que tu fasses cela).
- **it's daylight robbery:** c'est du vol manifeste.
- **it's now or never:** c'est maintenant ou jamais.
- **it's as old as the hills:** c'est vieux comme le monde.

Focus on Life and Death

- **a live wire:** du vif-argent, une personne qui ne tient pas en place (*wire:* fil de fer, *live:* électrisé, sous tension).
- **the kiss of death:** le baiser de la mort.
- **the kiss of life:** le bouche-à-bouche.
- **a dead loss:** une perte sèche.
- **over my dead body:** plutôt me passer sur le corps !
- **to die hard:** avoir la vie dure, avoir du mal à disparaître.
- **to work oneself to death:** s'user la santé à force de travailler.

Sayings and Proverbs

- **Life is short and time is swift:** La vie est courte; le temps passe vite.
- **Time is money:** Le temps, c'est de l'argent.
- **Time is the great healer:** Le temps guérit tout.
- **Sufficient unto the day is the evil thereof:** À chaque jour suffit sa peine.
- **Rome was not built in a day:** Rome ne s'est pas construite en un jour.
- **Never put off till tomorrow what may be done today:** Ne remettez pas au lendemain ce qui peut être fait le jour même.
- **Better late than never:** Mieux vaut tard que jamais.

Religions and Spiritual Life

Religions et vie spirituelle

1 Faith — La foi

Faith and Belief — La foi et la croyance

• **spirituality**	• la spiritualité
• **a belief**	• une croyance
• **a creed, a credo** ['kriːdəʊ]	• une déclaration de foi, un credo
• **a revelation**	• une révélation
• **piety** ['paɪətɪ]	• la piété
• **contemplation**	• la contemplation
• **meditation**	• la méditation
• **devoutness** [dɪ'vaʊtnɪs]	• la ferveur
• **devotion**	• la dévotion
• **bliss**	• la béatitude
• **a believer**	• un croyant
• **a convert**	• un converti
• **a mystic**	• un mystique
• **a hermit**	• un ermite
• **the faithful**	• les fidèles
• **fanaticism, bigotry** **a fanatic, a bigot**	• le fanatisme un fanatique, un bigot
• **idolatry** [aɪ'dɒlətrɪ] **an idol** ['aɪdl]	• l'idolâtrie une idole
• **fundamentalism** **a fundamentalist**	• l'intégrisme un intégriste

---

• **believe (in God)**	• croire (en Dieu)
• **have faith/have faith in**	• avoir la foi/avoir foi en
• **worship (a god)**	• rendre un culte (à un dieu)
• **meditate**	• méditer
• **devote one's life to**	• consacrer sa vie à
• **adore**	• adorer
• **convert (to a religion)**	• se convertir (à une religion)

• **pious** ['paɪəs]	• pieux
• **mystic**	• mystique
• **spiritual**	• spirituel
• **divine** [dɪ'vaɪn]	• divin
• **holy, sacred** ['seɪkrɪd]	• saint, sacré
• **denominational**	• confessionnel
• **contemplative**	• contemplatif
• **meditative**	• méditatif
• **devout** [dɪ'vaʊt]	• fervent, croyant

Unbelief and Secularity — L'incroyance et la laïcité

• doubt [daʊt], disbelief	• le doute, l'incrédulité
• impiety [ɪm'paɪətɪ]	• l'impiété
• an unbeliever/a non-believer	• un incroyant
• agnosticism	• l'agnosticisme
an agnostic	• un agnostique
• free-thinking	• la libre-pensée
a free-thinker	un libre-penseur
• atheism ['eɪθɪɪzəm]	• l'athéisme
an atheist ['eɪθɪɪst]	un athée
• secularism	• le laïcisme/la laïcité
• a layman	• un laïc
• anticlericalism	• l'anticléricalisme
an anticlerical	un anticlérical
• paganism ['peɪgənɪzəm]	• le paganisme
• transgression	• la transgression
• iconoclasm [aɪ'kɒnəklæzəm]	• l'iconoclasme
an iconoclast [aɪ'kɒnəklæst]	un iconoclaste
• blasphemy	• le blasphème
a blasphemer [blæs'fiːmə]	un blasphémateur
• sacrilege	• le sacrilège
• desecration, profanation	• la profanation
a profaner	un profanateur
• heresy ['herəsɪ]	• l'hérésie
a heretic	un hérétique

libertinism: *la doctrine du libertinage*
a libertine: *un libertin*

a layman: *un profane, un non-spécialiste*
the laity/lay people: *les laïcs*

words of blasphemy: *un (des) blasphème(s)*

an act of sacrilege: *un sacrilège*

• doubt [daʊt]	• douter
• transgress	• transgresser
• blaspheme [blæs'fiːm]	• blasphémer
• desecrate	• profaner

• impious ['ɪmpɪəs]	• impie
• atheist	• athée
• lay	• laïc
• secular	• séculier, profane
• infidel	• mécréant
• iconoclastic [aɪkɒnəʊ'klæstɪk]	• iconoclaste
• blasphemous	• blasphématoire
• sacrilegious [sækrɪ'lɪdʒəs]	• sacrilège
• pagan ['peɪgən], heathen ['hiːðn]	• païen

2 Religions — Les religions

Religion — La religion

• a god, God	• un dieu, Dieu
• a goddess	• une déesse
• a divinity	• une divinité

• **monotheism**	• le monothéisme
• **polytheism**	• le polythéisme
• **pantheism**	• le panthéisme
• **a denomination**	• une confession
• **the soul** [səʊl]	• l'âme
• **reincarnation**	• la réincarnation
• **a prophet**	• un prophète
• **a messiah** [mɪ'saɪə]	• un messie
• **a saint**	• un saint
• **a martyr**	• un martyre
martyrdom	le martyre
• **a sin**	• un péché
a sinner	un pécheur

(!) sinned, sinning

• **sin (against)**	• pécher (contre)
• **repent**	• se repentir

Christianity — Le Christianisme

the Anglican Church: *l'Église anglicane*

Christmas: *Noël, le jour du Christ* (mas = *jour-archaïsme*)

• **Christendom** ['krɪsndəm]	• la chrétienté
a Christian ['krɪstjən]	un chrétien
• **Catholicism**	• le catholicisme
a Catholic	un catholique
• **the Reformation**	• la Réforme
• **Protestantism**	• le protestantisme
a Protestant	un protestant
• **an Anglican**	• un anglican
• **an Orthodox**	• un orthodoxe
• **Christ** [kraɪst]	• le Christ
• **the Crucifixion**	• la Crucifixion
• **the Cross**	• la Croix
• **the crucifix**	• le crucifix
• **the Father, the Son and the Holy Spirit/Ghost**	• le Père, le Fils et le Saint-Esprit
• **the Trinity**	• la Trinité
• **the Lord**	• le Seigneur
• **the Redeemer**	• le Rédempteur
• **the Holy Virgin, the Virgin Mary**	• la Sainte Vierge, la Vierge Marie
• **the Three Kings, the Three Wise Men**	• les Rois Mages
• **an angel** ['eɪndʒəl]	• un ange
• **the Devil, Satan** ['seɪtən], **Lucifer**	• le Diable, Satan, Lucifer
• **heaven** ['hevn]	• le paradis
• **hell**	• l'enfer
• **purgatory**	• le purgatoire
• **the hereafter** [hɪər'ɑːftə]	• l'au-delà
• **the Holy Scriptures**	• les Saintes Écritures
• **the Bible, the (Good) Book**	• la Bible
• **the Old Testament**	• l'Ancien Testament
the Ten Commandments	les dix commandements
• **the New Testament**	• le Nouveau Testament
• **the Gospels**	• les Évangiles
• **the Last Judgement**	• le Jugement dernier

• the Apocalypse	• l'Apocalypse
• Adam and Eve ['ædəm] [iːv]	• Adam et Eve
• eternal life	• la vie éternelle
• the seven deadly sins	• les sept péchés capitaux
gluttony	la gourmandise
envy	la convoitise
sloth [sləʊθ]	la paresse
pride	l'orgueil
lust	la luxure
greed	l'avarice
wrath [rɔːθ]	la colère
• damnation	• la damnation
• forgiveness	• le pardon
• charity	• la charité
• chastity	• la chasteté
celibacy	le célibat
• abstinence	• l'abstinence
• humility	• l'humilité
• virtue ['vɜːtjuː]	• la vertu
• redemption	• la rédemption

deadly: *mortel*

greedy: *gourmand*

a charity: *une organisation caritative*

• crucify	• crucifier
• die on the cross	• mourir sur la croix
• resurrect	• ressusciter
• damn [dæm]	• damner
• excommunicate	• excommunier
• forgive	• pardonner
• abstain (from)	• s'abstenir (de)
• redeem	• racheter, rédimer
• give in to/resist temptation	• succomber/résister à la tentation

• Christian ['krɪstjən]	• chrétien
• charitable	• charitable
• chaste [tʃeɪst]	• chaste
• humble	• humble
• virtuous	• vertueux

Judaism / Le Judaïsme

• Jehovah [dʒɪ'həʊvə]	• Jéhovah
• the Talmud	• le Talmud
• the Torah	• la Torah
• Sabbath	• le sabbat
• a Jew, a Jewess	• un juif, une juive
• the Elect, the Chosen People	• le Peuple élu
• the Promised Land	• la Terre promise
• the (Jewish) Diaspora	• la diaspora (juive)
• zionism ['zaɪənɪzəm]	• le sionisme
a zionist ['zaɪənɪst]	un sioniste
• anti-Semitism	• l'antisémitisme
an anti-Semite ['siːmaɪt]	un antisémite

a sabbatical: *un congé sabbatique*

• Jewish	• juif
• Hebrew ['hiːbruː]	• hébreu
• Israeli [ɪz'reɪlɪ]	• israélite
• anti-Semitic	• antisémite

Islam / l'Islam

Islam	l'Islam
• Allah	• Allah
• the Crescent	• le Croissant (de l'Islam)
• the Koran	• le Coran
• Mohammed	• Mahomet
• Mecca	• la Mecque
• (the) Ramadan	• le Ramadan
fasting	le jeûne
• a Muslim, a Moslem	• un musulman
• a prayer mat	• un tapis de prière
• islamicize	• islamiser
• fast	• jeûner
• Islamic	• islamique
• Koranic	• coranique
• Muslim	• musulman
• Shiite	• chiite

breakfast *(petit déjeuner)* = break fast *(rompre le jeûne)*

Other Religions / D'autres religions

Other Religions	D'autres religions
• Hinduism	• l'Hindouisme
• Buddhism	• le Bouddhisme
• Shintoism	• le Shintoïsme
• animism	• l'animisme
• Confucianism [kən'fjuːʃənɪzəm]	• le confucianisme
• Hindu	• hindou
• Buddhist	• bouddhiste
• animist	• animiste

3 Worship and Rituals / Cultes et rituels

Places and Objects of Worship / Les lieux et les objets du culte

Places and Objects of Worship	Les lieux et les objets du culte
• a church	• une église, un temple (protestant)
• a cathedral [kə'θiːdrəl]	• une cathédrale
• a chapel	• une chapelle
• a synagogue	• une synagogue
• a mosque ['mɒsk]	• une mosquée

the Church: l'Église (institution)

• a minaret	• un minaret
• a pagoda	• une pagode
• a temple	• un temple (édifice)
• a cloister	• un cloître
• an abbey	• une abbaye
• a convent	• un couvent
• the altar ['ɔːltə]	• l'autel
• a confessional	• un confessional
• stained glass	• des vitraux
• the Host [həʊst]	• l'hostie
• the Cross	• la croix
• a chalice ['tʃælɪs]	• un calice
• a (holy water) font	• un bénitier
• a candle	• un cierge/une bougie
• an icon ['aɪkɒn]	• une icône
• incense	• l'encens
• the Blessed Sacrament ['blesɪd]	• le Saint Sacrement

holy water: *l'eau bénite*

incense: *mettre en colère*

• Roman	• roman
• Gothic	• gothic
• consecrated	• consacré

The Ministers of Religion — Les ministres du culte

• the clergy	• le clergé
a clergyman/a clergywoman	un ecclésiastique
• a priest [priːst]	• un prêtre (catholique)
a female priest	un prêtre femme
a defrocked priest	un prêtre défroqué
• a minister	• un pasteur
• a vicar, a parson	• un pasteur (anglican)
• a bishop	• un évêque
• an archbishop	• un archevêque
• a pope	• un pape
• a monk	• un moine
• a nun	• une nonne
• a preacher	• un prédicateur
• a rabbi ['ræbaɪ]	• un rabbin
• an ayatollah	• un ayatollah
• an imam	• un imam

Father: *Mon père*

(!) *un vicaire* : a curate

His Holiness: *Sa Sainteté*

Brother X: *Frère X*

Sister X: *Sœur X*

• ordain someone	• ordonner quelqu'un
• enter the ministry	• entrer dans les ordres
• take one's vows	• prononcer ses vœux
• take the veil [veɪl]	• prendre le voile

Practices and Rituals — Pratiques et rituels

• worship	• le culte
• a prayer	• une prière
• a service	• un service

	• **mass**	• la messe
	• **a sacrament**	• un sacrement
	• **baptism, christening** ['krɪsnɪŋ]	• le baptême
	• **circumcision**	• la circoncision
≠ a wedding: *un mariage (= fête)*	• **a marriage**	• un mariage (= sacrement)
	• **a funeral** ['fjuːnərəl]	• un enterrement
	• **confession**	• la confession
	• **absolution**	• l'absolution
	• **a sermon**	• un sermon
	• **a blessing**	• une bénédiction
	• **communion**	• la communion
	• **a hymn, a psalm** [sɑːm]	• un hymne, un psaume
	• **the collection**	• la quête
	• **a sacrifice** ['sækrɪfaɪs]	• un sacrifice
	• **an offering**	• une offrande
	• **a churchgoer**	• un pratiquant
The Pilgrim Fathers: *les Pères Pèlerins, premiers immigrants d'Amérique*	• **a pilgrimage** **a pilgrim**	• un pèlerinage un pèlerin
	• **the/a congregation**	• l'assemblée des fidèles/ une congrégation

	• **worship**	• rendre un culte à, adorer
	• **pray**	• prier
	• **go to church, attend church**	• aller à l'église
	• **go to mass**	• assister à la messe
	• **say mass**	• dire la messe
	• **take the collection**	• faire la quête
	• **baptize, christen**	• baptiser
	• **circumcise**	• circoncire
	• **celebrate a marriage**	• célébrer un mariage
	• **bless**	• bénir
	• **confess**	• (se) confesser
	• **absolve** [əb'zɒlv]	• absoudre
	• **preach**	• prêcher
a knee: *un genou*	• **kneel** [niːl]	• s'agenouiller
	• **cross oneself**	• se signer
	• **meditate**	• méditer

Celebrations — Les fêtes

Season's Greetings!: *Joyeuses fêtes ! (pour Noël et Nouvel An)*	• **a religious festival**	• une fête religieuse
	• **a (bank) holiday**	• un jour férié
	• **Lent**	• le Carême
Passover: *la Pâque juive (Pessah)*	• **Easter**	• Pâques
	• **Good Friday**	• le Vendredi Saint
	• **Whit Sunday**	• la Pentecôte
	• **Assumption Day**	• l'Assomption
	• **Thanksgiving (US, Canada)**	• le jour d'action de grâce
	• **All Saints' Day**	• la Toussaint
Merry Christmas!: *Joyeux Noël !*	• **Christmas (Xmas)** **Father Christmas, Santa Claus** **Boxing Day (Brit.)**	• Noël le Père Noël le lendemain de Noël

"Trick or treat?" *(un tour pendable ou une gâterie ?)* : *"Bêtises ou friandises ?"*

- **Shrove Tuesday, Pancake Day** • Mardi Gras
- **Halloween (US)** • la fête de veille de Toussaint
- **New Year's Eve** • la Saint-Sylvestre

Happy new year!: *Bonne année !*

- **celebrate** • célébrer, fêter
- **commemorate** • commémorer
- **honour** ['ɒnə] • honorer
- **thank, give thanks to** • rendre grâce à
- **make amends** • se repentir
- **purify oneself** • se purifier

4 Myths and Other Beliefs / Mythes et autres croyances

Greek and Latin Mythology / La mythologie grecque et latine

Mount Olympus: *le mont Olympe*

≠ a satire: *une satire (= genre littéraire)*

- **a myth** • un mythe
- **Olympus** • l'Olympe
- **Hades** ['heɪdiːz], **the Underworld** • les Enfers
- **the gods** • les dieux
- **a goddess** • une déesse
- **a centaur** • un centaure
- **a Titan** ['taɪtən] • un titan
- **a Cyclops** ['saɪklɒps] • un cyclope
- **a satyr** ['sætə] • un satyre
- **a nymph** • une nymphe

- **pronounce an oracle** • rendre un oracle

Olympic: *olympique*

- **mythical** • mythique
- **Olympian** • olympien

Folklore / Les croyances populaires

A fairy tale: *un conte de fées*

several werewol**ves**

- **a legend** • une légende
- **a unicorn** • une licorne
- **a goblin, an imp** • un lutin, un diablotin
- **a troll, an elf** • un troll, un elfe, un farfadet
- **a fairy** • une fée
- **a werewolf** ['wɪəwulf] • un loup-garou
- **a vampire** • un vampire
- **a mermaid** • une sirène
- **a giant** ['dʒaɪənt] • un géant
- **an ogre** ['əʊgə], **an ogress** • un ogre, une ogresse

Cults / Les sectes

- **a sect, a cult** • une secte
- **a commune, a community** • une communauté

• a personality cult	• un culte de la personnalité
• a member	• un membre
• a guru	• un gourou
• brainwashing	• le lavage de cerveau

• join a sect	• entrer dans une secte
• belong to a sect	• appartenir à une secte
• indoctrinate	• endoctriner

• guided ['gaɪdɪd]	• guidé
• enlightened	• éclairé
• manipulated	• manipulé
• brainwashed	• endoctriné
• credulous, gullible	• crédule

Superstitions and the Supernatural / Les superstitions et le surnaturel

• sorcery, witchcraft	• la sorcellerie
a sorcerer, a wizard	un sorcier
an enchanter, a magician	un enchanteur, un magicien
a witch, a sorceress	une sorcière
a witch doctor/a medicine man	un sorcier-guérisseur
a faith healer ['feɪθ hiːlə]	un guérisseur
• a spell	• un charme, un sort
• the magic words	• la formule magique
• a curse [kɜːs]	• une malédiction
• exorcism	• l'exorcisme
an exorcist	un exorciste
• (black) magic	• la magie (noire)
• a black mass	• une messe noire
• voodoo ['vuːduː]	• le vaudou
• a fetish	• un fétiche
• a lucky charm, a talisman	• un gri-gri, un talisman
• an amulet	• une amulette
• clairvoyance [kleə'vɔɪəns]	• la voyance, le don de double vue
a clairvoyant	un extralucide
a medium ['miːdjəm]	un médium
a soothsayer	un devin
a fortune teller	une diseuse de bonne aventure
• a crystal ball	• une boule de cristal
• a spectre	• un spectre
• a spirit	• un esprit
spiritualism	le spiritisme
a spiritualist	un spirite
• a seance ['seɪɑ̃ːns]	• une séance de spiritisme
• a poltergeist	• un esprit frappeur
• a ghost	• un fantôme
• alchemy ['ælkɪmɪ]	• l'alchimie
an alchemist	un alchimiste

(US) specter

(!) a practice: *une pratique*

- **practise witchcraft** • pratiquer la sorcellerie
- **cast a spell on someone** • jeter un sort à quelqu'un
- **bewitch** • envoûter
- **tell the future** • prédire

- **magic** • magique
- **supernatural** • surnaturel
- **paranormal** • paranormal
- **esoteric** • ésotérique
- **eery** ['ɪərɪ] • étrange, surnaturel
- **fantastic** • fantastique
- **occult** • occulte
- **spellbound** • envoûté, ensorcelé
- **spooky** • qui fait froid dans le dos

a spook: *un fantôme*

Astrology — L'astrologie

- **an astrologer** • un astrologue
- **a horoscope** • un horoscope
- **a birth chart** • un thème astral
- **the signs of the zodiac** • les signes du Zodiaque
- **ascendant** [ə'sendənt] • l'ascendant
- **decan** [dɪ'kæn] • le décan

(irr.) I cast, I have cast

- **cast somebody's horoscope** • faire l'horoscope de qqn
- **predict, foresee, foretell** • prédire
- **be Aries** ['eəriːz] • être Bélier

PRACTICE

13 Practices and Celebrations: Pratiques et célébrations

Match the following celebrations with the event they celebrate.

a. Christmas
b. Good Friday
c. Halloween
d. Thanksgiving
e. New Year's Eve

1. festival of ghosts and witches before All Saints'Day
2. day set apart for giving thanks to God for the Foundation of the United States
3. anniversary of the birth of Jesus
4. celebration of the last day of the year
5. anniversary of the Crucifixion

14 Find the Missing Word: Trouvez le mot manquant

Fill in the following grid.

Noun	Adjective
Christianity	...
...	divine
piety	...
antisemitism	...
...	catholic

15 The Crisis in the Church: La crise de l'Église

Fill in the blanks with words from the following list.
sermons - churchgoers - funerals - religion - mass - celebrate - service - baptisms - churches - marriages - priests.

... seems to be undergoing a major crisis: ... are fewer and attend ... less regularly. ... sometimes say ... and deliver ... in deserted ... . They do not ... as many ... , ... and ... as before.

▶ Corrigés page 411 ◀

The Contemporary Context

Religious Organisations, Sects or Doctrines
Organisations, sectes et doctrines religieuses

The heritage of the past - L'héritage du passé :

- **The Mormons:** les Mormons, communauté fondée aux États-Unis en 1830. Ils sont connus pour leur tempérance, l'importance qu'ils accordent au repentir, et leur polygamie (officiellement abolie en 1890).
- **The Quakers, the Society of Friends:** les Quakers, communauté fondée en Grande-Bretagne au XVIIe siècle. Pacifistes américains notoires, ils vivent dans la simplicité et n'ont ni crédo formalisé, ni clergé institutionnalisé mais sont guidés par la seule "Lumière Intérieure" *(Inward Light)* divine et prêchent la fraternité universelle.
- **The Methodists:** les Méthodistes tirent leur mouvement d'une prédication de John Wesley (1729) à l'encontre de l'anglicanisme. Ils fondent leur croyance sur une expérience personnelle de Dieu comme l'unique guide possible de la conscience et considèrent que tous peuvent accéder au salut grâce à la foi.
- **The Evangelists:** les Évangélistes tiennent les Évangiles pour une prédication primordiale qu'il faut annoncer à tous ceux qu'elle n'a pas touchés.
- **The Baptists:** les Baptistes constituent la plus grande Église protestante des États-Unis. Ils tirent leur nom de l'importance qu'ils accordent au baptême, qui n'est pratiqué que sur les adultes et par immersion complète.
- **The Amish:** les Amish, communauté fondée en Suisse vers 1690. Ils mènent une vie rurale simple, rejettent les progrès de la science et organisent leur vie selon une interprétation littérale de la Bible.

More recent organisations and doctrines - Organisations et doctrines plus récentes :

- **Y.M.C.A. (US), Young Men's Christian Association:** union chrétienne des jeunes hommes.
- **Y.W.C.A. (US), Young Women's Christian Association:** union chrétienne des jeunes filles.
- **the Black Muslims** (les Musulmans noirs): mouvement politico-religieux américain créé dans les années 60.
- **Jehovah's Witnesses:** les Témoins de Jéhovah.
- **Scientology:** la Scientologie, mouvement sectaire "religieux" et "scientifique" apparu aux États-Unis dans les années 50, qui se fonde sur le concept de "science de la santé mentale".
- **New Age:** doctrine écologiste et pacifiste des années 80, qui s'appuie sur la croyance que chaque individu possède une parcelle de Dieu en soi, et que corps et esprit sont en harmonie, tout comme les forces cosmiques.

Recent Neologisms
Néologismes récents

- **televangelism** (mot-valise formé de *television* + *evangelism*)**:** la télévangélisation ou retransmission télévisée des sermons des prédicateurs américains.
- **a televangelist:** un télévangéliste
- **a Godsgate** (mot-valise formé de *God* + *(Water)gate*, scandale politique aux États-Unis)**:** un scandale religieux.
- **a gospel telecaster:** une "vedette" de l'Évangile, dans la tradition américaine où la pratique religieuse donne lieu à un grand spectacle télédiffusé ou radiodiffusé.
- **a Godscam** *(God + scam)*: une escroquerie *(scam)* à caractère religieux – détournements de fonds, etc.

Idioms and Colourful Expressions

Focus on Religion

- **a guardian angel:** un ange gardien.
- **a tin god:** un faux dieu , un veau d'or.
- **an act of God:** une catastrophe naturelle.
- **heaven on earth:** un paradis terrestre (sens figuré).
- **a blessing in disguise:** un bienfait insoupçonné.
- **"I did it for the hell of it":** "je l'ai fait parce que ça me chantait."
- **"when hell freezes over...":** "quand les poules auront des dents…"
- **to stink to high heaven:** empester (au point que cela monte au ciel).
- **to go hell for leather:** aller à bride abattue.

Colloquial or Slang Exclamations

- **Good Lord!:** Mon Dieu ! (exclam. de surprise ou de consternation).
- **My God!:** Mon Dieu ! (affolement, désespoir).
- **For Christ's/God's/heaven's sake:** Pour l'amour du Ciel (agacement).
- **Damn!:** Bon sang ! Zut !
- **Go to hell!:** Va te faire voir !
- **to hell with (something)!:** au diable !
- **Who the devil is that?:** Qui diable est-ce donc ?
- **I don't give a damn!:** Je m'en fiche royalement !
- **God bless you!:** À tes/À vos souhaits !

Sayings and Proverbs

- **God helps those who help themselves:** Aide-toi, le Ciel t'aidera.
- **Talk of the devil and he is sure to appear:** Quand on parle du loup, on en voit la queue.
- **If the mountain will not come to Mahomet, Mahomet must go to the mountain:** Si la montagne ne vient pas à Mahommet, Mahommet ira à la montagne.
- **(Every man for himself and) the devil takes the hindmost:** Sauve qui peut !
- **Between the devil and the deep blue sea:** Entre la peste et le choléra, face à un dilemme sans issue.
- **The road to hell is paved with good intentions:** L'enfer est pavé de bonnes intentions.

Geography and Geopolitics
Géographie et géopolitique

1 Geography — La géographie

The Skies — Les cieux

The Universe — L'univers

	• **the infinite**	• l'infini
	• **the void** [vɔɪd]	• le vide
Big *(grand)* + Bang *(onomatopée)*	• **the big-bang**	• le big-bang
	• **weightlessness**	• l'apesanteur
	• **gravity**	• la pesanteur
	• **gravitation**	• la gravitation
opposite: chaos *(le chaos)*	• **(the) cosmos** ['kɒzmɒs]	• le cosmos
	• **(outer) space**	• l'espace
	• **the sky/the heavens (lit.)**	• le ciel/les cieux
	• **a galaxy**	• une galaxie
several nov**ae** [nəʊviː]/nov**as**	• **a nova**	• une nova
several nebul**ae**	• **a nebula**	• une nébuleuse
from quasi-stellar radio source	• **a quasar** ['kweɪzaː]	• un quasar
	• **a black hole**	• un trou noir
the Milky Way: *la Voie lactée*	• **a constellation**	• une constellation
	• **a star**	• une étoile
	a shooting star	une étoile filante
	the Pole Star	l'étoile polaire
	the Evening Star	l'étoile du berger
	the zodiac	le zodiaque
	• **a planet**	• une planète
	• **a satellite**	• un satellite
	• **a comet**	• une comète
	• **an asteroid**	• un astéroïde
	• **a meteorite** ['miːtjəraɪt]	• un météorite

	• **universal**	• universel
opposite: chaotic *(chaotique)*	• **cosmic** ['kɒzmɪk]	• cosmique
an ET: *un extraterrestre*	• **(extra)terrestrial**	• (extra)terrestre
	• **(inter)planetary**	• (inter)planétaire
	• **(inter-)galactic**	• (inter-)galactique
	• **stellar**	• stellaire
	• **starry**	• étoilé

The Solar System — Le système solaire

	• **the sun**	• le soleil
	sunrays	les rayons du soleil
at sunrise: *au lever du soleil*	**sunrise**	le lever du soleil
	sunset/sundown (US)	le coucher de soleil
	• **(the) Earth**	• la Terre
	an Earthman/-woman	un Terrien/une Terrienne

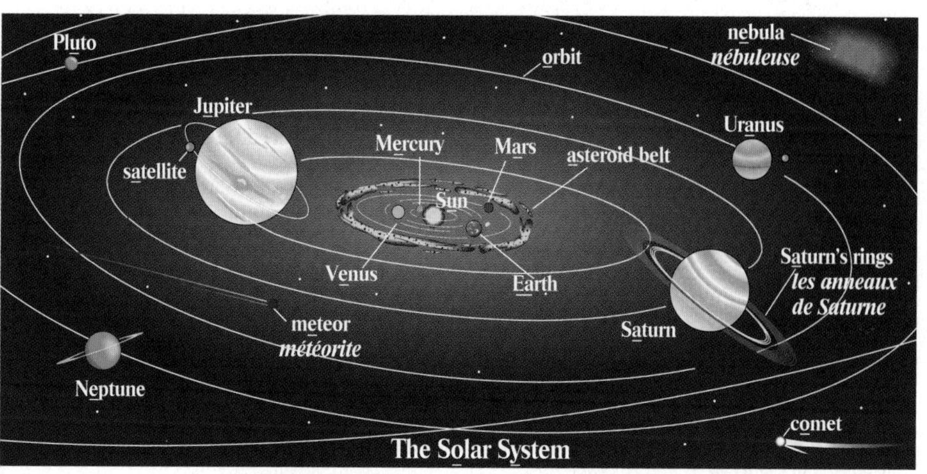

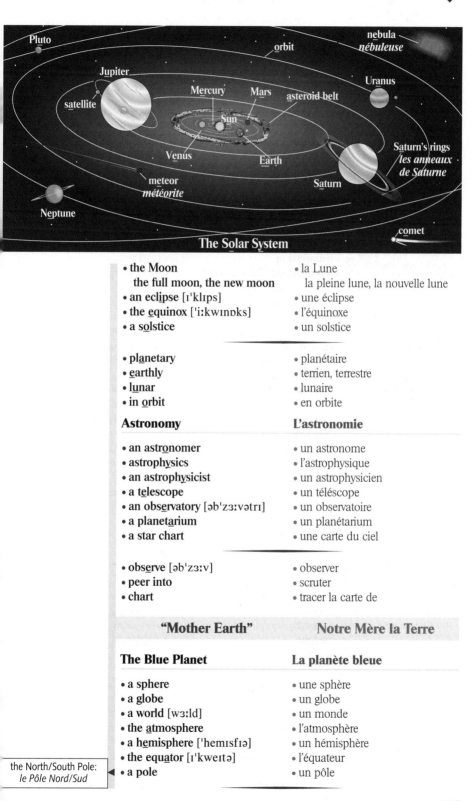

• **the Moon**	• la Lune
the full moon, the new moon	la pleine lune, la nouvelle lune
• **an eclipse** [ɪ'klɪps]	• une éclipse
• **the equinox** ['iːkwɪnɒks]	• l'équinoxe
• **a solstice**	• un solstice

• **planetary**	• planétaire
• **earthly**	• terrien, terrestre
• **lunar**	• lunaire
• **in orbit**	• en orbite

Astronomy / L'astronomie

• **an astronomer**	• un astronome
• **astrophysics**	• l'astrophysique
• **an astrophysicist**	• un astrophysicien
• **a telescope**	• un téléscope
• **an observatory** [əb'zɜːvətrɪ]	• un observatoire
• **a planetarium**	• un planétarium
• **a star chart**	• une carte du ciel

• **observe** [əb'zɜːv]	• observer
• **peer into**	• scruter
• **chart**	• tracer la carte de

"Mother Earth" / Notre Mère la Terre

The Blue Planet / La planète bleue

• **a sphere**	• une sphère
• **a globe**	• un globe
• **a world** [wɜːld]	• un monde
• **the atmosphere**	• l'atmosphère
• **a hemisphere** ['hemɪsfɪə]	• un hémisphère
• **the equator** [ɪ'kweɪtə]	• l'équateur
• **a pole**	• un pôle

the North/South Pole: *le Pôle Nord/Sud*

	• (hemi)spherical	• (hémi)sphérique
	• worldly ['wɜːldlɪ]	• de la terre, terrestre
	• global	• mondial

	The Mainland	**La terre ferme**
	• the Earth's crust	• la croûte terrestre
	• a continent	• un continent
	• the continental drift	• la dérive des continents
St Andreas' fault: *la faille de St Andréas*	• a fault [fɔːlt]	• une faille
	• the continental shelf	• le plateau continental
	• an island ['aɪlənd]	• une île
several archipelago(e)s	• an archipelago [ɑːkɪ'peləgəʊ]	• un archipel
	• an atoll	• un atoll
	• a peninsula	• une péninsule, une presqu'île
	• an isthmus ['ɪsməs]	• un isthme
the Strait(s) of Gibraltar: *le détroit de Gibraltar*	• a strait(s)	• un détroit
	• a promontory ['prɒməntrɪ]	• un promontoire
	• a cape, a headland	• un cap
	• relief [rɪ'liːf]	• le relief
	• a mountain	• une montagne
	• a range of mountains, a mountain chain	• une chaîne de montagnes
	the Himalayas	l'Himalaya
	mount Everest	le mont Everest
	the Andes	les Andes
	the Andean/Great Cordillera	la Cordillère des Andes
	the Rocky Mountains, the Rockies	les Montagnes Rocheuses
	the Appalachians [æpə'leɪʃənz]	les Appalaches
	the Alps	les Alpes
	Mont Blanc	le mont Blanc
	the Pyrenees [pɪrə'niːz]	les Pyrénées
	• a massif	• un massif
	• a hill	• une colline
	• a summit, a mountain top	• un sommet, une cîme
	• a peak	• un pic
	• a crest	• une crête
	• a ridge	• une arête
	• a glacier ['glæsɪə]	• un glacier
several volcano(e)s	• a volcano [vɒl'keɪnəʊ]	• un volcan
	• a crater	• un cratère
	• a cliff	• une falaise
(US) a canyon	• a gorge	• une gorge
	• a slope	• une pente
	• a pass	• un col
	• a ravine [rə'viːn]	• un ravin
	• a precipice	• un précipice
	• a chasm ['kæzəm]	• un gouffre
	• a cave	• une caverne, une grotte
	• a valley	• une vallée
	• a dale	• un vallon
	• a plain	• une plaine
several plateaus/plateaux	• a plateau	• un plateau
	• a basin ['beɪsn]	• un bassin, une cuvette

• height [haɪt]	• la hauteur
• altitude	• l'altitude

• high	• haut, élevé
• low	• bas, peu élevé
• mountainous	• montagneux
• hilly	• vallonné, accidenté
• volcanic	• volcanique
• sloping	• en pente, incliné
• (a) gentle (slope)	• (une pente) douce
• (a) steep (slope)	• (une pente) abrupte, raide
• precipitous	• à pic, escarpé, abrupt
• overhanging	• en surplomb

Water	**L'eau**
• an ocean ['əʊʃn]	• un océan
the Pacific (Ocean)	le Pacifique/l'océan Pacifique
the Atlantic (Ocean)	l'Atlantique/l'océan Atlantique
the Indian Ocean	l'océan Indien
• a sea	• une mer
the (English) Channel	la Manche
the North Sea	la mer du Nord
the Irish Sea	la mer d'Irlande
the Mediterranean (Sea)	la (mer) Méditerranée
the Caribbean (Sea)	la mer des Caraïbes/des Antilles
the South Seas	les mers du Sud
the Adriatic (Sea)	la mer Adriatique
the Baltic (Sea)	la (mer) Baltique
the Black Sea	la mer Noire
the Red Sea	la mer Rouge
the Dead Sea	la mer Morte
• the open sea	• la pleine mer, la haute mer
• the sea bed	• les fonds marins
• a wave	• une vague
• spray	• les embruns
• a ripple	• une ondulation, une ride (sur l'eau)
• white horses	• les moutons
• surf	• les vagues déferlantes
• the swell	• la houle
• the backwash, the undertow	• le ressac
• the tide	• la marée
at high tide	à marée haute
at low tide	à marée basse
the flow (tide), the flood tide	le flux
the ebb (tide)	le reflux
• a gulf	• un golfe
the Gulf of Mexico	le golfe du Mexique
the (Persian) Gulf ['pɜːʃən]	le golfe Persique
• a bay	• une baie
Hudson Bay	la baie de l'Hudson
• a creek, an inlet	• une crique
• a channel	• un chenal

the crest of a wave: *la crête d'une vague*

the tide is in/is coming in: *a marée est haute/monte*

the tide is out/going out: *a marée est basse/descend*

(!) the ebb and flow: *le flux et le reflux*

US) a creek: *un ruisseau*

	• the mouth of a river	• l'embouchure d'un fleuve
	• an estuary	• un estuaire
	• a lagoon	• un lagon
	• the (sea) shore	• le rivage
(US) the seaboard from coast to coast: *dans tout le pays*	• the coast, the coastline	• la côte, le littoral
	• a rock	• un rocher
	• a reef	• un récif
at/by the seaside/the ocean: *en bord de mer*	• the seaside, the ocean	• le bord de mer
	• a beach	• une plage
	• a lake	• un lac
	• a pool	• un étang
	• a pond	• une mare, un bassin
	• a cascade	• une cascade
the Niagara Falls: *les chutes du Niagara*	• a waterfall	• une chute d'eau
	• rapids	• des rapides
	• a whirlpool	• un tourbillon
	• a ford	• un gué
	• a river	• une rivière, un fleuve
	the (River) Thames [temz]	la Tamise
	the Seine	la Seine
	the Rhine	le Rhin
	the Nile	le Nil
	the Amazon	l'Amazone
	the Ganges ['gændʒiːz]	le Gange
	• the (river) bank	• la berge, la rive
	• the bed of a river/the riverbed	• le lit d'un fleuve
	• a tributary	• un affluent
	• a confluence, a junction	• un confluent
upstream: *en amont* downstream: *en aval* against the stream: *à contre-courant*	• the stream, the current	• le courant
	• a spring, a source [sɔːs]	• une source
(US) a creek	• a brook, a stream	• un ruisseau

	• flow	• couler
	• flow into, run into	• se jeter dans
	• overflow	• déborder

	• maritime ['mærɪtaɪm]	• maritime
	• coastal	• côtier
	• rocky	• rocailleux, rocheux
	• sandy	• sableux, sablonneux
a pebble: *un galet*	• pebbly	• de galets, caillouteux
	• muddy	• boueux
	• slimy	• vaseux, limoneux
	• salt (water)	• (l'eau) salé(e)
	• fresh (water)	• (l'eau) douce
	• clear	• clair, limpide
	• narrow	• étroit
	• broad	• large
	• deep	• profond
	• shallow	• ≈ peu profond
wind: *serpenter* (irr.) it wound, it has wound	• winding ['waɪndɪŋ]	• sinueux
	• meandering	• qui fait des méandres

Climate and the Weather — Les climats et le temps

Climate — Les climats

• a microclimate ['maɪkrəʊklaɪmɪt]	• un microclimat
• a season	• une saison
a dry season	une saison sèche
the rainy season	la saison des pluies
• the monsoon	• la mousson
• the trade winds	• les alizés
• equatorial	• équatorial
• (sub)tropical	• (sub)tropical
• Oceanian [əʊʃɪ'eɪnjən]	• océanien
• desert	• désertique
• temperate	• tempéré
• continental	• continental
• polar	• polaire

the rain forest: *la forêt équatoriale*

Water — L'eau

• rainfall	• les précipitations, la pluviosité
• rain	• la pluie
a (rain)drop	une goutte (de pluie)
• dew [dju:]	• la rosée
• drizzle	• la bruine, le crachin
• a shower ['ʃaʊə]	• une averse
• a downpour ['daʊnpɔ:]	• une pluie torrentielle
• a waterspout	• une trombe d'eau
• a deluge ['delju:dʒ]	• un déluge, une pluie diluvienne
• a rainbow	• un arc-en-ciel
• fog	• le brouillard
• mist, haze	• la brume
• snow	• la neige
a snowflake	un flocon de neige
a snowfall	une chute de neige
a snowdrift	une congère
• sleet	• la neige fondue
• hail	• la grêle
a hailstone	un grêlon
• frost	• le gel, la gelée
white frost/hoarfrost ['hɔ:frɒst]	la gelée blanche
ground frost	le givre
• ice	• la glace
black ice	le verglas
• rain	• pleuvoir
look like rain	être à la pluie (le temps)
• drizzle	• bruiner
• pour [pɔ:]	• tomber à verse
• lift	• se lever (brume et brouillard)
• snow	• neiger
• ice up, frost over	• (se) givrer

a bow: *un arc*

a **sheet** of black ice: *une **plaque** de verglas*

be **in** the rain: *être **sous** la pluie*

(irr.) I froze, I have frozen

- **freeze** • geler
- **melt** • fondre
- **get worse** • empirer
- **improve, get better** • s'améliorer

- **rainy** • pluvieux
- **wet** • pluvieux ; humide, mouillé
- **scattered (showers)** ['ʃaʊəz] • (des averses) intermittentes
- **pouring/pelting (rain)** ['pɔːrɪŋ] • (pluie) torrentielle/battante
- **changeable** • variable
- **(un)settled** • (in)stable
- **dull** [dʌl] • maussade, couvert
- **humid** ['hjuːmɪd] • humide
- **damp** • moite
- **dank** • humide et froid
- **foggy, misty, hazy** • brumeux
- **snowy** • neigeux
- **frosty** • gelé
- **icy** • glacé, glacial

Air / L'air

a heat wave: *une vague de chaleur*

- **heat** • la chaleur
  the midsummer heat/dog days — la canicule
- **drought** [draʊt] • la sécheresse
- **warmth** • la chaleur (agréable)

in the sunshine, in the sunlight: *au soleil, dans la lumière du soleil*

- **sunny/bright intervals** [braɪt] • des éclaircies
- **coolness** • la fraîcheur
- **cold** [kəʊld] • le froid

cloud cover: *une couche de nuages*

- **a cloud** [klaʊd] • un nuage
- **the wind** • le vent
  a breath of wind [breθ] — un vent léger, un souffle d'air
  a breeze — une brise
  a gust of wind — un coup de vent
- **a squall** • une rafale de vent
- **a whirlwind** • une tornade, une trombe
- **a storm, a gale** • une tempête
- **a thunderstorm** • un orage
- **thunder** • le tonnerre
  a thunderclap — un coup de tonnerre

un coup de foudre : love at first sight

- **lightning** • les éclairs, la foudre
  a flash of lightning — un éclair

- **get warmer** • se réchauffer
- **get better, improve** • s'améliorer
- **clear, clear up** • se dégager (pour le ciel)
- **brighten, brighten up** • s'éclaircir (pour le ciel)
- **get cooler/colder** [kəʊldə] • se rafraîchir
- **get cold** [kəʊld] • commencer à faire froid
- **blow** • souffler
- **abate** • tomber, s'apaiser
- **cloud over** • se couvrir (pour le ciel)

- **sunny** • ensoleillé
  sunlit — éclairé par le soleil

	• dry	• sec
	• warm	• doux, d'une chaleur agréable
	nice and warm	bien chaud
	• hot	• très chaud
scorch: *brûler, roussir*	scorching hot	torride
	• stifling	• étouffant
	• cool	• frais (plus ou moins agréable)
	nice and cool	bien frais
	• chilly	• très frais
	• cold [kəʊld]	• froid
	freezing cold, icy cold	glacial
	• cloudy, overcast	• nuageux, couvert
	• windy	• venteux
	• stormy, thundery	• orageux

Meteorology / La météorologie

	• a meteorologist	• un météorologue
	• weather conditions	• les conditions météorologiques
	• the weather forecast	• les prévisions météorologiques
	the weatherman	le présentateur du bulletin météo
	the weather report	le bulletin météo
	• a thermometer	• un thermomètre
It is 20° in the shade: *Il fait 20° à l'ombre.*	20° centigrade/20° Celsius	20° centigrade/20° Celsius
	80 degrees Fahrenheit	80 degrés Fahrenheit
	• above zero temperatures	• des températures au-dessus de zéro
10° below (zero): *– 10 degrés*	• sub-zero temperatures	• des températures en-dessous de zéro
	• an anticyclone	• un anticyclone
	• a depression	• une dépression
	• a barometer/a glass	• un baromètre
	barometric pressure	la pression barométrique
a vane: *une aile de moulin ;* a cock: *un coq*	• a weather vane/a weather cock	• une girouette
	• a lightning conductor	• un paratonnerre

Natural Disasters / Les catastrophes naturelles

	• a volcanic eruption	• une éruption volcanique
	lava ['lɑːvə]	la lave
	• an earthquake	• un tremblement de terre
	• the Richter scale	• l'échelle de Richter
a landslide victory: *une victoire écrasante (aux élections)*	• a landslide	• un glissement de terrain
	• a tidal wave	• un raz-de-marée
	• a flood [flʌd]	• une inondation
the eye of the storm: *l'œil du cyclone*	• a cyclone	• un cyclone
several tornado(e)s	• a tornado [tɔː'neɪdəʊ]	• une tornade
	• a typhoon	• un typhon
	• a hurricane	• un ouragan
	• an avalanche	• une avalanche

	• erupt	• entrer en éruption
	• quake	• trembler

a root: *une racine*

• **flood** [flʌd]	• inonder
• **uproot**	• déraciner
• **destroy**	• détruire
• **wipe out**	• effacer de la carte, anéantir

2 Geopolitics — La géopolitique

The World — Le monde

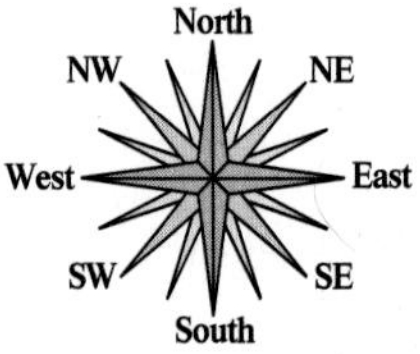

(Brit.) *un Indo-Pakistanais*

the north of America: *le nord de l'Amérique*

• **the West**	• l'Ouest, l'Occident
• **the North**	• le Nord
• **the South**	• le Sud
• **the East**	• l'Est
• **the Middle East**	• le Moyen-Orient
• **the Far East**	• l'Extrême-Orient
• **South-East Asia** ['eɪʃə]	• le Sud-Est asiatique
• **the continents**	• les continents
• **Africa**	• l'Afrique
an African	un Africain
(the) Africans	les Africains
• **Asia** ['eɪʃə]	• l'Asie
an Asian ['eɪʃn]	un Asiatique
(the) Asians ['eɪʃnz]	les Asiatiques
• **Europe** ['jʊərəp]	• l'Europe
Western Europe	l'Europe occidentale
Eastern Europe	l'Europe de l'Est
Southern Europe	l'Europe de Sud
Northern Europe	l'Europe du Nord
a European [jʊərə'piːən]	un Européen
(the) Europeans	les Européens
• **America**	• l'Amérique
North America	l'Amérique du Nord
Latin/South America	l'Amérique latine/du Sud
the West Indies	les Antilles
a West Indian	un Antillais
• **Oceania** [əʊʃɪ'eɪnjə]	• l'Océanie
• **the industrialized countries**	• les pays industrialisés
• **the developed countries**	• les pays développés
• **the developing countries**	• les pays en voie de développement
• **the Third World**	• le tiers-monde
• **the Fourth World**	• le quart-monde

Countries and Nations — Les pays et les nations

• **a state**	• un état
• **a homeland, a fatherland**	• une patrie
• **a territory**	• un territoire
• **a region** ['riːdʒən]	• une région
• **a border/boundary**	• une frontière

wo peoples: *deux peuples*
wo people: *deux personnes*

(!) a hymn: *un cantique*

- **a nationality** — une nationalité
- **a people** [piːpl] — un peuple
- **a flag** — un drapeau
- **a national anthem** — un hymne national
- **a capital (city)** — une capitale

Main Countries / Les principaux pays

- **Afghanistan/Afghan** — l'Afghanistan/afghan
  an Afghan — un(e) Afghan
- **Albania** [æl'beɪnjə]/**Albanian** — l'Albanie/albanais
  an Albanian — un(e) Albanais(e)
- **Algeria** [æl'dʒɪərɪə]/**Algerian** — l'Algérie/algérien
  an Algerian — un(e) Algérien(ne)
- **Angola/Angolan** — l'Angola/angolais
  an Angolan — un(e) Angolais(e)
- **Argentina/Argentine** — l'Argentine/argentin
  an Argentinian/an Argentine — un(e) Argentin(e)

- **Australia** [ɒ'streɪlɪə]/**Australian** — l'Australie/australien
  an Australian — un(e) Australien(ne)
- **Austria** ['ɒstrɪə]/**Austrian** — l'Autriche/autrichien
  an Austrian — un(e) Autrichien(ne)
- **Bangladesh/Bangladeshi** — le Bangladesh/bangladais
  a Bangladeshi — un(e) Bangladais(e)
- **Belgium/Belgian** — la Belgique/belge
  a Belgian — un(e) Belge
- **Bolivia/Bolivian** — la Bolivie/bolivien
  a Bolivian — un(e) Bolivien(ne)
- **Bosnia/Bosnian** — la Bosnie/bosniaque
  a Bosnian — un(e) Bosniaque
- **Brazil** [brə'zɪl]/**Brazilian** — le Brésil/brésilien
  a Brazilian — un(e) Brésilien(ne)
- **Bulgaria/Bulgarian** — la Bulgarie/bulgare
  a Bulgarian — un(e) Bulgare
- **Burma** ['bɜːmə]/**Burmese** — la Birmanie/birman
  a Burmese — un(e) Birman(e)
- **Cameroon, Cameroonian** — le Cameroun/camerounais
  a Cameroonian — un(e) Camerounais(e)
- **Cambodia, Cambodian** — le Cambodge/cambodgien
  a Cambodian — un(e) Cambodgien(ne)

- **Canada/Canadian** [kə'neɪdjən] — le Canada/canadien
  a Canadian — un(e) Canadien(ne)
- **Chad/Chadian** — le Tchad/tchadien
  a Chadian — un(e) Tchadien(ne)
- **Chile** ['tʃɪlɪ]/**Chilean** — le Chili/chilien
  a Chilean — un(e) Chilien(ne)

the Chinese: *les Chinois*

- **China** ['tʃaɪnə]/**Chinese** — la Chine/chinois
  a Chinese — un(e) Chinois(e)
- **Colombia/Colombian** — la Colombie/colombien
  a Colombian — un(e) Colombien(ne)
- **Costa Rica/Costa Rican** — le Costa Rica/costaricain
  a Costa Rican — un(e) Costaricain(e)

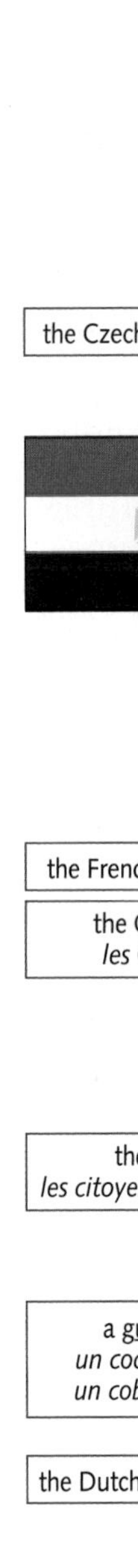

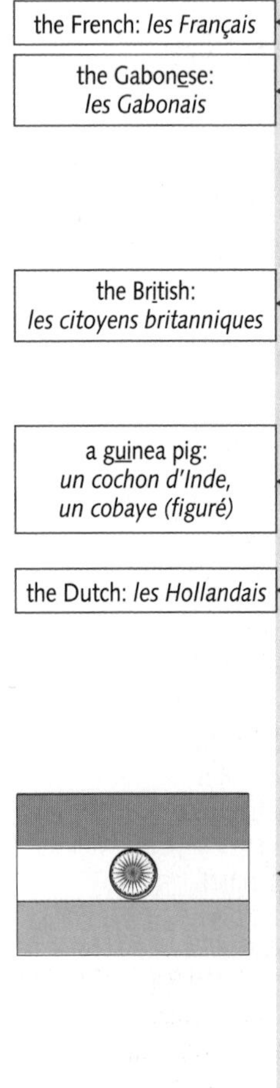

• **Croatia/Croatian**	• la Croatie/croate
a Croat	un(e) Croate
• **Cuba/Cuban** ['kjuːbə]	• Cuba/cubain
a Cuban	un(e) Cubain(e)
• **Cyprus** ['saɪprəs]/**Cypriot** ['sɪprɪət]	• Chypre/chypriote
a Cypriot	un(e) Chypriote
• **Czech Republic/Czech**	• la République tchèque/tchèque
a Czech (the Czech: *les Tchèques*)	un(e) Tchèque
• **Denmark/Danish** [deɪnɪʃ]	• le Danemark/danois
a Dane [deɪn]	un(e) Danois(e)
• **Ecuador/Ecuadorian**	• l'Equateur/équatorien
an Ecuadorian	un(e) Equatorien(ne)
• **Egypt** ['iːdʒɪpt]/**Egyptian** [ɪ'dʒɪpʃn]	• l'Égypte/égyptien
an Egyptian	un(e) Egyptien(ne)
• **El Salvador/Salvadorian**	• le Salvador/salvadorien(ne)
a Salvadorian	un(e) Salvadorien(ne)
• **Ethiopia** [iːθɪ'əʊpɪə]/**Ethiopian**	• Éthiopie/éthiopien
an Ethiopian	un(e) Éthiopien(ne)
• **Finland/Finnish**	• la Finlande/finlandais
a Finn	un(e) Finlandais(e)
• **France** [frɑːns]/**French**	• la France/français
a Frenchman/woman (the French: *les Français*)	un Français/une Française
• **Gabon/Gabonese** (the Gabonese: *les Gabonais*)	• le Gabon/gabonais
a Gabonese	un(e) Gabonais(e)
• **Germany/German**	• l'Allemagne/allemand
a German	un(e) Allemand(e)
• **Ghana/Ghanaian** [gɑː'neɪən]	• le Ghana/ghanéen
a Ghanaian	un(e) Ghanéen(ne)
• **Great Britain/British**	• la Grande Bretagne/britannique
a Briton (the British: *les citoyens britanniques*)	un(e) citoyen(ne) britannique
• **Greece** [griːs]/**Greek**	• la Grèce/grec
a Greek	un(e) Grec(que)
• **Guatemala/Guatemalan**	• le Guatemala/guatémaltèque
a Guatemalan	un(e) Guatémaltèque
• **Guinea** ['gɪnɪ]/**Guinean** (a guinea pig: *un cochon d'Inde, un cobaye (figuré)*)	• la Guinée/guinéen
a Guinean	un(e) Guinéen(ne)
• **Holland/Dutch**	• la Hollande/hollandais
a Dutchman/woman (the Dutch: *les Hollandais*)	un Hollandais/une Hollandaise
• **Honduras** [hɒn'djʊərəs]/ **Honduran** [hɒn'djʊərən]	• le Honduras/ hondurien
a Honduran	un(e) Hondurien(ne)
• **Hungary/Hungarian**	• la Hongrie/hongrois
a Hungarian	un(e) Hongrois(e)
• **Iceland/Icelandic**	• l'Islande/islandais
an Icelander	un(e) Islandais(e)
• **India/Indian**	• l'Inde/indien
an Indian	un(e) Indien(ne)
• **Indonesia** [ɪndəʊ'niːzjə]/ **Indonesian** [ɪndəʊ'niːzjən]	• l'Indonésie/ indonésien
an Indonesian	un(e) Indonésien(ne)
• **Iran/Iranian** [ɪ'reɪnɪən]	• l'Iran/iranien
an Iranian	un(e) Iranien(ne)

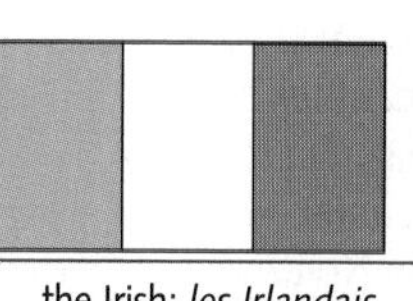

- **Iraq/Iraqi** — l'Iraq/iraquien
  an Iraqi — un(e) Iraquien(ne)
- **Ireland, Eire/Irish** — la République d'Irlande/irlandais
  an Irishman/woman — un Irlandais/une Irlandaise

the Irish: *les Irlandais*

- **Israel** ['ɪzreɪl]**/Israeli** [ɪz'reɪlɪ] — Israël/israélien
  an Israeli — un(e) Israélien(ne)
- **Italy/Italian** — l'Italie/italien
  an Italian — un(e) Italien(ne)

of the Ivory Coast: *ivoirien*

- **the Ivory Coast** ['aɪvərɪ] — la Côte d'Ivoire
  a national of the Ivory Coast — un(e) Ivoirien(ne)

- **Jamaica/Jamaican** [dʒə'meɪkən] — la Jamaïque/jamaïcain
  a Jamaican — un(e) Jamaïcain(e)
- **Japan** [dʒə'pæn]**/Japanese** — le Japon/japonais
  a Japanese — un(e) Japonais(e)

the Japanese: *les Japonais*

- **Jordan/Jordanian** [dʒɔː'deɪnɪən] — la Jordanie/jordanien
  a Jordanian — un(e) Jordanien(ne)

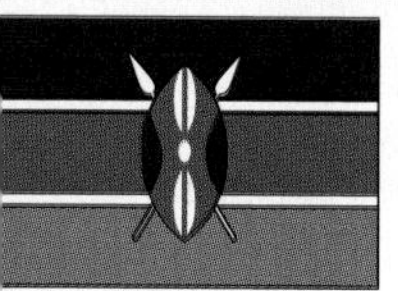

- **Kenya/Kenyan** — le Kénya/kényan
  a Kenyan — un(e) Kényan(ne)
- **(North/South) Korea** [kə'rɪə]**/Korean** — la Corée (du Nord/du Sud)/(nord/sud) coréen
  a North/South Korean — un(e) Nord/Sud Coréen(ne)
- **Kuwait/Kuwaiti** — le Koweït/koweitien
  a Kuwaiti — un(e) Koweitien(ne)
- **Laos** [laʊs]**/Laotian** ['laʊʃɪən] — le Laos/laotien
  a Laotian — un(e) Laotien(ne)
- **Lebanon/Lebanese** — le Liban/libanais
  a Lebanese — un(e) Libanais(e)

the Lebanese: *les Libanais*

- **Liberia/Liberian** [laɪ'bɪərɪən] — le Libéria/libérien
  a Liberian — un(e) Libérien(ne)
- **Libya/Libyan** ['lɪbɪən] — la Libye/libyen
  a Libyan — un(e) Libyen(ne)
- **Luxembourg** — le Luxemburg
  a national of Luxembourg — un(e) Luxembourgeois(e)

the Luxembourg people: *les Luxembourgeois*

- **Mali** ['mɑːlɪ]**/Malian** — le Mali/malien
  a Malian — un(e) Malien(ne)
- **Malta** ['mɔːltə]**/Maltese** — Malte/maltais
  a Maltese — un(e) Maltais(e)

the Maltese: *les Maltais*

Mexico City: *Mexico*

- **Mexico/Mexican** — le Mexique/mexicain
  a Mexican — un(e) Mexicain(e)
- **Morocco/Moroccan** — le Maroc/marocain
  a Moroccan — un(e) Marocain(ne)
- **Nepal** [nɪ'pɔːl]**/Nepalese** [nepɔː'liːz] — le Népal/népalais
  a Nepali, a Nepalese — un(e) Népalais(e)

the Nepalis/Nepalese: *les Népalais*

- **the Netherlands/Dutch** [dʌtʃ] — les Pays-Bas/hollandais, néerlandais
  a Dutchman/woman — un(e) Hollandais(e)/un(e) Néerlandais(e)

the Dutch: *les Hollandais/Néerlandais*

- **New Caledonia/New Caledonian** — la Nouvelle-Calédonie/calédonien
  a New Caledonian — un(e) Néo-Calédonien(ne)

- **New Zealand/New Zealand** — la Nouvelle-Zélande/néo-zélandais
  a New Zealander — un(e) Néo-Zélandais(e)
- **Nicaragua/Nicaraguan** — le Nicaragua/nicaraguayen
  a Nicaraguan — un(e) Nicaraguayen(ne)

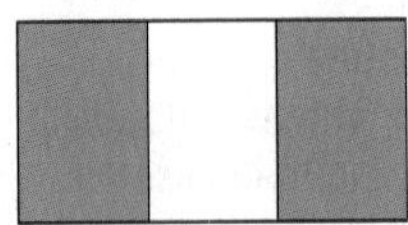

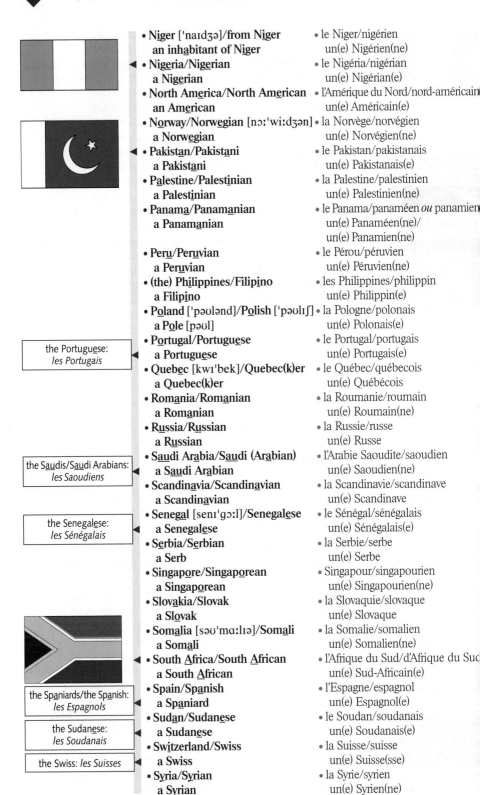

• **Niger ['naɪdʒə]/from Niger**	• le Niger/nigérien
an inhabitant of Niger	un(e) Nigérien(ne)
• **Nigeria/Nigerian**	• le Nigéria/nigérian
a Nigerian	un(e) Nigérian(e)
• **North America/North American**	• l'Amérique du Nord/nord-américain
an American	un(e) Américain(e)
• **Norway/Norwegian [nɔː'wiːdʒən]**	• la Norvège/norvégien
a Norwegian	un(e) Norvégien(ne)
• **Pakistan/Pakistani**	• le Pakistan/pakistanais
a Pakistani	un(e) Pakistanais(e)
• **Palestine/Palestinian**	• la Palestine/palestinien
a Palestinian	un(e) Palestinien(ne)
• **Panama/Panamanian**	• le Panama/panaméen *ou* panamien
a Panamanian	un(e) Panaméen(ne)/ un(e) Panamien(ne)
• **Peru/Peruvian**	• le Pérou/péruvien
a Peruvian	un(e) Péruvien(ne)
• **(the) Philippines/Filipino**	• les Philippines/philippin
a Filipino	un(e) Philippin(e)
• **Poland ['pəʊlənd]/Polish ['pəʊlɪʃ]**	• la Pologne/polonais
a Pole [pəʊl]	un(e) Polonais(e)
• **Portugal/Portuguese**	• le Portugal/portugais
a Portuguese	un(e) Portugais(e)
• **Quebec [kwɪ'bek]/Quebec(k)er**	• le Québec/québecois
a Quebec(k)er	un(e) Québécois
• **Romania/Romanian**	• la Roumanie/roumain
a Romanian	un(e) Roumain(ne)
• **Russia/Russian**	• la Russie/russe
a Russian	un(e) Russe
• **Saudi Arabia/Saudi (Arabian)**	• l'Arabie Saoudite/saoudien
a Saudi Arabian	un(e) Saoudien(ne)
• **Scandinavia/Scandinavian**	• la Scandinavie/scandinave
a Scandinavian	un(e) Scandinave
• **Senegal [senɪ'gɔːl]/Senegalese**	• le Sénégal/sénégalais
a Senegalese	un(e) Sénégalais(e)
• **Serbia/Serbian**	• la Serbie/serbe
a Serb	un(e) Serbe
• **Singapore/Singaporean**	• Singapour/singapourien
a Singaporean	un(e) Singapourien(ne)
• **Slovakia/Slovak**	• la Slovaquie/slovaque
a Slovak	un(e) Slovaque
• **Somalia [səʊ'mɑːlɪə]/Somali**	• la Somalie/somalien
a Somali	un(e) Somalien(ne)
• **South Africa/South African**	• l'Afrique du Sud/d'Afrique du Sud
a South African	un(e) Sud-Africain(e)
• **Spain/Spanish**	• l'Espagne/espagnol
a Spaniard	un(e) Espagnol(e)
• **Sudan/Sudanese**	• le Soudan/soudanais
a Sudanese	un(e) Soudanais(e)
• **Switzerland/Swiss**	• la Suisse/suisse
a Swiss	un(e) Suisse(sse)
• **Syria/Syrian**	• la Syrie/syrien
a Syrian	un(e) Syrien(ne)

the Portuguese: *les Portugais*

the Saudis/Saudi Arabians: *les Saoudiens*

the Senegalese: *les Sénégalais*

the Spaniards/the Spanish: *les Espagnols*

the Sudanese: *les Soudanais*

the Swiss: *les Suisses*

the Taiwanese: *les Taiwanais*

the Thais: *les Thaïlandais*

• **Taiwan/Taiwanese**	• Taiwan/taiwanais
a Taiwanese	un(e) Taiwanais(e)
• **Thailand** ['taɪlænd]/**Thai** [taɪ]	• la Thaïlande/thaïlandais
a Thai	un(e) Thaïlandais(e)
• **Tunisia/Tunisian**	• la Tunisie/tunisien
a Tunisian	un(e) Tunisien(ne)
• **Turkey** ['tɜːkɪ]/**Turkish**	• la Turquie/turc
a Turk	un Turc, une Turque
• **Uganda/Ugandan**	• l'Ouganda/ougandais
a Ugandan	un(e) Ougandais(e)
• **the United Kingdom**	• le Royaume-Uni
England/English	l'Angleterre/anglais
an Englishman/woman	un Anglais/une Anglaise
Northern Ireland, Ulster	l'Irlande du Nord
a Northern Irishman/woman	un(e) Irlandais(e) du Nord
Scotland/Scottish	l'Écosse/écossais
a Scotsman/woman	un Écossais/une Écossaise
Wales/Welsh	le Pays de Galles/gallois
a Welshman/woman	un Gallois/une Galloise
• **United States/American**	• États-Unis/américain
an American	un(e) Américain(e)
• **Uruguay** ['jʊərʊgwaɪ]/**Uruguayan**	• l'Uruguay/uruguayen
a Uruguayan	un(e) Uruguayen(ne)
• **Venezuela/Venezuelan**	• le Venezuela/vénézuélien
a Venezuelan	un(e) Vénézuélien(ne)
• **Vietnam/Vietnamese**	• le Vietnam/vietnamien
a Vietnamese	un(e) Vietnamien(ne)
• **Zaire/Zairean**	• le Zaïre/zaïrois
a Zairean	un(e) Zaïrois(e)
• **Zambia/Zambian**	• la Zambie/zambien
a Zambian	un(e) Zambien(ne)
• **Zimbabwe/Zimbabwean**	• le Zimbabwé/zimbabwéen
a Zimbabwean	un(e) Zimbabwéen(ne)

the English: *les Anglais*

the Scots: *les Écossais*

the Welsh: *les Gallois*

the States (coll.)

the Vietnamese: *les Vietnamiens*

Population and Demography / La population et la démographie

• **population density**	• la densité démographique
• **population growth**	• la croissance démographique
the birth/death rate	le taux de natalité/de mortalité
• **overpopulation**	• la surpopulation, le surpeuplement
• **a census**	• un recensement
• **an age pyramid**	• une pyramide des âges
• **an age group**	• une classe d'âge
• **a baby boom**	• une explosion démographique
• **a baby bust**	• un effondrement démographique
• **people**	• peupler
• **settle (a land)**	• coloniser (un territoire)
• **inhabit (a place)**	• habiter (un endroit)

the baby boomers: *les enfants nés pendant cette explosion démographique*

the baby busters: *les enfants nés pendant cet effondrement démographique*

an **inhabitant**: *un habitant*

a crowd: *une foule*

- **densely/heavily populated** — densément/fortement peuplé
- **scarcely populated** — faiblement peuplé
- **overcrowded** [əʊvə'kraʊdɪd] — surpeuplé
- **uninhabited** — inhabité

PRACTICE

16 Word Formation: Formation des mots

Find the corresponding adjectives and classify them according to their endings.

Countries	-ese	-ian	-an	-ish	(Other)
Portugal	X	...	...	...	...
Nigeria	...	...	...	...	...
Vietnam	...	...	...	...	...
Ireland	...	...	...	...	...
Austria	...	...	...	...	...
Turkey	...	...	...	...	...
Holland	...	...	...	...	...
Poland	...	...	...	...	...
Uganda	...	...	...	...	...

17 A Bit of Grammar Will Not Hurt: Un peu de grammaire ne saurait nuire

Fill in the gaps with "the" or "Ø"; then, try to elaborate the grammatical rules of the use of the definite article in front of country names.

a. ... Netherlands
b. ... America
c. ... England
d. ... United States
e. ... Spain
f. ... Ireland
g. ... Canada
h. ... Malta
i. ... United Kingdom
j. ... Philippines

18 Find the Odd One Out: Chassez l'intrus

a. the monsoon - dry - rainfall - wet - a flood
b. a thunderstorm - an earthquake - a snowball - a tidal wave - a hurricane
c. a strait - a barometer - a weather cock - a lightning conductor - a thermometer
d. a gorge - a ravine - a precipice - a hill - a chasm

Corrigés page 411

The Contemporary Context

Well-known Nicknames of Countries and Cities

Surnoms courants de pays ou de villes

The Linguistic Heritage - L'héritage linguistique :

- **Uncle Sam:** L'Oncle Sam, personnification de l'Amérique et du peuple américain.
- **Perfidious Albion:** La Perfide Albion, la Grande-Bretagne, longtemps ennemie héréditaire de la France et ainsi appelée en référence à la blancheur de ses falaises de craie (Albion venant du latin *albus*, blanc).
- **The Big Smoke** (la grande fumée)**:** Londres, en raison de la pollution et du brouillard qui couvrent la ville.
- **The Granite City** (la ville de granit)**:** Aberdeen, en référence au matériau utilisé pour ses maisons.
- **The Athens of the North** (l'Athènes du Nord)**:** Edimbourg, ainsi appelée en raison de son architecture inspirée de l'Antiquité grecque.
- **The Big Apple** (la Grosse Pomme)**:** New York, en référence au trac qui serrait la gorge – au niveau de la pomme d'Adam – des musiciens de jazz faisant leurs débuts dans les clubs new-yorkais.
- **The Windy City** (la ville du vent)**:** Chicago doit son surnom aux fréquentes rafales soufflant du lac Michigan.
- **Tinseltown** (la ville paillettes)**:** Hollywood, pour ses étoiles… à l'éclat parfois éphémère (*tinsel:* clinquant).
- **The Big Easy:** La Nouvelle-Orléans, à laquelle on prête un style de vie décontracté.
- **Motown:** Détroit, capitale de l'industrie automobile (mot-valise *motor* + *town*).
- **The Sunshine State** (l'État ensoleillé)**:** La Floride, pour la douceur de son climat.

More Recent Names - Noms plus récents :

- **Calcutta-on-Hudson** (Calcutta-sur-Hudson)**:** New York, en référence à Calcutta, la ville indienne, pour l'état de pauvreté extrême de certains de ses quartiers, l'Hudson étant le fleuve de la ville.
- **The Emerald Tiger** (le tigre d'Émeraude)**:** L'Irlande, ainsi appelée en raison de sa végétation verdoyante, d'une part, et du dynamisme de son économie, d'autre part.
- **The Four Dragons** (les Quatre Dragons)**:** Taiwan, la Corée du Sud, Hong Kong et Singapour, en raison de leur situation géographique en Asie, et de leur dynamisme dans le domaine économique.

Idioms and Colourful Expressions

Focus on Stars, Sun and Earth

- **a (movie) star:** une étoile (du cinéma).
- **stardom:** la célébrité.
- **to star an actor/an actress:** mettre en vedette (pour un film) ; *"starring Vanessa Jones as Lady Macbeth":* "avec Vanessa Jones dans le rôle de Lady Macbeth".
- **a one/two/three-star hotel:** un hôtel une/deux/trois étoiles.
- **the stars:** les astres, l'horoscope.
- **starry-eyed:** rêveur, idéaliste.
- **to be born under a lucky star:** être né sous une bonne étoile.
- **down-to-earth:** terre-à-terre.

- **to come down to earth:** revenir sur terre, sortir de sa rêverie.
- **to move heaven and earth:** remuer ciel et terre.
- **to pay the earth for something:** payer des mille et des cents pour quelque chose.
- **to cost the earth:** coûter les yeux de la tête.
- **to serve an egg sunny side up (US):** servir un œuf sur le plat avec le jaune sur le dessus, non retourné.

Focus on Air and Water

- **(there is) something in the air:** (il y a) quelque chose dans l'air, il se trame/prépare quelque chose.
- **castles in the air:** des châteaux en Espagne, des chimères.
- **(to be) as free as air:** (être) libre comme l'air.
- **to vanish into thin air:** se volatiliser, disparaître en fumée.
- **to let out a lot of hot air:** parler pour ne rien dire.
- **to water something down:** diluer, délayer, édulcorer quelque chose.
- **to be on the waggon:** suivre une cure de désintoxication d'alcool, être au régime sec.
- **(not) to hold water:** (ne pas) tenir la route.
- **to turn on the waterworks (coll.):** pleurer comme une madeleine (*waterworks:* un système hydraulique).
- **watertight:** sens propre : étanche ; sens figuré : irréfutable, indiscutable.

Focus on Weather

- **to change like a weather cock:** être changeant comme une girouette.
- **to rain cats and dogs:** tomber des cordes, pleuvoir des hallebardes.
- **to break the ice (with somebody):** rompre la glace (avec quelqu'un).
- **to be on cloud nine:** être au 7e ciel.
- **to keep a weather eye on:** veiller au grain.
- **to get wind of something:** avoir vent de quelque chose.
- **to cast a chill over:** jeter un froid sur.

Sayings and Proverbs

- **It's a small world:** Le monde est petit.
- **Every cloud has a silver lining:** À quelque chose, malheur est bon (*a lining:* une doublure de vêtement).
- **It never rains but it pours:** Un malheur n'arrive jamais seul.
- **The sun shines upon all alike:** Le soleil brille pour tous.
- **Make the hay while the sun shines:** Il faut battre le fer tant qu'il est chaud (littéralement : il faut faire les foins tant que le soleil brille).

The Army and War
L'armée et la guerre

1 The Army — L'armée

The Military — Les militaires

	• the troops	• les soldats, la troupe
	a trooper	un homme de troupe
	a paratrooper	un parachutiste
soldier on: *persévérer malgré tout*	• a soldier ['səʊldʒə]	• un soldat
	a regular soldier	un militaire de carrière
"Private Jones!": *"soldat Jones !"*	• a private	• un simple soldat
	• a serviceman	• un militaire
	an ex-serviceman	un ancien militaire
	• a legionnaire	• un légionnaire
	the Foreign Legion ['liːdʒən]	la Légion étrangère
	• a recruit [rɪ'kruːt]	• une recrue
(US) a draftee	• a conscript	• un appelé, un conscrit
(US) the draft	conscription	la conscription
	military service	le service militaire
	• the rank and file	• la troupe
	• an officer	• un officier
(abbreviation) CO	a commanding officer	un commandant
(abbreviation) NCO	a non-commissioned officer	un sous-officier
	• a uniform	• un uniforme
	a dress uniform	une tenue de cérémonie
	battle dress	la tenue de combat
(!) *la fatigue :* tiredness	fatigues	le treillis, la tenue de corvée
	camouflage fatigues	la tenue de camouflage
	a helmet ['helmɪt]	un casque
	the kit	le paquetage, le barda
	• the hierarchy ['haɪərɑːkɪ]	• la hiérarchie
	• a rank	• un rang
The Stars and Stripes *(= le surnom du drapeau américain)*	a star	une étoile
	a stripe	un galon
	a chevron	un chevron

	• serve	• servir, être dans l'armée
	• be in the forces	• être dans l'armée
"Join the Army!": *"Engagez-vous !"*	• join the army	• s'engager dans l'armée
(US) enroll	• enlist	• s'engager
	• recruit [rɪ'kruːt]	• recruter
	• draft (US)	• appeler sous les drapeaux
	• enrol	• enrôler
	• be fit for service	• être bon pour le service
unfit: *inapte*	• be declared unfit	• être réformé
	• be in command	• commander

Margin note: The military **are** in command.

paramilitary: *paramilitaire*	• **military**	• militaire
	• **soldierly**	• militaire, à l'allure militaire
	• **naval**	• naval
(irr.) I bore, I have borne bear: *porter*	• **airborne**	• aéroporté

Army Corps / Les corps d'armée

	• **the War Office**	• le Ministère de la Guerre
	the War Secretary	le Ministre de la Guerre
(US) the Defense Secretary	**the Defence Minister**	le Ministre de la Défense
intelligence: *des renseignements*	• **the Intelligence Service**	• les services secrets
	• **a unit**	• une unité
	• **a division**	• une division
	• **a brigade** [brɪ'geɪd]	• une brigade
	• **a regiment**	• un régiment
	• **a battalion**	• un bataillon
	• **a company**	• une compagnie
	• **a platoon** [plə'tuːn]	• une section, un peloton
a firing squad: *un peloton d'exécution*	• **a squad**	• une escouade
	• **a squadron**	• un escadron

The Land Forces / L'armée de terre

• **the infantry**	• l'infanterie
an infantryman, a foot soldier	un fantassin
• **the artillery** [ɑː'tɪlərɪ]	• l'artillerie
un artilleryman, a gunner	un artilleur
• **the cavalry** ['kævəlrɪ]	• la cavalerie
a cavalryman, a horseman	un cavalier
• **a tank**	• un char
• **the engineers** [endʒɪ'nɪəz]	• le génie
a soldier in the engineers	un soldat du génie
• **the Signals** ['sɪgnlz]	• les transmissions
a soldier in the Signals	un soldat des transmissions

The Navy / La marine de guerre

US Navy (USN): *la marine de guerre américaine*	• **the Royal Navy**	• la marine de guerre britannique
	• **the Admiralty**	• le Ministère de la Marine
	• **an admiral** ['ædmərəl]	• un amiral
	• **a naval officer**	• un officier de marine
	• **a midshipman**	• un aspirant
(US) [luː'tenənt]	• **a lieutenant** [lef'tenənt]	• un enseigne de vaisseau
	• **the Marines**	• l'infanterie de marine
	a marine [mə'riːn]	un fusilier marin
	• **the fleet**	• la flotte
	• **the flagship**	• le vaisseau-amiral
several **men**-of-war	• **a warship, a man-of-war**	• un navire de guerre
	• **a battleship**	• un cuirassé
carry: *porter, transporter*	• **an aircraft carrier**	• un porte-avions
	• **a submarine**	• un sous-marin
several **craft/aircraft**	• **a landing craft**	• un chaland de débarquement

The Air Force / L'armée de l'air

	The Air Force	L'armée de l'air
The US Air Force (USAF): *l'armée de l'air américaine*	• The Royal Air Force (RAF)	• l'armée de l'air britannique
	• a squadron	• une escadrille
(US) a major	• a squadron leader	• un commandant
	• a pilot [ˈpaɪlət]	• un pilote
	a fighter pilot	un pilote de chasse
	• a war plane	• un avion de guerre
a bomber-jacket: *un blouson d'aviateur*	• a bomber [ˈbɒmə]	• un bombardier
	• a fighter	• un avion de combat/de chasse
scout: *aller en reconnaissance*	a scouting plane	un avion de reconnaissance
(also) a chopper (coll.)	• a helicopter	• un hélicoptère

A Soldier's Life / La vie de soldat

	A Soldier's Life	La vie de soldat
	• the barracks	• la caserne
	• the garrison	• la garnison
	• a review	• une revue
	• a parade	• une parade
	• a march past	• un défilé
	• a salute	• un salut
	• fatigue (duty)	• les corvées
	• drill	• l'exercice, l'entraînement
	a drill sergeant	un sergent-instructeur
	• training	• l'entraînement
	the assault course	le parcours du combattant
have two days' **leave**: *avoir une permission de deux jours*	• leave	• une permission
	• drill	• faire l'exercice, entraîner
	• command	• commander
	• review	• passer en revue
	• stand at/to attention	• être au garde à vous
	• stand at ease	• être au repos
	• salute	• saluer
	• present arms	• présenter les armes
	• parade	• défiler
They marched on Rome.	• march (on)	• marcher au pas, marcher (sur)
	• march (past...)	• défiler (devant)
	• fall out	• rompre les rangs
	• be on guard	• être de garde
a sentry: *une sentinelle*	• mount guard, stand sentry	• monter la garde

Military Discipline / La discipline militaire

	Military Discipline	La discipline militaire
	• a deserter	• un déserteur
	desertion	la désertion
dodge: *se dérober, esquiver*	• a draft dodger (US)	• un insoumis
	• a mutineer	• un mutin
	a mutiny	une mutinerie
	• a traitor	• un traître
	treason, betrayal	la trahison

industrial spying: *l'espionnage industriel*	• a spy	• un espion
	espionage	l'espionnage
	• a conscientious objector [kɒnʃɪ'enʃəs]	• un objecteur de conscience
(abbreviation) MP	• Military Police	• la police militaire
	• a court-martial	• une cour martiale
	• a sanction	• une sanction
	• the firing squad	• le peloton d'exécution
	• desert	• déserter
	• go over to the enemy	• passer à l'ennemi
	• betray	• trahir
(!) spied, spying (*même racine que "épier"*)	• spy on	• espionner
be court-martialled	• court-martial ['kɔːt'mɑːʃəl]	• faire passer en conseil de guerre
promote: *promouvoir (à un rang supérieur)*	• demote	• rétrograder
	• execute (someone/orders)	• exécuter (quelqu'un/des ordres)
They had him shot: *Ils l'ont fait fusiller.*	• shoot	• fusiller

Weaponry — Les armes

Armaments — L'armement

be up in arms: *être en rébellion, être furieux*	• arms	• les armes
	the arms race	la course à l'armement
	arms sales	les ventes d'armes
	an arms dealer	un marchand d'armes
	• a weapon ['wepən]	• une arme
Our ammunition is getting scarce: *Nos munitions diminuent.*	• ammunition	• les munitions
	an ammunition dump	un dépôt de munitions
	an arsenal	un arsenal
	• powder ['paʊdə]	• de la poudre
	• explosive [ɪk'spləusɪv]	• un explosif
	an explosion	une explosion
	• arm (oneself)	• (s')armer
	• take up arms	• prendre les armes

Conventional Weapons — Les armes conventionnelles

	• a firearm, a gun	• une arme à feu
	a bullet ['bʊlɪt]	une balle
	• a rifle	• un fusil
	an army rifle	un fusil de guerre
	an assault rifle	un fusil d'assaut
	• a bazooka	• un bazooka
	• a machine gun	• une mitrailleuse
	• a submachine gun	• une mitraillette
cannon fodder: *de la chair à canon*	• a cannon, a gun	• un canon
	a cannonball	un boulet de canon
	a shell	un obus
a piece of shrapnel: *un éclat d'obus*	shrapnel	des éclats d'obus
the H-bomb: *la bombe H*	• a bomb ['bɒm]	• une bombe
	a bombing ['bɒmɪŋ]	un bombardement
	a bomb shelter	un abri anti-aérien

	an air strike	une frappe aérienne
	• **a rocket**	• une roquette
	a rocket-launcher ['lɔːntʃə]	un lance-roquettes
several torpedoes	• **a torpedo** [tɔː'piːdəu]	• une torpille
	• **a mine**	• une mine
	• **a hand grenade**	• une grenade à main
	• **shoot**	• tirer
	• **shoot back**	• répliquer
a sniper: *un tireur embusqué*	• **snipe at**	• tirer sur (en restant caché)
	• **open fire**	• ouvrir le feu
	• **fire (a shot, a missile)**	• tirer (un coup de feu/un missile)
	• **launch** [lɔːntʃ]	• lancer
	• **machine-gun**	• mitrailler
	• **bomb** [bɒm]	• bombarder, lancer des bombes sur
	• **shell**	• bombarder, lancer des obus sur
dive: *plonger*	• **dive-bomb**	• bombarder en piqué
	• **land**	• atterrir, tomber sur
(!) dropped, dropping	• **drop (a bomb)**	• lâcher (une bombe)
	• **aim (at), target**	• viser, cibler
	• **home in on (a target)**	• se diriger sur (une cible)
	• **strike**	• frapper, porter un coup
	• **hit (the mark)**	• toucher (la cible)
	• **miss (the mark)**	• manquer (la cible)
	• **burst**	• éclater
	• **explode, blow up**	• exploser, faire exploser
	• **defuse**	• désamorcer

Non-conventional Weapons / Les armes non-conventionnelles

the A-bomb: *la bombe A*	• **a nuclear weapon**	• une arme nucléaire
	nuclear deterrence	la dissuasion nucléaire
	nuclear firepower	la puissance nucléaire
	• **a nuclear-powered submarine**	• un sous-marin nucléaire
	• **a missile** ['mɪsaɪl]	• un missile
	a warhead	une ogive
	• **radioactivity**	• la radioactivité
	• **a chemical weapon** ['kemɪkəl]	• une arme chimique
	• **gas** [gæs]	• du gaz
a tear: *une larme*	**tear-gas** ['tɪəgæs]	du gaz lacrymogène
from **naph**thenate + **palm**itate	• **napalm** ['neɪpɑːm]	• du napalm
	• **a biological weapon**	• une arme biologique
	• **a virus** ['vaɪərəs]	• un virus
	• **an epidemic**	• une épidémie
	• **deploy**	• déployer
(!) deterring, deterred	• **deter (from doing sth)**	• dissuader (de faire qqch)
(!) gassing, gassed	• **gas** [gæs]	• gazer
	• **contaminate**	• contaminer
	• **poison**	• empoisonner
	• **nuke (coll.)**	• lancer une bombe atomique sur
	• **spread** [spred]	• disséminer

Weapons of mass destruction (WMDS): *les armes de destruction massive*

• nuclear	• nucléaire
• radioactive	• radioactif
• deterrent [dɪ'terənt]	• dissuasif
• strategic	• stratégique
• chemical ['kemɪkl]	• chimique
• biological	• biologique
• bacteriological	• bactériologique
• lethal ['liːθl], deadly	• mortel, meurtrier
• poisonous ['pɔɪznəs]	• toxique

2 War — La guerre

The Road to War — L'entrée en guerre

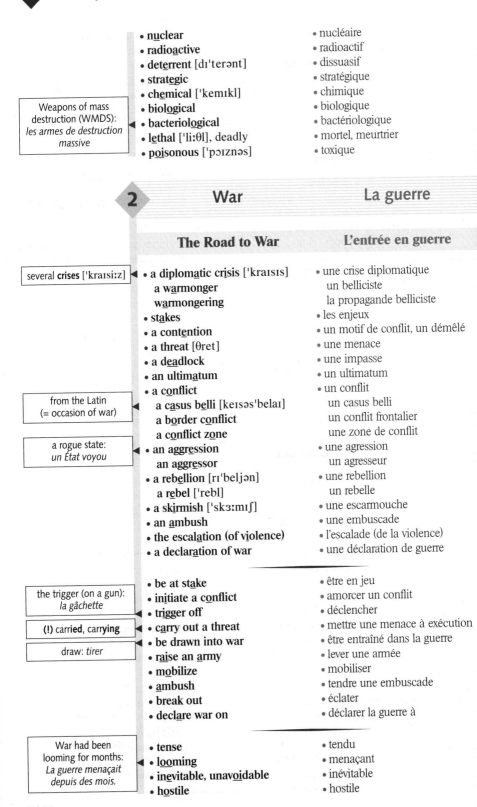

several **crises** ['kraɪsiːz]

from the Latin (= occasion of war)

a rogue state: *un État voyou*

• a diplomatic crisis ['kraɪsɪs]	• une crise diplomatique
a warmonger	un belliciste
warmongering	la propagande belliciste
• stakes	• les enjeux
• a contention	• un motif de conflit, un démêlé
• a threat [θret]	• une menace
• a deadlock	• une impasse
• an ultimatum	• un ultimatum
• a conflict	• un conflit
a casus belli [keɪsəs'belaɪ]	un casus belli
a border conflict	un conflit frontalier
a conflict zone	une zone de conflit
• an aggression	• une agression
an aggressor	un agresseur
• a rebellion [rɪ'beljən]	• une rebellion
a rebel ['rebl]	un rebelle
• a skirmish ['skɜːmɪʃ]	• une escarmouche
• an ambush	• une embuscade
• the escalation (of violence)	• l'escalade (de la violence)
• a declaration of war	• une déclaration de guerre

the trigger (on a gun): *la gâchette*

(!) carri**ed**, carry**ing**

draw: *tirer*

• be at stake	• être en jeu
• initiate a conflict	• amorcer un conflit
• trigger off	• déclencher
• carry out a threat	• mettre une menace à exécution
• be drawn into war	• être entraîné dans la guerre
• raise an army	• lever une armée
• mobilize	• mobiliser
• ambush	• tendre une embuscade
• break out	• éclater
• declare war on	• déclarer la guerre à

War had been looming for months: *La guerre menaçait depuis des mois.*

• tense	• tendu
• looming	• menaçant
• inevitable, unavoidable	• inévitable
• hostile	• hostile

> They were doomed to lose the battle: *Ils étaient condamnés à perdre la bataille.*

- **aggressive** — agressif
- **doomed** — condamné

Military Tactics / La tactique militaire

> several strate**gies**

> (US) maneuver

> The Allies: *les Alliés*

> several enem**ies**/**foes**

> a stab: *un coup de couteau*

- **the headquarters (HQ)** — le quartier-général (Q.G.)
- **a tactic** — une tactique
- **a strategy** — une stratégie
- **a manoeuvre** [mə'nuːvə] — une manœuvre
- **a move** — une action, une manœuvre
- **a diversion** [daɪ'vɜːʃn] — une diversion
- **a feint, a sham attack** — une feinte, une fausse attaque
- **a target** — une cible
- **a landmark** — un point de repère
- **an alliance** [ə'laɪəns] — une alliance
  - **an ally** [ə'laɪ] — un allié
  - **an enemy, a foe (lit.)** — un ennemi
- **a pact** — un pacte
  - **a pact of neutrality** — un pacte de neutralité
- **a coalition** — une coalition
- **a stab in the back** — un coup bas/déloyal

> **(!)** bear: *supporter*

> **(!)** commi**tt**ing, commi**tt**ed

> **(!)** sta**bb**ing, sta**bb**ed

- **ally oneself to/with** [ə'laɪ] — s'allier à/avec
- **side with** — prendre parti pour
- **support** — soutenir
- **commit oneself (to a cause)** — s'engager (en faveur d'une cause)
- **interfere in** — se mêler de
- **let down** — laisser tomber
- **stab in the back** — poignarder dans le dos
- **launch an offensive** — lancer une offensive
- **harass, harry** — harceler

> war: *le conflit*
> warfare: *les opérations militaires*

Warfare / Les hostilités

> **(!)** the **sinews** of war: *le **nerf** de la guerre* (a sinew: *un tendon*)

> (US) the Civil War: *la guerre de Sécession*

> from the German "blitz" *(éclair)* + "krieg" *(guerre)* (US) lightning war

> no man's land: *l'espace vide entre tranchées adverses*

- **a world war** — une guerre mondiale
- **the cold war** — la guerre froide
- **a war of independence** — une guerre d'indépendance
- **a war of attrition** — une guerre d'usure
- **a war of nerves** — une guerre des nerfs
- **nuclear warfare** — la guerre nucléaire
- **a holy war** — une guerre sainte
- **a civil war** — une guerre civile
- **a colonial war** — une guerre coloniale
- **a blitzkrieg (Brit.)** — une guerre éclair
- **full-scale war** — la guerre totale
- **trench warfare** — la guerre des tranchées
  - **a trench** — une tranchée
- **psychological warfare** — la guerre psychologique
- **guerrilla warfare** — la guérilla
  - **a guerrilla** [gə'rɪlə] — un guérillero
- **the front** [frʌnt] — le front

- the rear [rɪə] — l'arrière
- the battlefield — le champ de bataille
- the enemy line — les lignes ennemies
  enemy fire — les tirs ennemis
- a campaign — une campagne
- combat — le combat
  close combat [kləus] — le combat au corps à corps
- a battle — une bataille
- an attack, an onslaught, an onset — une attaque
- an offensive — une offensive
- a surgical strike — une frappe chirurgicale
- a fight, an action — un combat
- an air raid, a blitz — un raid aérien (an air-raid shelter: *un abri anti-aérien*)
- air-fight(ing), air-combat — le combat aérien
- a landing — un débarquement, un largage
- backup — les renforts
- a blockade — un blocus
- a siege — un siège

- be at war — être en guerre
- go to war — partir à la guerre
- make war, wage war against — faire la guerre à/contre
- battle, fight — combattre
- carry out an offensive — mener l'offensive ((!) carri**ed**, carry**ing**)
- attack, launch an attack — attaquer
- counterattack — contre-attaquer
- send for backup — demander des renforts
- parachute — parachuter
- drop — larguer
- besiege, lay siege to [bɪ'siːdʒ] — assiéger (be under siege: *être assiégé*)
- assault — assaillir
- down a plane, shoot a plane down — abattre un avion
- sink a ship — couler un navire
- wreck [rek] — faire échouer

- warlike — guerrier, belliqueux
- warring — (pays) en guerre
- offensive — offensif
- defensive — défensif
- deadly — meurtrier

Victims and Tormentors / Victimes et bourreaux

The Casualties / Les victimes

- the missing — les disparus (a missing **man**: *un disparu*)
- the wounded ['wuːndɪd] — les blessés (a wounded **man**: *un blessé*)
- the dead [ded] — les morts (a dead **man**: *un mort*)
- the losses [lɒsɪz] — les pertes
- a survivor — un survivant

	• a civilian	• un civil
	• a war orphan	• un orphelin de guerre
a widower: *un veuf*	• a war widow	• une veuve de guerre
the Red Cross: *la Croix-Rouge*	• a field hospital	• un hôpital de campagne
	• a stretcher	• un brancard, une civière
	a stretcher-bearer	un brancardier
(!) an insult: *une injure, une insulte*	• a wound [wuːnd], an injury	• une blessure
	• a scar	• une cicatrice

	• go missing	• disparaître
	• wound, injure	• blesser
	• maim	• mutiler
	• cripple, disable	• mutiler, estropier
	• get killed	• se faire tuer
be dead: *être mort*	• die (in action)	• mourir (au combat)
	• survive	• survivre
	• suffer from	• souffrir de
	• dress (a wound)	• panser (une blessure)
	• recover from	• se remettre de
	• convalesce [kɒnvə'les]	• être en convalescence

---

scathe (lit.): *blesser*	• uninjured, unscathed	• indemne, sain et sauf
	• wounded, injured	• blessé
	• shell-shocked	• traumatisé, commotionné
	• maimed	• mutilé
	• burnt	• brûlé
	• gassed	• gazé
	• handicapped, disabled	• handicapé, invalide
	• missing in action	• porté disparu
	• killed in action	• tué au champ d'honneur
	• dead [ded]	• mort

War crimes / Les crimes de guerre

	• a war criminal	• un criminel de guerre
	• a crime against humanity	• un crime contre l'humanité
	• maltreatment	• le mauvais traitement
	• torture	• la torture
	• a roundup	• une rafle
	• a massacre, a slaughter	• un massacre, une tuerie
	• a mass execution	• une exécution massive
	• extermination	• l'extermination
	• a genocide	• un génocide
	• ethnic cleansing ['klenzɪŋ]	• l'épuration ethnique
	• a violation	• une violation
	• a breach	• un manquement, une violation
the Geneva Convention: *la Convention de Genève*	a convention	une convention

---

	• maltreat	• maltraiter
	• torture ['tɔːtʃə]	• torturer
	• massacre ['mæsəkə]	• massacrer
	• exterminate	• exterminer
(!) *violer qqn :* rape sb	• violate	• violer (une convention)

The Outcome of the Conflict — L'issue du conflit

• the advance	• l'avance
• victory	• la victoire
a victor	un vainqueur
• a conquest ['kɒŋkwest] *(The Norman Conquest of England in 1066)*	• une conquête
a conqueror	un conquérant
• invasion	• l'invasion
an invader	un envahisseur
• occupation *(The Occupation: l'Occupation)*	• l'occupation
• liberation *(The **release** of prisoners: la **libération** de prisonniers)*	• la libération
• a defeat	• une défaite
• the retreat	• la retraite
• a rout [raʊt]	• une déroute, une débâcle
• stampede *(stampede (out/away): fuir dans la panique)*	• la débandade, la débâcle
• surrender	• la capitulation, la reddition
• a prisoner	• un prisonnier
the POWs (prisoners-of-war)	les prisonniers de guerre
a concentration camp prisoner	un déporté

• win	• gagner
• defeat	• vaincre
• conquer ['kɒŋkə]	• conquérir
• overcome, overpower	• battre, vaincre
• outnumber	• dominer en nombre
• crush	• écraser
• overwhelm	• submerger, écraser
• erase	• rayer, gommer
• invade	• envahir
• occupy (a country) *((!) occupi**ed**, occupy**ing**)*	• occuper (un pays)
• liberate (a country) *(≠ release/free prisoners)*	• libérer (un pays)
• retreat	• battre en retraite, se replier
• surrender to *(from the old French "sur-rendre")*	• se rendre à, capituler devant

• irresistible	• irrésistible
• relentless *(relent: devenir moins sévère, fléchir)*	• implacable
• pitiless *(pity: la pitié)*	• impitoyable

Resistance — La résistance

• a freedom-fighter	• un résistant
• a network	• un réseau
• sabotage	• le sabotage
• a terrorist attack	• un attentat
• reprisal, retaliation	• des représailles
• a trap	• un piège
• a hostage	• un otage

• resist, withstand	• résister à
• stand up against	• faire front, résister à
• organize	• organiser

	• lead [liːd]	• mener, diriger
hiding: *la dissimulation*	• live in hiding	• vivre dans la clandestinité
	• sabotage ['sæbətɑːʒ]	• saboter
	• retaliate	• réagir (à une attaque)
a snare: *un piège*	• ensnare	• prendre au piège
	• capture ['kæptʃə]	• capturer
	• take hostages	• prendre des otages
	• hold somebody hostage	• garder quelqu'un en otage

	• underground, secret ['siːkrɪt]	• clandestin
elude: *échapper à*	• elusive [ɪ'luːsɪv]	• insaisissable
daunt: *décourager, intimider*	• dauntless ['dɔːntlɪs]	• intrépide, hardi
fear: *craindre*	• fearless	• sans peur, intrépide
	• heroic(al)	• héroïque

3 After the War — L'après-guerre

Appeasement — Le retour à la paix

the white flag: *le drapeau blanc*	• a cease-fire	• un cessez-le-feu
	• a compromise	• un compromis
call a truce: *demander une trêve*	• a truce	• une trêve
	• an armistice	• un armistice
	• peace	• la paix
	peace talks	des pourparlers de paix
	a peace agreement	un accord de paix
	a peace treaty	un traité de paix
	• the terms	• les conditions
	• a peace-keeping force	• une force de maintien de la paix
withdraw: *se retirer*	• troop withdrawal	• le retrait des troupes
	• demobilization	• la démobilisation
	• arms control	• le contrôle des armements
	• disarmament	• le désarmement
	• demilitarization	• la démilitarisation

	• appease	• apaiser, calmer
defuse a bomb	• defuse a crisis	• désamorcer une crise
(!) pacified, pacifying	• pacify	• pacifier
	• make peace (with)	• faire la paix (avec)
	• be at peace	• être en paix
	• grant	• accorder, octroyer
	• yield [jiːld]	• céder
	• give up	• abandonner, renoncer
	• renounce something	• renoncer à quelque chose
	• come to an agreement	• parvenir à un accord
	• sign an agreement	• signer un accord
(!) ratified, ratifying	• ratify	• ratifier
	• demilitarize	• démilitariser
	• demobilize	• démobiliser

	• **disarm**	• désarmer
	• **decommission**	• désarmer (un navire de guerre)
	• **dismantle**	• démanteler

Reconstruction / La reconstruction

	• **an assessment**	• une évaluation
	damage	les dégâts
	rubble	les gravats, les décombres
	• **ruins**	• les ruines
dispose of sth: *se débarrasser de qqch*	• **bomb disposal**	• le déminage
	• **funding**	• le financement
	• **a subsidy** ['sʌbsɪdɪ]	• une subvention
	• **war compensation/reparations**	• les réparations de guerre
	• **be in ruins, lie in ruins**	• être en ruines
	• **clear**	• dégager
	• **clear an area of mines**	• déminer une zone
	• **rebuild**	• reconstruire
ash: *la cendre*	• **rise from its ashes**	• se relever de ses cendres
	• **fund**	• financer
	• **subsidize** ['sʌbsɪdaɪz]	• subventionner

Commemoration / Les commémorations

	• **a ceremony**	• une cérémonie
(!) *un anniversaire* : a birthday	• **an anniversary**	• une commémoration
(US coll.) a vet	• **a veteran**	• un ancien combattant, un vétéran
(US) honor list	• **the honour roll** ['ɒnə]	• la liste d'anciens combattants
	• **a medal**	• une médaille, une décoration
	• **honours** ['ɒnəz]	• les honneurs
	• **merit**	• le mérite
praise: *des éloges*	• **a eulogy** ['juːlədʒɪ]	• un éloge, une oraison
	• **patriotism**	• le patriotisme
	• **heroism**	• l'héroïsme
	a hero ['hɪərəʊ], **a heroine**	un héros, une héroïne
	a feat	un exploit
the Unknown Soldier: *le Soldat inconnu*	• **a war memorial**	• un monument aux morts
	• **a war cemetery**	• un cimetière militaire
	• **commemorate**	• commémorer
Let us remember the dead: *Commémorons les morts.*	• **remember**	• se souvenir de, commémorer
	• **celebrate**	• célébrer
(US) honor	• **honour** ['ɒnə]	• honorer
a tribute: *un hommage*	• **pay tribute to**	• rendre hommage à
	• **award (a medal) to**	• remettre (une décoration) à

PRACTICE

19 The Right Stress: La bonne accentuation

Underline the syllable which is stressed in the following words.

strategy - manoeuvre - alliance - inevitable - ammunition - chemical - conventional - execute - pacifism - missile - military - review - parade - cavalry - platoon - offensive - unavoidable - blockade - fatigue.

20 Economic War: La guerre économique

Translate these extracts from the economic news.

a. Microsoft **battled on** with its antitrust problems. Its Tokyo office was **raided** by antitrust activists.

b. The European Airbus consortium, which is shortly to turn itself into a single company, announced a new **assault** on its American rival, Boeing.

c. Italy's largest insurer, Generali, has created **a war chest** to **win the battle** for A.G.F. of France.

d. Investors **stampeded out** of the Kuala Lumpur stockmarket after the Malaysian Prime Minister **launched an attack** against foreign speculators.

e. America's government imposed sanctions on three Japanese shipping lines **in retaliation for** Japanese protectionism.

21 Readers' Corner: Le coin lecture

Complete the following text, using the words listed below.

marched - bullet - onset - field - horsemen - foes - guns - survivors - dauntless.

All our friends took their share and fought like men in the great ... . All day long, whilst the women were praying ten miles away, the lines of the ... English infantry were receiving and repelling the furious charges of the French ... . which were heard at Brussels were ploughing up their ranks, and comrades falling, and the resolute ... closing in. Towards evening, the attack of the French, repeated and resisted so bravely, slackened in its fury. They had other ... besides the British to engage, or were preparing for a final .... It came at last: the columns of the Imperial Guard ... up the hill of Saint-Jean (...) unscared by the thunder of the artillery, which hurled death from the English line. (...) Then at last the English troops rushed from the post from which no enemy had been able to dislodge them, and the Guard turned and fled.

No more firing was heard at Brussels. Darkness came down on the field and city; and Amelia was praying for George, who was lying on his face, dead, with a ... through his heart.

The last stages of the Battle of Waterloo,
as described by W.M. Thackeray in *Vanity Fair* (1848)

▶ Corrigés page 411 ◀

The Contemporary Context

Some Military Expressions

Quelques formules militaires

- **Halt! Who goes there?:** Halte ! Qui va là ?
- **"Friend or foe?":** Ami ou ennemi ?
- **Attention!:** Garde à vous !
- **Forward, march!:** En avant, marche !
- **About turn!:** Demi-tour !
- **At ease!:** Repos !
- **Action stations!:** À vos postes de combat !
- **All clear:** Signal de fin d'alerte.
- **Mayday:** S.O.S
- **D-Day:** le jour J ; le 6 juin 1944, jour du débarquement allié en Normandie.

Some Military References

Quelques références militaires

- **The Pentagon:** l'état-Major des Armées américaines à Washington, DC, siège du *Department of Defense*. Le bâtiment a cinq côtés, d'où son nom.
- **The service academies:** les écoles militaires américaines. Exemple : West Point Military Academy, créée en 1802.
- **NATO (North Atlantic Treaty Organization):** l'OTAN, Organisation du Traité de l'Atlantique Nord, créée en 1950.
- **The Royal Military Academy (Brit.):** Sandhurst, dont l'ouverture date de 1813.
- **HMS: Her Majesty's Ship (Brit.)**
- **USS: United States Ship (US)**

  Les noms de navires de la marine britannique ou américaine sont précédés de ces abréviations *(HMS Invincible, USS Canton...)* et, comme tous les noms de bateaux, sont féminins.

  Ex: *She sank in the North Atlantic:* Il (le navire) sombra dans l'Atlantique Nord.

About Peace

À propos de la paix

- **the Peace Corps:** organisation américaine de coopération et d'aide aux pays en voie de développement.
- **the Peace Movement:** mouvement pour la paix et/ou le désarmement nucléaire.
- **a peace pipe:** un calumet de la paix (*bury the hatchet:* enterrer la hache de guerre).
- **peace and love:** paix et amour, la devise des hippies et des pacifistes qui naquit, avec le mot d'ordre *make love not war*, en réaction à la guerre au Viet-nam à la fin des années 60.
- **a peacenik (coll.):** un pacifiste (sens péjoratif).

Idioms and Colourful Expressions

Focus on Fight

- **a fight to the death:** un combat à mort.
- **bullfighting:** la corrida, la tauromachie.
- **a bullfighter:** un torero.
- **cockfighting:** les combats de coqs.
- **to fight on:** poursuivre la lutte.
- **to fight back (tears):** refouler, ravaler (des larmes).
- **to fight down:** refréner.
- **to have a fighting spirit:** être combatif.
- **to have no fight left:** ne plus avoir envie de lutter.
- **to fight the good fight:** se battre pour la bonne cause.
- **to fight tooth and nail:** se battre bec et ongles.
- **to fight a losing battle:** lutter pour une cause perdue.

Focus on Shooting

- **a shot of gin:** une goutte de gin.
- **a shoot'em-up (= shoot them up) (US):** un jeu vidéo (de "casse-pipes").
- **a shooting incident:** un échange de coups de feu.
- **a shooting star:** une étoile filante.
- **a shooting pain:** une douleur lancinante.
- **a parting shot:** une réplique décochée en partant, une flèche du Parthe.
- **a shot in the dark:** une tentative faite à tout hasard, un coup risqué.
- **like a shot:** comme une flèche *(he disappeared like a shot)*.
- **to call the shots (coll.):** faire la loi.
- **to be a good shot:** être un bon tireur.
- **to shoot out:** jaillir *(water shot out)*.
- **to shoot up:** pousser très vite.

- **a shotgun wedding:** un mariage forcé, une régularisation précipitée.

Sayings and Proverbs

- **If you want peace, you must prepare for war:** Qui veut la paix prépare la guerre.
- **He who lives by the sword shall die by the sword:** Quiconque se sert de l'épée périra par l'épée.
- **Attack is the best form of defence:** L'attaque est la meilleure défense.
- **The weapon of the brave is in his heart:** L'arme du brave est en son cœur.

Immigration
L'immigration

1 Dreams of a Better Life — Rêves d'une vie meilleure

Reasons to Escape — Des raisons de fuir

> dire: *extrême*
> (!) misery: *la détresse*

• **poverty**	• la pauvreté
dire poverty ['daɪə]	la misère
• **persecution**	• la persécution
• **oppression**	• l'oppression
• **repression**	• la répression
• **tyranny**	• la tyrannie
• **conflict**	• le conflit
• **hardship**	• les épreuves, la souffrance
• **war**	• la guerre
civil war	la guerre civile
• **a dissident, a dissenter**	• un dissident, un contestataire
• **emigration**	• l'émigration
an emigrant	un émigrant, un émigré
• **an exodus**	• un exode
exile ['eksaɪl]	l'exil
an exile	un exilé

> (irr.) I fled, I have fled

• **escape (from)**	• échapper (à), s'échapper (de)
• **flee, run away (from)**	• fuir
• **migrate**	• migrer
• **emigrate**	• émigrer
• **go into exile**	• s'exiler
• **drive away**	• chasser
• **persecute**	• persécuter
• **oppress**	• opprimer

• **poor**	• pauvre
• **miserable**	• malheureux
• **tyrannical**	• tyrannique

Expectations and Dreams — Les attentes et les rêves

• **a hope**	• un espoir
• **a wish**	• un souhait
• **an incentive**	• une incitation
• **attraction, appeal**	• l'attrait
• **lure**	• l'attrait (trompeur), le leurre
• **aspiration**	• l'aspiration
• **yearning** ['jɜːnɪŋ]	• le désir ardent, l'aspiration
• **longing**	• l'envie, l'aspiration
• **the search (for)**	• la recherche (de)
• **the quest (for)**	• la quête (de)

Note	English	Français
	• the thirst (for)	• la soif (de)
	• a magnet ['mægnɪt]	• un aimant, un pôle d'attraction
	• freedom	• la liberté
(!) an occasion: *une grande occasion*	• an opportunity	• une occasion
	• a livelihood	• un gagne-pain
	• a shelter	• un abri, un refuge
	• living conditions	• les conditions de vie
	• a prospect	• une perspective
	• education	• l'éducation, la scolarisation
	• schooling	• la scolarisation
	• affluence	• la richesse, l'abondance
	• wealth	• la fortune, la richesse
(!) always plural	• riches	• les richesses
	• upward mobility	• l'ascension sociale
	• a success story	• un cas d'ascension fulgurante
rags: *des haillons*	• a rags-to-riches story	• une réussite spectaculaire

Note	English	Français
	• dream	• rêver
(US) fulfill	• fulfil a dream	• réaliser un rêve
	• expect (something)	• s'attendre à (quelque chose)
	• meet expectations	• satisfaire des attentes
	• hope	• espérer
	• wish for something	• souhaiter avoir quelque chose
	• aspire (to) [ə'spaɪə]	• aspirer (à)
	• yearn for	• désirer
	• long for	• désirer, aspirer à
	• be attracted (to)	• être attiré (par)
	• have access to	• avoir accès à
	• earn a living	• gagner sa vie
	• provide for one's family	• satisfaire les besoins de sa famille
(irr.) I sought, I have sought	• seek refuge	• chercher refuge
	• find shelter	• trouver refuge
	• feed	• nourrir
	• educate	• éduquer
	• improve	• améliorer
	• become/get rich	• s'enrichir
	• rise	• s'élever
	• work one's way up	• s'élever socialement
(irr.) I dug, I have dug	• dig for gold	• chercher de l'or (en creusant)
	• discover/strike gold	• découvrir de l'or
	• make a fortune	• faire fortune
	• set up an empire	• construire un empire
	• go from rags to riches	• passer du dénuement à l'opulence

• free	• libre
• peaceful	• paisible, pacifique
• pacific	• pacifique
• attractive	• attrayant
• appealing	• attirant
• enticing, alluring	• attrayant, tentant
• irresistible	• irrésistible
• hopeful	• plein d'espoir

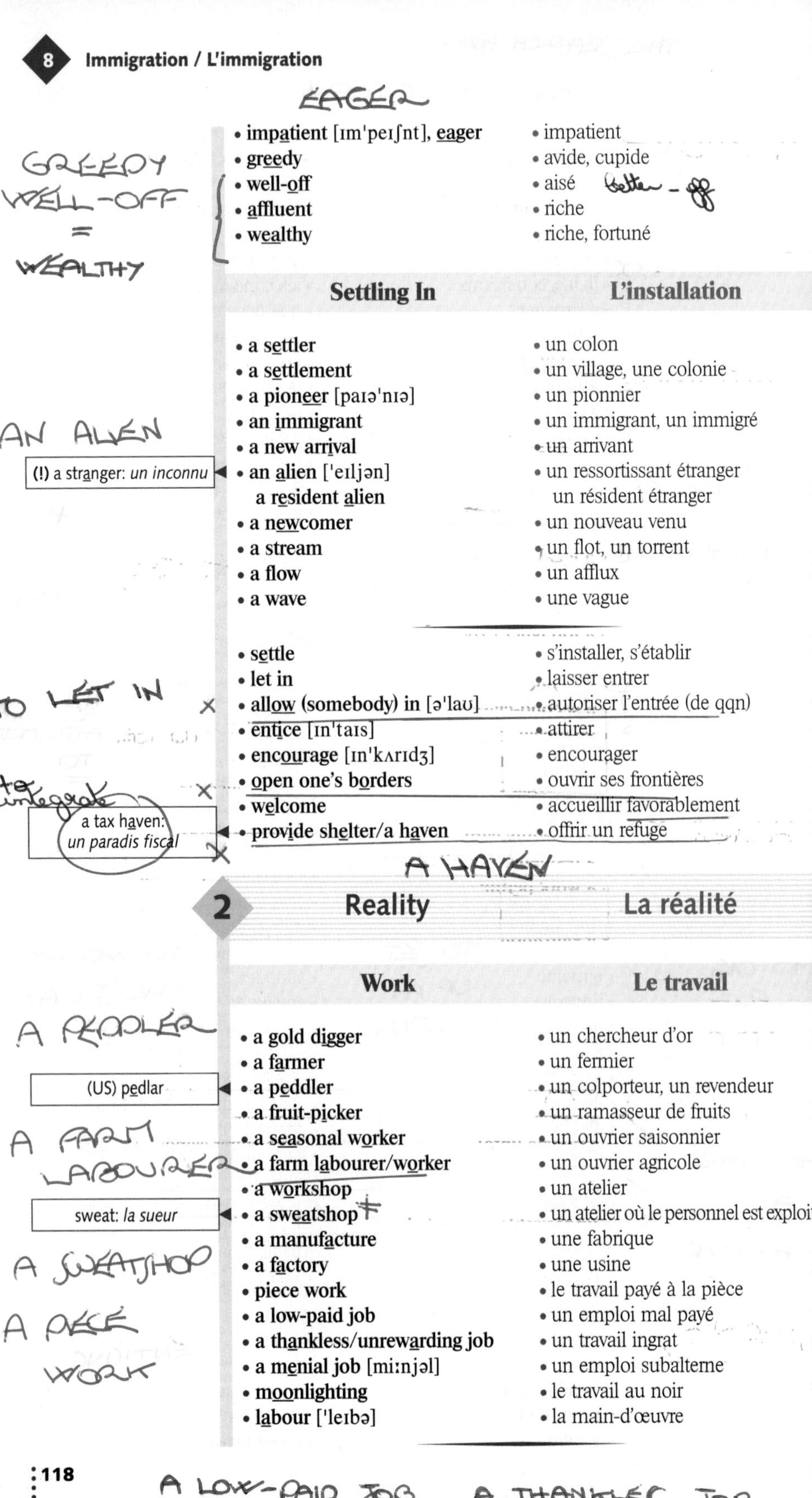

• impatient [ɪm'peɪʃnt], eager	• impatient
• greedy	• avide, cupide
• well-off	• aisé
• affluent	• riche
• wealthy	• riche, fortuné

Settling In — L'installation

• a settler	• un colon
• a settlement	• un village, une colonie
• a pioneer [paɪə'nɪə]	• un pionnier
• an immigrant	• un immigrant, un immigré
• a new arrival	• un arrivant
• an alien ['eɪljən] — (!) a stranger: *un inconnu*	• un ressortissant étranger
a resident alien	un résident étranger
• a newcomer	• un nouveau venu
• a stream	• un flot, un torrent
• a flow	• un afflux
• a wave	• une vague

• settle	• s'installer, s'établir
• let in	• laisser entrer
• allow (somebody) in [ə'laʊ]	• autoriser l'entrée (de qqn)
• entice [ɪn'taɪs]	• attirer
• encourage [ɪn'kʌrɪdʒ]	• encourager
• open one's borders	• ouvrir ses frontières
• welcome	• accueillir favorablement
• provide shelter/a haven — a tax haven: *un paradis fiscal*	• offrir un refuge

2 Reality — La réalité

Work — Le travail

• a gold digger	• un chercheur d'or
• a farmer	• un fermier
• a peddler — (US) pedlar	• un colporteur, un revendeur
• a fruit-picker	• un ramasseur de fruits
• a seasonal worker	• un ouvrier saisonnier
• a farm labourer/worker	• un ouvrier agricole
• a workshop	• un atelier
• a sweatshop — sweat: *la sueur*	• un atelier où le personnel est exploité
• a manufacture	• une fabrique
• a factory	• une usine
• piece work	• le travail payé à la pièce
• a low-paid job	• un emploi mal payé
• a thankless/unrewarding job	• un travail ingrat
• a menial job [miːnjəl]	• un emploi subalterne
• moonlighting	• le travail au noir
• labour ['leɪbə]	• la main-d'œuvre

TO TOIL

	• work hard, toil [tɔɪl]	• travailler dur
a slave: *un esclave*	• slave away	• trimer, travailler comme un forçat
	• peddle	• colporter
	• pick (fruit...)	• ramasser (des fruits…)
(irr.) I sewed, I have sewn	• sew [səʊ]	• coudre
	• exploit	• exploiter
	• take advantage of	• tirer profit de

	• cheap	• bon marché
a skill: *une compétence*	• unskilled	• non qualifié
	• flexible	• flexible
	• hard-working	• travailleur, laborieux
	• underpaid	• sous-payé

Status — Le statut

	• a legal immigrant	• un immigré en règle
	• an asylum-seeker [ə'saɪləm]	• un demandeur d'asile
	political asylum	l'asile politique
	• a foreigner ['fɒrənə]	• un étranger
	• a fugitive	• un fugitif
	• a political refugee	• un réfugié politique
	• a second-class citizen	• un citoyen de seconde zone
	• an illegal immigrant/alien	• un immigré clandestin
	• an undocumented worker (US)	• un travailleur sans papiers
	an illegal crossing	une entrée clandestine
	a smuggler	un passeur
(abbreviation) an ID-card	• an identity card	• une carte d'identité
	• a residence permit	• un permis de résidence
	• a work permit	• un permis de travail
	• a Green Card (US)	• un permis de séjour
(GB) legalisation	• legalization	• la légalisation

	• cross	• traverser
(!) enter a country	• enter illegally	• entrer clandestinement
	• sneak into	• se faufiler, entrer clandestinement
	• seek asylum [ə'saɪləm]	• demander asile
	• overstay	• excéder une durée fixée
(GB) legalise	• legalize	• légaliser
	• smuggle (into)	• faire entrer clandestinement

	• (il)legal	• (il)légal
	• undesirable, unwanted	• indésirable
	• uprooted	• déraciné
	• rootless	• sans racines

Barriers — Les obstacles

the language barrier: *la barrière linguistique*

• an obstacle	• un obstacle
• a hindrance	• une entrave, une gêne
• a difficulty	• une difficulté

politic attitude

• **a restriction**	• une restriction
• **quotas** ['kwəʊtə]	• des quotas
• **an immigration law**	• une loi sur l'immigration
• **selection**	• la sélection
• **the border**	• la frontière
• **the Border Patrol (US)**	• la police des frontières

• **curb the flow**	• limiter le flot
• **staunch** [stɔːntʃ]	• contenir
• **restrict**	• restreindre
• **tighten** ['taɪtn]	• resserrer, renforcer
• **select**	• choisir, faire une sélection
• **ban** ((!) It was banned)	• interdire
• **keep out**	• empêcher d'entrer
• **catch**	• attraper
• **round up**	• faire une rafle
• **send back**	• renvoyer
• **ship out** ((!) They were shipped out.)	• renvoyer par bateau
• **escort back (to the border)**	• reconduire (à la frontière)
• **kick out**	• jeter dehors

• **linguistic**	• linguistique
• **social**	• social
• **cultural**	• culturel
• **legislative**	• législatif
• **unsurpassable** (pass: *passer*)	• insurmontable
• **restrictive**	• restrictif
• **tight** [taɪt]	• serré, strict
• **harsh**	• sévère
• **selective**	• sélectif
• **repressive**	• répressif

Discrimination / La discrimination

• **rejection**	• le rejet, l'exclusion
• **xenophobia** [zenə'fəʊbjə]	• la xénophobie
• **anti-immigrant feelings**	• des sentiments xénophobes
• **resentment**	• l'animosité, le ressentiment
• **intolerance**	• l'intolérance
• **racism** ['reɪsɪzəm]	• le racisme
• **segregation**	• la ségrégation
• **a ghetto** (several ghettos)	• un ghetto
• **an accusation**	• une accusation
• **a scapegoat** (a goat: *une chèvre*)	• un bouc-émissaire
• **a social burden**	• un fardeau social

• **discriminate**	• pratiquer la discrimination
• **be discriminated against**	• être victime de discrimination
• **resent**	• en vouloir à, ne pas supporter
• **look down on**	• mépriser

• accuse (of)	• accuser (de)
• blame sb (for)	• rendre qqn responsable (de)
• take jobs away from	• prendre l'emploi de
• segregate (from)	• séparer, isoler, exclure (de)
• discriminatory	• discriminatoire
• resentful	• amer, plein de ressentiment
• intolerant	• intolérant
• racist [ˈreɪsɪst]	• raciste

3 The Ethnic Mix — La diversité ethnique

Integration — L'intégration

• assimilation	• l'assimilation
• naturalization	• la naturalisation
• bilingualism [baɪˈlɪŋgwəlɪzəm]	• le bilinguisme
• citizenship	• la nationalité
a citizen	un citoyen
a would-be citizen	un citoyen potentiel
• adapt, adjust	• (s') adapter
• assimilate	• (s') intégrer
• integrate	• (s') intégrer
• blend/merge into	• se fondre dans
• conform (to, with)	• se conformer (à)
• put down new roots	• se créer de nouvelles racines
• apply for citizenship	• demander la nationalité
• naturalize	• naturaliser
• grant citizenship	• accorder la nationalité

(!) he applies, she applied

Ethnic Wealth — La richesse ethnique

• difference	• la différence
• otherness	• l'altérité
• variety [vəˈraɪətɪ]	• la variété
• a medley, a mix	• un mélange
• a mosaic [məʊˈzeɪɪk]	• une mosaïque
a melting-pot	un creuset
a multi-cultural society	une société multi-culturelle
• the heritage of immigration	• l'héritage de l'immigration
• an asset	• un atout
• mutual respect	• le respect mutuel
• understanding	• la compréhension
• openness	• l'ouverture d'esprit
a mixed marriage	un mariage mixte
borrowing	un emprunt (style, coutume)
an ethnic restaurant	un restaurant exotique

ethnic food	la nourriture exotique
• **a cultural background**	• un arrière-plan culturel
• **origin**	• l'origine
• **an ancestor**	• un ancêtre
ancestry	les ancêtres, les aïeux
• **a foreign-born person**	• une personne d'origine étrangère
• **a native**	• un natif, qqn né dans le pays
• **differ (from)**	• différer, être différent (de)
• **stand out**	• se distinguer, ne pas passer inaperçu
• **look different**	• paraître différent
• **be of foreign origin**	• être d'origine étrangère
• **be torn between two cultures** (tear: *déchirer*)	• être partagé entre deux cultures
• **stick to one's ways** (ways: *les coutumes*)	• s'accrocher à ses coutumes
• **respect**	• respecter
• **value**	• apprécier
• **reconcile** ['rekənsaɪl]	• concilier
• **be enriched**	• s'enrichir
• **different**	• différent
• **other**	• autre
• **diverse**	• divers
• **varied**	• varié
• **multifarious** [mʌltɪ'feərɪəs]	• d'une grande variété
• **ethnic**	• ethnique
• **multi-cultural**	• multi-culturel
• **strange**	• étrange
• **outlandish**	• bizarre, peu habituel
• **unusual** [ʌn'juːʒʊəl]	• inhabituel
• **respectful**	• respectueux
• **understanding**	• compréhensif
• **open-minded**	• à l'esprit ouvert, sans préjugés
• **native** ['neɪtɪv]	• natal
• **foreign-born**	• d'origine étrangère
• **first-generation**	• de la première génération
• **second-generation**	• de la seconde génération

PRACTICE

22 The Right Sound: Le son approprié

Classify the following words according to the sound [ɪ] or [iː] or [aɪ] that corresponds to the letter(s) in bold type *(caractères gras)*.

NOUNS: fr**ee**dom - str**ea**m - as**y**lum - p**ea**ce - c**i**tizen - **I**D-card - h**y**phen - p**i**cker - d**i**gger
VERBS: appl**y** - k**i**ck out - t**i**ghten - k**ee**p out - prov**i**de - s**ee**k - dr**ea**m - w**i**sh - app**ea**l - r**i**se - str**i**ke
ADJECTIVES: d**i**re - c**i**vil - m**e**nial - ch**ea**p - **ea**ger - l**e**gal

[ɪ]	[iː]	[aɪ]
citizen	keep out	provide
...	...	...
...	...	...
...	...	...
...	...	...
...	...	...
...	...	...
...	...	...

23 The Right Word: Le mot juste

Match the words in the columns with the words or expressions in the list below which have similar meanings.

affluence - to allow in - to yearn - to work hard - to flee - alluring - unwanted - a stream - foreign - a dissident.

a. enticing
b. to run away
c. wealth
d. to slave away
e. to let in
f. alien
g. undesirable
h. a dissenter
i. to long
j. a flow

24 Readers' Corner: Le coin lecture

Put the following account back into the right order.

a. There, the luckiest among them were met by relatives and introduced to the city.
b. Before being allowed in, they had to go through several examinations; they were checked for diseases and asked about their plans.
c. After only a few days, they would shed their outlandish clothes and blend into the American melting-pot.
d. At long last, the boat would come and deliver them at the tip of Manhattan.
e. Processing the newcomers took a long time; while waiting for their turn, they could walk out and take a look at the Promised Land.
f. Until 1954, waves of would-be immigrants, fleeing poverty and persecution, landed at Ellis Island, full of expectations and fears.
g. Although the questioning was long and frightening, in reality, very few were sent back.
h. Once their papers were stamped, they were free to leave the island.

▶ Corrigés page 412 ◀

The Contemporary Context

References Linked to US Immigration
Références liées à l'immigration aux États-Unis

- **the Mayflower:** le navire qui, en 1620, transporta les premiers colons – des Puritains qui fuyaient l'Angleterre – jusqu'en Nouvelle-Angleterre, sur la côte nord-est du Nouveau Continent.
- **the American Dream:** le rêve américain, l'image idéalisée que chaque immigrant a des États-Unis.
- **the Gold Rush:** la ruée massive vers la Californie, consécutive à la découverte de pépites d'or près de Sacramento en 1848.
- **the closing of the Frontier** (*the Frontier:* la limite, mouvante, entre les terres colonisées et le reste du territoire américain) : la fin officielle de la conquête du territoire américain (en 1890), victoire sur la nature hostile que les pionniers ont réussi à dominer.
- **the Brain Drain** (la fuite des cerveaux)**:** l'émigration d'une main-d'œuvre hautement qualifiée, attirée par le mode de vie et par les conditions de travail aux États-Unis.

Place Names
Noms de lieux

- **the Rio Grande:** le fleuve, d'une longueur de 3 117 kms, qui sépare les États-Unis du Mexique.
- **Ellis Island:** l'île du port de New York où les futurs immigrants étaient filtrés avant d'être – pour la plupart – admis à entrer dans le pays.
- **LAX:** Los Angeles Airport, l'aéroport par lequel la plupart des immigrants accèdent aujourd'hui au territoire américain.

American Nicknames
Surnoms employés aux États-Unis

- **the land of milk and honey:** le pays de lait et de miel, promis par Dieu à Moïse (Exode 3-17), ou les États-Unis en tant que terre promise (*milk:* le lait ; *honey:* le miel).
- **Yuccas** *(Young Urban Cuban Americans)***:** jeunes cadres dynamiques cubains.
- **Chuppies** (mot valise formé de *Chinese* + *Yuppies*)**:** jeunes cadres dynamiques chinois (*yuppie*: abbréviation de *young urban professional*).
- **Latinos:** les immigrants en provenance d'Amérique latine.
- **Chicanos:** les Mexicains.
- **Wetbacks** (les "dos-mouillés")**:** les Mexicains qui traversent le Rio Grande à la nage pour entrer clandestinement sur le territoire américain.
- **Anglos:** les Blancs, à l'exception des Hispano-américains.
- **WASPs** *(White Anglo-Saxon Protestants)***:** les Blancs d'origine anglo-saxonne et de religion protestante, considérés comme membres du groupe social dominant.
- **a hyphenated American** (*a hyphen:* un trait d'union)**:** un Américain d'origine étrangère.

  Exemples :

  a European-American: un Américain d'origine européenne.

  an African-American: un Américain d'origine africaine.

Idioms and Colourful Expressions

Focus on Settle

- **to settle:** s'installer, s'établir.
- **to settle the guests:** installer les invités.
- **to settle one's nerves:** calmer ses nerfs.
- **to settle a business:** régler une affaire.
- **to settle an argument:** trancher (en qualité d'arbitre).
- **to settle one's affairs:** mettre de l'ordre dans ses affaires.
- **to settle down:** s'installer ; se calmer ; se ranger.
- **to settle for:** se contenter de.
- **to settle for (second best):** se contenter d'(un pis-aller).
- **to settle on:** choisir (un nom, une couleur).
- **to settle out of court:** parvenir à un règlement à l'amiable (pour éviter un procès).
- **to feel settled:** se sentir installé.
- **that's settled:** voilà qui est réglé.
- **unsettled weather:** un temps instable.
- **a settlement:** un accord ; un règlement (à l'amiable) ; un centre social.
- **to let the dust settle** (laisser la poussière se déposer)**:** attendre que les choses se calment.

Sayings and Proverbs

**"Give me your tired, your poor,
Your huddled masses, yearning to breathe free,
The wretched refuse of your teeming shore.
Send these, the homeless, tempest-tossed to me,
I lift my lamp beside the golden door."**

"Laissez venir à moi vos pauvres et lasses
Masses entassées, aspirant à respirer librement
Misérable rebut de vos rivages surpeuplés.
Envoyez-moi ces sans-abris, ballotés par la tempête,
Je lève ma lampe près de la porte dorée."

- Les vers d'Emma Lazarus inscrits sur la Statue de la Liberté (1886).

Nature and Ecology
Nature et écologie

1 Endangered Nature — La nature en danger

Endangered Fauna — La faune en danger

a species [spiːʃiːz]

several rhinoceros/ rhinoceroses

cook fish; catch several fish or fishes

Endangered Animal Species	Les espèces animales menacée
• wild animals	• les animaux sauvages
big cats	les fauves
• game [geɪm]	• le gibier
big game	le gros gibier
• a lion ['laɪən]	• un lion
• a tiger ['taɪgə]	• un tigre
• a monkey	• un singe
• an ape	• un grand singe
• a gorilla	• un gorille
• a rhinoceros [raɪ'nɒsərəs], a rhino	• un rhinocéros
a horn [hɔːn]	une corne
• an elephant	• un éléphant
the tusks	les défenses
ivory	l'ivoire
• sea mammals	• les mammifères marins
• a whale	• une baleine
• a dolphin	• un dauphin
• a seal	• un phoque
fur [fɜː]	la fourrure
• fish, fishes	• les poissons
a shark	un requin
a fin	une nageoire, un aileron
• exotic fish	• les poissons exotiques
deep-sea fish	les poissons des profondeurs
• rare species	• des espèces rares
• shellfish	• les coquillages (= mollusques)
a shell	un coquillage (= coquille)

Threats	Les menaces
• fishing	• la pêche
a fisherman	un pêcheur
• angling	• la pêche à la ligne
an angler	un pêcheur à la ligne
• industrial fishing	• la pêche industrielle
a net	un filet
a harpoon [hɑː'puːn]	un harpon
explosives	des explosifs
• hunting, shooting	• la chasse
a hunter, huntsman	un chasseur
an ivory-hunter	un chasseur d'ivoire
• big game hunting	• la chasse au gros gibier

a big game hunter	un chasseur de gros gibier
• **a safari**	• un safari
a rifle	un fusil
• **a collector**	• un collectionneur
a trophy	un trophée
• **traffic, trafficking**	• le trafic
• **contraband, smuggling** ['smʌglɪŋ]	• la contrebande
a smuggler	un contrebandier
• **poaching** ['pəʊtʃɪŋ]	• le braconnage
a poacher	un braconnier

• **fish**	• pêcher
• **go fishing**	• aller à la pêche
• **angle**	• pêcher à la ligne
• **hunt**	• chasser
• **drive away, frighten away**	• chasser (faire fuir)
• **go hunting**	• aller à la chasse
• **catch**	• capturer
• **collect**	• collectionner
• **traffic**	• trafiquer, faire du trafic
• **smuggle**	• faire de la contrebande
• **poach**	• braconner
• **massacre, slaughter** ['slɔːtə]	• massacrer
• **threaten** ['θretn], **endanger**	• menacer
• **shoot (at)**	• tirer (sur)
• **harm**	• faire du mal (à), nuire (à)
• **dwindle** ['dwɪndl]	• diminuer (en nombre)
• **disappear, become extinct**	• disparaître

(!) trafficked, trafficking

• **harmful**	• nocif, nuisible
• **cruel** ['krʊəl]	• cruel
• **irresponsible**	• irresponsable
• **disappearing, endangered**	• en voie de disparition
• **captive**	• captif
• **helpless, defenceless** [dɪ'fenslɪs]	• sans défense

(US) defenseless

Endangered Flora — La flore en danger

• **the ecosystem**	• l'écosystème
• **the environment**	• le milieu
• **ecological imbalance**	• le déséquilibre écologique
ecological balance	l'équilibre écologique
• **the forest**	• la forêt
the Amazonian forest	la forêt amazonienne
the Amazon	l'Amazonie
the rain forest	la forêt tropicale
• **a tree**	• un arbre
a root [ruːt]	une racine
a branch	une branche
• **a wood**	• un bois
• **wood**	• du bois
precious wood	du bois précieux

scales: *une balance*

rain: *la pluie*

	ebony ['ebənɪ]	l'ébène
	mahogany [mə'hɒgənɪ]	l'acajou
	firewood	du bois de chauffage
different types of **fuel**	**fuel** [fjʊəl]	des combustibles
	• **deforestation**	• le déboisement
	a sawmill	une scierie
	the paper industry	l'industrie du papier
	• **land-clearing**	• le défrichage
	• **a flower** ['flaʊə]	• une fleur
	• **a plant**	• une plante
	medicinal plants	les plantes médicinales

(!) fall: *tomber*	• **fell, chop down (a tree)**	• abattre (un arbre)
a log: *un rondin, une bûche*	• **log**	• débiter (un arbre)
	• **deforest**	• déboiser
	• **burn**	• brûler
	• **build (roads)**	• percer (des routes)
	• **pick**	• cueillir
	• **wither** ['wɪðə]	• se dessécher, se flétrir
jeopardy: from the old French *"jeu parti"*: *à l'issue incertaine*	• **jeopardize** ['dʒepədaɪz]	• mettre en péril
	be in jeopardy ['dʒepədɪ]	être en péril
	• **become/get scarce**	• se raréfier

	• **woody**	• boisé
	• **wooden**	• en bois
	• **scattered**	• clairsemé
make oneself scarce: *s'éclipser*	• **scarce** [skɛəs]	• rare

Endangered Earth — La planète en danger

A lot of damage **was** done. global: *mondial* comprehensive: *global, exhaustif*	**Global Damage**	**Les dégâts à l'échelle mondiale**
	• **exploitation, exploiting**	• l'exploitation
	• **depletion** [dɪ'pliːʃn]	• la diminution, l'appauvrissement
	• **devastation**	• la dévastation
the soil: *le sol*	• **soil erosion** [ɪ'rəʊʒn]	• l'érosion
	• **the ozone layer**	• la couche d'ozone
	• **acid rain**	• les pluies acides
	• **global warming**	• le réchauffement de la planète
a greenhouse: *une serre*	**the greenhouse effect**	l'effet de serre
	greenhouse gases	les gaz à effet de serre
	• **an environmental disaster**	• un désastre écologique

	• **exploit, tap**	• exploiter
	• **impoverish**	• appauvrir
	• **exhaust, deplete** [dɪ'pliːt]	• épuiser
(irr.) I dug, I have dug	• **dig**	• creuser
	• **contaminate**	• contaminer
	• **waste, squander**	• gaspiller
	• **damage**	• endommager, nuire à
(!) destroy**ing**, destroy**ed**	• **destroy**	• détruire
	• **devastate, wreak havoc (on)** [riːk]	• ravager, dévaster

Air Pollution — La pollution atmosphérique

	• a polluter	• un pollueur
(!) a TV programme: *une émission de télévision*	• an emission	• une émission
	carbon dioxide	le dioxyde de carbone
	• exhaust fumes	• les gaz d'échappement
	road traffic	la circulation automobile
	an exhaust pipe [ɪg'zɔːst]	un pot d'échappement
	• industrial smoke/fumes	• les fumées industrielles
	industrial facilities	des installations industrielles
(abbreviation of) chlorofluorocarbon	• CFCs	• les CFC
	an aerosol	une bombe aérosol
different types of **smoke**	• smoke	• la fumée
	fog	le brouillard
smog = smoke + fog	smog	le brouillard polluant
	• asbestos	• l'amiante
	• lead [led]	• le plomb
	lead-poisoning	le saturnisme
	• an allergy	• une allergie
	• poisoning	• une intoxication
breathe: *respirer*	• breathing difficulties	• des difficultés respiratoires
	asthma	l'asthme

	• release, let out smoke	• dégager de la fumée
	• pollute	• polluer
	• breathe in, inhale [ɪn'heɪl]	• inspirer, inhaler
	• choke	• (s')asphyxier
breath: *la respiration*	• fight for breath, gasp for breath	• avoir du mal à respirer

• dusty	• poussiéreux
• toxic	• toxique
• noxious ['nɒkʃəs]	• nocif
• stifling ['staɪflɪŋ]	• étouffant, suffocant
• unbreathable	• irrespirable
• carcinogenic, cancer-causing	• cancérigène
• unwholesome [ʌn'həʊlsəm]	• malsain

Climate Changes — Les modifications du climat

	• drought [draʊt]	• la sécheresse
	• the desert	• le désert
	• desertification	• la désertification
	• ground water	• la nappe phréatique
	the ground water level	le niveau de la nappe phréatique
	• a flood [flʌd]	• une inondation
a wave: *une vague* ; tide: *la marée*	• a tidal wave ['taɪdl]	• un raz-de-marée

(!) drying, dried	• dry up, dry out	• dessécher
	• flood	• inonder

• dry	• sec
• barren ['bærən]	• désertique, aride, stérile
• hungry, starved, starving	• affamé

	Scarcity and Surplus	**Pénurie et excédent**
	• **shortage, scarcity**	• la pénurie
	• **lack**	• le manque
for want of: *à défaut de*	• **want, need**	• le besoin
	• **famine, starvation**	• la famine
	• **plenty, abundance**	• l'abondance
	• **glut** [glʌt]	• l'excès
	• **misuse** [mɪs'juːs]	• le mauvais usage
	• **mismanagement**	• la mauvaise gestion

	• **be short (of)**	• être à court (de)
	• **run short of**	• commencer à manquer de
	• **lack (sth), want (for sth)**	• manquer (de qqch)
	• **need**	• avoir besoin de
starve: from the German "sterben": *mourir*	• **starve, die of hunger**	• mourir de faim
	• **be packed with, overflow with**	• regorger de, déborder de
	• **misuse** [mɪs'juːz]	• faire mauvais usage de
	• **mismanage**	• mal gérer

	Water Pollution	**La pollution des eaux**
Sewage **is** processed.	• **sewage** ['sjuːɪdʒ]	• les eaux usées
	• **a sewer** [sjʊə]	• un égout
	• **polluted water** **pollutants**	• des eaux polluées des (agents) polluants
oil: *le pétrole*	• **an oil slick**	• une marée noire, une nappe de pétrole

	• **get rid (of)**	• se débarrasser
No dumping: *Décharge interdite*	• **dump, discharge**	• déverser
(irr.) I spilt (spilled), I have spilt (spilled)	• **spill**	• déverser, se répandre

	Waste	**Les déchets**
	• **household waste**	• des ordures ménagères
	• **industrial waste**	• des déchets industriels
hazard: *le risque* **(!)** chance: *le hasard*	• **hazardous waste**	• des déchets dangereux
	• **chemical waste**	• des déchets chimiques
	• **radioactive waste**	• des déchets radioactifs
(US) garbage, trash	• **rubbish, refuse** ['refjuːs]	• des détritus, des déchets
(US) a trash can, a garbage can	**a rubbish bin, a dustbin**	une poubelle
	a dump, a tip	un dépotoir, une décharge
This junk is cumbersome: *Ces vieilleries sont encombrantes.*	• **junk**	• des vieilleries, des objets bons à jete
	• **disposable products**	• des produits jetables
	• **scrap** **a scrap heap**	• la ferraille un tas de ferraille, une décharge
	• **a surplus** ['sɜːpləs]	• un excédent

have at one's disposal: *disposer (de)*	• **dispose of** **junk (coll.), scrap** **discard**	• se débarrasser de mettre à la ferraille, bazarder jeter, mettre au rebut
	• **waste**	• gaspiller
	• **smell foul** [faʊl]	• sentir mauvais

(irr.) It stank, it has stunk
a pile: *un tas*

• **stink**	• empester
• **pile up**	• (s')entasser
• **ooze** [uːz]	• suinter, s'infiltrer
• **leak**	• fuir, s'échapper
• **poison**	• intoxiquer, empoisonner
• **contaminate**	• contaminer

• **disposable**	• jetable
• **dirty**	• sale
• **hazardous** ['hæzədəs]	• dangereux, risqué
• **smelly, foul-smelling**	• malodorant
• **poisonous**	• toxique
• **cumbersome, bulky**	• encombrant

2 Environmental Progress — Les progrès de l'écologie

Day-to-Day Environmentalism — L'écologie au quotidien

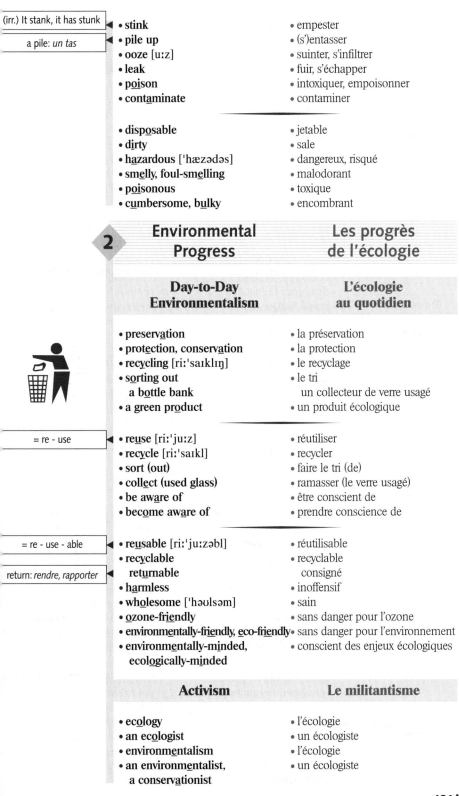

• **preservation**	• la préservation
• **protection, conservation**	• la protection
• **recycling** [riː'saɪklɪŋ]	• le recyclage
• **sorting out**	• le tri
a bottle bank	un collecteur de verre usagé
• **a green product**	• un produit écologique

= re - use

• **reuse** [riː'juːz]	• réutiliser
• **recycle** [riː'saɪkl]	• recycler
• **sort (out)**	• faire le tri (de)
• **collect (used glass)**	• ramasser (le verre usagé)
• **be aware of**	• être conscient de
• **become aware of**	• prendre conscience de

= re - use - able
return: *rendre, rapporter*

• **reusable** [riː'juːzəbl]	• réutilisable
• **recyclable**	• recyclable
returnable	consigné
• **harmless**	• inoffensif
• **wholesome** ['həʊlsəm]	• sain
• **ozone-friendly**	• sans danger pour l'ozone
• **environmentally-friendly, eco-friendly**	• sans danger pour l'environnement
• **environmentally-minded, ecologically-minded**	• conscient des enjeux écologiques

Activism — Le militantisme

• **ecology**	• l'écologie
• **an ecologist**	• un écologiste
• **environmentalism**	• l'écologie
• **an environmentalist, a conservationist**	• un écologiste

	an environmental lawyer	un avocat spécialiste de l'écologie
	• an activist	• un militant
	• the Greens	• les Verts
	a Green party	un parti écologiste
	a Green lobby	un groupe de pression écologiste
	• commitment	• l'engagement
	• involvement	• la participation
	• a campaign [kæm'peɪn]	• une campagne
awareness: *la conscience*	an awareness campaign	une campagne de sensibilisation
Charles Boycott: an Irishman who was the victim of the first boycott.	boycott	le boycott
	lobbying	l'activité des groupes de pression
	• a suit, a lawsuit ['lɔːsuːt]	• un procès

	• commit oneself	• s'engager
	• be involved in	• participer à, être impliqué dans
	• watch	• surveiller
	• make the public aware, sensitize	• sensibiliser (le public)
	• campaign (against)	• faire campagne (contre)
	• denounce [dɪ'naʊns]	• dénoncer
(!) *exposer* : exhibit	• reveal, expose	• révéler, dénoncer
	• fight (against sth)	• lutter (contre qqch)
	• oppose (sth)	• s'opposer (à qqch)
	• boycott	• boycotter
	• complain	• se plaindre
	• lodge a complaint	• porter plainte
(!) sued, suing	sue [sjuː]	attaquer en justice
	bring a lawsuit against	intenter un procès à

• militant	• militant
• environmental	• écologique
• provocative	• provocateur
• virulent ['vɪrʊlənt]	• virulent

Government Action — L'action gouvernementale

	• a bill	• un projet de loi
	• a law [lɔː], an act	• une loi
	• a green law	• une loi en faveur de l'environnement
	• an incentive [ɪn'sentɪv]	• une mesure d'encouragement
	• a game reserve, a game park	• une réserve d'animaux sauvages
	a nature reserve	une réserve naturelle
	a gamekeeper, a game-warden	un garde-chasse
	a bird sanctuary ['sæŋktjʊərɪ]	une réserve d'oiseaux
	• a protected species ['spiːʃiːz]	• une espèce protégée
	• energy-saving measures	• des mesures d'économie d'énergie
	untapped resources [rɪ'sɔːsɪz]	des ressources inexploitées
(US) garbage-collection	• rubbish-collecting, garbage-collecting	• le ramassage des déchets
	• public transport	• les transports en commun
	• car-pooling	• le co-voiturage
	• alternate traffic	• la circulation alternée
	• a tax, a duty	• une taxe

• **a fine** [faɪn]	• une amende
• **a sanction, a penalty**	• une sanction

• **pass a law** [lɔː]	• voter une loi
• **enact**	• promulguer
• **implement** ['ɪmplɪmənt]	• mettre en application
• **enforce**	• faire respecter
• **promote**	• promouvoir, encourager
• **regulate**	• réglementer
• **control, check**	• contrôler
• **guarantee** [gærən'tiː]	• garantir
• **fine** [faɪn]	• condamner à une amende
• **abide by the law**	• respecter la loi

(irr.) I abode (abided), I have abode (abided)

Technical Innovations — Les innovations techniques

efficiency: *l'efficacité*

a windmill: une éolienne

• **energy efficiency**	• les économies d'énergie
• **clean energy**	• l'énergie propre/non-polluante
wind power	l'énergie éolienne
solar energy	l'énergie solaire
• **a sewage treatment plant**	• une station d'épuration
• **waste disposal**	• le traitement des déchets
• **a catalytic converter**	• un pot catalytique
• **lead-free/unleaded petrol** [led]	• l'essence sans plomb
• **an electric car**	• une voiture électrique

clean: *nettoyer*

• **protect**	• protéger
• **renew**	• renouveler
• **save**	• économiser
• **convert**	• convertir
• **drain**	• drainer
• **clean up**	• assainir
• **decontaminate**	• décontaminer
• **process (sewage)**	• traiter (eaux usées)
• **manage (waste)**	• traiter (déchets)

• **biological** [baɪə'lɒdʒɪkəl]	• biologique
• **natural**	• naturel
• **clean**	• propre, non-polluant
• **ecological**	• écologique
• **innovative**	• innovant, novateur
• **solar-powered**	• qui fonctionne à l'énergie solaire
• **wind-powered**	• qui fonctionne à l'énergie éolienne
• **renewable**	• renouvelable
• **energy-efficient**	• économique en énergie
• **fuel-efficient** [fjʊəl]	• économique en carburant
• **pollutant-free**	• sans agent polluant
• **phosphate-free**	• sans phosphates
• **smoke-free**	• sans fumée
• **lead-free, unleaded** [led]	• sans plomb

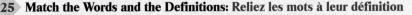

25 Match the Words and the Definitions: Reliez les mots à leur définition

a bird sanctuary- a game reserve - an oil slick - exhaust fumes - household waste - a rubbish dump - a bottle bank.

a. Everything you throw away around the house: ...
b. A container for used glass: ...
c. A place for protected species of birds: ...
d. The usual consequence of the wreck of a tanker: ...
e. A protected area for wild animals: ...
f. Emissions from cars: ...
g. A place where waste is disposed of: ...

26 The Right Words: Les mots justes

Complete the grid with words in the same family (the symbol Ø shows that no word is expected).

	Noun	Verb	Adjective
a.	a threat	...	...
b.	...	to hunt	Ø
c.	breath	...	un ...
d.	...	...	starving
e.	...	to involve	Ø
f.	...	to recycle	...
g.	...	Ø	scarce
h.	poisoning	...	...

27 The Right Attitude: La bonne attitude

Complete the text with the following words.

preserve - ivory - renewable - catalytic - recycling - car-pooling - fur - sort out - endangered - wind farms - lead-free - aware.

a. For a few years now, we have been encouraged to ... our household waste in order to make ... easier: glass, paper and plastic should be thrown away into different containers.
b. Cars have been improved as well: ... converters and ... petrol are now common and may reduce air pollution.
c. In some countries, people have organized to use cars more efficiently; ... consists in sharing a ride, which allows people to save on petrol and to ... the environment.
d. Consumers have become ... of the necessity to protect ... animal species so animal products such as ... and ... are no longer fashionable.
e. Whenever it is possible, ... sources of energy should be favoured because they are clean and inexhaustible; for example, more and more ... are set up on high windy plateaux.

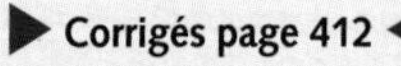
Corrigés page 412

The Contemporary Context

Ecological Trends and Organizations

Associations et tendances dans le domaine de l'écologie

Organizations - Associations :

- **Greenpeace, Friends of the Earth, WWF (World Wide Fund for Nature):** organismes indépendants de protection de l'environnement.
- **UNEP (United Nations Environment Programme):** programme des Nations Unies en faveur de l'environnement.
- **EPA (Environment Protection Agency):** agence américaine de protection de l'environnement.
- **Nature Conservancy Board (Brit.):** direction générale de la protection de la nature et de l'environnement.
- **Royal Society for the Protection of Birds (RSPB):** association britannique fondée en 1889 dans le but de protéger les oiseaux sauvages.

Trends - Tendances :

- **Deep ecology:** écologie profonde - théorie écologiste radicale très développée dans les pays anglo-saxons, selon laquelle l'homme n'est en aucun cas prioritaire par rapport à la nature ou aux animaux, et doit accorder à ces derniers droits et statuts.
- **Shallow ecology:** écologie traditionnelle (*shallow:* peu profond).
- **Ecologically PC (Politically Correct):** écologiquement correct, respectueux de l'environnement.
- **Nimby (coll.):** acronyme de *not in my backyard* (pas derrière chez moi), le terme désigne le riverain qui se mobilise ponctuellement, chaque fois que son seul environnement direct est menacé.

Neologisms about Ecology

Néologismes concernant l'écologie

Néologismes formés à l'aide du suffixe latin -cide, qui signifie “qui tue” :

- **countrycide:** destructeur de la nature (jeu de mots sur *countryside:* la campagne).
- **rivercide:** dangereux pour les rivières (jeu de mots sur *riverside:* la rive d'un fleuve).
- **seacide:** dangereux pour la mer (jeu de mots sur *seaside:* le littoral).

Néologismes formés à l'aide du préfixe eco- :

- **eco-imperialism:** l'impérialisme écologique.
- **an ecocide:** un écocide (destruction méthodique de la flore et de la faune).
- **an eco-freak:** un obsédé d'écologie (*freak:* monstre).
- **an eco-terrorist:** un terroriste écologiste.
- **eco-aware:** sensibilisé aux problèmes de l'environnement.
- **an ecocatastrophe:** une catastrophe écologique.

Idioms and Colourful Expressions

Focus on Green

- **greens:** des légumes verts.
- **greenery:** la verdure.
- **a greenback (US):** un billet vert d'un dollar.
- **green power (US):** la puissance de l'argent.
- **a greenhorn (US):** un débutant (*horn:* corne).
- **greenness:** la verdure/un bleu ; l'inexpérience/la conscience écologique.
- **the greening of (business):** la prise de conscience écologique (des milieux d'affaires).
- **to go green/to turn green:** passer au vert (pour un feu de signalisation).
- **to be green:** être naïf ou novice.
- **to have green fingers/thumbs (US):** avoir la main verte.
- **to give the green light:** donner le feu vert.

Focus on Clean

- **the Clean Air Act:** la loi antipollution atmosphérique.
- **clean and tidy:** impeccable de propreté.
- **clean (adverbe):** complètement (*we're clean out of bread:* nous n'avons plus une miette de pain).
- **to do the cleaning:** faire le ménage.
- **to come clean:** avouer, dire la vérité.
- **to make a clean sweep of something:** gagner quelque chose haut la main.
- **to clean out:** nettoyer à fond.
- **to clean off:** effacer, enlever (une tache).
- **to clean up:** tout nettoyer, tout remettre en ordre ; faire la toilette (d'un enfant) ; expurger.
- **to be clean:** ne rien avoir à se reprocher.
- **to have a clean record:** avoir un casier judiciaire vierge.

- **let's keep the conversation clean:** restons décents !

Sayings and Proverbs

- **Nature abhors a vacuum:** La nature a horreur du vide.
- **Nature will have her course:** La nature reprend ses droits.
- **He who follows nature is never out of his way:** La nature est bonne conseillère.

Speaking and Speech
La parole et le discours

1 Voice and Voices — La voix et les voix

The Spoken Language — La langue orale

A Language — Une langue

• a native language ['læŋgwɪdʒ]	• une langue d'origine
a native speaker of English	un anglophone
• a foreign language	• une langue étrangère
• a tongue [tʌŋ]	• une langue
a mother-tongue	une langue maternelle
• a dialect ['daɪəlekt]	• un dialecte
• speech	• la parole
• a word	• un mot
words	des paroles
• an expression, a phrase [freɪz]	• une expression
a set phrase	une expression figée/consacrée

sign language: *la langue des signes*

(!) parole: *liberté conditionnelle*

the Word: *la parole divine, le Verbe*

(!) *une phrase* : a sentence

• speak	• parler
• say (sth to sb)	• dire (qqch à qqn)
• tell (sb sth)	• dire, raconter (qqch à qqn)

The Register — Le registre

• standard English ['stændəd]	• l'anglais standard
• formality	• le style soutenu
• colloquial English	• l'anglais familier, l'anglais parlé
• the vernacular	• la langue dialectale
• jargon	• le jargon
• slang [slæŋ]	• l'argot
• cant [kænt]	• la langue de bois
• gibberish, gobbledygook (coll.)	• du charabia
a malapropism	un mot, une expression impropre
• double Dutch	• du chinois, du jargon incompréhensible
nonsense	des absurdités
• pronunciation [prənʌnsɪ'eɪʃn]	• la prononciation
an accent	un accent
a brogue	un accent du terroir
a drawl [drɔːl]	un accent traînant
• the pitch	• la hauteur (de la voix), le ton
• the tone	• le ton
• delivery	• le débit, l'élocution

journalese: *le jargon journalistique*

Mrs Malaprop: *personnage comique créé par Sheridan, dramaturge irlandais du XVIIIe s.*

Dutch: *le hollandais*

• articulate	• articuler
• drawl	• avoir l'accent traînant
• mumble	• marmonner
• slur [slɜː]	• manger ses mots
• talk nonsense	• dire n'importe quoi

- **pronounce** [prə'naʊns] • prononcer
- **stress** • accentuer, insister sur
- **spell** • épeler

- **formal** • soutenu
- **informal** • familier
- **colloquial (English)** [kə'ləʊkwɪəl] • (anglais) parlé, familier
- **vernacular** • dialectal
- **slangy** ['slæŋɪ] • argotique
- **unpronounceable** ['ʌnprə'naʊnsəbl] • imprononçable

> un-pronounce-able

Soft Voices — Des voix douces

- **a murmur** ['mɜːmə] • un murmure
- **a whisper** • un chuchotement
- **a lullaby** ['lʌləbaɪ] • une berceuse
- **humming** • un/le fredonnement

- **murmur** • murmurer
- **whisper** • chuchoter
- **hum** • fredonner
- **soothe** [suːð] • apaiser, rassurer

> (!) humming, hummed

> a soothing voice: *une voix rassurante*

- **soft** • doux
- **quiet** ['kwaɪət] • doux, bas
- **subdued** • bas (pour une voix)
- **soothing** [suːðɪŋ] • apaisant, rassurant

> in a quiet voice: *à voix basse*

> subdue: *contenir (une émotion)*

Loud Voices — Des voix fortes

- **a cry, a shout** • un cri
- **a scream, a shriek** [ʃriːk] • un cri perçant, un hurlement
- **a screech** • un cri strident
- **a yell** • un hurlement
- **a howl** [haʊl] • un hurlement déchirant
- **a roar** [rɔː] • un rugissement
- **a bellow** • un beuglement
- **a booming voice** • une voix tonitruante

- **speak up** • parler plus fort
- **raise one's voice** • élever la voix
- **cry, shout** • crier
- **scream, shriek** [ʃriːk] • hurler d'une voix perçante
- **screech** • crier d'une voix stridente
- **yell** • hurler
- **howl** [haʊl] • hurler, pousser des hurlements
- **roar** [rɔː] • hurler d'une voix rugissante
- **bellow** • beugler
- **boom** • retentir
- **thunder** • tonner, tonitruer

> (also) cry: *pleurer*

> "He thundered.": *"dit-il d'une voix tonitruante."*

	• **audible**	• audible
	• **loud** [laʊd]	• fort, haut
	• **resonant, sonorous** ['sɒnərəs]	• sonore
	• **shrill**	• perçant, strident
	• **piercing**	• perçant
	• **high-pitched, low-pitched**	• aigu, grave
	• **hoarse** [hɔːs]	• enroué, rauque
jar: *produire un son discordant*	• **jarring**	• discordant
	• **thundering**	• tonitruant
deaf: *sourd*	• **deafening**	• assourdissant

2 Speech — Le discours

Basic Operations — Les opérations de base

	• **communication**	• la communication
(also) *un énoncé linguistique*	• **an utterance** ['ʌtərəns]	• une parole, une formulation
	• **a remark, a comment**	• une remarque
	• **a declaration**	• une déclaration officielle
	• **a statement**	• une déclaration, une affirmation
	• **a narration, a narrative**	• un récit, une narration
	• **a question**	• une question
	• **an answer** ['ɑːnsə]	• une réponse

	• **communicate**	• communiquer
utter a word/a cry	• **utter** ['ʌtə]	• prononcer, émettre, pousser
	• **relate**	• conter, raconter
	• **narrate**	• raconter, narrer
	• **mention**	• évoquer
	• **express oneself**	• s'exprimer
	• **declare**	• déclarer, annoncer
	• **state**	• déclarer, affirmer
(!) *remarquer (qqch) :* notice	• **remark, point out**	• faire remarquer
	• **recite**	• réciter
	• **dictate**	• dicter
	• **emphasize**	• mettre l'accent sur
(irr.) I laid, I have laid	• **lay stress on**	• souligner l'importance de
(also) *surligner*	• **highlight**	• mettre en valeur
	• **hint (at), allude (to)**	• faire allusion à
	• **ask**	• demander
(also) *contester*	• **question**	• interroger
	• **answer** ['ɑːnsə]	• répondre

• **affirmative**	• affirmatif
• **narrative**	• narratif
• **negative**	• négatif
• **interrogative**	• interrogatif
• **exclamatory**	• exclamatif
• **quizzical** ['kwɪzɪkl]	• interrogateur

Eloquence / L'éloquence

	• **a speaker**	• un orateur, un intervenant
	a monologue	un monologue
	a soliloquy [sə'lɪləkwɪ]	un soliloque
	• **an orator**	• un orateur
	rhetoric ['retərɪk]	la rhétorique
	• **a lecturer** ['lektʃərə]	• un conférencier
	a lecture ['lektʃə]	une conférence
	a talk	un exposé
a spell: *un envoûtement*; bind: *attacher, lier*	• **a spell-binder**	• un orateur charismatique
	fluency	l'aisance
wit: *l'esprit*	**a witticism** ['wɪtɪsɪzəm]	un bon mot
a gift: *un don* gab (coll.): *jacasser*	**the gift of the gab (coll.)**	le bagou
	sweet-talk (coll.)	du boniment
the rabble: *la populace*	• **a rabble-rouser**	• un agitateur
	• **a preacher**	• un prêcheur, un prédicateur
	a sermon	un sermon
	a tribune	une tribune
soap: *du savon*, box: *boîte*	**a soapbox**	une tribune improvisée

---

	• **deliver (a speech)**	• faire, prononcer (un discours)
	• **convey (a message)**	• transmettre, faire passer un message
(also) *sermonner*	• **lecture** ['lektʃə]	• faire une conférence, donner un cours
	• **address someone**	• s'adresser à quelqu'un
	• **improvise**	• improviser
	• **declaim, rant**	• déclamer
	• **proclaim**	• proclamer
(!) speech**ified**, speech**ifying**	**speechify (coll.)** ['spiːtʃɪfaɪ]	pérorer
	• **preach**	• prêcher, sermonner
(!) preach**ified**, preach**ifying**	**preachify (coll.)**	faire du prêchi-prêcha
	• **get carried away**	• se laisser emporter

	• **rhetorical** [rɪ'tɒrɪkl]	• rhétorique
speak fluently: *parler couramment*	• **fluent** ['fluːənt]	• éloquent
	• **witty**	• spirituel
	• **articulate**	• qui s'exprime bien
	• **well-spoken**	• qui parle bien
	• **spellbinding**	• envoûtant
	• **rousing**	• galvanisant, exaltant
a glib talker: *un beau parleur*	• **glib**	• (trop) éloquent
silver: *l'argent (le matériau)*	**silver-tongued**	à la parole facile
smooth: *lisse, fluide*	**smooth-tongued**	enjôleur

Dialogue / Le dialogue

Conversation / La conversation

	• **an exchange**	• une discussion, un débat
talks: *des négociations*	• **a talk**	• une conversation, une discussion
	small talk	des banalités

• a chat	• une conversation (légère)
chitchat	du bavardage
• banter ['bæntə]	• le badinage
• a discussion	• une discussion
• a controversy	• une controverse, une polémique
• a debate	• un débat, une controverse
a debating-point	un argument

• converse	• converser
• talk (to someone)	• parler (à quelqu'un)
• chat, chatter (chat up: *draguer*)	• bavarder
• banter	• badiner
• discuss sth	• discuter de qqch
• debate sth	• débattre de qqch
• question	• remettre en question, contester

• bantering	• badin
• debatable, arguable ['a:gjʊəbl]	• discutable
• controversial	• controversé
• questionable	• contestable

Disagreement / Le désaccord

• an advocate, a proponent	• un partisan
• an opponent	• un adversaire
• a row, a quarrel ['kwɒrəl]	• une dispute, une querelle
• a verbal fight	• une joute verbale
an argument	une dispute/un argument
a counter-argument	un contre-argument
an answer, a reply	une réponse
a retort	une riposte
a rejoinder	une repartie
• an assertion	• une affirmation, une déclaration
• a contention	• un argument, un raisonnement
a rhetorical question	une question rhétorique
an innuendo [ɪnjʊ'endəʊ] (several innuendos or innuendoes)	une insinuation, une allusion

• disagree (with sb)	• ne pas être d'accord (avec qqn)
bandy words with sb	avoir des mots avec qqn
• have a row, quarrel ['kwɒrəl]	• se disputer
• argue ['ɑ:gju:] ((!) arguing, argued)	• se disputer, soutenir
argue about	discuter de, débattre de
• advocate ['ædvəkeɪt]	• recommander
• answer, reply	• répondre
retort	répliquer, rétorquer
• affirm, assert	• affirmer
• claim	• affirmer, prétendre
• contend (that), maintain (that)	• soutenir (que)
• deny [dɪ'naɪ] ((!) denied, denying)	• nier

• argumentative	• ergoteur, chicanier
• heated (heat: *la chaleur*)	• animé, véhément

• **vehement** ['viːɪmənt]	• véhément
• **quarrelsome** ['kwɒrəlsəm]	• querelleur
• **unanswerable** [ʌn'aːnsərəbl]	• imparable
• **assertive**	• assuré

Interruption — Les ruptures du discours

> a pregnant pause: *un silence lourd de sous-entendus*, an awkward pause: *un silence gêné*

• **a pause** [pɔːz]	• une pause, un silence
• **a blank**	• un blanc, un trou de mémoire
• **a conversation stopper**	• qqch qui tue la conversation
• **disruption**	• la perturbation
• **booing** ['buːɪŋ]	• des huées
• **hissing**	• des sifflements

> a blank: *un blanc (espace vide)*

> (!) slipped, slipping

> butt: *donner un coup de tête*

> (!) booed, booing

• **pause**	• marquer une pause
• **go blank**	• avoir un trou de mémoire
• **interrupt**	• interrompre
• **slip in (a word)**	• glisser (un mot)
• **cut in**	• interrompre, intervenir
• **cut sb short**	• couper la parole à qqn
• **barge in**	• interrompre brutalement
• **butt in**	• mettre son grain de sel
• **disrupt**	• perturber
• **boo** [buː]	• huer
• **hiss**	• siffler

The Purposes of Speech — Les buts du discours

Presentation — La présentation

• **introduction**	• l'introduction, la présentation
• **information**	• l'information
• **demonstration**	• la démonstration
• **illustration**	• l'illustration
• **explanation**	• l'explication

> advertising: *la publicité*

• **announce** [ə'naʊns]	• annoncer
• **present**	• présenter
• **introduce**	• introduire, présenter
• **voice, express**	• exprimer
• **inform**	• informer
• **let it be known**	• faire savoir
• **advertise, publicize**	• rendre public, faire connaître
• **make sb aware of sth**	• rendre qqn conscient de qqch
• **demonstrate**	• démontrer
• **illustrate**	• illustrer
• **explain**	• expliquer

• **informative**	• riche en renseignements
• **explanatory** [ɪk'splænətərɪ]	• explicatif

Persuasion	**La persuasion**
• conviction	• la conviction
• dissuasion [dɪ'sweɪʒən]	• la dissuasion
• admission	• l'aveu
• confession	• la confession, l'aveu
• revelation, disclosure	• la révélation
• exposure [ɪk'spəʊʒə]	• la révélation, la dénonciation
• denunciation	• la dénonciation
• condemnation	• la condamnation

sweet-talk sb into doing sth (coll.): *flatter qqn pour qu'il fasse qqch*

• talk sb into doing sth	• persuader qqn de faire qqch
• persuade (to do sth)	• persuader (de faire qqch)
• convince (of sth)	• convaincre (de qqch)
• dissuade (from)	• dissuader (de)
• talk sb out of doing sth	• dissuader qqn de faire qqch
• urge (sb to do sth)	• pousser, exhorter (à faire qqch)
• rouse [raʊz]	• réveiller, susciter
• exert influence over sb	• avoir de l'influence sur qqn
• move [muːv]	• émouvoir
• reveal, disclose	• révéler
• admit	• avouer
• confess	• confesser, avouer
• expose [ɪk'spəʊz]	• dénoncer, démasquer
• denounce	• dénoncer
• condemn [kən'dem]	• condamner
• rail (against, at)	• s'insurger (contre)
• silence	• réduire au silence

(!) *exposer qqch :* exhibit sth

• persuasive [pə'sweɪsɪv]	• persuasif
• dissuasive	• disuasif
• moving ['muːvɪŋ]	• émouvant

Congratulations	**Les félicitations**
• a toast	• un toast
• praise	• des éloges, des louanges
eulogy ['juːlədʒɪ]	un éloge, un panégyrique
• flattery	• la flatterie

• congratulate (on sth)	• féliciter (de qqch)
• toast	• porter un toast à
• praise, eulogize ['juːlədʒaɪz]	• faire l'éloge de
• flatter	• flatter
fawn (upon sb) [fɔːn]	flatter bassement (qqn), flagorner

• laudatory ['lɔːdətərɪ]	• élogieux
• flattering	• flatteur

Humour	**L'humour**
• a joke	• une plaisanterie
• a pun [pʌn], a play on words	• un jeu de mots

a private joke: *une plaisanterie pour initiés*

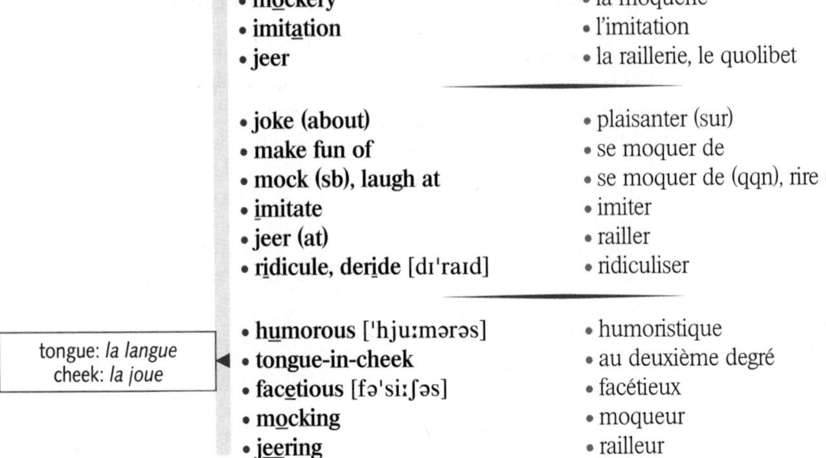

• **mockery**	• la moquerie
• **imitation**	• l'imitation
• **jeer**	• la raillerie, le quolibet

• **joke (about)**	• plaisanter (sur)
• **make fun of**	• se moquer de
• **mock (sb), laugh at**	• se moquer de (qqn), rire de
• **imitate**	• imiter
• **jeer (at)**	• railler
• **ridicule, deride** [dɪ'raɪd]	• ridiculiser

> tongue: *la langue*
> cheek: *la joue*

• **humorous** ['hjuːmərəs]	• humoristique
• **tongue-in-cheek**	• au deuxième degré
• **facetious** [fə'siːʃəs]	• facétieux
• **mocking**	• moqueur
• **jeering**	• railleur

3 Too Many or Too Few Words / Trop ou pas assez de mots

Talkativeness / La loquacité

> a lot of gossip

> a group of gossips

> slip: *glisser*

• **garrulity, garrulousness**	• la loquacité
• **volubility**	• la volubilité
• **a flow of words**	• un flot de paroles
• **wordiness, verbosity**	• la verbosité
a chatterer, a chatterbox (coll.)	un moulin à paroles
a windbag (coll.)	un moulin à paroles
• **gossip**	• des commérages, des potins
a piece of gossip	un ragot, un cancan
• **a gossip, a tattler** ['tætlə]	• un colporteur de ragots
• **boasting**	• des vantardises
• **bragging**	• des fanfaronnades
a braggart	un fanfaron
• **a slip of the tongue**	• un lapsus
• **a blunder**	• une gaffe

> rattle: *vibrer, faire vibrer*

> a rabbit: *un lapin*

• **rattle on/away**	• parler sans discontinuer
• **gas (coll.), rabbit on (coll.)**	• parler sans cesse
• **ramble on**	• discourir sans fin
• **harp on a subject**	• rabâcher, ressasser un sujet
• **gossip**	• jaser, faire des commérages
• **blather/blether**	• parler à tort et à travers
• **boast of/about, brag about**	• se vanter de
• **blurt out**	• laisser échapper étourdiment

• **talkative**	• bavard
• **communicative**	• bavard, expansif

	• **garrulous** ['gærʊləs]	• loquace
	• **voluble**	• volubile
	• **wordy, verbose** [vɜː'bəʊs]	• verbeux
	long-winded	intarissable
	• **gossipy**	• cancanier

Outspokenness — Le franc-parler

	• **frankness**	• la franchise
(US) candor	• **candour, candidness**	• la franchise, la sincérité
	• **straightforwardness**	• la franchise (sans détour)
	• **sincerity** [sɪn'serətɪ]	• la sincérité
	curtness (of tone)	la sécheresse (du ton)

mind: *l'esprit*	• **speak one's mind**	• dire ce qu'on pense
	• **have one's say**	• dire ce qu'on a à dire
	• **have a say in sth**	• avoir son mot à dire sur qqch
straight: *droit, direct*	• **go straight to the point**	• aller droit au fait
	not to mince one's words	ne pas mâcher ses mots
a bush: *un buisson*	**not to beat about the bush**	ne pas tourner autour du pot

	• **outspoken**	• qui a son franc-parler
	• **frank**	• franc
(!) *candide* : ingenuous, naïve	• **candid**	• franc, sincère
	• **direct**	• direct
	• **straightforward**	• franc, simple et direct
	• **sincere** [sɪn'sɪə]	• sincère
	• **curt**	• sec

Caution — La modération

	• **reserve**	• la réserve
	• **reticence**	• la réticence
	• **discretion**	• la discrétion
a secret: *un secret*	• **secrecy** ['siːkrəsɪ]	• le secret
voice - less - ness	• **voicelessness, speechlessness**	• le fait de rester sans voix
	• **a euphemism** ['juːfəmɪzəm]	• un euphémisme
"That's an understatement!": *"C'est le moins qu'on puisse dire !"*	**an understatement**	une litote

	• **keep a secret**	• garder un secret
	• **keep mum, keep silent**	• garder le silence
	• **hold one's tongue**	• tenir sa langue
	• **remain silent**	• rester coi

	• **cautious** ['kɔːʃəs]	• prudent
	• **reticent**	• réservé, réticent
	• **discreet**	• discret, circonspect
	• **taciturn**	• taciturne
	• **terse, laconic**	• laconique
"He was tongue-tied with shock" (!) mute: *muet (pathologie)*	• **tongue-tied**	• muet
	• **implied**	• implicite, sous-entendu

4 Expressing Feelings / L'expression des sentiments

Joy / La bonne humeur

an exclamation point/mark

Joy	La bonne humeur
• **exclamation**	• l'exclamation
• **laughter** ['lɑːftə]	• le rire
a laugh [lɑːf]	un rire
• **a giggle**	• un gloussement, un rire nerveux
• **a guffaw**	• un gros rire
• **exclaim**	• s'exclamer
• **laugh** [lɑːf]	• rire
• **roar with laughter** ['lɑːftə]	• rire aux éclats
• **giggle**	• rire bêtement, glousser
• **guffaw** [gʌ'fɔː]	• s'esclaffer
• **laughing** ['lɑːfɪŋ]	• hilare
• **uproarious**	• désopilant/tonitruant

The Laughing Cow

Grief / La peine

Grief	La peine
• **a sigh** [saɪ]	• un soupir
• **a whimper, a whine**	• un pleurnichement, un geignement
• **a wail**	• un son plaintif
• **a lament** [lə'ment]	• une lamentation, une complainte
• **a groan**	• un grand gémissement
• **a sob**	• un sanglot
• **sigh** [saɪ]	• soupirer
• **wail**	• hurler sa douleur
• **lament**	• se lamenter
• **whimper, whine**	• pleurnicher, geindre
• **snivel**	• pleurnicher
• **groan**	• gémir
• **cry, weep**	• pleurer
• **sob**	• sangloter
• **burst into tears**	• éclater en sanglots
• **blubber**	• pleurer comme un veau
• **plaintive**	• plaintif
• **melodramatic**	• mélodramatique
• **tearful (voice)**	• (voix) larmoyante

"Stop snivelling!"

(!) cried, crying

(!) sobbed, sobbing

Discontent and Anger / Le mécontentement et la colère

Discontent and Anger	Le mécontentement et la colère
• **a complaint**	• une plainte
• **grumbling**	• des récriminations

	a grumbler	un ronchonneur
	• moaning	• des jérémiades
	a moaner	un ronchon
	• a grunt	• un grognement
	• a reprimand, a rebuke	• une réprimande
	• a telling-off (coll.)	• une réprimande, un "savon"
	• an insult	• une insulte
a lot of **abuse**	• abuse [a'bjuːs]	• des injures
	a word of abuse	une injure
	• a swearword ['sweəwɜːd]	• un juron
	• slander ['slaːndə]	• la calomnie
	• vituperation [vɪtjuːpə'reɪʃn]	• des vitupérations
complain **about** sth	• complain	• se plaindre
	• grumble	• ronchonner
	• grunt	• grogner, répondre en grognant
	• moan	• gémir, se plaindre
	• grouse (coll.) [graus]	• râler
(!) nag**g**ed, nag**g**ing	• nag (at sb)	• harceler, "asticoter" (qqn)
	• tell off, scold	• gronder (un enfant)
	• rebuke	• réprimander
	• shout at sb	• crier après qqn
	• give sb a tongue-lashing (coll.)	• sonner les cloches à qqn
call sb names: *traiter qqn de tous les noms*	• call sb sth	• traiter qqn de qqch
	• insult	• insulter
	• abuse [ə'bjuːz]	• injurier
(irr.) I swore, I have sworn	• swear [sweə]	• jurer
	• offend	• offenser, vexer
	• slander ['slaːndə]	• calomnier, diffamer
	• vituperate	• vitupérer
	• grumpy	• grincheux
	• derogatory	• désobligeant, péjoratif
	• rude	• grossier
	• abusive, offensive	• grossier, injurieux
	• vituperative	• injurieux
	• aggressive	• agressif

5 Speech Impediments / Les défauts d'élocution

• a speech defect	• un défaut d'élocution
• a speech disorder	• un trouble de la parole
the vocal chords [kɔːdz]	les cordes vocales
the voice-box (coll.)	le larynx
• a lisp	• un zézaiement
• a stammer, a stutter	• un bégaiement
a stammerer, a stutterer	un bègue
• loss of speech	• la perte de la parole
• aphasia [æ'feɪzɪə]	• l'aphasie
a mute	un muet

• **speech-training**	• un/des cours de diction
speech therapy	l'orthophonie
a speech therapist	un orthophoniste
• **a stammering**	• un balbutiement, un bégaiement
• **a tongue-twister**	• une phrase difficile à prononcer
• **a slip of the tongue**	• un lapsus

a Freudian slip: *un lapsus révélateur*

• **hesitate**	• hésiter
• **look for one's words**	• chercher ses mots
• **mispronounce**	• mal prononcer
• **splutter**	• bafouiller, bredouiller
• **lisp**	• zézayer, zozoter
• **have a lisp**	• avoir un cheveu sur la langue
• **stutter**	• bégayer (du fait d'une émotion...)
• **stammer**	• bégayer (trouble de la parole)
• **slur one's words**	• manger ses mots
• **lose one's speech, lose the power of speech**	• perdre la parole
• **undergo therapy**	• suivre un traitement
• **recover**	• retrouver, recouvrer

• **inarticulate**	• inintelligible
• **confused**	• confus
• **inaudible**	• inaudible
• **indistinct**	• indistinct
• **speech-impaired**	• qui a un défaut d'élocution, muet
• **mute**	• muet

impair: *affecter, diminuer*

PRACTICE

28 The Right Choice: Le bon choix

Say or tell?

Examples: he told me that the lecture was interesting; she said that he was talkative.

Complete with the appropriate verb.

Jim ... me that when he met Judy, she was ... goodbye to a neighbour who had been the first to ... her about the murder. She in turn ... him what she had ... to the police when they came to question her in the morning. The Inspector had ... her to be careful about what she ... concerning the victim because, unfortunately, she was the last person to have seen him. Indeed, she was able to ... the police that she had heard him ... someone in a very angry voice to "get lost". "But," she ... plaintively, she "had been unable to see that 'someone' because of the thick fog."

29 The Right Word: Le mot juste

Replace each verb with a synonym taken from the following list (two verbs should not be used).

expose - claim - moan - reply - persuade - laugh at - stutter - voice - stress - giggle - skriek - whisper - argue.

a. "W-w-w-ait for me", he stammered.
b. The journalist emphasizes the need to take urgent measures.
c. Those reporters became famous for denouncing corruption.
d. "Mind your own business," he answered.
e. The spectators didn't hesitate to express their discontent.
f. The boy complained that his schoolmates were always mocking him.
g. On meeting the animal, she screamed.
h. Will he ever be happy? He is always complaining about one thing or another!
i. "Good night, sleep tight," the mother murmured.
j. Opponents to the project contend that this highway is a threat to ecological balance.

30 Cockney Rhyming Slang: L'argot Cockney

Match the expressions in rhyming slang with their meaning.
Example: She's got nice ham and eggs = She's got nice legs (for more information, see next page).

a. apples and pears	**1.** mouth
b. north and south	**2.** arm
c. trouble and strife	**3.** stairs
d. Cain and Abel	**4.** wife
e. chalk and farm	**5.** table

▶ Corrigés page 412 ◀

The Contemporary Context

English Languages and Registers

Langues anglaises et registres de langue

- **The Queen's English:** anglais de référence, anglais correct.
- **RP (Received Pronunciation):** la référence en matière de prononciation anglaise, souvent considérée comme un peu snob.
- **BBC English:** l'anglais parlé par les présentateurs et journalistes de la BBC, c'est-à-dire l'anglais de référence.
- **colloquial English:** l'anglais parlé, l'anglais familier.
- **Cockney:** le dialecte parlé dans le quartier Est de Londres par les natifs, qui, pour mériter eux-mêmes le nom de Cockney, doivent être nés dans le périmètre où l'on entend sonner les cloches de la vieille église St Mary le Bow. Entre autres caractéristiques, le cockney utilise le *rhyming slang*.
- **slang:** l'argot.
- **rhyming slang:** argot qui consiste à remplacer un mot par une locution qui rime avec ce mot, ce qui produit un résultat absurde ou faussement absurde. Exemple: *loaf of bread* (miche de pain) = *head* (tête).
- **pidgin English:** l'anglais parlé dans les anciennes colonies anglaises, qui combine l'anglais et des caractéristiques de la langue du pays.
- **Ebonics (or blackspeak):** ce néologisme, formé sur *ebony* (l'ébène) et *phonic* désigne l'anglais parlé par certains Noirs américains dans les quartiers défavorisés des villes. Par exemple, on ne prononce pas la fin des mots, l'auxiliaire être n'est pas conjugué, et le "th" se prononce "d".

Idioms and Colourful Expressions

Focus on Talk

- **to talk through one's hat (coll.):** débiter des sottises, parler en l'air.
- **to talk down to somebody:** parler avec condescendance.
- **to talk somebody down:** dénigrer.
- **to talk shop:** parler boulot.
- **to talk to somebody:** parler à quelqu'un.
- **to talk with somebody:** parler avec quelqu'un.
- **to talk about something:** parler de quelque chose.
- **to talk something through:** en parler tranquillement et en détail.
- **to talk something over/out:** régler le problème.
- **to talk somebody round:** faire changer d'avis.
- **to talk at somebody:** agresser verbalement.
- **to talk back to somebody:** répondre (avec insolence).
- **to talk somebody out of (doing something):** dissuader quelqu'un (de faire quelque chose).

Focus on Tell

- **to tell somebody off (coll.):** passer un savon.
- **to tell on somebody:** dénoncer quelqu'un.
- **to tell the time:** indiquer l'heure, dire l'heure.
- **to tell a story:** raconter une histoire.
- **to tell (right) from (wrong):** distinguer le (bien) du (mal).
- **Can you tell the difference?:** Est-ce que vous voyez la différence ?
- **I can tell him from his voice:** Je le reconnais à la voix.

Focus on Word

- **a four-letter word:** un "gros mot" (souvent en quatre lettres en anglais).
- **the last word (in fashion):** le dernier cri (de la mode).
- **Mum's the word:** motus et bouche cousue.
- **Word has it that...:** On dit que…
- **to be word-perfect:** connaître son texte sur le bout des doigts.
- **to preach the Word:** prêcher la bonne parole (la parole divine).

- **to eat one's words:** ravaler ses mots, regretter ses paroles.

Focus on Speak

- **not to be on speaking terms:** ne plus s'adresser la parole, être en froid.
- **so to speak:** pour ainsi dire.
- **a speakeasy (coll.):** bar clandestin durant la prohibition de l'alcool aux États-Unis (1919-1933).
- **diplospeak:** la langue diplomatique.
- **computerspeak:** le jargon informatique ; on emploie également le terme *computerese,* formé avec le suffixe *-ese* comme les mots *journalese* (jargon de la presse), *officialese* (le jargon administratif) ou *legalese* (celui du palais de justice).

Sayings and Proverbs

- **Speech is silver, silence is golden:** La parole est d'argent, le silence est d'or.
- **Silence means consent:** Qui ne dit mot consent.
- **Time will tell:** L'avenir le dira/Qui vivra, verra.
- **Brevity is the soul of wit:** Les plaisanteries les plus courtes sont les meilleures.

The Self and Others: Harmony

Le moi et l'autre : l'harmonie

1 Human Relationships — Les relations entre individus

Friendship — L'amitié

> a mate, a pal; (US) a buddy (coll.): *un copain*

> a fellow: *un type, un camarade*

> a bond: *un lien*

• **a friend** [frend]	• un ami
close friends [kləʊs]	des amis intimes
• **a kindred spirit**	• une âme sœur
• **a childhood friend**	• un ami d'enfance
• **friendliness**	• ≈ la gentillesse, la cordialité
• **fellowship**	• la camaraderie
• **a companion**	• un camarade, un compagnon
• **a partner**	• un partenaire
• **a pen friend, a pen pal**	• un correspondant
• **a liking (for)**	• un penchant (pour)
• **closeness (to)** ['kləʊsnɪs]	• l'intimité (avec)
• **understanding**	• la compréhension, l'entente
• **affinity**	• l'affinité
• **male bonding**	• la complicité entre hommes
• **trust, confidence**	• la confiance
• **devotion**	• le dévouement, l'attachement
• **sympathy** ['sɪmpəθɪ]	• la compassion

> **(!)** sympathize: *compatir*

• **like**	• bien aimer
• **make friends with someone**	• devenir ami, sympathiser avec qqn
• **be on friendly/good terms**	• entretenir de bonnes relations
• **get on well with someone**	• bien s'entendre avec quelqu'un
• **reciprocate a feeling**	• partager un sentiment
• **understand**	• comprendre
• **sympathize with someone**	• compatir avec quelqu'un
• **trust someone**	• faire confiance à quelqu'un
• **rely on, count on**	• compter sur
• **share**	• partager
• **complement each other**	• se compléter
• **stand by somebody**	• être solidaire de quelqu'un

> **(!)** sympathetic: *compatissant*

• **friendly, congenial**	• amical, sympathique
• **close, intimate**	• proche, intime
• **popular**	• populaire, apprécié
• **understanding**	• compréhensif
• **trustworthy, reliable** [rɪ'laɪəbl]	• digne de confiance, fiable
• **complementary**	• complémentaire
• **fond of/keen on someone**	• qui apprécie quelqu'un
• **devoted (to)**	• attaché (à)

Love — L'amour

sisterly solidarity: *la solidarité féminine*

(US) favoritism

Plato: *Platon*

from "Lesbos" the Greek island where the poetess Sappho used to live

AC/DC (slang) = alternative current/direct current: *à voile et à vapeur*

Forms of Love — Les formes d'amour

• **motherly/fatherly love** [lʌv]	• l'amour maternel/paternel
• **sisterly/brotherly love**	• l'amour fraternel
• **family love**	• l'amour familial
• **favouritism** ['feɪvərɪtɪzm]	• le favoritisme
• **self-love**	• l'amour de soi, le narcissisme
• **affection**	• l'affection
• **tenderness**	• la tendresse
• **platonic love**	• l'amour platonique
• **a crush (on), an infatuation (with)**	• une toquade (pour)
• **passion**	• la passion
• **adoration**	• l'adoration
• **heterosexuality**	• l'hétérosexualité
a heterosexual	un hétérosexuel
• **homosexuality**	• l'homosexualité
a homosexual, a gay	un homosexuel
a lesbian	une lesbienne
a bisexual [baɪ'seksjʊəl], **a bi** [bɑɪ]	un bisexuel

• **love** [lʌv]	• aimer
• **fall in love (with)**	• tomber amoureux (de)
• **be in love (with)**	• être amoureux (de)
• **be fond of/keen on**	• avoir un faible pour
• **have a crush on (coll.)**	• avoir le béguin pour
• **adore**	• adorer, chérir
• **be devoted to**	• être profondément attaché à
• **dote on someone**	• être fou de quelqu'un

• **loving** [lʌvɪŋ]	• aimant, attentionné
• **tender**	• tendre
• **adorable**	• adorable
• **appealing, alluring** [ə'ljʊərɪŋ]	• séduisant, attirant
• **attractive**	• attirant
• **attracted to**	• attiré par
• **passionate**	• passionné
• **mad about/crazy about (coll.)**	• fou de
• **romantic**	• romantique

≠ an appointment: *un rendez-vous pour affaires, consultation, etc.*

blind: *aveugle*

a French kiss (slang): *un baiser profond*

Love Rituals — Les rituels amoureux

• **a date** [deɪt]	• un rendez-vous
a blind date	un rendez-vous avec un inconnu
• **courtship**	• la cour
• **a kiss**	• un baiser
• **a proposition**	• une avance (sexuelle)
• **a love affair** [lʌv]	• une liaison
• **a boyfriend**	• un petit ami
• **a girlfriend**	• une petite amie
• **an escort**	• un cavalier

	• a lover [lʌvə]	• un amoureux, un amant/une maîtresse
	• a mistress	• une maîtresse
(!) romance: *le romantisme*	• a romance	• une idylle
	• my love!	• mon amour !
	• darling! dear! dearest!	• chéri !
honey: *le miel*	• hon! (US) honey!	• mon trésor !
	• sweetheart!	• mon cœur !

	• court [kɔːt]	• courtiser
(!) chatting, chatted	• chat up (coll.)	• draguer
	• flirt (with)	• flirter, badiner (avec)
	• date someone	• donner rendez-vous à qqn
	• have a date with	• avoir un rendez-vous avec qqn
	• stand someone up (coll.)	• poser un lapin à quelqu'un
	• declare one's love	• faire une déclaration d'amour
	• go out with	• sortir avec
	• hold hands with	• tenir la main de
	• kiss	• embrasser

Marriage and Union / Le mariage et l'union

(!) a Bachelor of Arts, a B.A. ≈ *un diplômé en littérature, niveau licence*	• a bachelor ['bætʃələ]	• un célibataire
	• a bachelor girl/a single girl	• une célibataire
	• a confirmed bachelor	• un célibataire endurci
	• an old maid, a spinster	• une vieille fille
	• a fiancé/a fiancée	• un fiancé/une fiancée
	• a commitment	• un engagement
	• a match	• une union
an engagement ring: *une bague de fiançailles*	• an engagement	• des fiançailles
	• marriage	• le mariage (= l'institution)
a wedding list: *une liste de mariage* a wedding ring: *une alliance*	• a wedding a church wedding a civil wedding	• le mariage (= la cérémonie) un mariage à l'église un mariage civil
	• the bridegroom/the bride	• le marié/la mariée
	• the best man/bridesmaid	• le témoin (homme/femme)
	• the newly-weds	• les jeunes mariés
	• a (married) couple	• un couple (marié)
	• a honeymoon	• une lune de miel
	• a love match	• un mariage d'amour
	• a marriage of convenience	• un mariage de convenance
	• a paper marriage	• un mariage blanc
	• free union ['juːnjən]	• l'union libre
(!) adulterate: *falsifier*	• adultery [ə'dʌltərɪ]	• l'adultère
	• a love affair, an affair	• une liaison

(!) *proposer* : offer, suggest	• propose to someone	• demander qqn en mariage
	• marry someone	• épouser quelqu'un
	• get married (to someone)	• se marier (avec quelqu'un)
	• marry for love/money ['mʌnɪ]	• faire un mariage d'amour/d'argent
shack up with (slang): *se mettre en ménage*	• move in with someone	• se mettre en ménage avec qqn

	• single	• célibataire
	• engaged	• fiancé
faith: *la foi*	• (un)faithful	• (in)fidèle

Love and Sex — L'amour et la sexualité

Physical Love — L'amour physique

	• virginity	• la virginité
	• lovemaking	• les relations sexuelles
	• sexual intercourse/relations	• les rapports sexuels
	• eroticism	• l'érotisme
	• desire [dɪ'zaɪə]	• le désir
	• sex appeal	• l'attraction sexuelle
	• an urge, a sexual tension	• une pulsion, une tension sexuelle
	• lust	• la concupiscence, le désir
	• masturbation	• la masturbation
	• satisfaction, pleasure ['pleʒə]	• le plaisir
	• sensuality	• la sensualité
	• sensuousness	• la volupté
	• an orgasm, a climax ['klaɪmæks]	• un orgasme
premature ejaculation: *l'éjaculation précoce*	• ejaculation	• l'éjaculation
	• frigidity	• la frigidité
	• impotence	• l'impuissance
	• a partner	• un partenaire
several he-men	• a he-man (coll.)	• un macho, un (vrai) mâle
	• a macho	• un macho
	• a womanizer	• un homme à femmes, un Don Juan
	• a libertine ['lɪbətiːn]	• un libertin

	• desire [dɪ'zaɪə], lust for	• désirer, convoiter (sexuellement)
	• stroke, caress	• caresser
	• cuddle, fondle, pet	• câliner
	• masturbate	• (se) masturber
	• make love, have sex	• faire l'amour
come (slang): *jouir*	• ejaculate	• éjaculer

	• desirable	• désirable
	• manly	• viril
	• sexy	• sexuellement attirant
	• hot (slang), horny (slang)	• chaud, excité
lust: *le désir, la luxure*	• lustful	• libidineux
	• frigid	• frigide
	• impotent	• impuissant

Sexual Freedom — La liberté sexuelle

	• sexual liberation	• la libération sexuelle
	• free love	• l'amour libre
birth control: *le contrôle des naissances*	• contraception	• la contraception
(US slang) a rubber (= *du caoutchouc*)	a condom, a sheath	un préservatif
	a contraceptive device/method	un moyen contraceptif
be **on** the pill: *prendre la pilule*	the pill	la pilule

• **an abortion**	• un avortement
the abortive pill	la pilule abortive
• **promiscuity**	• la promiscuité sexuelle
• **a sexual spree**	• une débauche de sexe
• **group sex**	• la sexualité de groupe
• **an orgy**	• une orgie
• **sexual entanglements**	• les liaisons multiples
• **a one-night stand**	• une aventure sans lendemain
• **mate swapping** ['swɒpɪŋ]	• l'échangisme
• **a swing party**	• une soirée échangiste
• **fetishism**	• le fétichisme
a fetishist	un fétichiste
• **sodomy**	• la sodomie
a sodomite ['sɒdəmaɪt]	un sodomite
• **nymphomania** [nɪmfəʊ'meɪnɪə]	• la nymphomanie
a nymphomaniac	une nymphomane
• **pornography**	• la pornographie
• **sexology, sex therapy**	• la sexologie
a sexologist, a sex therapist	un sexologue

• **wear/use condoms**	• utiliser des préservatifs
• **abort, have an abortion**	• avorter
• **swap** [swɒp]	• échanger

• **oversexed, sex-ridden**	• obsédé sexuel
• **promiscuous** [prə'mɪskjʊəs]	• de mœurs légères
• **pornographic**	• pornographique

Happiness and Harmony — Bonheur et harmonie

	• **well-being**	• le bien-être
	• **(emotional) balance**	• l'équilibre (affectif)
(US) fulfillment	• **fulfilment**	• la plénitude
(US) humor	• **good humour** ['hjuːmə]	• la bonne humeur
	• **pleasure** ['pleʒə]	• le plaisir
	• **cheerfulness**	• l'entrain
joy **in** life: *la joie de vivre*	• **joy**	• la joie
	• **delight**	• la joie, le contentement
	• **bliss**	• la béatitude
	• **serenity**	• la sérénité

	• **like (doing something)**	• aimer (faire quelque chose)
	• **take pleasure (in doing sth)**	• prendre plaisir (à faire qqch)
	• **enjoy (doing sth)**	• apprécier (de faire qqch)
	• **enjoy oneself**	• bien s'amuser, se plaire
	• **please (somebody)**	• faire plaisir (à quelqu'un)
	• **be in a good mood**	• être de bonne humeur
Cheers!: *1. À votre santé ! 2. Salut ! 3. Merci !*	• **cheer somebody up**	• réconforter quelqu'un

• **happy**	• heureux
• **at ease, relaxed**	• à l'aise

≠ cheering: *réconfortant, réjouissant*

Merry Christmas!: *Joyeux Noël !*

• **good-humoured**	• de bonne humeur
• **cheerful**	• joyeux, gai
• **joyful, merry**	• joyeux
• **overjoyed, delighted**	• ravi, enchanté
• **serene** [sɪ'riːn]	• serein

2 The Individual in Society / L'individu en société

Consideration for Others / Les égards pour les autres

polite-ness

tact-ful-ness

faith-ful-ness

self-less-ness

manners: *les manières, les mœurs*

• **citizenship**	• la citoyenneté
a citizen	un citoyen
• **respect**	• le respect
• **concern**	• la sollicitude
• **consideration, regard**	• la considération, l'estime
• **decency** ['diːsənsɪ]	• la retenue, la politesse, la décence
• **politeness**	• la politesse
• **tactfulness**	• le tact
• **faithfulness**	• la fidélité
• **mutual understanding**	• la complicité
• **indulgence**	• l'indulgence
• **tolerance** ['tɒlərəns]	• la tolérance
• **open-mindedness, openness**	• l'ouverture d'esprit
• **solidarity, fellow-feeling**	• la solidarité
• **generosity**	• la générosité
• **hospitality**	• l'hospitalité
• **benevolence**	• la bienveillance
a benevolent society [sə'saɪətɪ]	une société de bienfaisance
a friendly society	une mutuelle
a charity	une organisation caritative
• **altruism, selflessness**	• l'altruisme
• **self-denial**	• l'abnégation
• **education**	• l'éducation
• **good manners, good breeding**	• le savoir-vivre, les bonnes manières
• **socializing**	• la vie sociale
• **a socialite** ['səʊʃəlaɪt]	• un mondain
• **banter, small talk**	• le badinage
• **propriety** [prə'praɪətɪ]	• la bienséance
• **decorum**	• l'étiquette, les convenances
• **protocol, etiquette**	• le protocole
• **gallantry**	• la galanterie

(!) a confidence: *une confidence*
confidence: *la confiance*

mix: *mélanger*
a good mixer: *un être sociable*

• **break the ice**	• rompre la glace
• **behave well**	• bien se comporter
• **understand**	• comprendre
• **win the confidence of**	• gagner la confiance de
• **satisfy/to meet demands**	• satisfaire des requêtes
• **mix**	• être sociable
• **socialize**	• fréquenter des gens

• **entertain people**	• recevoir/distraire des gens
• **banter**	• badiner
• **pay compliments**	• complimenter

• **pleasant** ['pleznt], **lik(e)able**	• agréable, aimable
• **respectful**	• respectueux
• **respectable**	• respectable
• **well-behaved, well-mannered**	• poli, bien élevé
• **generous**	• généreux
• **benevolent**	• bienveillant
• **considerate**	• attentionné
• **tactful**	• délicat, plein de tact
• **well-meaning**	• bien intentionné
• **lov(e)able** ['lʌvəbl]	• très sympathique, adorable
• **decent** ['diːsənt]	• convenable, respectable
• **indulgent**	• indulgent
• **tolerant**	• tolérant
• **open-minded**	• large d'esprit
• **selfless**	• altruiste
• **gallant, gentlemanly**	• galant, courtois

(also) gallant: *courageux*

The Respect of Human Rights / Le respect des droits de l'homme

• **freedom, liberty**	• la liberté
• **individual liberties**	• les libertés individuelles
freedom of speech	la liberté d'expression
freedom of opinion	la liberté d'opinion
freedom of thought	la liberté de pensée
freedom of worship	la liberté de culte
freedom of the press	la liberté de la presse
freedom of assembly	la liberté de réunion
• **equality (of rights)**	• l'égalité (des droits)
• **fraternity, brotherhood**	• la fraternité
• **assistance**	• l'assistance, l'aide
• **justice**	• la justice
• **security**	• la sécurité
• **safety**	• la sûreté, l'absence de danger
• **protection**	• la protection, la préservation
• **a guarantee** [gærən'tiː]	• une garantie
• **a democracy**	• une démocratie
• **national unity**	• l'unité nationale
• **legitimacy**	• la légitimité
• **legality, lawfulness** ['lɔːfʊlnɪs]	• la légalité

a safety belt: *une ceinture de sécurité*

the law: *la loi, le droit*

• **promote human rights**	• défendre les droits de l'homme
• **abide by the law** [lɔː]	• respecter la loi
• **enforce the law**	• faire respecter la loi
• **protect**	• protéger
• **defend the weak**	• défendre la veuve et l'orphelin
• **push for change**	• militer pour le changement

(irr.) I abode, I have abode

the weak: *les faibles*

(!) a demand: *une exigence*

- **press for a demand** • exiger avec vigueur
- **guarantee** [gærən'tiː] • garantir

- **free** • libre
- **equal** • égal
- **law-abiding** [lɔː] • respectueux des lois
- **peaceful, non-violent** • pacifique, non violent
- **just, fair** • juste
- **democratic** • démocratique
- **legitimate** • légitime
- **legal, lawful** [lɔːfʊl] • légal

International Relations / Les relations internationales

(neol.) diplospeak: *le langage diplomatique*

a peace emissary: *un émissaire de la paix*

≠ a referee, an umpire (sports)

- **a community** • une communauté
- **the international community** • la communauté internationale
- **diplomacy** • la diplomatie
- **a diplomat** • un diplomate
- **an ambassador** • un ambassadeur
- **an embassy** • une ambassade
- **a consul** ['kɒnsəl] • un consul
- **a consulate** ['kɒnsjʊlɪt] • un consulat
- **an emissary** • un émissaire
- **a peacemaker** • un conciliateur, un pacificateur
- **a spokesman, a spokeswoman** • un porte-parole
- **an arbitrator** • un arbitre
- **the international stage** • la scène internationale
- **foreign affairs** ['fɒrən] • les affaires étrangères
- **diplomatic circles** • les sphères diplomatiques
- **a negotiation** • une négociation
- **talks** • des pourparlers
- **an alliance** [ə'laɪəns] • une alliance
  an ally [ə'laɪ] un allié
- **a mission** ['mɪʃən] • une mission
- **a diplomatic move** • une manœuvre diplomatique
- **a diplomatic breakthrough** • une victoire diplomatique
- **a consensus** • un consensus
- **a compromise** • un compromis
- **an agreement** • un accord
- **a pact** • un pacte
- **a treaty** • un traité
- **a goodwill mission** • une visite d'amitié
- **a humanitarian mission** • une mission humanitaire

- **foster a relationship with** • entretenir des relations avec
- **negotiate** [nɪ'gəʊʃɪeɪt] • négocier
- **fraternize (with)** • fraterniser (avec)
- **sign** [saɪn]**/ratify a treaty** • signer/ratifier un traité
- **strike an alliance** • former une alliance
- **be appointed** • être nommé
- **send on a mission** • envoyer en mission

PRACTICE

31 Be a Socialite! Soyez mondain !

Match the following adjectives with the feeling or tone expressed in the sentences.

a. You look wonderful tonight, darling!
b. Would you mind opening the window please?
c. Passengers are kindly requested to keep their seat-belts fastened.
d. That's ever so sweet of you.
e. Poor dear - how terrible it must have been.
f. Fantastic!
g. I'll share this equally between the three of you.
h. It takes all sorts to make a world, after all.

1. formal
2. delighted
3. loving
4. enthusiastic
5. extremely polite
6. sympathizing
7. tolerant
8. fair

32 A Love Confession: Une déclaration d'amour

Complete the following text with words taken from the list.

everlasting - lovers - enjoy - friendship - friends - delighted - passionate - romantic - like - love at first sight - passion - darling - devoted - marry.

"Now at last, I'm yielding to the violence of my ..., Agnes, oh my ... . The first time I saw you, I felt completely ... to you. I didn't use to believe in ... before I met you, but now I'm overwhelmed. Sweetheart, will you ... me?"

"Well, Chris, I ... you very much, I ... your company, but I cannot offer you more than ... just now. You sound so ... Try to understand, I need time. I'd be ... if we saw each other from time to time, but only as ..., not as ... ."

"Well, take this ring as a token of my ... love"

"You are so ..., Chris."

33 Say it Differently! Dites-le autrement !

Rephrase the following sentences, using the prompts given.

a. He showed respect for his parents for once, which surprised me: I was surprised how ...
b. He said comforting, sympathetic things: he expressed words of ...
c. He proposed to her yesterday: he asked her ...
d This man has really good manners: he is really ...
e. I really trust my childhood friends: they are ...
f. Every citizen should abide by the law: everyone should be a ...

▶ Corrigés page 412 ◀

The Contemporary Context

The Defense of Human Rights

La défense des droits de l'homme

The historical heritage - L'héritage historique :

- **Habeas Corpus (GB):** l'Habeas Corpus, loi qui oblige l'instance judiciaire à fournir les raisons de l'emprisonnement d'un individu.
- **The Universal Declaration of Human Rights:** la Déclaration universelle des droits de l'homme.
- **The Declaration of the Rights of Man and of the Citizen (France):** la Déclaration des droits de l'homme et du citoyen.
- **The Bill of Rights:** les dix premiers amendements de la Constitution américaine qui garantissent les libertés individuelles.

Today's organizations - Les organisations contemporaines :

- **The European Court of Human Rights:** la Cour européenne des droits de l'homme.
- **Amnesty International:** organisation internationale veillant au respect des droits de l'homme.
- **The Shaftesbury Society:** organisation caritative britannique d'aide aux plus démunis-fondée en 1844 par Lord Shaftesbury, un aristocrate philanthrope de la période victorienne.
- **OXFAM** (Oxford Committee for Famine Relief)**:** organisation caritative britannique qui revend des objets ou vêtements d'occasion pour financer des actions humanitaires.
- **Help the Aged:** organisation caritative britannique d'aide aux personnes âgées.
- **Save the Children:** organisation caritative britannique d'aide à l'enfance maltraitée.
- **War on Want:** organisation humanitaire d'aide au Tiers-Monde.

The Diplomatic Corps

Le corps diplomatique

- **The Foreign Office:** le ministère des Affaires étrangères britannique.
- **The Foreign Secretary:** le ministre des Affaires étrangères britannique.
- **The State Department:** le ministère des Affaires étrangères américain.
- **The Secretary of State:** le ministre des Affaires étrangères américain.
- **The Community:** l'ensemble des diplomates américains haut placés.
- **UNO (the United Nations Organization):** l'O.N.U, Organisation des Nations Unies.
- **The Security Council:** le Conseil de sécurité de l'ONU.
- **The Blue Helmets:** les "casques bleus" des Nations Unies.
- **NATO (The North Atlantic Treaty Organization):** l'OTAN, l'Organisation du Traité de l'Atlantique Nord.

Idioms and Colourful Expressions

Focus on Friendship

- **a pen friend:** un correspondant.
- **a fair-weather friend:** un ami des bons jours.
- **bosom friends:** des amis intimes (*bosom:* la poitrine, le cœur).
- **our dumb friends:** nos amis les bêtes (*dumb:* muet).
- **the Society of Friends:** autres nom des Quakers (voir page 82).

Focus on Love

- **a love-bite:** un suçon.
- **a love child:** un enfant de l'amour/naturel.
- **puppy love:** un premier amour adolescent.
- **calf love:** un amour de jeunesse, un premier amour.
- **lovebirds:** des tourtereaux.
- **labour of love:** du travail à titre gracieux, fait pour l'amour de l'art.
- **"love all" (at tennis):** "zéro partout".
- **"love fifteen" (at tennis):** "rien à quinze".
- **a love game (at tennis):** un jeu blanc.
- **head over heels in love with:** éperdument amoureux de (*heels:* les talons).
- **to play for love:** jouer pour le plaisir.
- **not to be had for love or money:** qu'on ne saurait avoir pour rien au monde.

Other Expressions Related to Love and Marriage

- **a stag party:** une réunion entre hommes (en particulier avant le mariage ; *a stag:* un cerf).
- **to have a stag party/a hen party:** enterrer sa vie de garçon/de jeune fille.
- **a hen party:** une réunion entre filles (en particulier avant le mariage ; *a hen:* une poule).
- **an old flame:** un ex (*a flame:* une flamme).

Sayings and Proverbs

- **A friend in need is a friend indeed:** C'est dans le besoin que l'on reconnaît ses amis.
- **Everybody's friend is nobody's friend/friend to all is friend to none:** Ami de chacun, ami d'aucun.
- **The more, the merrier:** Plus on est de fous, plus on rit.
- **Love is blind:** L'amour est aveugle.
- **Love me, love my dog:** Qui m'aime, aime mon chien.

12 The Self and Others: Conflict

Le moi et l'autre : le conflit

1 Relationships Between Individuals — Les relations entre les individus

Misunderstanding and Disagreement — L'incompréhension et le désaccord

	• **hostility, enmity**	• l'hostilité, l'inimitié
	an enemy	un ennemi
	• **dissatisfaction**	• l'insatisfaction, le mécontentement
	• **discontent, displeasure**	• le mécontentement, le déplaisir
	• **distaste (for)**	• la répugnance, le dégoût (pour)
	• **irritation**	• l'irritation, l'agacement
a critic: *un critique*	• **criticism**	• la critique
	• **reproach, reprobation**	• le reproche, la réprobation
	• **a controversy**	• une polémique
	• **exasperation**	• l'exaspération
	• **inconvenience**	• le désagrément
	• **disturbance**	• le dérangement
	• **concern, worry**	• le souci, l'inquiétude
	• **a bother**	• un souci, un tracas, un ennui
a pain in the neck (coll.): *un enquiquineur, une chipie*	• **a nuisance** ['njuːsns]	• un désagrément, un fléau

	• **disagree (with)** [dɪsə'griː]	• être en désaccord avec
	• **disapprove of sb/sth** [dɪsə'pruːv]	• désapprouver qqn/qqch
	• **irritate, annoy**	• irriter, ennuyer (= agacer)
	• **reproach sb with/for sth**	• reprocher qqch à qqn
	• **displease**	• déplaire
	• **criticize**	• critiquer
	• **vex**	• contrarier ; fâcher ; blesser
	• **offend**	• blesser, froisser
	• **bother**	• ennuyer
	• **oppose sb/sth**	• s'opposer à qqn/qqch
	• **quarrel (with sb)**	• se disputer (avec qqn)
	• **have an argument**	• se disputer
(irr.) I upset, I have upset	• **upset**	• affecter, perturber
	• **pester**	• harceler, importuner
	• **get on sb's nerves**	• porter sur les nerfs de qqn
	• **try sb's patience** ['peɪʃəns]	• éprouver la patience de qqn
	• **fall out (with)**	• se brouiller (avec)
(irr.) I split, I have split	• **split (with)**	• rompre (avec)

• **irritable**	• irritable
• **impatient** [ɪm'peɪʃnt]	• agacé, impatient
• **indignant** [ɪn'dɪgnənt]	• indigné

	• cross, angry (with)	• fâché, en colère (contre)
	• dissatisfied (with)	• mécontent (de)
temper: *le tempérament, le caractère*	• bad-tempered	• au mauvais caractère
	• hot-tempered	• coléreux
	• unpleasant [ʌn'pleznt]	• désagréable, antipathique
	• trying	• difficile, fatigant, éprouvant
	• vexatious, irritating	• agaçant, contrariant
	• obnoxious	• odieux, détestable

Nastiness and Aggressiveness / La méchanceté et l'agressivité

	• wickedness	• la méchanceté, la cruauté
	• malevolence	• la malveillance
spite-full-ness	• spitefulness	• la malveillance, la malignité
	• resentment	• la rancune, le ressentiment
	• hostility	• l'hostilité
	• viciousness ['vɪʃəsnɪs]	• la brutalité, la méchanceté
	• cruelty	• la cruauté
ruth-less-ness pity-less-ness	• ruthlessness, pitilessness	• la rigueur impitoyable
heart-less-ness	• heartlessness	• l'insensibilité, la cruauté
	• a mockery	• une moquerie
	• a jeer	• un quolibet, une raillerie
	• an insult	• une insulte

• resent something	• s'offenser de quelque chose
• mock somebody	• se moquer de quelqu'un
• jeer at somebody	• railler quelqu'un
• insult, abuse somebody	• insulter, injurier quelqu'un

	• bad [bæd]	• méchant, mauvais
evil: *le mal*	• evil ['iːvl]	• mauvais, diabolique
	• wicked	• méchant, pervers
	• malevolent	• malintentionné
	• spiteful	• méchant, malveillant
	• hostile ['hɒstaɪl]	• hostile
	• vicious	• malfaisant, brutal, vicieux
	• hard, brutal	• dur, brutal
	• cruel (to)	• cruel (envers)
	• ruthless, pitiless	• impitoyable
	• heartless	• sans cœur
	• resentful	• plein de ressentiment
	• mocking	• moqueur
	• jeering	• railleur
	• offensive, insulting	• insultant

Hypocrisy and Dishonesty / L'hypocrisie et la malhonnêteté

• insincerity	• l'hypocrisie
• mendacity	• la fausseté

	• disloyalty	• la déloyauté
un-faith-full-ness	• unfaithfulness	• l'infidélité
(!) *la déception :* disappointment	• deception	• la tromperie
	• treachery ['tretʃərɪ]	• la traîtrise, la déloyauté
	• cunning	• la ruse
	• a lie, a falsehood a liar ['laɪə]	• un mensonge un menteur
(US) pretense	• a pretence	• un faux-semblant

(!) *décevoir :* disappoint	• deceive [dɪ'siːv]	• tromper
	• fool someone	• berner, duper quelqu'un
	• conceal	• dissimuler
	• mislead	• induire en erreur
	• betray	• trahir
cheat on sb (coll.): *tromper qqn (= être infidèle)*	• cheat	• tricher, tromper
	• lie	• mentir
(!) *prétendre :* claim	• pretend	• faire semblant

	• hypocritical [hɪpə'krɪtɪkəl]	• hypocrite
	• dishonest [dɪs'ɒnɪst]	• malhonnête
	• insincere	• faux, hypocrite
un-trust-worthy	• untrustworthy	• indigne de confiance
	• disloyal	• déloyal
	• unfaithful	• infidèle
	• deceptive	• trompeur (apparence)
	• deceitful	• fourbe, déloyal
	• treacherous ['tretʃərəs]	• traître
	• crafty, cunning, sly	• rusé, fourbe, sournois

Pride and Contempt — L'orgueil et le mépris

	• selfishness	• l'égoïsme
	• vanity	• la vanité
	• conceit	• la suffisance, la vanité
	• self-satisfaction	• la suffisance
	• arrogance	• l'arrogance
	• a sneer	• un sarcasme, un sourire méprisant
	• haughtiness ['hɔːtɪnɪs]	• la hauteur, le mépris
	• scorn	• le mépris
snob = **s**ine **nob**ilitate *(sans noblesse, qui copie les nobles)*	• snobbery, snobbishness a snob	• le snobisme un snob
	• a boaster, a braggart	• un vantard
	• a poser ['pəʊzə]	• un poseur, un plastronneur

	• pride oneself on sth	• s'enorgueillir de quelque chose
	• boast (of) [bəʊst]	• se vanter (de)
(!) bragging, bragged	• brag (about)	• se vanter (de), fanfaronner
	• pose ['pəʊz]	• prendre des poses
	• despise, scorn	• mépriser
	• look down on	• regarder de haut
	• sneer (at)	• regarder avec mépris, railler

• proud [praʊd]	• fier, orgueilleux
• self-centered, selfish	• égoïste
• vain	• vaniteux
• snobbish	• snob
• conceited	• vaniteux, suffisant
• self-satisfied	• suffisant
• arrogant	• arrogant
• boastful, brash	• vantard
• contemptuous, scornful	• méprisant
• haughty ['hɔːtɪ]	• hautain
• injurious, offensive (remark)	• blessant, insultant (remarque)

> ≠ contemptible: *méprisable*

Jealousy and Resentment — La jalousie et la rancune

• envy	• l'envie, la jalousie
• covetousness ['kʌvɪtəsnɪs]	• la convoitise
• a craving (for)	• une envie (de)
• rivalry ['raɪvlrɪ]	• la rivalité
a rival ['raɪvl]	un rival
• vengeance ['vendʒəns]	• la vengeance
an act of revenge/of vengeance	une vengeance
in revenge for	pour se venger de
• retaliation	• les représailles
in retaliation for/against	en représailles de/contre

> the law of retaliation (*la loi du talion*): an eye for an eye, a tooth for a tooth (*œil pour œil, dent pour dent*)

• envy	• envier, jalouser
• covet	• convoiter
• crave (for)	• désirer ardemment
• avenge somebody/something	• venger quelqu'un/quelque chose
• avenge oneself (on sb for sth)	• se venger (de qqch sur qqn)
• take revenge (on sb for sth)	• se venger (sur qqn de qqch)
• pay somebody back	• le faire payer à qqn
• hit back, fight back	• riposter, rendre les coups
• retaliate	• user de représailles, réagir

• suspicious	• soupçonneux
• jealous	• jaloux
• envious ['envɪəs]	• envieux
• covetous ['kʌvɪtəs]	• plein de convoitise, cupide
• vindictive, vengeful	• vindicatif, vengeur

Anger and Hatred — La colère et la haine

• an outburst, a fit of anger	• un accès de colère
• wrath (lit.) [rɔːθ]	• le courroux
• fury ['fjʊərɪ]	• la fureur
• rage [reɪdʒ]	• la rage
• hate, hatred	• la haine

• get angry at/with sb	• se mettre en colère contre (qqn)
• get angry at/about	• se mettre en colère à propos de

lose one's temper	perdre patience
be angry/be mad (US) with	être en colère contre
be beside oneself with anger	être hors de soi
make sb angry	mettre qqn en colère
infuriate [ɪn'fjʊərɪeɪt]	rendre furieux
madden sb	mettre qqn en colère
incense somebody	exaspérer quelqu'un
fly into a rage [reɪdʒ]	se mettre en fureur
foam at the mouth [maʊθ]	écumer de rage

(irr.) I flew, I have flown

foam: *l'écume*

angry, cross (coll.)	fâché
mad (US)	fou de rage
hot-tempered	coléreux
wrathful ['rɔːθfʊl]	courroucé
furious, incensed ['fjʊərɪəs]	furieux
hateful	haineux, odieux

2 Violence and Discrimination / La violence et la discrimination

Discrimination / La discrimination

Discrimination against Individuals / La discrimination envers les individus

segregation	la ségrégation
oppression	l'oppression
disrespect	l'irrespect
inequality	l'inégalité
social injustice	l'injustice sociale
a minority [maɪ'nɒrətɪ]	une minorité
a scapegoat	un bouc-émissaire
a bias ['baɪəs]	un préjugé, un parti-pris
a prejudice	un préjugé
intolerance	l'intolérance
a witch hunt	une chasse aux sorcières

discriminate against **be discriminated against**	établir une discrimination envers être victime de discrimination
practise discrimination	pratiquer la discrimination
endure discrimination	être l'objet de discrimination
wrong someone	léser quelqu'un
victimize	persécuter
segregate	séparer
expel, ban	rejeter, exclure

narrow-minded	à l'esprit étroit, borné
sectarian	sectaire
discriminatory [dɪs'krɪmɪnətərɪ]	discriminatoire
bias(s)ed ['baɪəst], **prejudiced**	partial, tendancieux
unfair	injuste, déloyal

• **unequal**	• inégal
• **intolerant**	• intolérant

Racism	**Le racisme**
• **an ethnic group**	• un groupe ethnique, une ethnie
• **a race** [reɪs]	• une race
• **racialism** ['reɪʃəlɪzəm]	• la discrimination raciale
• **(latent) racism**	• le racisme (voilé, rampant)
• **a racist** ['reɪsɪst]	• un raciste
racial prejudice/stereotype	des préjugés raciaux
a racial attack	une agression raciste
• **xenophobia** [zenə'fəʊbjə]	• la xénophobie
a xenophobe	un xénophobe
• **a ghetto**	• un ghetto
• **the colour bar**	• la barrière raciale
• **apartheid** [ə'pɑːteɪt/ə'pɑːtaɪd]	• l'apartheid
• **white supremacy**	• la suprématie de la race blanche
whiteness	l'appartenance à la race blanche

(US) color

Sexual discrimination	**La discrimination sexuelle**
• **sexism**	• le sexisme
• **male chauvinism** [meɪl]	• le machisme, la phallocratie
• **a male chauvinist**	• un macho, un phallocrate
a chauvinist pig (coll.)	un phallocrate
• **a sexist**	• un sexiste
• **(sexual) harassment**	• le harcèlement sexuel
• **the weaker/stronger sex**	• le sexe faible/fort
• **a male preserve**	• un domaine réservé aux hommes
• **misogyny**	• la misogynie
a misogynist, a woman hater	un misogyne
• **homophobia**	• la haine des homosexuels
• **queer bashing (coll.)**	• la chasse aux homosexuels
• **a closet queen (slang)**	• un homosexuel non assumé

chauvinism: *le nationalisme*
jingoism: *le patriotisme cocardier*

a closet: *un placard, une armoire*

• **harass**	• harceler
• **enslave**	• asservir
• **victimize**	• persécuter
• **come out (of the closet)**	• déclarer son homosexualité

• **sexist**	• sexiste
• **chauvinistic**	• phallocrate
• **misogynous**	• misogyne
• **gay**	• homosexuel
anti-gay, homophobic	homophobe

Violence and Crime — La violence et la criminalité

Crime and Delinquency	**Le crime et la délinquance**
• **a crime** [kraɪm]	• un délit, un crime
a criminal ['krɪmɪnl]	un criminel

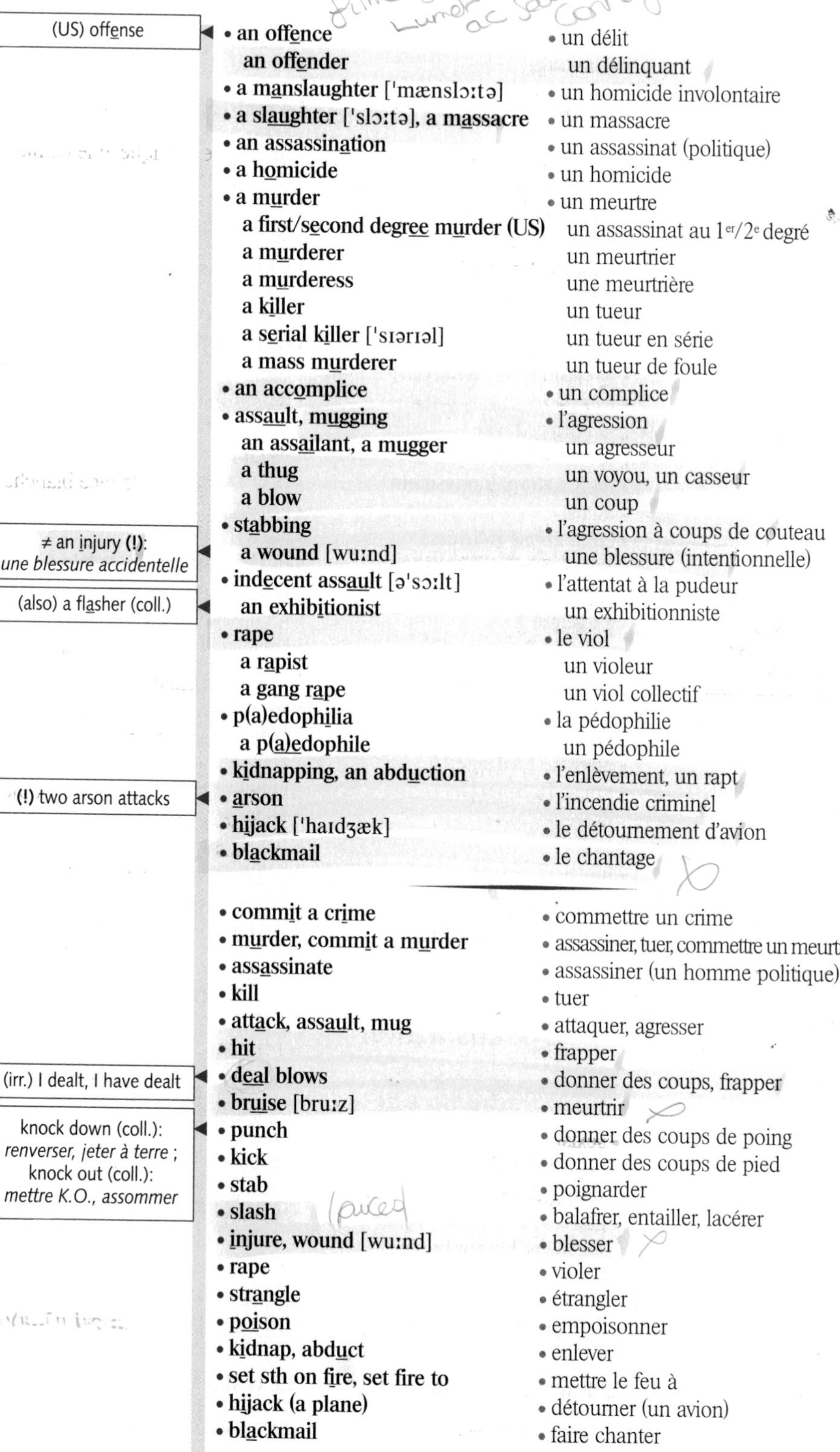

(US) offense	• **an offence**	• un délit
	an offender	un délinquant
	• **a manslaughter** ['mænslɔːtə]	• un homicide involontaire
	• **a slaughter** ['slɔːtə], **a massacre**	• un massacre
	• **an assassination**	• un assassinat (politique)
	• **a homicide**	• un homicide
	• **a murder**	• un meurtre
	a first/second degree murder (US)	un assassinat au 1er/2e degré
	a murderer	un meurtrier
	a murderess	une meurtrière
	a killer	un tueur
	a serial killer ['sɪərɪəl]	un tueur en série
	a mass murderer	un tueur de foule
	• **an accomplice**	• un complice
	• **assault, mugging**	• l'agression
	an assailant, a mugger	un agresseur
	a thug	un voyou, un casseur
	a blow	un coup
	• **stabbing**	• l'agression à coups de couteau
≠ an injury **(!)**: *une blessure accidentelle*	**a wound** [wuːnd]	une blessure (intentionnelle)
	• **indecent assault** [ə'sɔːlt]	• l'attentat à la pudeur
(also) a flasher (coll.)	**an exhibitionist**	un exhibitionniste
	• **rape**	• le viol
	a rapist	un violeur
	a gang rape	un viol collectif
	• **p(a)edophilia**	• la pédophilie
	a p(a)edophile	un pédophile
	• **kidnapping, an abduction**	• l'enlèvement, un rapt
(!) two arson attacks	• **arson**	• l'incendie criminel
	• **hijack** ['haɪdʒæk]	• le détournement d'avion
	• **blackmail**	• le chantage

	• **commit a crime**	• commettre un crime
	• **murder, commit a murder**	• assassiner, tuer, commettre un meurtre
	• **assassinate**	• assassiner (un homme politique)
	• **kill**	• tuer
	• **attack, assault, mug**	• attaquer, agresser
	• **hit**	• frapper
(irr.) I dealt, I have dealt	• **deal blows**	• donner des coups, frapper
	• **bruise** [bruːz]	• meurtrir
knock down (coll.): *renverser, jeter à terre* ; knock out (coll.): *mettre K.O., assommer*	• **punch**	• donner des coups de poing
	• **kick**	• donner des coups de pied
	• **stab**	• poignarder
	• **slash**	• balafrer, entailler, lacérer
	• **injure, wound** [wuːnd]	• blesser
	• **rape**	• violer
	• **strangle**	• étrangler
	• **poison**	• empoisonner
	• **kidnap, abduct**	• enlever
	• **set sth on fire, set fire to**	• mettre le feu à
	• **hijack (a plane)**	• détourner (un avion)
	• **blackmail**	• faire chanter

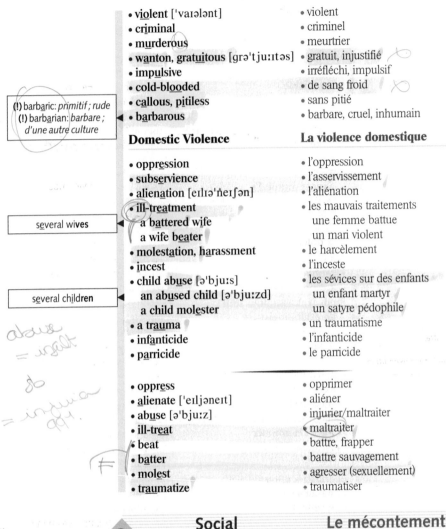

• violent ['vaɪələnt]	• violent
• criminal	• criminel
• murderous	• meurtrier
• wanton, gratuitous [grə'tjuːɪtəs]	• gratuit, injustifié
• impulsive	• irréfléchi, impulsif
• cold-blooded	• de sang froid
• callous, pitiless	• sans pitié
• barbarous	• barbare, cruel, inhumain

(!) barbaric: *primitif ; rude*
(!) barbarian: *barbare ; d'une autre culture*

Domestic Violence	**La violence domestique**
• oppression	• l'oppression
• subservience	• l'asservissement
• alienation [eɪlɪə'neɪʃən]	• l'aliénation
• ill-treatment	• les mauvais traitements
a battered wife	une femme battue
a wife beater	un mari violent
• molestation, harassment	• le harcèlement
• incest	• l'inceste
• child abuse [ə'bjuːs]	• les sévices sur des enfants
an abused child [ə'bjuːzd]	un enfant martyr
a child molester	un satyre pédophile
• a trauma	• un traumatisme
• infanticide	• l'infanticide
• parricide	• le parricide

several wives

several children

• oppress	• opprimer
• alienate ['eɪljəneɪt]	• aliéner
• abuse [ə'bjuːz]	• injurier/maltraiter
• ill-treat	• maltraiter
• beat	• battre, frapper
• batter	• battre sauvagement
• molest	• agresser (sexuellement)
• traumatize	• traumatiser

3 Social Dissatisfaction / Le mécontentement social

Social Unrest	**L'agitation sociale**
• a demonstration, a protest	• une manifestation
a demonstrator, a protester	un manifestant
• a march	• un défilé
a marcher	un participant (à un défilé)
• passive resistance	• la résistance passive
the crowd [kraʊd], the rabble	la foule, la populace
• a sit-in	• une occupation (passive)
• a claim, a demand	• une revendication
• a placard	• une pancarte
• a banner	• une banderole
• a slogan	• un slogan

• **demonstrate**	• manifester
• **protest**	• protester
• **march**	• défiler
• **gather**	• se regrouper
• **claim**	• réclamer
• **wave banners**	• agiter des banderoles
• **block traffic**	• paralyser la circulation

Outbursts of Violence / Explosions de violence

Outbursts of Violence	Explosions de violence
• **an outbreak of violence** ['vaɪələns]	• un accès de violence
the escalation of violence	l'escalade de la violence
• **collective hysteria** [hɪ'stɪərɪə]	• l'hystérie collective
• **a mob**	• ≈ une foule menaçante
• **a riot** ['raɪət]	• une émeute
a rioter ['raɪətə]	un émeutier
the riot police	la police anti-émeute
• **an upheaval**	• un soulèvement, une crise
• **a clash, a confrontation**	• un conflit, un affrontement
• **a barricade**	• une barricade
• **looting**	• le pillage
a looter	un pillard
• **lynching**	• le lynchage
the lynch mob	les lyncheurs
• **hostage-taking**	• la prise d'otages
• **terrorism**	• le terrorisme
a terrorist	un terroriste
a terrorist attack, a bomb attack	un attentat
• **a suicide bomber**	• un kamikaze
• **a troublemaker**	• un fauteur de troubles
• **an agitator**	• un agitateur
• **hooliganism, vandalism**	• le vandalisme
a hooligan	un voyou, un casseur
a vandal	un vandale
• **an arsonist**	• un incendiaire, un pyromane

the mob: *la populace*
the mob (slang): *la Mafia*

Charles Lynch: *magistrat américain qui, vers 1780, rendait une justice expéditive*

• **provoke**	• provoquer
• **trigger (off)**	• déclencher
• **deface/disfigure a building**	• défigurer un bâtiment
• **mob**	• faire le siège de
• **take by storm**	• prendre d'assaut
• **riot** ['raɪət]	• s'insurger, faire une émeute
• **loot, plunder**	• piller
• **sack**	• mettre à sac
• **wreck** [rek], **vandalize**	• saccager
• **wreak** [riːk] **havoc (on)**	• dévaster, ravager
• **overturn cars**	• renverser des voitures
• **set up a barricade**	• édifier une barricade
• **hurl missiles**	• envoyer des projectiles
• **lynch**	• lyncher
• **take hostages**	• prendre des gens en otage

a storm: *une tempête*

a wreck: *une épave*

(!) be taken hostage: *être pris **en** otage*

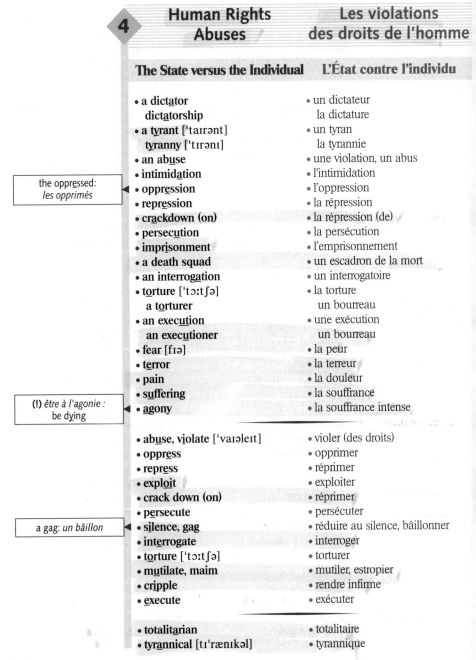

	• **provocative**	• provocateur
	• **explosive**	• explosif
	• **riotous, rebellious** ['raɪətəs]	• séditieux, rebelle
un-manage-able	• **unmanageable, out of control**	• incontrôlable
	• **unlawful** [ʌn'lɔːfʊl]	• illégal

4 Human Rights Abuses / Les violations des droits de l'homme

The State versus the Individual / L'État contre l'individu

	• **a dictator**	• un dictateur
	dictatorship	la dictature
	• **a tyrant** ['taɪrənt]	• un tyran
	tyranny ['tɪrənɪ]	la tyrannie
	• **an abuse**	• une violation, un abus
	• **intimidation**	• l'intimidation
the oppressed: *les opprimés*	• **oppression**	• l'oppression
	• **repression**	• la répression
	• **crackdown (on)**	• la répression (de)
	• **persecution**	• la persécution
	• **imprisonment**	• l'emprisonnement
	• **a death squad**	• un escadron de la mort
	• **an interrogation**	• un interrogatoire
	• **torture** ['tɔːtʃə]	• la torture
	a torturer	un bourreau
	• **an execution**	• une exécution
	an executioner	un bourreau
	• **fear** [fɪə]	• la peur
	• **terror**	• la terreur
	• **pain**	• la douleur
	• **suffering**	• la souffrance
(!) *être à l'agonie :* be dying	• **agony**	• la souffrance intense
	• **abuse, violate** ['vaɪəleɪt]	• violer (des droits)
	• **oppress**	• opprimer
	• **repress**	• réprimer
	• **exploit**	• exploiter
	• **crack down (on)**	• réprimer
	• **persecute**	• persécuter
a gag: *un bâillon*	• **silence, gag**	• réduire au silence, bâillonner
	• **interrogate**	• interroger
	• **torture** ['tɔːtʃə]	• torturer
	• **mutilate, maim**	• mutiler, estropier
	• **cripple**	• rendre infirme
	• **execute**	• exécuter
	• **totalitarian**	• totalitaire
	• **tyrannical** [tɪ'rænɪkəl]	• tyrannique

	English	Français
	• oppressive	• oppressif
	• repressive	• répressif
	• cruel ['kru:əl]	• cruel
	• inhumane [ɪnhju:'meɪn]	• insensible, cruel
	• inhuman [ɪn'hju:mən]	• très cruel, inhumain
reported missing: *porté disparu*	• missing	• disparu
	• frightened, terrified	• effrayé, terrifié
	• submissive	• soumis
	• anguished	• angoissé
	• painful	• douloureux
	• agonizing (pain)	• (douleur) atroce
	• arbitrary	• arbitraire
	• summary	• sommaire, expéditif

Crimes against Humanity / Les crimes contre l'humanité

	English	Français
	• a genocide ['dʒenəʊsaɪd]	• un génocide
	• mass killing, a massacre	• un massacre
	a mass grave	un charnier
	• extermination	• l'extermination
	• ethnic cleansing ['klenziŋ]	• la purification ethnique
(!) deportation: *le bannissement*	• internment	• la déportation dans un camp
	• a concentration camp	• un camp de concentration
	a death camp	un camp de la mort
	• exterminate, wipe out	• exterminer
	• massacre ['mæsəkə]	• massacrer
	• eradicate	• éradiquer, éliminer
clean: *propre*	• cleanse [klenz]	• nettoyer, purifier
	• intern	• déporter, interner

Slavery / L'esclavage

	English	Français
	• transportation	• la déportation
a root: *une racine*	• rootlessness	• le déracinement
	an uprooted person	un déraciné
	• exile ['eksaɪl]	• l'exil
	an exile	un exilé
	• bondage	• l'esclavage, l'asservissement
emancipation: *l'affranchissement*	• enslavement	• l'asservissement
slavish: *servile*	a slave	un esclave
	• slave traffic/trade	• le trafic/commerce des esclaves
	a slave trader	un marchand d'esclaves
	• transport	• déporter
	• uproot	• déraciner
	• be in bondage (to sb)	• être esclave (de quelqu'un)
emancipate: *affranchir*	• enslave	• asservir
	• reduce to slavery	• réduire à l'esclavage
	• be in shackles /in fetters	• porter des fers

PRACTICE

34 Who said it? Qui l'a dit ?

Match the following sentences with the villain who is likely to have uttered them.

a blackmailer - a murderer - a robber - a pickpocket - a kidnapper.

a. "I have no choice, I'm afraid you know too much..."
b. "Leave the money in a bag in the left luggage office, and your cat will be returned safe and sound!"
c. "Just hand over your bags and nobody will get hurt!"
d. "It would be a pity if everyone found out about your past, wouldn't it?"
e. "Sorry sir, do excuse me, I'm so clumsy."

35 A letter to the agony aunt: Une lettre au courrier du cœur

Here is a letter to an Agony Aunt. Put the appropriate words into the spaces.

unfair - furious - bondage - despair - painful - threatening - jealous - quarrelling - hate - worse.

Dear Anne,

You must help me to find a way out of a ... situation! I have been married for only six months and already my wife is ... to leave me. She insists on going out with all her friends although she knows I ... them. While she's out I get into a ... state and I can't help ... with her when she comes home, which only makes things ... . She accuses me of being ... . She says she won't be held in ... to her husband any longer. I'm sure you understand that she is the one who has to change! If you print my letter, I'll show her your answer, and she'll have to confess she's been most ... .

Yours in ... ,

Nigel.

36 Stress on the Stress: Accent sur l'accent

Underline the syllable which is stressed in the following words.

unpleasant - segregation - inconvenience - covetous - injurious - hypocritical - egoist - incensed - arrogant.

▶ Corrigés page 412 ◀

The Contemporary Context

Discrimination and Segregation
Discrimination et ségrégation

- **Apartheid** (mot afrikaans signifiant littéralement "séparation"): ségrégation raciale institutionnalisée en Afrique du Sud, pratiquée de façon systématique jusqu'à son abolition en 1991.
- **"Whites only"**: "Réservé aux Blancs", en opposition aux *Colored* (personnes de couleur). Cette mention était affichée dans les lieux publics des États pratiquant la ségrégation raciale.
- **The Ku Klux Klan (KKK):** société secrète ultra-réactionnaire fondée dans le sud des États-Unis en 1865, à la fin de la Guerre de Sécession. Antisémites, anticommunistes et hostiles à toute forme d'intégration des Noirs, les membres cagoulés du Klan prônent la suprématie de la race blanche et le recours à la violence. Leurs activités terroristes leur valurent l'interdiction par la Cour Suprême des États-Unis en 1928.
- **a Witch hunt:** une chasse aux sorcières, ou persécution systématique des opposants à un régime, à l'instar de celle du XVIIe s., où furent brûlées les "sorcières" de Salem. Le terme fut repris dans les années 50, lorsque le sénateur McCarthy s'acharna à "purger" les institutions américaines de ses éléments soupçonnés d'opinions ou de sympathies communistes.

Human Rights in the World Today
Les Droits de l'Homme dans le monde actuel

- **a Big Brother regime:** un régime totalitaire, à l'instar de celui décrit par George Orwell dans son roman *1984* (publié en 1949) et sur lequel règne le mythique et tout-puissant Big Brother. Le slogan de ce régime de terreur, *"Big Brother is watching you"*, est désormais emblématique de toute absence de libertés individuelles.
- **a kangaroo court:** un tribunal qui procède à des jugements (et des exécutions) aussi sommaires qu'illégales.
- **the National Association for the Advancement of Colored People (NAACP):** organisation américaine multiculturelle fondée en 1909 qui s'oppose au racisme sous toutes ses formes et organise des actions concrètes d'aide et de soutien à la communauté noire-américaine.
- **the Amnesty International World Report:** rapport annuel que publie Amnesty International pour dénoncer les violations des droits de l'homme dans le monde.
- **the Civil Rights Acts/the Voting Rights Act:** loi de 1965 garantissant le droit de vote aux minorités, y compris noires, aux États-Unis.
- **the Equal Rights Amendment:** loi de 1972 visant à garantir les droits constitutionnels de chacun, sans distinction de sexe, aux États-Unis.

Dishonesty and Corruption in Public Life

La malhonnêteté et la corruption dans la vie publique

- **influence peddling:** le trafic d'influence (*to peddle:* colporter).
- **influence seeking:** la recherche d'appuis, d'influence (*to seek, I sought, I have sought:* rechercher).
- **self enrichment:** l'enrichissement personnel.
- **inside trading:** le délit d'initié.
- **money-laundering:** le blanchiment de l'argent (*to do the laundry:* faire la lessive).
- **a slush fund:** une caisse noire.
- **cronyism:** le copinage (*a crony:* un pote).
- **nepotism:** le népotisme
- **doublespeak:** la langue de bois.
- **to grease somebody's palm:** graisser la patte à quelqu'un.
- **to bribe somebody:** soudoyer, acheter quelqu'un (*bribery:* les pots de vin).
- **to cut somebody in on something:** donner un tuyau à quelqu'un, l'intéresser.

Idioms and Colourful Expressions

Focus on Hate and Anger

- **a pet aversion/hate:** une bête noire.
- **a hate campaign:** une campagne d'incitation à la haine.
- **a hate-monger:** une personne qui propage des sentiments haineux.
- **to do something with a vengeance:** faire quelque chose de plus belle.
- **to fly off the handle:** sortir de ses gonds (*a handle:* un manche).
- **to be blinded by rage:** être aveuglé par la colère.
- **to be all the rage:** être du dernier cri.
- **to be hopping mad:** être fou furieux (*to hop:* bondir).
- **to be green with envy:** être vert de jalousie.
- **to be red with anger:** être rouge de colère.
- **to see red:** voir rouge.

- **to foam at the mouth:** écumer (de colère).

Sayings and Proverbs

- **Ask no questions and be told no lies:** S'abstenir de poser des questions, c'est se garantir des mensonges.
- **Familiarity breeds contempt:** La familiarité engendre le mépris.
- **Man is a wolf to man:** L'homme est un loup pour l'homme.
- **Revenge is sweet:** La vengeance est un plat qui se mange froid.

The Media 1: the Press, the Radio and Television

Les médias 1 : presse, radio et télévision

1 The Press — La presse écrite

Newspapers and Magazines — Journaux et magazines

	• a morning paper	• un journal du matin
	• an evening paper	• un journal du soir
	• a Sunday paper	• un journal du dimanche
(US) a color supplement	• a colour supplement ['sʌplɪmənt]	• un supplément couleur
	• a quality paper	• un journal de qualité
	• a tabloid ['tæblɔɪd]	• un tabloïd, un quotidien populaire
the gutter: *le caniveau*	• the gutter press	• la presse à scandales
glossy: *sur papier glacé*	• a glossy magazine	• un magazine de luxe
	a specialist magazine	un magazine spécialisé
	a woman's magazine	un magazine féminin
(US) the car press	• the motoring press	• la presse automobile
(!) economical: *économique, bon marché*	• the economic press	• la presse économique
	• a journal ['dʒɜːnl]	• une revue (savante)
	• the front page	• la première page, la une
	• the cover	• la couverture
	• the headlines	• les (gros) titres
	• a section	• une rubrique
a press article: *un article de presse*	• an article	• un article
	• a leader	• un éditorial
	• a column ['kɒləm]	• une colonne
	the gossip column	la rubrique mondaine
	the agony column	le courrier du cœur
	• the obituaries [ə'bɪtjʊərɪz]	• la rubrique nécrologique
(abbreviation of) advertisements	• the classified ads	• les petites annonces
the small ads	• an issue [i'sjuː]	• un numéro, une parution
	• a copy	• un exemplaire
	• the circulation	• la diffusion, le tirage
	• a subscription	• un abonnement
	a subscriber	un abonné

• print	• imprimer
• issue [i'sjuː]	• publier, faire paraître
• come out	• être publié, sortir, paraître
• subscribe [səb'skraɪb]	• s'abonner

the dailies: *les quotidiens*	• daily	• quotidien
	• weekly	• hebdomadaire
	• monthly	• mensuel
a quarter: *un trimestre*	• quarterly	• trimestriel

Journalism — Le journalisme

Journalism	Le journalisme
• media coverage	• la couverture médiatique
• a journalist ['dʒɜːnəlɪst], a newsman	• un journaliste
• a reporter	• un reporter
• a columnist ['kɒləmnɪst]	• un chroniqueur, un échotier
• a freelance	• un pigiste, un indépendant
• a (foreign) correspondent	• un correspondant (à l'étranger)
• an editor	• un rédacteur en chef
• a newspaper editor	• un directeur de publication
• a publisher ['pʌblɪʃə]	• un éditeur
• a press tycoon [taɪ'kuːn]	• un magnat de la presse
• news gathering	• la collecte des informations
• a news release (US)	• un communiqué de presse
• inform	• informer, mettre au courant
• report (on)	• faire un reportage (sur)
• cover	• assurer la couverture de
• rewrite	• remanier, réviser
• edit	• être le rédacteur
• publish	• publier
• scoop	• publier en exclusivité
• hit the headlines	• faire la une des journaux
• sensitize public opinion	• sensibiliser l'opinion publique
• make people aware of	• rendre les gens conscients de
• have news value	• présenter un intérêt

2 The Radio — La radio

The Radio	La radio
• a radio (set) ['reɪdɪəʊ], a transistor	• une radio
a car radio	un autoradio
an aerial ['eərɪəl]	une antenne
• a wave ◄ on the air: *sur les ondes*	• une onde
short wave	les petites ondes
medium wave	les moyennes ondes
long wave	les grandes ondes
• frequency modulation ◄ (abbreviation) FM	• la modulation de fréquence
• static interference	• les parasites
• a radio announcer	• un présentateur radio
• the audience ['ɔːdɪəns]	• les auditeurs
• a news bulletin ['bʊlɪtɪn]	• un bulletin d'information
a news flash	un flash d'information
• pick up	• capter
• tune in (to a station)	• régler son poste sur une station
• broadcast, air ◄ (irr.) I broadcast, I have broadcast	• diffuser sur les ondes, émettre
• be on the air	• être à l'antenne
be off the air	quitter l'antenne

3 Television — La télévision

TV — La télévision

préfixe tele = *à distance*	• a television set	• un poste de télévision
	• a black and white TV	• une télévision en noir et blanc
(US) color	• a colour TV	• une télévision couleur
	• the remote control, the zapper	• la télécommande
	• a screen	• un écran
	• a channel	• une chaîne
	• a network	• un réseau
	• cable television ['keɪbl]	• le câble
	• satellite TV	• la télévision par satellite
(US) dish antenna	• a dish aerial	• une antenne parabolique
	• pay-per-view television	• la télévision à la carte (= payante)
a toll road: *une route à péage*	• a toll channel [təʊl]	• une chaîne à péage
	• a TV decoder	• un décodeur
(abbreviation) a VCR	• a video-cassette recorder	• un magnétoscope
a **D**igital **V**ersatile **D**isc	• a videotape, a DVD	• une cassette vidéo, un DVD
	• a viewer	• un téléspectateur
jump: *sauter*	• a channel jumper, a zapper	• un "zappeur"
	• a TV addict	• un mordu de la télé
	• watch TV	• regarder la télévision
	• turn the TV on/off	• allumer/éteindre la télévision
	• channel-flick, zap	• "zapper"
	• videotape, record	• enregistrer
	• duplicate ['djuːplɪkeɪt]	• copier

Programming — La programmation

(US) program	• a programme	• un programme
	a morning programme	un programme du matin
	an evening programme	un programme du soir
	• air time	• le temps d'antenne
	• the ratings ['reɪtɪŋz]	• l'indice d'écoute
	• prime time	• les heures de grande écoute
	• an audience share	• une part d'audience
"Here **is** the news."	• the news	• les actualités
	• a documentary	• un reportage, un documentaire
	• a sports broadcast	• une retransmission sportive
	• the weather forecast ['weðə]	• le bulletin météo
	• a show	• un spectacle
	a variety show [ve'raɪətɪ]	une émission de variétés
	a quiz show	un jeu télévisé
	a talk show, a chat show	un entretien télévisé
	• a serial	• un feuilleton
several series	• a series	• une série
	• a television film	• un téléfilm

• a feature film	• un long métrage
• a rerun, a repeat	• une rediffusion
• a cartoon	• un dessin animé
• a trailer	• une bande-annonce
• a commercial, an advert, a spot	• un message publicitaire
• a (commercial) break	• une page de publicité

(abbreviation) 'toon

• programme, schedule ['ʃedju:l]	• programmer
• produce a show	• produire un spectacle
• entertain	• divertir
• engross	• captiver

(!) (US) ['skedju:l] (US) program

• live (from) [laɪv]	• en direct (de)
• pre-recorded	• en différé
• sponsored	• parrainé, sponsorisé
• educational	• éducatif
• recreational	• divertissant
• stultifying ['stʌltɪfaɪɪŋ]	• abêtissant, abrutissant
• addictive	• qui crée une dépendance

a live broadcast: *une émission en direct*

TV people — Les gens de la télévision

• a T.V. journalist ['dʒɜ:nəlɪst]	• un journaliste de la télévision
• an anchorman ['æŋkəmən]	• un présentateur-vedette
• an announcer, a presenter	• un présentateur
• a newsreader (Brit.)	• un présentateur du Journal
• a compere	• un animateur
• a broadcaster	• une personnalité (radio ou TV)
• a sportscaster	• un journaliste sportif
• a quiz master	• un présentateur de jeu télévisé

several anchormen

• be on the screen	• être à l'écran
• present the news	• présenter les informations
• hold the audience	• captiver le public
• host, compere (a show)	• animer (un spectacle)

4 The Freedom of the Media — La liberté des médias

Information or Muckraking? — Information ou chasse au scandale ?

muck: *la boue, les saletés*
rake: *râcler, râtisser*

• the fourth estate	• le quatrième pouvoir (la presse)
• the freedom of the press, press freedom	• la liberté de la presse
• freedom of expression/speech	• la liberté d'expression
• the right to know	• le droit à l'information
• investigative journalism	• le journalisme d'investigation
• (media) coverage	• la couverture (médiatique)

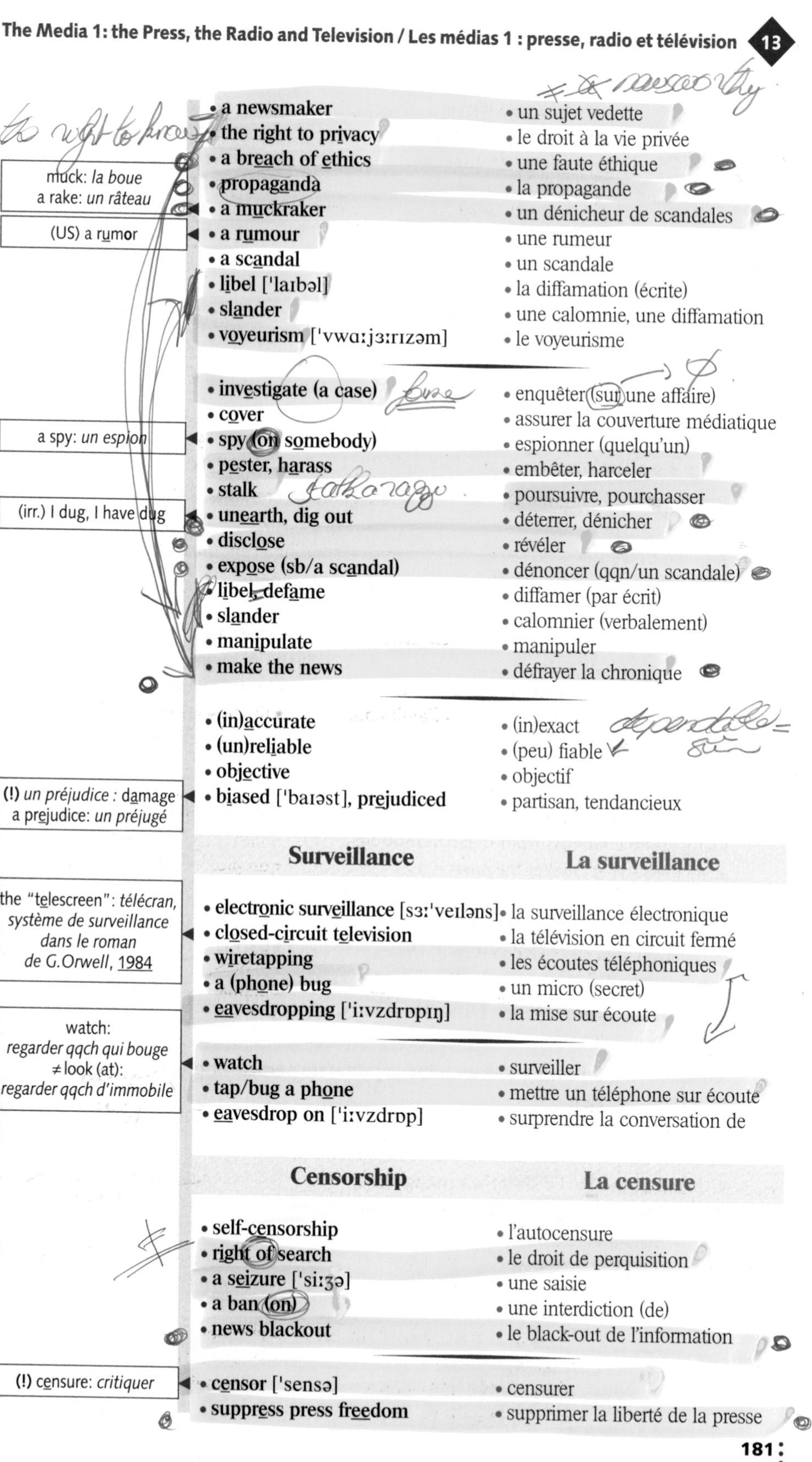

	• a newsmaker	• un sujet vedette
	• the right to privacy	• le droit à la vie privée
	• a breach of ethics	• une faute éthique
	• propaganda	• la propagande
muck: *la boue* / a rake: *un râteau*	• a muckraker	• un dénicheur de scandales
(US) a rumor	• a rumour	• une rumeur
	• a scandal	• un scandale
	• libel ['laɪbəl]	• la diffamation (écrite)
	• slander	• une calomnie, une diffamation
	• voyeurism ['vwɑːjɜːrɪzəm]	• le voyeurisme
	• investigate (a case)	• enquêter (sur une affaire)
	• cover	• assurer la couverture médiatique
a spy: *un espion*	• spy (on somebody)	• espionner (quelqu'un)
	• pester, harass	• embêter, harceler
	• stalk	• poursuivre, pourchasser
(irr.) I dug, I have dug	• unearth, dig out	• déterrer, dénicher
	• disclose	• révéler
	• expose (sb/a scandal)	• dénoncer (qqn/un scandale)
	• libel, defame	• diffamer (par écrit)
	• slander	• calomnier (verbalement)
	• manipulate	• manipuler
	• make the news	• défrayer la chronique
	• (in)accurate	• (in)exact
	• (un)reliable	• (peu) fiable
	• objective	• objectif
(!) *un préjudice* : damage / a prejudice: *un préjugé*	• biased ['baɪəst], prejudiced	• partisan, tendancieux

Surveillance — La surveillance

the "telescreen": *télécran, système de surveillance dans le roman de G.Orwell, 1984*	• electronic surveillance [sɜː'veɪləns]	• la surveillance électronique
	• closed-circuit television	• la télévision en circuit fermé
	• wiretapping	• les écoutes téléphoniques
	• a (phone) bug	• un micro (secret)
	• eavesdropping ['iːvzdrɒpɪŋ]	• la mise sur écoute
watch: *regarder qqch qui bouge* ≠ look (at): *regarder qqch d'immobile*	• watch	• surveiller
	• tap/bug a phone	• mettre un téléphone sur écoute
	• eavesdrop on ['iːvzdrɒp]	• surprendre la conversation de

Censorship — La censure

	• self-censorship	• l'autocensure
	• right of search	• le droit de perquisition
	• a seizure ['siːʒə]	• une saisie
	• a ban (on)	• une interdiction (de)
	• news blackout	• le black-out de l'information
(!) censure: *critiquer*	• censor ['sensə]	• censurer
	• suppress press freedom	• supprimer la liberté de la presse

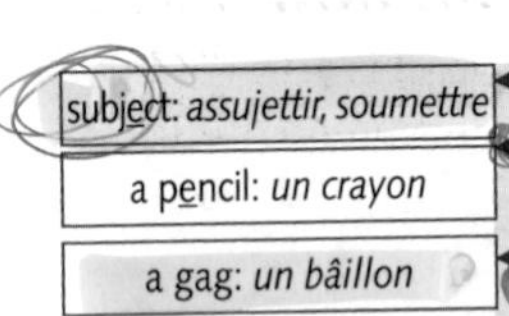

subject: *assujettir, soumettre*	• **be subject to censorship**	• être soumis à la censure
a pencil: *un crayon*	• **blue-pencil**	• "caviarder", corriger
	• **silence** ['saɪləns]	• réduire au silence
a gag: *un bâillon*	• **gag**	• bâillonner, museler
	• **curtail access**	• limiter l'accès
	• **confiscate, seize** ['siːʒ]	• saisir, confisquer
(!) banning, banned	• **ban, suppress**	• interdire

PRACTICE

37 What's on Tonight? Qu'y a-t-il ce soir ?

Match each programme title with its likely genre or contents.

a. The World at 6	**1.** a documentary
b. Open University	**2.** a sporting event broadcast
c. The Hour of Truth	**3.** a newsbulletin
d. Sun or Rain?	**4.** a talk show
e. 'Toon Time	**5.** a weather forecast
f. Live from Manchester Stadium	**6.** a children's programme
g. The Royal Family at Balmoral	**7.** a televised game of chance
h. Fortune Close at Hand	**8.** an educational programme

38 Word Formation: Formation des mots

Make compound words which correspond to the following definitions, using some elements from these definitions.

a. an event which makes the news is a ...
b. a person who casts the news on the radio is a ...
c. a journalist who rakes the muck is a ...
d. a person who can't stop watching TV ...

39 Those Little Words Which Drive You Crazy...: Ces petits mots qui vous rendent fous...

Complete the following text with the appropriate particle or preposition: in, of, off, on, out.

a. "Switch … the TV. I can't bear this newscaster."
b. "Why do you always tune ... to that stupid radio station?"
c. "Turn … the TV, I'd like to watch the news."
d. "This magazine is new; the first issue has just come ... ."
e. "Journalists should be aware … their power."

▶ Corrigés page 412 ◀

The Contemporary Context

The British Press and the American Press

La presse britannique et la presse américaine

The British press - La presse britannique :

- **P.A.** (The Press Association): association de presse, équivalent de l'A.F.P., l'Agence France Presse.
- **Fleet Street:** rue de Londres où sont implantés les bureaux de la presse britannique ; désigne, par métonymie, la presse britannique.
- **quality papers:** la presse de qualité ou journaux de grand format *(broadsheets)*, comme *The Times, The Financial Times, The Daily Telegraph* (tous trois à tendance conservatrice), *the Guardian* (centre gauche) *The Independent...*
- **tabloids:** journaux demi-format pour une presse populaire, souvent à sensation, comme *The Sun, The Daily Mirror...*
- **magazines:** *The Economist* (qui, contrairement à son titre ne parle pas seulement d'informations économiques mais de tous sujets d'actualité).
- **the "silly season":** saison creuse de l'année (période estivale) pendant laquelle les journalistes remplissent les journaux d'anecdotes triviales et amusantes.

The American press - La presse américaine :

- **best-known quality papers:** *The Washington Post, The New York Times, The Wall Street Journal, The Los Angeles Times, The Herald Tribune...*
- **magazines:** *Time, Newsweek, Business Week, U.S. News and World Report...*

British and American TV

La télévision britannique et américaine

Main British channels - Principales chaînes britanniques :

- **The BBC (British Broadcasting Corporation), the Beeb (coll.):**

  BBC 1: chaîne généraliste, qui diffuse des émissions grand public.

  BBC 2: chaîne plus spécialisée, qui diffuse des documentaires, des spectacles, des films étrangers.
- **ITV (Independent Television):** chaîne commerciale, financée par la publicité.
- **Channel 4:** chaîne plus spécialisée qu'ITV, plus culturelle, et qui diffuse notamment des émissions destinées aux minorités ethniques.

Main American channels - Les principales chaînes américaines :

- **ABC (American Broadcasting Corporation):** chaîne généraliste.
- **NBC (National Broadcasting Company):** chaîne généraliste.
- **CBS (Columbia Broadcasting System):** chaîne généraliste.
- **CNN (Cable News Network):** chaîne d'information diffusant 24 heures sur 24.
- **ITV (Instructional TV):** chaîne éducative.
- **MTV (Music TV):** chaîne musicale transmettant des concerts et des vidéoclips sans discontinuer.

Neologisms
Néologismes

- **the telly, the box:** la télé, le petit écran.
- **the boob tube (coll., US):** la lucarne (*a boob:* un nigaud).
- **a soap opera:** un feuilleton aux situations typées (*soap:* savon et lessive; produits principaux des messages publicitaires qui coupaient ce genre d'émissions destinées aux ménagères américaines).
- **a sitcom (= a situation comedy):** un feuilleton aux situations typées et drôles, un "sitcom".
- **an emcee:** animateur (transcription de *M.C.*, *Master of Ceremonies,* Maître des Cérémonies).
- **an infomercial:** une publicité à caractère informatif (mot-valise : *information + commercial:* publicité).
- **infotainment:** des émissions à la fois culturelles et divertissantes (mot-valise : *information + entertainment:* divertissement), de l'info-spectacle.
- **narrowcasting:** programmation ciblée, pour des catégories spécifiques de téléspectateurs (néologisme formé à partir de *broadcasting* et *narrow:* étroit).
- **journalese** (journal + *ese,* suffixe caractérisant les adjectifs de nationalité qui désignent aussi les langues) : la langue journalistique.
- **headlinese:** le jargon caractéristique des manchettes de journaux (*headline:* titre, manchette + *ese*).
- **a sportscaster:** un commentateur sportif (mot-valise : *sports + telecaster:* présentateur).
- **the stalkarazzi:** les voleurs de photos destinées à la presse à scandale (*the gutter press*) (mot-valise : *to stalk:* pourchasser + paparazzi : photographes de la presse à sensation).
- **an Emmy Award:** un prix décerné par la télévision américaine, pour les meilleures productions.
- **newsworthy:** digne d'intérêt, assez intéressant pour faire l'objet d'un article... (*news + worthy:* digne).

Idioms and Colourful Expressions

- **on the record:** de source officielle.
- **off the record:** de source officieuse.
- **to have a good/bad press:** avoir bonne/ mauvaise presse.
- **to sit on a story:** différer la publication d'une information.
- **to fish for information:** récolter des informations (*to fish:* pêcher).
- **to worm out information:** soutirer des informations (*a worm:* un ver).

Sayings and Proverbs

- **It's yesterday's news:** C'est dépassé.
- **No news is good news:** Pas de nouvelles, bonnes nouvelles.
- **Bad news travels fast:** Les mauvaises nouvelles vont vite.

The Media 2: Exchange and Communication

Les médias 2 : les échanges et la communication

1 Postal Services and Telecommunications — La poste et les télécommunications

The Post — Le courrier

(US) mail

a circular (letter): *une (lettre) circulaire*

• a letter	• une lettre
• a postcard	• une carte postale
• an envelope	• une enveloppe
• a parcel	• un colis
• a telegram	• un télégramme
• a postal order	• un mandat
• an address	• une adresse
• a postcode	• un code postal
• a stamp	• un timbre
• the postmark	• le cachet de la poste
• a post office	• un bureau de poste
• a pillar-box (Brit.)	• une boîte aux lettres
• a letterbox	• une boîte à lettres (individuelle)
• a postman	• un facteur
• the sender	• l'expéditeur
• the addressee	• le destinataire
• correspondence	• la correspondance
• mailing, mail shot	• le publipostage
• mail order	• la vente par correspondance

(US) zip code [a postcode]

"post free": *"franchise postale"* [the postmark]

(US) mail box [a pillar-box]

(US) mailman [a postman]

"return to sender": *"retour à l'envoyeur"* "by return of post": *"par retour de courrier"* [mailing, mail shot]

• post	• poster, expédier
• send	• envoyer
send by registered post	envoyer en recommandé
• stamp	• timbrer, affranchir
• send something post free	• envoyer qqch en franchise postale
• receive	• recevoir
acknowledge receipt (of) [rɪ'siːt]	accuser réception (de)
• correspond	• correspondre

(US) mail [post]

postage paid: *ne pas affranchir* [stamp]

The Telephone — Le téléphone

• a (tele)phone	• un téléphone
• a cordless (tele)phone	• un téléphone sans fil
• a cellular/mobile phone	• un téléphone portable

(US) booth	• a phone box, a call box a public phone	• une cabine de téléphone un téléphone public
a phone card: *une télécarte*	• a card phone	• un téléphone à carte
	• the receiver	• le combiné
	• a dial tone ['daɪəl]	• une tonalité
	• an answering machine	• un répondeur
fax: *abréviation du latin **fac** simile*	• a fax machine a fax	• un télécopieur, un fax une télécopie, un fax
	• a phone number	• un numéro de téléphone
	• a code an area code ['ɛərɪə]	• un indicatif, préfixe un indicatif de région
	• a (phone) directory	• un annuaire (téléphonique)
	• the yellow pages	• les pages jaunes
	• a call	• un appel
(US) collect call	• a reversed charge call	• un appel en PCV
(Brit.) station 4403/ (US) extension 4403: *poste 4403*	• an operator	• un standardiste

	• be on the phone	• avoir le téléphone/être au téléphone
	• call/phone/ring up sb	• appeler (quelqu'un)
	• dial a number ['daɪəl]	• composer un numéro
	• make a call	• téléphoner
"Hold on!": *"ne quittez pas !"*	• hold on, hold the line	• patienter
	• disconnect	• couper
	• put sb through to sb	• passer un appel à qqn
	• leave a message	• laisser un message
	• hang up, ring off	• raccrocher
	• call back	• rappeler
	• fax	• télécopier, envoyer un fax
(US) get an unlisted number	• go ex-directory	• être sur liste rouge

	• wrong (number) [rɒŋ]	• faux (numéro)
	• unobtainable (number)	• (numéro) en dérangement
(US) a 800-number, a toll-free number	• freephone (number)	• (numéro) vert
	• engaged (line)	• (ligne) occupée
	• local (call)	• (communication) locale
	• long-distance (call)	• (communication) interurbaine

2 The Computer — L'ordinateur

Computer Technology — La technologie informatique

Computer Engineers — Les informaticiens

	• computer science/engineering	• l'informatique
	• a computer scientist	• un informaticien
	• a computer designer	• un concepteur d'ordinateur
	• a computer programmer	• un programmeur, un pupitreur
(!) (US) programing	a programming language	un langage de programmation
	• a computer graphic artist	• un infographiste
	• a computer addict/buff	• un mordu d'informatique

Hardware and Software / L'équipement informatique et les logiciels

	• computer equipment [ɪ'kwɪpmənt]	• le matériel informatique
	• a terminal	• un terminal
	• a component	• un composant
	• a console	• un pupitre de commande
	• a network of computers	• un réseau d'ordinateurs
	• a micro-chip	• une puce informatique
Silicon Valley: *région de Californie spécialisée dans l'industrie informatique*	• silicon	• le silicium
	• a cartridge	• une cartouche
	• a plug	• une fiche, une prise
	• a personal computer, a PC	• un ordinateur personnel, un PC
	• a micro-computer	• un micro-ordinateur
	• a home computer	• un ordinateur familial
	• a desktop computer	• un ordinateur de bureau
the lap: *le giron/les genoux*	• a laptop/portable (computer)	• un ordinateur portable
the palm: *la paume*	• a hand-held/palmtop computer	• un ordinateur de poche
	• a notebook computer	• un bloc-notes électronique
	• a notepad computer	• une ardoise électronique
a pen: *un stylo*	• a pen-based computer	• un ordinateur sans clavier

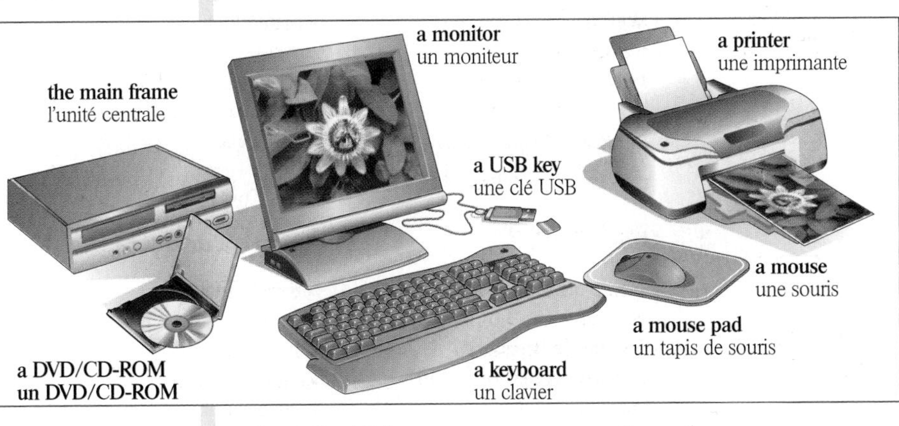

	• a hard disc/disk	• un disque dur
	• the memory	• la mémoire
	• storage	• le stockage
	• a bit [bɪt]	• un bit, un chiffre binaire
	• a byte ['baɪt], a megabyte	• un octet, un méga-octet
a datum	• data ['deɪtə]	• les données
	• a data base	• une base de données
	• a program	• un logiciel, une application
information: ***des** informations* a piece of information: ***une** information*	• information retrieval	• la recherche d'informations
	• data processing	• le traitement des informations
	• a bug	• un bogue, un défaut

compute: *calculer*	• computerize	• informatiser
	• program	• programmer
	• digitize	• numériser
	• process	• traiter
	• format	• formater

	• install a program	• installer un logiciel
	• start a program	• lancer un logiciel
	• load a program	• charger un logiciel
	• download a program	• télécharger un logiciel
	• feed	• alimenter
	• overload	• saturer
	• dump	• vider
	• display	• afficher, visualiser
the scroll bar: *"l'ascenseur"*	• scroll	• faire défiler
a bug: *un petit insecte/ un défaut informatique*	• debug	• corriger, déboguer
	• store	• mettre en mémoire
	• save	• enregistrer, sauvegarder
	• back up, make a back up	• faire une copie de sauvegarde
	• input (data)	• entrer (des données)
a hot key: *un raccourci (au) clavier*	• enter	• saisir (au clavier)
	• print	• imprimer

	• computerized	• informatisé
	• computer literate	• initié à l'informatique
	• computer smart	• doué en informatique
(US) analog	• analogue	• analogique
a digit: *un chiffre*	• digital	• numérique
	• state-of-the-art	• à la pointe du progrès
	• computer-generated	• de synthèse

The Applications of Computers / Les applications de l'ordinateur

Office Work / Le travail de bureau

	• office automation	• la bureautique
	• ergonomics	• l'ergonomie
a typist: *une dactylo*	• a console operator	• un claviste
	• a word processor [wɜːd] word processing	• une machine à traitement de texte le traitement de texte
	• a preview	• un aperçu avant impression
	• the page layout	• la mise en page
	• a (data) file [faɪl]	• un fichier (de données)
a photocopier: *une photocopieuse*	• a scanner	• un scanneur
	• computerized management	• la gestion informatisée
	• updating	• la mise à jour
(abbreviation) CAD	• computer-aided design	• la conception assistée par ordinateur
	• telecommuting, teleworking	• le télétravail

	• sort	• trier
	• select	• choisir, sélectionner
	• retrieve	• rechercher
an eraser: *une gomme*	• delete [dɪˈliːt], erase [ɪˈreɪz]	• effacer
	• scratch (a file)	• "écraser" (un fichier)
	• cut and paste	• couper et coller
	• file [faɪl]	• classer
scan: *scruter, balayer*	• scan	• numériser, passer au scanneur

Household Applications	**Les applications domestiques**
• **domotics**	• la domotique
• **home budget management**	• la gestion du budget familial
• **entertainment software**	• le logiciel récréatif
• **computer-friendly**	• (ordinateur) convivial
• **user-oriented**	• facile à utiliser
• **recreational**	• récréatif
• **educational**	• éducatif

Computer Crime	**Les délits informatiques**
• **fraudulent copying**	• le copiage frauduleux
• **pirating** ['paɪərətɪŋ], **hacking**	• le piratage
a hacker	un pirate, un fouineur
a snoop	un espion
a software pirate ['paɪərət]/**cracker**	un pirate de logiciels
• **a break-in**	• une intrusion
• **unauthorized entry**	• une effraction
• **unauthorized duplication**	• la reproduction illicite
• **an intruder**	• un intrus
• **a virus**	• un virus
• **an infectious program**	• un programme contagieux
• **a bomb** [bom], **a worm**	• un programme destructeur
• **hack into a computer**	• pirater un système
• **crack a code**	• découvrir la clé d'un code
• **break in**	• entrer par effraction
• **copy, duplicate**	• copier, dupliquer
• **tamper with data**	• manipuler des informations
• **infect**	• transmettre un virus à
• **be struck by a virus**	• être victime d'un virus
• **neutralize** ['nju:trəlaɪz]	• neutraliser
• **eradicate**	• éradiquer, détruire totalement
• **screen a disk for a virus**	• examiner une disquette pour détecter un virus
• **bugged**	• ayant des défauts informatiques
• **antiviral**	• anti-virus
• **foolproof**	• sûr, à l'abri des virus

snoop around: *espionner*

strike: *frapper*

-proof: *suffixe signifiant "à l'abri de"* (waterproof: *imperméable* ; soundproof: *insonorisé*)

3 Multimedia — Le multimédia

Off-line	**Le off-line**
• **a CD-ROM, a DVD Rom**	• un cédérom, un disque numérique
• **a video game**	• un jeu vidéo
a game console	une console de jeu
• **a joystick**	• une manette de jeu
• **a key-word** ['ki:wɜ:d]	• un mot clé

CD = **C**ompact **D**isk
ROM = **R**ead-**O**nly **M**emory
DVD = **D**igital **V**ideo **D**isk

	• drag-and-drop	• ≃ l'action de "glisser-déposer"
	• interactivity	• l'interactivité
	• a tree (structure)	• une arborescence

Logging onto the Internet / L'accès à l'Internet

a net: *un filet*	• the Internet, the Net, the Web	• l'Internet, le réseau, le Web
a Web: *une toile d'araignée*	• the World Wide Web, the Web	• le Web, la Toile mondiale
	a webmaster	un administrateur de site
	• an intranet	• un intranet (réseau interne et privé)
	• an extranet	• un extranet (réseau privé reliant des intranets)
	• a netsurfer	• un internaute
	• a cybersurfer ['saɪbəsɜːfə]	• un cybernaute
(abbreviation of) **mod**ulator/**dem**odulator	• a modem	• un modem
	• a connection	• une connexion
	connection time	le temps de connexion
	a connection kit	un kit de connexion
plug: *brancher* play: *jouer*	• "plug-and-play"	• le prêt-à-l'emploi
	• on-line/off-line	• en ligne/hors ligne
	• a provider	• un fournisseur d'accès
	• a server	• un serveur
@	• an operating system	• un service d'exploitation
at: *chez*	• a login, a nickname	• un identifiant, un pseudonyme
	• a password	• un mot de passe, un code d'accès
	• a (web) site [saɪt]	• un site (web)
browse: *flâner*	• a search engine	• un moteur de recherche
browse (through a book): *feuilleter un livre*	• a Web browser, an Internet navigator	• un navigateur web
	• the home page	• la page d'accueil d'un site
	• links	• les liens (pour passer à une autre page)
	• hypertext	• l'hypertexte
	the browsing hypertext	la navigation en (mode) hypertexte
	hypertext link	le lien hypertexte
	• downloading	• le téléchargement
	• a hotline	• une assistance téléphonique
	• a cookie	• un témoin de connexion

	• be on line	• être branché (sur l'Internet)
	• access (a site)	• avoir accès (à un site)
	• log onto the Internet	• se connecter à l'Internet
	• link into/plug in the Internet	• se brancher sur l'Internet
hook: *prendre à l'hameçon*	• hook up with someone	• se connecter avec quelqu'un
	• give one's login	• donner son pseudonyme
	• surf on the Net	• surfer sur l'Internet
	• click (on)	• cliquer (sur)
	• (dis)connect	• se (dé)connecter

The Global Village / Le village planétaire

	• the information superhighway	• les autoroutes de l'information
	• cyberspace	• le cyberespace, le cybermonde
	• a network	• un réseau
	• e-mail (= electronic mail)	• le courrier électronique
junk: *les détritus*	junk mail	le courrier indésirable
	bulk mail	le courrier publicitaire

	English	Français
	• e-business, e-commerce	• le commerce électronique
	• a cybermall ['saɪbəmɔːl]	• une galerie marchande virtuelle
chat (on the web): *clavardage (mot-valise : **cla**vier + **ba**vardge)*	• e-cash (= electronic cash)	• l'argent virtuel
	• a chat room	• un lieu virtuel de discussions
	• a newsgroup/bulletin board	• un forum de discussions
a web **log** a log: *un registre,* a log-book: *un journal de bord*	• a blog	• un journal intime en ligne
	• reply	• répondre
	• forward	• faire suivre
(!) chatting, chatted	• chat	• bavarder
	• e-mail	• correspondre par mail
	• e-shop	• faire des achats sur le réseau
	• interactive	• interactif
	• virtual ['vɜːtʃʊəl]	• virtuel

PRACTICE

40 Sorting Letters... and the Rest: Le tri des lettres... et du reste

Classify the following words into two categories: written correspondence/ oral correspondence.

postcard - answering machine - engaged - zip code - dial - toll-free - e-mail address - stamp - fax.

written:..

oral:..

41 Those Little Words Which Drive You Crazy...: Ces petits mots qui vous rendent fou...

Complete the following text with the appropriate particle or preposition: to, on, off, in, on, back, through.

a. "If you go on talking like this, I'll ring ..., I'm warning you."
b. "Is Mr Smith ... ?"
c. "Hold ... , please. I'll put you ..."
d. "Oh, I can't possibly wait. Just ask him to call me ... as soon as he can"
e. "If you want to log ... ... the network, type nath.//www/com.

42 Show You are a Computer Buff: Montrez que vous êtes un génie de l'informatique

Restore the chronological order of the following operations.

a. print - **b.** turn on - **c.** get a preview - **d.** start a program - **e.** save - **f.** delete the mistakes - **g.** type a text - **h.** open a file.

► Corrigés page 413 ◄

The Contemporary Context

Computer Abbreviations

Abréviations informatiques

- BASIC **(Beginners' All-Purpose Symbolic Instruction Code):** le BASIC, forme de langage informatique polyvalent.
- CAD **(Computer Aided Design):** la conception assistée par ordinateur.
- CBT **(Computer-Based Training):** l'enseignement assisté par ordinateur.
- a CUC-me **(see you, see me):** une visioconférence.
- DPI **(Dots Per Inch):** pixels par pouce.
- FAQ **(Frequently Asked Questions):** les questions les plus fréquemment posées.
- FLOPs **(Floating Point Operations Per second):** le nombre d'opérations par seconde effectuées par l'ordinateur.
- FTP **(File Transfer Protocol):** le protocole de transfert de fichiers.
- HTTP **(Hyper Text Transfer Protocol):** le protocole de transfert de l'hypertexte.
- IRC **(Internet Relay Chat):** le relais de dialogues en direct (*chatting*: le bavardage).
- IT **(Information Technology):** les technologies de l'information.
- LCD **(Liquid Crystal Display):** l'affichage à cristaux liquides.
- RAM **(Random Access Memory):** la mémoire vive.
- SMS **(Short Message Service):** service de mini-messages.
- URL **(Uniform Resource Locator):** l'adresse sur le réseau Internet.
- USB **(Universal Serial Bus):** port multifonction des ordinateurs.
- WAP **(Wireless Application Protocol):** protocole d'application sans fil (technologie de connexion au web à partir d'un téléphone mobile).
- WORM **(Write Only Read Many):** le disque optique numérique sur lequel on peut enregistrer des données, mais non les effacer.
- WYSIWYG **(What You See Is What You Get):** ce que vous voyez sur l'écran correspond à ce que vous obtiendrez à l'impression.

Some Neologisms

Quelques néologismes

- **computerspeak, computerese:** le jargon informatique (*computer* + suffixe *-ese* caractérisant les adjectifs de nationalités ou de langues).
- **a (computer) geek:** un jeune prodige de l'informatique, dont le génie n'a d'égal que le négligé de l'apparence et des manières (*geek*, en argot US : débile, taré).
- **a sillionnaire:** un milliardaire qui doit sa fortune à sa réussite dans l'informatique (mot-valise : *Silicon* + *millionnaire*).
- **a Netizen:** un utilisateur régulier d'Internet (mot-valise : *Net* + *citizen*: un citoyen).
- **Netiquette:** "l'étiquette" ou code de conduite qui a cours sur l'Internet ; par exemple, on évitera les majuscules qui reviennent à hurler – à moins de vouloir exprimer une vive réaction, comme de la colère (mot-valise : *Net* + *etiquette*).
- **eye candy:** logiciels alléchants mais sans réel intérêt (*candy:* des sucreries).
- **flame mail:** messages violents diffusés sur l'Internet (*a flame:* une flamme).
- **a flame bait:** un message provocateur lancé sur l'Internet (*a bait:* une amorce, pour la pêche, par exemple).
- **a spammer:** un message publicitaire que l'on retrouve dans sa boîte à lettres électronique, sans l'avoir désiré.

- **a start-up:** une "jeune pousse" ou société lancée sur le web, souvent porteuse d'espoirs de développement fulgurant aux yeux des investisseurs (*to start up*: démarrer, se lancer).
- **a dotcom:** toute société commerciale ayant son site web, et donc une adresse se terminant par "**.com**" (*a dot*: un point).
- **click-and-mortar:** qualifie les sociétés développant leur activité à la fois dans le monde virtuel et le monde réel, par opposition au **brick-and-mortar** (brique et mortier) du monde physique avec des entreprises "en dur".

De nombreux mots sont dérivés de *cyber*, pour marquer leur rapport avec la cybernétique :

- **a cybercafé:** un café qui met le système Internet à disposition des clients.
- **a cyberthief:** un pirate du cyberespace (*a thief*: un voleur).
- **a cybersleuth:** une personne chargée des enquêtes sur le piratage informatique (*a sleuth:* un détective).
- **cyberspeak :** le jargon de la cybernétique.
- **a cyberholic:** un mordu du monde virtuel (mot valise : *cyber* + *alcoholic*).
- **to cyberize (a place):** équiper (un lieu) à la pointe de la technologie cybernétique.

De nombreux mots en rapport avec le web sont dérivés de "e" (= *electronics*) :

- **an e-zine (= an electronic magazine):** un magazine diffusé sur l'Internet.
- **e-cash (= electronic cash):** un mode de paiement électronique.
- **e-commerce (= electronic commerce):** le commerce en ligne.
- **to e-shop (= shop electronically):** faire ses courses sur la Toile.
- **e-learning:** l'enseignement en ligne, la formation par l'Internet.

Write Like a Netsurfer
Écrivez comme un parfait internaute

- AFAIK (**as far as I know**)**:** pour autant que je sache.
- AFK (**away from the keyboard**)**:** loin du clavier.
- ASAP (**as soon as possible**)**:** dès que possible.
- BAK (**back at keyboard**)**:** de retour devant le clavier.
- BRB (**be right back**)**:** je reviens de suite.
- BTW (**by the way**)**:** à propos.
- CUL8R (transcription phonétique de **see you later**)**:** à plus tard.
- HAND (**have a nice day**)**:** bonne journée.
- IMO (**in my opinion**)**:** à mon avis.
- JK (**just kidding**)**:** c'est pour rire.
- OIC (transcription phonétique de **oh, I see**)**:** je vois.
- TIA (**thanks in advance**)**:** merci d'avance.

Idioms and Colourful Expressions

Focus on Letters and Post

- **a bread-and-butter letter:** une lettre de remerciements (d'un invité à ses hôtes).
- **a letter-writer:** un épistolier/un recueil de modèles de lettres.
- **a French letter (slang):** une capote anglaise, un préservatif.
- **bush-telegraph:** le bouche-à-oreille (*the bush:* la savane).
- **a dear John letter (coll.):** une lettre de rupture.

Transport and Tourism
Les transports et le tourisme

1 Transport — Transport

Travelling — Les voyages

a voyage: *un voyage en mer*	• **a trip**	• un voyage
	a day trip	un aller-retour dans la journée
	a business trip ['bɪznɪs]	un voyage d'affaires
honey: *le miel* ; moon: *la lune*	• **a honeymoon**	• une lune de miel
	honeymooners	de jeunes mariés en lune de miel
	• **a pilgrimage**	• un pélerinage
	a pilgrim	un pélerin
an official visit: *une visite officielle*	• **a visit**	• une visite
	a visitor	un invité
go on an outing: *faire une sortie*	• **an outing**	• une excursion, une sortie
	• **a stay**	• un séjour
	• **wanderings**	• des errances
lust: *le désir*	**wanderlust** ['wɒndəlʌst]	le désir de voyager
	a wanderer	un flâneur, un vagabond
scenery: *le paysage*	• **a change of scenery**	• un dépaysement
	• **the taste for adventure**	• le goût de l'aventure
	an adventurer	un aventurier
	an explorer	un explorateur
(US) traveler	• **a traveller**	• un voyageur
	a fellow traveller	un compagnon de voyage
	a seasoned traveller	un voyageur chevronné
	a business traveller	un voyageur de commerce
(US) traveling	**travelling people**	les gens du voyage
	a globe-trotter	un globe-trotter
(!) (Brit.) travelled, travelling; (US) traveled, traveling	• **travel**	• voyager
	travel for business	voyager pour affaires
	• **go on a honeymoon**	• partir en voyage de noces
	• **visit sb, pay sb a visit**	• rendre visite à qqn
	have a visit from sb	recevoir la visite de qqn
	• **stay**	• séjourner
	• **wander** ['wɒndə], **roam**	• vagabonder
	• **explore**	• explorer
	• **well-travelled**	• qui a beaucoup voyagé
	• **adventurous** [əd'ventʃərəs]	• aventureux
be footloose and fancy-free: *être libre comme l'air, sans attache*	• **footloose**	• libre comme l'air

Transporting People and Goods — Le transport des personnes et des biens

	• **a means of transport**	• un moyen de transport
(US) transportation	**public transport**	les transports publics

	road transport	le transport par route
	rail transport	le transport ferroviaire
	air transport	le transport aérien
	• facilities	• les équipements/infrastructures
	• a destination	• une destination
une journée: a day	• a journey ['dʒɜːnɪ]	• un voyage (= déplacement)
	departure time	l'heure de départ
	arrival time	l'heure d'arrivée
une route: a road	• a route	• un itinéraire
	a stop	un arrêt
	a delay	un retard
	• a direction	• une direction
	directions	des indications/instructions
	• freight [freɪt]	• le fret, les marchandises
several cargos or cargoes	the cargo	la cargaison
	a carrier	un transporteur
	• transport	• transporter
	• convey, carry	• acheminer
	• ride [raɪd]	• se déplacer (à moto, à vélo...)
(!) plied, plying	• ply [plaɪ] between	• faire la navette entre
	• start	• démarrer, partir
	• stop	• (s') arrêter, faire une halte
	• make a stop	• faire un arrêt
	• make for, head for	• se diriger vers
	• be bound for	• être en route pour
	• be delayed	• avoir du retard
	• ask for directions	• demander son chemin
We directed them to the station.	• direct somebody (to)	• indiquer le chemin à qqn
	• slow	• lent
	• fast, speedy	• rapide
(!) economic: *qui se rapporte à l'économie*	• economical	• économique, peu coûteux
	• individual/collective	• individuel/collectif
	• homebound	• sur le chemin du retour

Road Transport / Le transport par route

Road Facilities / Les infrastructures routières

	• the road network	• le réseau routier
	• a road	• une route
	a trunk-road	un axe principal
	a by-road	un chemin de traverse
	a ring road	un périphérique
	a crossroads	un carrefour
	a junction	une intersection
	a road sign [saɪn]	un panneau de signalisation
(US) highway, freeway	• a motorway ['məʊtəweɪ]	• une autoroute
	a lane [leɪn]	une voie
	the fast lane	la voie rapide
	a three-lane road	une route à trois voies

take a heavy **toll**: *faire beaucoup de victimes*	• a diversion [daɪ'vɜːʃən]	• une déviation
	• toll [təʊl]	• un péage
(US) turnpike	a toll motorway	une autoroute à péage

	Vehicles	**Les véhicules**
	• a car	• une voiture
	a company car	une voiture de fonction
	a vintage car ['vɪntɪdʒ]	une voiture d'époque (années 20)
	a second-hand car	une voiture d'occasion
	a four-wheel drive	un quatre-quatre
a chauffeur: *un chauffeur (de maître)*	• a driver, a motorist	• un conducteur
	a reckless driver	un chauffard
commute: *faire la navette quotidienne domicile-travail*	• a commuter	• un banlieusard
	• a hitch-hiker ['hɪtʃhaɪkə]	• un autostoppeur
	hitch-hiking	l'autostop
	• a taxi, a cab	• un taxi
	a taxi-driver	un chauffeur de taxi
"How much is the fare?"	the fare	le prix de la course
	• a bus	• un (auto)bus
	• a coach	• un car
	• a tram(car)	• un tramway
	• a shuttle	• une navette
(US) a truck	• a lorry	• un camion
(US) a truck-driver, a teamster	a lorry-driver	un chauffeur routier, un camionneur
	the tow, the trailer	la remorque
	a juggernaut ['dʒʌgənɔːt]	un semi-remorque, un poids lourd
	a tanker	un camion-citerne
	a tow-truck	une dépanneuse
(US) a pick-up truck, a pick-up	• a van	• une camionnette
	• haulage ['hɔːlɪdʒ]	• le transport routier
(US) a trucking firm	• a haulage company	• une entreprise de transport routier
	a hauler (US), haulier (Brit.)	un transporteur
	short haul [hɔːl]	le transport de courte distance
	long haul	le transport longue distance

	Driving	**La conduite**
(US) a driver's license	• a driving licence ['laɪsəns]	• un permis de conduire
	• the highway code	• le code de la route
	• road safety	• la sécurité routière
	safety rules	les règles de sécurité
	regulations	la règlementation
(US) a crosswalk a zebra: *un zèbre*	• a pedestrian/zebra crossing (Brit.)	• un passage pour piétons
	• speed	• la vitesse
	the speed limit	la limitation de vitesse
	speeding	l'excès de vitesse
	• road traffic	• la circulation routière
	traffic lights	des feux de signalisation
	a traffic jam, a congestion	un embouteillage
	• parking	• le stationnement
	a parking space	une place de stationnement
(US) a parking-lot	a car-park	un parc de stationnement

- drive — conduire
- give sb a ride/a lift — emmener qqn en voiture
- hitch-hike ['hɪtʃhaɪk] — faire de l'autostop
- hail (a taxi) [heɪl] — héler (un taxi)
- commute — faire une navette quotidienne
- haul [hɔːl] — transporter (par camion)
- (un)load — (dé)charger
- deliver — livrer
- take a driving test — passer le permis de conduire
- follow the signs [saɪnz] — suivre les panneaux
- drive straight — aller tout droit
- change lanes [tʃeɪndʒ] — changer de voie
- back up, reverse — reculer, faire marche arrière
- speed — faire un excès de vitesse
  speed along — aller à vive allure
  speed up, accelerate — accélérer
  (He was arrested for speeding.)
- slow down — ralentir
- brake — freiner
- pass, overtake — doubler
  ((irr.) I overtook, I have overtaken)
- cut in — faire une queue de poisson
- stall [stɔːl] — caler
- park — se garer, stationner
  (No parking: *Interdiction de stationner*)

Mechanics — La mécanique

(a mechanic: *un mécanicien*)

- the body — la carrosserie
- the parts — les pièces détachées
- an engine — un moteur
  ((US) a motor)
- the gears — les vitesses
- the clutch — l'embrayage
  (clutch: *tenir fermement*)
- the accelerator — l'accélérateur
- the brake — le frein
- a seat — un siège
  the front seat — le siège avant
  the back seat — la banquette arrière
  a seat-belt, a safety-belt — une ceinture de sécurité
- the bonnet — le capot
  ((US) the hood)
- a tank — un réservoir
  a gauge [geɪdʒ] — une jauge
  (gauge: *jauger, juger*)
- fuel [fjuːəl] — le carburant
  fuel consumption — la consommation de carburant
  petrol — l'essence
  ((US) gasoline, gas)
  diesel ['diːzl] — le diesel
- a wheel — une roue
- a tyre — un pneu
  ((US) a tire)
  a spare tyre — une roue de secours
  a flat tyre [taɪə], a puncture — une crevaison
  (flat: *plat*)
- the boot — le coffre
  ((US) the trunk)
- licence-plates — des plaques d'immatriculation
  L-plates — des plaques de jeune conducteur

- break down — tomber en panne
- repair [rɪ'pɛə] — réparer

	• run on (petrol)	• rouler à (l'essence)
	• fill up	• remplir, faire le plein
	• service	• faire faire la révision

Rail — Le rail

Rail Facilities — Les infrastructures ferroviaires

(US) a railroad	• a railway	• un chemin de fer
	• a railway line	• une ligne de chemin de fer
	a main line	une grande ligne
the suburbs: *la banlieue*	a suburban line	une ligne de banlieue
	• a rail link	• une liaison ferroviaire
	inter-city links	les liaisons entre grandes villes
the Channel: *la Manche*	the Channel link	la liaison trans-Manche
	• a track	• une voie ferrée
sidetrack sb: *fourvoyer*	a side track	une voie de garage
	a level crossing	un passage à niveau
switch: *changer*	a switch, points	un aiguillage
	• a train station	• une gare
	a commuter station	une gare de banlieue
The train arrives **at** platform 2.	a platform	un quai
	a waiting-room	une salle d'attente
	a left-luggage room	une consigne
	a locker	une consigne automatique

Rail Transport — Le transport ferroviaire

	• a train	• un train
a train passenger: *un voyageur, un usager*	a passenger train	un train de voyageurs
	a high-speed train	un train à grande vitesse
	a commuter train	un train de banlieue
goods: *les marchandises*	a freight train, a goods train	un train de marchandises
	• the engine, the locomotive	• la locomotive
	• a train ride, a train journey	• un voyage/trajet en train
(US) a one-way ticket	a single ticket (Brit.)	un aller simple
(US) a round-trip ticket	a return ticket (Brit.)	un billet aller-retour
(US) a car	• a carriage ['kærɪdʒ]	• une voiture, un wagon
	a sleeping car	une voiture couchette
(!) dinner: *le dîner*	a diner ['daɪnə], a dining car	un wagon-restaurant
	a freight car	un wagon de marchandises
	• a connection	• une correspondance

	• take the train	• prendre le train
	• travel by train	• voyager en train
be **on** a train: *être **dans** un train*	• get on/board (a train)	• monter (dans un train)
	get off, alight from	descendre de
	• change trains [tʃeɪndʒ]	• changer de train
	• transfer	• prendre la correspondance
	• miss the train	• rater le train
	• link	• relier

	• run (between X and Y)	• assurer la liaison (entre X et Y)
	run on time	être à l'heure
	• pull in/pull out	• entrer en gare/quitter la gare
	• call at, stop at	• desservir, faire un arrêt à

Sea Transport — Le transport maritime

	• a port	• un port (= escale des bateaux)
(US) harbor	• a harbour ['hɑːbə]	• un port (= installations portuaires)
	a dock	un bassin, un quai
	an anchor ['æŋkə]	une ancre
	a quay [kiː], a wharf [wɔːf]	un quai
	a pier [pɪə]	une jetée, un embarcadère
the shore: *le littoral, la berge*	a docker (Brit.), a longshoreman (US)	un docker
	a stevedore ['stiːvədɔː] (US)	un débardeur, un docker
several **craft**	• a craft	• une embarcation
	• a boat	• un bateau
a space craft/ship: *un vaisseau spatial*	• a ship	• un navire
	a shipyard	un chantier naval
an owner: *un propriétaire*	a shipowner ['ʃɪpəʊnə]	un armateur
	• a fleet	• une flotte
	• the merchant navy ['mɜːtʃənt]	• la marine marchande
	a merchant ship	un navire marchand
	a shipload, a cargo	une cargaison
	• a cargo boat, a freighter	• un cargo
	• a tanker	• un pétrolier
	a supertanker	un pétrolier géant
	• a container ship	• un porte-conteneurs
	• a barge	• une péniche
	a bargeman	un batelier
	a lock	une écluse
"paquebot" est la déformation de packet-boat	• a liner, a packet-boat	• un paquebot
	• a ferry	• un ferry, un bac
hover (over/above): *survoler*	• a hovercraft	• un aéroglisseur
	a crossing, a passage	une traversée
steam: *la vapeur*	• a steamer	• un bateau à vapeur
(US) a cruiser: *une voiture de police*	• a cruiser ['kruːzə]	• un petit bateau de croisière
	a cruise	une croisière
	• a yacht [jɒt]	• un yacht
	• a cabin	• une cabine
	a berth [bɜːθ], a bunk	une couchette
to starboard: *(à) tribord* (to) port: *(à) bâbord*	a porthole	un hublot
	a logbook	un journal de bord
All hands on deck!: *Tout le monde sur le pont !*	• the crew, the hands [kruː]	• l'équipage
(!) two crew: *deux membres d'équipage*	a sailor, a seaman	un marin
	a shipmaster, a captain	un capitaine de vaisseau
	a sea captain	un capitaine (marine marchande)
	a skipper	un capitaine, un chef d'équipe
	a pilot ['paɪlət]	un pilote
	a ship's boy	un mousse
	• a passenger	• un passager
	a first-class passenger	un passager de 1re classe

	a second-class passenger	un passager de 2nde classe
	a steerage passenger	un passager d'entrepont
	a stowaway	un passager clandestin
	• sea-sickness	• le mal de mer
a raft: *un radeau*	• a lifeboat, a life raft	• un canot de sauvetage
(US) a life preserver	a life jacket	un gilet de sauvetage
	a lifebuoy ['laɪfbɔɪ]	une bouée de sauvetage

	• sail	• naviguer
	• travel by sea	• voyager par mer
	• cruise [kruːz]	• faire une croisière
	• steer a boat	• gouverner un navire
	• embark, disembark	• embarquer, débarquer
(irr.) I cast, I have cast	• cast off	• larguer les amarres
	• pitch	• tanguer
	• roll	• rouler
	• land	• toucher terre
	• berth, dock	• mouiller, accoster
	• call at a port	• faire escale
	• operate a route	• assurer une liaison

Air Transport — Le transport aérien

Air Traffic — Le trafic aérien

	• airspace	• l'espace aérien
	• air traffic control	• le contrôle du trafic aérien
	a control tower	une tour de contrôle
	an air controller	un aiguilleur du ciel
	• an airline company	• une compagnie aérienne
	• an international line	• une ligne internationale
	a domestic line	une ligne intérieure
	• an airport	• un aéroport
	a terminal	un terminal
	the departure lounge [laʊndʒ]	la salle d'embarquement
	the arrivals lounge	le hall des arrivées
	• a runway, an air-strip	• une piste
	the tarmac	l'aire d'envol
	• the Customs	• la douane
	a Customs officer	un douanier
(US) an airplane	• an aeroplane, a plane	• un avion
	the cockpit	le cockpit
	• a freighter ['freɪtə]	• un avion cargo
	air freight [freɪt]	le fret aérien
mail: *le courrier, la poste*	• airmail	• le courrier par avion
a parcel: *un paquet, un colis*	air-parcel service	les messageries aériennes
	• a jet	• un avion à réaction

	• serve (an area)	• desservir (une région)
	• operate an airline	• gérer une compagnie d'aviation
	• charter	• affréter

	• take off	• décoller
	• land, touch down	• atterrir
(!) stopping, stopped	• stop over	• faire escale

Flying / Les voyages aériens

	• a flight [flaɪt]	• un vol
	a business flight ['bɪznɪs]	un vol d'affaires
	a holiday flight	un vol vacances
	a charter flight	un vol charter
	a cargo flight	un vol cargo
	a long/medium/short haul flight	un vol long/moyen/court courrier
	• a stop(over)	• une escale
air-sick-ness	• airsickness	• le mal de l'air
lag behind: *être à la traîne, en retard*	• jet lag	• la fatigue du décalage horaire
	• the crew [kruː]	• l'équipage
	a crew member	un membre d'équipage
	a flight attendant	un membre du personnel de bord
	a steward ['stjuːəd]	un steward
	a stewardess, an air hostess	une hôtesse de l'air

(irr.) I flew, I have flown	• fly	• prendre l'avion, voyager en avion
	• check in one's luggage	• enregistrer ses bagages
	• go through security checks	• passer au contrôle de sécurité
	go through Customs	passer la douane
	• be airsick	• avoir le mal de l'air
lag: *le décalage*	• suffer from jet lag, be jetlagged	• souffrir du décalage horaire

Accidents / Les accidents

	• a crash	• un accident
	• a collision [kə'lɪʒən]	• une collision, un choc
pile up: *empiler*	• a pile-up ['paɪlʌp]	• un carambolage
	• a derailment	• un déraillement
	• a somersault ['sʌməsɔːlt]	• un tonneau
	• an emergency landing	• un atterrissage d'urgence
	an emergency exit	une sortie de secours
	• a crash landing	• un atterrissage en catastrophe
	• depressurization	• la dépressurisation
	an oxygen mask	un masque à oxygène
	• a mechanical failure	• une panne mécanique
	• human negligence	• une négligence humaine
	• terrorism	• le terrorisme
	• hijacking ['haɪdʒækɪŋ]	• un détournement (d'avion)
	a hijacker ['haɪdʒækə]	un pirate de l'air
mayday: *m'aider* S.O.S = **S**ave **O**ur **S**ouls	• a mayday, an S.O.S	• un S.O.S
	• an inquiry	• une enquête
	a black box	une boîte noire
	• the wreckage	• les débris
	a wreck	une épave
	• a shipwreck	• un naufrage

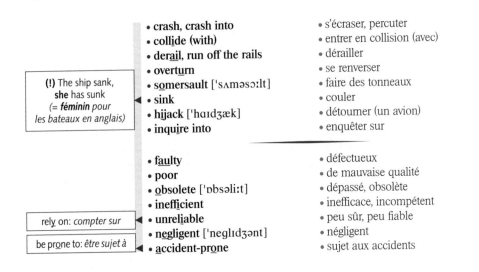

	• crash, crash into	• s'écraser, percuter
	• collide (with)	• entrer en collision (avec)
	• derail, run off the rails	• dérailler
	• overturn	• se renverser
	• somersault ['sʌməsɔːlt]	• faire des tonneaux
(!) The ship sank, **she** has sunk (= ***féminin*** *pour les bateaux en anglais)*	• sink	• couler
	• hijack ['haɪdʒæk]	• détourner (un avion)
	• inquire into	• enquêter sur
	• faulty	• défectueux
	• poor	• de mauvaise qualité
	• obsolete ['ɒbsəliːt]	• dépassé, obsolète
	• inefficient	• inefficace, incompétent
rely on: *compter sur*	• unreliable	• peu sûr, peu fiable
	• negligent ['neglɪdʒənt]	• négligent
be prone to: *être sujet à*	• accident-prone	• sujet aux accidents

2 Tourism — Le tourisme

Leisure — Les loisirs

do sth at one's leisure: *prendre tout son temps pour faire qqch*	• leisure time ['leʒə]	• le temps libre, les loisirs
	free time, spare time	le temps libre
	time off	un congé
(US) a vacation	• a holiday ['holədeɪ]	• des vacances
	a paid holiday	des congés payés
(Brit.) a bank holiday	a (public) holiday	un jour férié
	• an extended weekend	• un pont
	• recreation, relaxation	• la détente
	• idleness ['aɪdlnɪs]	• l'oisiveté
	• have some free time	• avoir du temps libre
	take some time off	prendre des congés
They had **a few days'** holiday.	• have a holiday	• avoir des vacances
	be on holiday	être en vacances
	take a holiday	prendre des vacances
	spend a holiday (in/at)	passer des vacances (en/à)
	go on holiday	partir en vacances
	• relax	• se relaxer
	• take a break [breɪk]	• faire une pause
	take a rest	se reposer
	take a nap	faire la sieste
	• take a trip	• faire un voyage
	• set off	• partir
	• leisurely ['leʒəlɪ]	• tranquille, décontracté
	• idle [aɪdl]	• oisif

The Tourist Industry — L'industrie du tourisme

• mass tourism	• le tourisme de masse
• a developer	• un promoteur
• tourist facilities	• les infrastructures touristiques
• a tour operator [tʊə]	• un voyagiste
• a travel agent ['eɪdʒənt]	• un agent de voyages
a travel agency ['eɪdʒənsɪ]	une agence de voyages
• a destination	• une destination
domestic tourism	le tourisme intérieur
faraway destinations	les destinations lointaines
• a tour [tʊə]	• un circuit
a package tour	un voyage organisé

several agencies

a package: *un ensemble, un forfait*

• map out, plan out	• planifier, organiser
• go abroad [ə'brɔːd]	• aller à l'étranger
• flock to	• arriver en masse, affluer à

• tourist	• touristique
touristy	touristique (péjoratif)
• packed, overcrowded	• bondé
• faraway, distant	• lointain
• overseas	• transatlantique, d'outre-mer

the tourist season: *la saison touristique*

Getting Ready — Les préparatifs

• booking	• la réservation
advance booking	la réservation à l'avance
• a reservation	• une réservation
• rental	• la location
car rental	la location de voiture
• a ticket	• un billet
a train ticket, a plane ticket	un billet de train, un billet d'avion
a return ticket	un aller-retour
• the fare	• le prix
• a voucher ['vaʊtʃə]	• un coupon (de réservation)
• a traveller's cheque	• un chèque de voyage
• a foreign currency	• une devise étrangère
• a passport	• un passeport
a visa	un visa
• insurance [ɪn'ʃʊərəns]	• l'assurance
• luggage	• les bagages
a piece of luggage	un bagage
• a pair of sunglasses	• une paire de lunettes de soleil
a pair of binoculars	une paire de jumelles
• a guidebook	• un guide (livre)
• a road map	• une carte routière

(!) a rental car: *une voiture de location*

(US) a round-trip ticket

(US) a traveler's check

(US) baggage

My baggage/luggage **is** heavy.

• plan	• prévoir, planifier
• organize	• organiser
get organized	s'organiser

	• apply for (a visa) [ə'plaɪ]	• faire une demande (de visa)
	• reserve, book	• réserver
	• rent, hire	• louer
	• pack/unpack	• faire/défaire ses bagages
	• take along	• emmener avec soi

Holidays — Les vacances

Accommodation — L'hébergement

	• a holiday village	• un village de vacances
	• a holiday camp	• un club de vacances
	• a resort [rɪ'zɔːt]	• une station
	a holiday resort	un lieu de villégiature
	a seaside resort	une ville balnéaire
	a winter resort	une station de sports d'hiver
	a ski resort	une station de ski
	a spa	une station thermale
	• rented accommodation	• la location
a caterer: *un traiteur*	• self-catering	• la location (logement indépendant)
	a rented house	une maison en location
	• a boarding-house, a guest-house	• une pension de famille
a guest: *un invité*	a guest, a boarder	un client, un pensionnaire
	full board	la pension complète
room and board: *le gîte et le couvert*	half board	la demi-pension
	• a youth hostel	• une auberge de jeunesse
mot-valise **mo**tor + ho**tel**	• a motel	• un motel
	• a bed and breakfast, a B&B	• une chambre chez l'habitant
	a landlord, a landlady	un logeur, une logeuse
	• a hotel	• un hôtel
	a four-star hotel	un hôtel quatre étoiles
	a luxury hotel ['lʌkʃərɪ]	un palace
	a budget hotel	un hôtel bon marché
"No vacancies": *Complet*	• a vacancy	• une chambre libre/à louer

	• put up at a hotel	• descendre dans un hôtel
	• stay in a hotel	• séjourner à l'hôtel
	stay overnight	passer une nuit
	• check in	• arriver à l'hôtel, remplir la fiche
	check out	quitter l'hôtel
	• accommodate	• loger
rent: *louer (pour le locataire)*	• let	• louer
This restaurant caters **to** vegetarians.	• cater ['keɪtə] to	• satisfaire les besoins de
	• provide	• fournir
We do not charge for children.	• charge	• faire payer

	• basic ['beɪsɪk]	• de base, sommaire
	• furnished	• meublé
	• plain	• simple
	• cosy [kəʊzɪ]	• douillet, confortable
	• luxurious [lʌg'zjʊərɪəs]	• luxueux

The Seaside — Le bord de mer

	• the sea	• la mer
	a wave	une vague
	the surf	les vagues (déferlantes), le ressac
	the sand	le sable
	• bathing ['beɪðɪŋ]	• les bains de mer
	a bather	un baigneur, une baigneuse
	• a swimming costume, a swim-suit	• un maillot de bain
	a bikini	un bikini
rubber: *caoutchouc*	a rubber ring	une bouée
	• the beach [biːtʃ]	• la plage
	a sandy beach	une plage de sable
a pebble: *un galet*	a pebble beach	une plage de galets
	• the sun [sʌn]	• le soleil
	sun lotion/cream ['ləʊʃən]	la lotion/crème solaire
	a sunbed	une chaise longue
seek: *chercher*	a sun seeker	un amateur de soleil
worship: *adorer, vénérer*	a sun worshipper	un adepte du soleil
	sunbathing	les bains de soleil
	a sunbather	une personne qui prend un bain de soleil
	overexposure	une exposition excessive
	a sunburn	un coup de soleil
	a sunstroke	une insolation

	• bathe [beɪð]	• se baigner
	swim	nager
	go for a swim	aller nager
	• shine [ʃaɪn]	• briller
(irr.) I lay, I have lain	• lie down in the sun	• s'allonger au soleil
	lie in the sun	être allongé au soleil
	stay in the sun	rester au soleil
	stay in the shade	rester à l'ombre
	• sunbathe ['sʌnbeɪð]	• prendre un bain de soleil
	bask in the sun, sun oneself	prendre le soleil
(!) be sensible: *avoir du bon sens*	be sensitive to the sun	être sensible au soleil
soak: *tremper* ; soak up: *absorber*	soak up the sun	se dorer au soleil
	get a suntan	bronzer
bake: *faire cuire (un plat)*	bake [beɪk]	rôtir

	• sandy	• sablonneux
	• briny	• saumâtre, salé
	• sunny	• ensoleillé
a blaze: *un incendie*	• blazing (sun)	• ardent, accablant
	• tanned	• bronzé, hâlé
(US) sunburned	• sunburnt	• bronzé, brûlé par le soleil

Touring — Les circuits touristiques

• sightseeing ['saɪtsiːɪŋ]	• les visites touristiques
a tourist attraction	une attraction touristique
a tourist trap	un piège à touristes

(!) (US) ['skedju:l]	• **a schedule** ['ʃedju:l]	• un emploi du temps, un planning
the scenery: *le paysage*	• **a (scenic) route**	• un itinéraire (touristique)
	• **a viewpoint**	• un point de vue (panoramique)
	• **exoticism**	• l'exotisme
	• **a guide** [gaɪd]	• un guide (la personne)
	a courier ['kʊrɪə]	un accompagnateur
	an interpreter	un interprète
(US) a vacationer	• **a holidaymaker**	• un vacancier
	a tourist	un touriste
	a visitor	un visiteur
	a museum goer	un amateur de musées
a memory: *un souvenir (en mémoire)*	• **a souvenir**	• un souvenir (rapporté)
	a bauble ['bɔ:bl], **a trinket**	une babiole
	a postcard	une carte postale
	a souvenir shop	une boutique de souvenirs
	• **tour a country**	• visiter un pays
	tour around	faire le tour de
	• **walk around** [wɔ:k]	• faire un tour à pied
sights: *des attractions touristiques*	• **see the sights** [saɪts]	• voir les monuments, visiter
	• **collect**	• ramasser, collectionner
	• **take pictures/photos**	• prendre des photos
	• **film**	• filmer
	• **picturesque** [pɪktʃə'resk]	• pittoresque
	• **exotic**	• exotique
	• **panoramic**	• panoramique
	• **breathtaking**	• à couper le souffle

Camping and Caravaning / Sous la tente et en caravane

	• **a camper**	• un campeur
(US) a campground	• **a camp-site, a camping-ground**	• un terrain de camping
	a tent	une tente
(US) a trailer	**a caravan**	une caravane
(US) a camper	**a Dormobile**	un camping-car
	• **camping gear**	• le matériel de camping
inflate: *gonfler*	**an inflatable bed, a Lilo**	un matelas pneumatique
	a sleeping-bag	un sac de couchage
	a camping stove	un réchaud de camping
collapse: *s'effondrer*	**a collapsible table/chair**	une table/chaise pliante
	a First-Aid kit	une trousse de secours
	a flashlight, a torch (Brit.)	une torche
	• **pitch camp/a tent**	• installer sa tente
	• **sleep under the stars**	• dormir à la belle étoile
rough: *dur, rude*	• **rough it** [rʌf]	• vivre à la dure

PRACTICE

43 The Right Stress: Le bon accent

Underline the syllable which is stressed in the following words.

camera - resort - idleness - emergency - individual - accommodation - departure - recreation - facilities - terrorism - operate - destination - museum - accommodate - locomotive - souvenir - international - sensitive.

44 The Right Word: Le mot juste

Complete with "tourism", "tourist" or "touristy".

With the development of mass transport and the ... industry, more and more ... facilities (hotels and places of entertainment) have been built. In many countries, the population lives mostly on the ... trade, and some places have become so ... that they *repel the travellers who look for peace and quiet in a beautiful environment. Indeed, too many ... attractions may mean the end of ... .

*to repel: *repousser*

45 Translation: Traduction

Turn the following dialogue into English.

a. Avez-vous fait bon voyage ?
b. Tout à fait, le train était plutôt luxueux.
c. Où sont vos bagages ? Il n'y en a pas beaucoup !
d. Cela ne me dérange pas de vivre à la dure pendant les vacances...
e. Aimeriez-vous prendre le soleil pendant quelque temps ?
f. Non, j'aimerais mieux rester à l'ombre, je suis bien trop sensible au soleil.
g. Aimeriez-vous faire un tour à pied et voir les monuments ?
h. Je n'aimerais mieux pas, vous savez, je suis sujet aux accidents... je ferais mieux de rester ici et de faire la sieste.

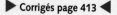

▶ Corrigés page 413 ◀

The Contemporary Context

The British Railway
Les chemins de fer britanniques

- **BR (British Rail):** la compagnie britannique des chemins de fer.
- **the Flying Scotsman:** le train Londres-Edimbourg (*a Scotsman:* un Écossais).
- **the Brighton Belle:** le train Londres-Brighton (en service jusqu'à la fin des années 60).
- **the Shuttle:** la navette trans-Manche qui passe dans le *Chunnel* (mot-valise : *Channel + tunnel*).
- **Eurostar:** le train Paris-Londres/Londres-Paris.
- **Waterloo Station:** la gare londonienne de l'Eurostar.
- **a Pullman (train):** fabriqué par le dessinateur de trains américain George Pullman (1831-1897).

The Underground
Le métro

- **the Tube:** surnom du métro londonien. Pour s'y déplacer, il est nécessaire de savoir si l'on veut aller vers le nord *(northbound)*, le sud *(southbound)*, l'est *(eastbound)* ou l'ouest (*westbound*).
- **the Subway:** surnom du métro américain (*a subway:* un passage souterrain, en anglais britannique). On s'y déplace non pas avec un coupon ou ticket mais en insérant un jeton *(a token)* dans un tourniquet.

Idioms and Colourful Expressions

Focus on Sea and Boats

- **a sea of faces:** une nuée de/un océan de visages.
- **to get one's sea legs:** s'habituer au roulis.
- **to be all at sea:** être complètement perdu.
- **Worse things happen at sea!:** On a vu pire !/ça pourrait être pire !
- **A maiden voyage:** le premier voyage d'un marin ou d'un navire (*a maiden:* une jeune fille).
- **It's plain sailing:** c'est facile.
- **In the wake of:** dans le sillage de, à la suite de.
- **to paddle one's own canoe:** se débrouiller tout seul.
- **to go down with the ship:** couler avec le navire.
- **to give somebody a wide berth:** éviter quelqu'un (*a berth:* un mouillage).
- **to be in the same boat:** être dans la même galère.
- **to rock the boat:** faire des vagues, jouer les trouble-fête (*to rock:* secouer).

Focus on Travel

- **a travelling ((US) traveling) salesman:** un voyageur de commerce, un représentant.
- **to travel in something:** être représentant en quelque chose (*he travels in ladies' clothes:* il est représentant en vêtements pour femme).
- **a travel card:** un carte de transport.
- **a travelogue:** un film ou un livre récit de voyage.
- **an armchair traveller:** quelqu'un qui voyage en regardant des films de voyage à la télévision ; un "voyageur en chambre" (*an armchair:* un fauteuil).
- **to travel well:** bien supporter le voyage.
- **to travel back in time:** remonter le temps.

Focus on Road

- **to be on the right road:** être sur la bonne voie.
- **to be middle-of-the-road:** avoir une approche modérée, être partisan du juste milieu.
- **a middle-of-the-roader:** en politique, un modéré, un centriste.
- **to hit the road (coll.):** se mettre en route.
- **(to have) one for the road (coll.):** (boire) le coup de l'étrier.
- **to be on the road:** être en déplacement, en tournée.
- **a roadie (coll.):** un machiniste accompagnant des musiciens en tournée.
- **a road hog (US, coll.):** un chauffard (*a hog:* un porc).
- **a road movie:** un film aux personnages itinérants, dont l'action évolue durant un voyage par voie terrestre.

Sayings and Proverbs

- **Travelling broadens the mind:** Les voyages forment la jeunesse.
- **You have to learn to pace yourself:** Qui veut voyager loin, ménage sa monture.
- **When in Rome, do as the Romans do:** À Rome, il faut vivre en Romain.
- **All roads lead to Rome:** Tous les chemins mènent à Rome.

Advertising and Consumption

Publicité et consommation

1 Advertising — La publicité

Advertising and its Techniques — La publicité et ses techniques

Advertising and Promotion — La publicité et la promotion

	Advertising and Promotion	La publicité et la promotion
(abbreviation) an ad, an advert; the small ads: *les petites annonces*	• an advertisement [ədˈvɜːtɪsmənt]	• une publicité
(!) un commercial: *a marketing person*	• a commercial	• un spot publicitaire (télévision, radio)
	• a spot	• un message publicitaire
tease: *taquiner*	• a teaser	• une publicité énigmatique
	• a promotional campaign	• une campagne promotionnelle
	• an advertising campaign	• une campagne de publicité
	• comparative advertising	• la publicité comparative
soft: *doux*	• soft-sell advertising	• la publicité non agressive
	• an advertising agency [ˈeɪdʒənsɪ]	• une agence de publicité
	• an advertiser	• un annonceur publicitaire
an adman (coll.)	• an advertising executive	• un publicitaire
	• a publicist	• un publicitaire
bad/good publicity	• publicity	• la publicité
	• sponsoring, sponsorship	• le parrainage commercial
	a sponsor	un commanditaire, un sponsor
	• a message [ˈmesɪdʒ]	• un message
(!) a phrase: *une expression*; a sentence: *une phrase*	• a catchword, a catch phrase	• une accroche, un slogan
	• a claim	• une promesse publicitaire
	• a slogan	• un slogan
	• a caption	• une légende
several motto(e)s	• a motto	• une devise
	• a blurb [blɜːb]	• un aperçu publicitaire

	• advertise a product [ˈædvətaɪz]	• faire la publicité pour un produit
	• publicize	• rendre public
	• sponsor	• parrainer
a subsidy: *une subvention*	• subsidize an event [ˈsʌbsɪdaɪz]	• subventionner un événement
	• promote	• faire la promotion de
	• boast a product [bəʊst]	• vanter les mérites d'un produit
	• tout (for)	• racoler, vendre avec insistance
	• appeal to	• plaire à
	• influence	• influencer
	• entice	• allécher, attirer
	• induce	• persuader, inciter
a spur: *un éperon*	• stimulate, spur	• pousser, stimuler
	• boost (sales) [buːst]	• doper/stimuler (les ventes)
	• target	• viser, cibler
	• attract the attention	• attirer l'attention

	English	Français
	• arouse the interest [ə'raʊz]	• susciter l'intérêt
	• catch the eye	• attirer l'œil
	• strike the imagination	• frapper l'imagination
(irr.) I broadcast(ed), I have broadcast(ed)	• broadcast a message ['mesɪdʒ]	• diffuser un message
	• deliver a message	• émettre un message
	• get/put a message across	• faire passer un message
	• convey an impression	• communiquer une impression

	English	Français
	• effective	• efficace
	• catchy	• accrocheur
an eye-catcher, an eye-stopper: *un objet qui attire le regard*	• eye-catching	• qui accroche l'œil
	• clever	• astucieux, ingénieux
	• innovative	• novateur, original
	• unexpected	• inattendu
	• inventive	• inventif
	• funny	• drôle
	• entertaining	• divertissant
wit: *l'esprit*	• witty	• spirituel
	• hilarious	• hilarant
	• bland	• terne, sans relief
	• boring	• ennuyeux

Hard-Sell Advertising / La publicité agressive

	English	Français
	• an advertising blitz	• un matraquage publicitaire
	• hype [haɪp]	• le battage publicitaire
	• overkill	• l'excés de publicité
	• eyewash	• la "poudre aux yeux"
	• deceptive advertising	• la publicité mensongère
	• brainwashing	• le lavage de cerveau
	• lure [ljʊə]	• le leurre, l'attrait trompeur
	• deceit [dɪ'siːt]	• la tromperie

	English	Français
	• hype	• faire un battage publicitaire
(!) *décevoir :* disappoint	• deceive [dɪ'siːv]	• tromper
	• confuse, to mislead	• dérouter, induire en erreur
	• manipulate	• manipuler
	• trap	• piéger
	• condition	• conditionner, influencer
brainwash sb: *faire subir un lavage de cerveau à qqn*	• brainwash the customer into buying	• pousser le consommateur à l'achat en le conditionnant
a bludgeon: *une matraque*	• bludgeon the customer ['blʌdʒən]	• matraquer le consommateur
	• stultify	• abrutir

	English	Français
	• ambiguous	• ambigu
	• deceptive	• trompeur
	• dishonest [dɪs'ɒnɪst]	• malhonnête
	• repetitive	• répétitif
	• subliminal	• subliminal
	• provocative	• provocateur
	• outrageous [aʊt'reɪdʒəs]	• honteux, scandaleux
"I am shock**ed**": *"Je suis choqué"*	• shocking	• choquant

The Advertising Media — Les vecteurs de la publicité

Advertising in Print — La publicité écrite

mail: *le courrier*	• mail shot	• le publipostage
stick: *coller* (irr.) I stuck, I have stuck	• a sticker	• un autocollant
	• an advertising space	• un espace publicitaire
(US) a flier/flyer	• a leaflet ['liːflɪt], a handbill	• un prospectus
	• a booklet	• un livret
fold: *plier*	• a folder	• un dépliant
	• a brochure	• une brochure
(US) catalog	• a catalogue	• un catalogue
spread: *étaler, étendre* (irr.) I spread, I have spread	• a spread	• une annonce pleine page
	a two/double-page spread	une annonce sur deux pages
	• a (free) sample	• un échantillon (gratuit)

Outdoors Advertising — La publicité de la rue

	• a sign [saɪn]	• une enseigne
	• an electric/illuminated sign	• une enseigne lumineuse
(US) a billboard	• a hoarding (Brit.)	• un panneau d'affichage
	• a poster, a bill	• une affiche, un poster

• flash	• clignoter
• display	• montrer, exposer
• hand out (leaflets)	• distribuer (des prospectus)
• post up	• placarder

Advertising on Air — La publicité sur les ondes

	• radio ['reɪdɪəʊ]/TV advertising	• la publicité à la radio/à la télévision
	• a radio/TV commercial	• un spot radiophonique/télévisé
	• a jingle	• un refrain publicitaire
catch: *attraper* (irr.) I caught, I have caught	• a catchy tune	• un air accrocheur
	• a slot	• un créneau horaire
	• prime time, peak listening time	• l'heure de grande écoute
the audience rating: *le taux d'écoute*	• a ratings system	• un audimat

Point of Sale Advertising — La publicité sur le lieu de vente (PLV)

(US) Point of purchase advertising

	• a show, an exhibition	• un salon, une exposition
	a showroom	une salle d'exposition
	• a trade fair	• une foire
	a fairgoer	un visiteur de foire
	• a stand	• un stand
	• a (cookery) demonstration	• une démonstration (culinaire)
(abbreviation of) demonstration	a demo item ['aɪtəm]	un article de démonstration
	• a promotional day	• une journée promotionnelle
(US) a special	• a special offer	• une offre spéciale

• show, exhibit, display	• exposer
• demonstrate a product	• faire la démonstration d'un produit

2 Consumption — La consommation

The Distribution Network — Le réseau de distribution

Small Businesses — Les petits commerces

• a store	• un magasin	(also) *une réserve*
• a shop	• une boutique	a boutique: *une boutique de mode*
• an outlet, a point of sale	• un point de vente	
• a retail store ['riːteɪl]	• un magasin de vente au détail	
• a corner store, a convenience store	• un magasin de proximité	the street corner: *le coin de la rue*
• a discount store, a hard discounter	• un magasin à mini-marge	
the owner	le propriétaire	
the manager	le gérant	
• a baker's, a bakery	• une boulangerie	*le mot* shop *est sous-entendu d'où le cas possessif à la suite du nom du commerçant*
• a butcher's ['bʊtʃə], a butchery	• une boucherie	
• a pastry ['peɪstrɪ]/cake shop	• une pâtisserie	
• a sweet (shop)	• une confiserie	(US) a candy store
confectionery, sweets	la confiserie, les sucreries	(US) candy
• a deli(catessen)	• une épicerie fine	
• a fishmonger's	• une poissonnerie	
• a greengrocer's	• un magasin de fruits et légumes	
• a grocer's	• une épicerie	
• an off-licence [ɒf'laɪsəns]	• un magasin de vins et spiritueux	(US) a liquor store
• an antique shop	• un magasin d'antiquités	an antique: *un meuble, un objet ancien*
an antique dealer	un antiquaire	
• a bookshop	• une librairie	(US) a bookstore
• a clothes shop ['kləʊðz]	• un magasin de vêtements	
• a shoe shop	• une boutique de chaussures	
• a pet shop	• une animalerie	a pet: *un animal familier*
• a cobbler's, a shoe repair's	• une cordonnerie	
a cobbler	un cordonnier	
• a flower shop ['flaʊə], a florist	• une boutique de fleurs, un fleuriste	
• a hairdresser's	• un salon de coiffure	a hair: *un poil* hair: *les cheveux*
• a beauty parlour ['bjuːtɪ]	• un institut de beauté	(US) a parlor
• a beautician	• une esthéticienne	
• a laundrette [lɔːn'dret]	• une laverie automatique	
• a chemist's, a pharmacy	• une pharmacie	(US) a drugstore: *une droguerie-pharmacie*
a chemist ['kemɪst]	un pharmacien	
• a stationer's	• une papeterie	
stationery	la papeterie	**(!)** stationary: *immobile*
• a newsagent's (stand)	• un kiosque à journaux	
• a hardware shop	• une quincaillerie	(also) hardware: *le matériel informatique*
• a second-hand shop ['sekənd]	• un dépôt-vente	second-hand: *d'occasion*

Big Stores — La grande distribution

• a supermarket	• un supermarché	a (flea) market: *un marché (aux puces)*
• a hypermarket	• un hypermarché	
the toy section/department	le rayon des jouets	
the fresh fruit section	le rayon des fruits frais	"Have **some** fruit": "*prenez **un** fruit*".

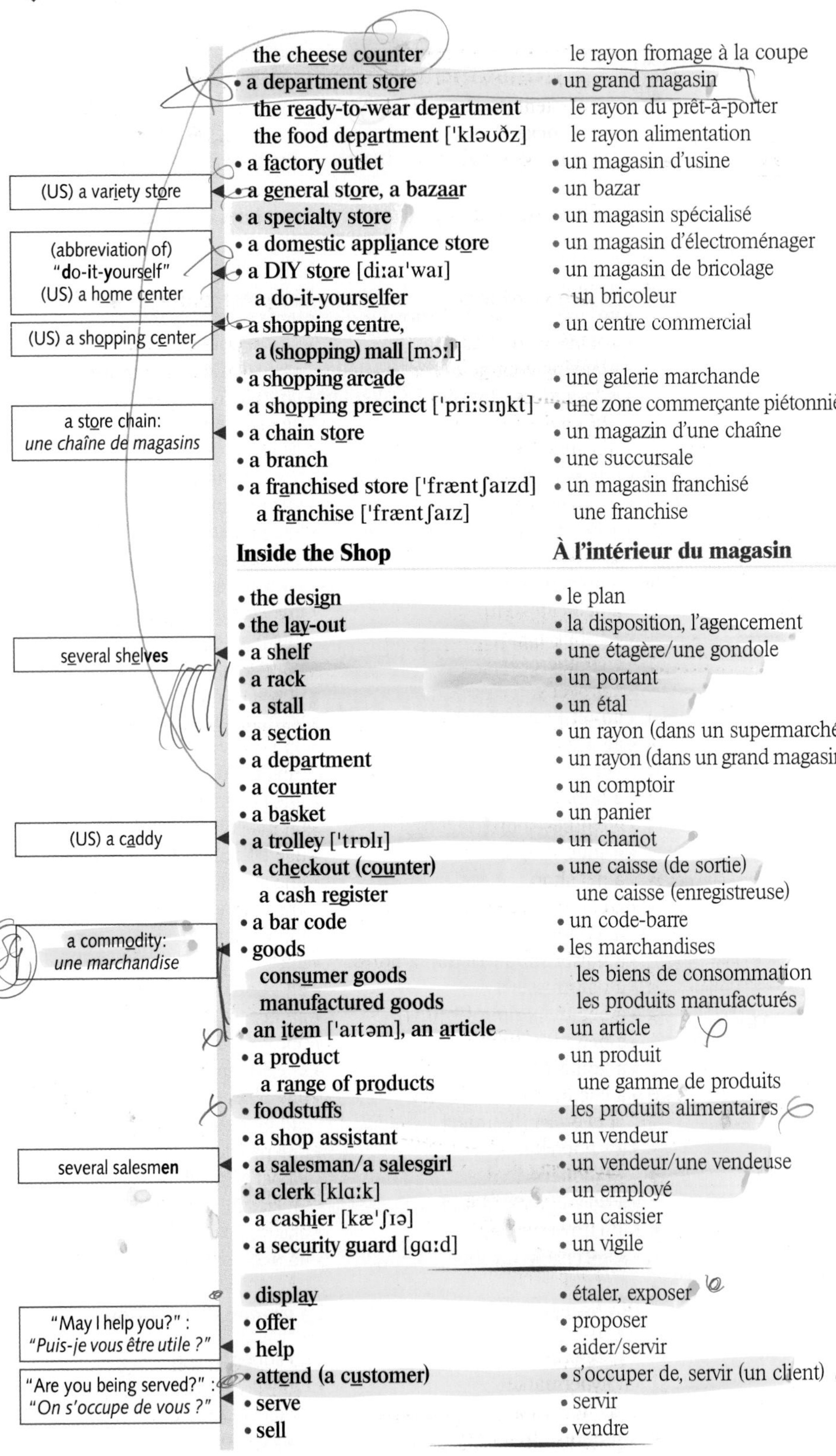

Note	English	Français
	the cheese counter	le rayon fromage à la coupe
	• a department store	• un grand magasin
	the ready-to-wear department	le rayon du prêt-à-porter
	the food department ['kləʊðz]	le rayon alimentation
	• a factory outlet	• un magasin d'usine
(US) a variety store	• a general store, a bazaar	• un bazar
	• a specialty store	• un magasin spécialisé
	• a domestic appliance store	• un magasin d'électroménager
(abbreviation of) "do-it-yourself" (US) a home center	• a DIY store [diːaɪ'waɪ]	• un magasin de bricolage
	a do-it-yourselfer	un bricoleur
(US) a shopping center	• a shopping centre, a (shopping) mall [mɔːl]	• un centre commercial
	• a shopping arcade	• une galerie marchande
	• a shopping precinct ['priːsɪŋkt]	• une zone commerçante piétonnière
a store chain: *une chaîne de magasins*	• a chain store	• un magazin d'une chaîne
	• a branch	• une succursale
	• a franchised store ['fræntʃaɪzd]	• un magasin franchisé
	a franchise ['fræntʃaɪz]	une franchise

Note	Inside the Shop	À l'intérieur du magasin
	• the design	• le plan
	• the lay-out	• la disposition, l'agencement
several shelves	• a shelf	• une étagère/une gondole
	• a rack	• un portant
	• a stall	• un étal
	• a section	• un rayon (dans un supermarché)
	• a department	• un rayon (dans un grand magasin)
	• a counter	• un comptoir
	• a basket	• un panier
(US) a caddy	• a trolley ['trɒlɪ]	• un chariot
	• a checkout (counter)	• une caisse (de sortie)
	a cash register	une caisse (enregistreuse)
	• a bar code	• un code-barre
a commodity: *une marchandise*	• goods	• les marchandises
	consumer goods	les biens de consommation
	manufactured goods	les produits manufacturés
	• an item ['aɪtəm], an article	• un article
	• a product	• un produit
	a range of products	une gamme de produits
	• foodstuffs	• les produits alimentaires
	• a shop assistant	• un vendeur
several salesmen	• a salesman/a salesgirl	• un vendeur/une vendeuse
	• a clerk [klɑːk]	• un employé
	• a cashier [kæ'ʃɪə]	• un caissier
	• a security guard [gɑːd]	• un vigile

Note	English	Français
	• display	• étaler, exposer
	• offer	• proposer
"May I help you?" : *"Puis-je vous être utile ?"*	• help	• aider/servir
	• attend (a customer)	• s'occuper de, servir (un client)
"Are you being served?" : *"On s'occupe de vous ?"*	• serve	• servir
	• sell	• vendre

• **roomy, spacious** ['speɪʃəs]	• spacieux
• **well-appointed, well laid-out**	• bien agencé
• **convenient** [kən'viːnjənt]	• pratique
• **well-stocked**	• bien approvisionné
• **spartan** ['spɑːtən]	• spartiate
• **helpful**	• serviable
• **courteous** ['kɜːtjəs]	• courtois
• **competent**	• compétent

Sparta: *la ville de Sparte*

Service Providers / Les prestataires de services

• **a service company**	• une société de services
• **cleaning contractors**	• une société de nettoyage
• **a laundress** ['lɔːndrɪs]	• une blanchisseuse
a laundry ['lɔːndrɪ]	une blanchisserie
• **a delivery man**	• un livreur
home delivery	la livraison à domicile
• **a messenger**	• un coursier
• **a chauffeur**	• un chauffeur privé
• **a caterer**	• un traiteur

several delivery men

a driver: *un conducteur, un automobiliste*

• **provide (a service)**	• fournir (des prestations)
• **launder (clothes)** ['lɔːndə]	• nettoyer (des vêtements)
• **deliver**	• livrer
• **chauffeur**	• (être payé pour) conduire
• **cater (for)**	• préparer des repas (pour)

money laundering: *le blanchiment de l'argent*

The Consumer Society / La société de consommation

The Consumer / Le consommateur

• **a customer**	• un client (dans un magasin)
• **a guest**	• un client (dans un hôtel)
• **a client**	• un client (pour prof. libérale)
• **a buyer, a shopper**	• un acheteur, un chaland
• **a purchaser** ['pɜːtʃəsə]	• un acquéreur
• **a patron** ['peɪtrən]	• un habitué, un client habituel
• **supply and demand** [sə'plaɪ]	• l'offre et la demande
• **purchasing power** ['paʊə]	• le pouvoir d'achat
• **the buying decision**	• la décision d'achat
impulsive buying	l'achat non réfléchi
compulsive buying	la frénésie d'achat
• **shoplifting**	• le vol à l'étalage
a shoplifter	un voleur à l'étalage

(also) supply: *provision, stock*

lift: *soulever*

• **consume**	• consommer
• **purchase, buy**	• acquérir, acheter
• **shop at X**	• faire ses courses chez X
• **do one's shopping, go shopping**	• faire les courses
• **go to the shops/the stores**	• faire les magasins

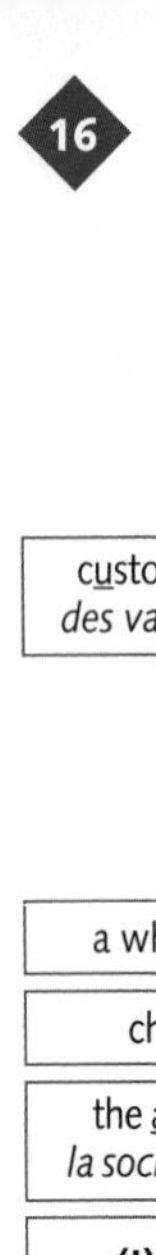

	• shop around	• comparer les prix entre magasins
	• go window-shopping	• faire du lèche-vitrine
	• treat oneself to something	• s'offrir quelque chose
	• go on a shopping spree [spriː]	• faire des folies, "claquer"
	• squander money ['skwɒndə]	• dilapider de l'argent
customized holidays: *des vacances à la carte*	• customize	• personnaliser

	• regular ['regjʊlə]	• habitué, régulier
	• occasional	• occasionnel
	• loyal	• fidèle
	• fickle ['fɪkl]	• imprévisible
a whim: *un caprice*	• whimsical ['wɪmzɪkl]	• capricieux
choose: *choisir*	• choosy	• difficile (à contenter)
	• satisfied	• satisfait
the affluent society: *la société d'abondance*	• affluent	• riche, aisé
	• rich, wealthy ['welθɪ]	• riche, fortuné
	• well-to-do, well off	• aisé, nanti
(!) *extravagant* : extravagant (idea) ; eccentric (person) ; exhorbitant (price)	• extravagant	• dépensier
	• poor, penniless	• pauvre, sans le sou
	• well-patronized ['pætrənaɪzd]	• bien achalandé
	• custom-built	• fabriqué sur commande
a tailor: *un tailleur*	• custom-made, tailor-made	• fait sur mesure, à la carte

Transactions / Les transactions

	• payment	• le paiement
	• a discount	• une réduction
	• a rebate	• un rabais
	• a bargain ['bɑːgɪn]	• une bonne affaire
	• credit	• le crédit
	the down payment	l'apport initial, l'acompte
	the instalments [ɪn'stɔːlmənts]	les traites
	• a deposit	• une caution
	• hire, rental	• la location
	hire-purchase	la location-vente
	• home shopping, teleshopping	• le télé-achat
	• on-line shopping	• l'achat sur Internet
(US) catalog	• mail order, catalogue shopping	• la vente par correspondance

	• buy cash	• acheter comptant
	• buy on credit	• acheter à crédit
	• order from a catalogue	• acheter par correspondance
"I can't afford it!": *"Je ne peux pas me le payer !"*	• be able to afford something	• avoir les moyens de se payer qqch
	• bargain for sth ['bɑːgɪn]	• marchander qqch
let: *louer (du point de vue du propriétaire)*	• hire, rent	• louer, prendre en location

gratuitous: *gratuit (sans motif)*	• free	• gratuit
	• affordable	• abordable
economic: *économique, ayant trait à l'économie*	• economical, cost-saving	• économique
	• cheap [tʃiːp]	• bon marché
	• inexpensive	• peu coûteux
	• expensive, dear, costly	• cher, coûteux
	• prohibitive, exhorbitant	• prohibitif

3 Consumerism — Le consumérisme

Consumer Dissatisfaction — Le mécontentement des consommateurs

• a complaint	• une plainte, un grief
• disappointment	• la déception
• poor/low quality	• la mauvaise qualité
• cheap junk	• de la camelote
• a fault	• un défaut
• poor service	• la médiocrité du service
• slipping standards	• la baisse de la qualité

(!) deception: *la tromperie*

slip: *glisser (accidentellement)*

• complain (about something)	• se plaindre (de quelque chose)
• find fault with	• trouver à redire à
• return (an item)	• rendre (un article)

• dissatisfied (with)	• mécontent (de)
• disappointed	• déçu
• fake, trashy (coll.)	• en toc, de pacotille
• out of order	• en panne
• faulty, defective (article)	• défectueux
• unavailable, out of stock	• non disponible, épuisé
• sloppy	• bâclé, négligé
• lax (service)	• (service) négligé
• untrained (staff)	• (personnel) sans formation
• unconcerned	• indifférent

available, in stock: *disponible*

The Power of Consumers — Le pouvoir des consommateurs

• consumers' rights	• les droits des consommateurs
• consumer protection	• la défense du consommateur
• a consumer group	• une association de consommateurs
• a lobby, a pressure group	• un groupe de pression
• a boycott	• un boycottage
• a guarantee [gærən'tiː]	• une garantie
a guarantee slip	un bon de garantie
• the after-sales service	• le service après-vente

under guarantee: *sous garantie*

• protect	• protéger
• campaign for/against	• faire campagne pour/contre
• lobby	• faire pression sur
• boycott	• boycotter
• take a product off the market	• retirer un produit du marché
• claim damages	• demander des dommages et intérêts
• win a lawsuit ['lɔːsuːt]	• gagner un procès
• receive compensation	• se faire indemniser

compensation: *l'indemnisation*		
	• **exchange (for)**	• faire un échange (contre)
	• **get a refund**	• obtenir un remboursement
	• **be reimbursed, get one's money back** ['mʌnɪ]	• être remboursé

PRACTICE

46 Go to the Right Shop!: Ne vous trompez pas de boutique !

Where would you buy these items from? Match each element of column A with an element of column B.

A	B
a. a pack of envelopes	**1.** a greengrocer's
b. a newspaper	**2.** a hardware shop
c. a loaf of bread	**3.** a stationer's
d. tomatoes	**4.** a baker's
e. rice	**5.** a newsagent's
f. electric wire	**6.** a grocer's

47 The Customer Should be King: Le client devrait être roi

Fill in the blanks of this text with the appropriate words.

concerned - untrained staff - customers - trained - sloppy service - clerks - shopping - money - served - experienced - consuming.

Nowadays, the customers claim the right to be ... quickly and efficiently. The age of gum-chewing ... turning their backs when .... come up with questions may soon be a thing of the past. In a word, ... and ... are bound to disappear, now that potential buyers are .... less ... less and asking more for their ... Companies have therefore become aware of the importance of being courteous.

The challenge now is to find ... , ... and ... shop assistants.

48 The Right Words: Les mots justes

Pick out the words which are likely to come up.

a. in a letter of complaint:

☐ faulty ☐ sloppy ☐ deceptive ☐ roomy ☐ unavailable

b. in a conversation about a jingle:

☐ catchy ☐ funny ☐ boring ☐ choosy ☐ witty

c. in a pamphlet against advertising:

☐ a rebate ☐ misleading ☐ deceptive ☐ eyewash ☐ stultifying

Corrigés page 413

More Words

The Contemporary Context

Advertising
La publicité

- **AIDA (Attention, Interest, Desire, Action):** acronyme des objectifs principaux d'une publicité (Attention, Intérêt, Désir, Action).
- **an infomercial:** une publicité informative, un publi-reportage (mot valise : ***information*** + com***mercial***).
- **ASA (Advertising Standards Authority):** l'équivalent britannique du B.V.P.O., Bureau de Vérification de la Publicité.
- **AAAA (American Association of Advertising Agencies):** association des agences de publicité américaines.
- **Madison Avenue (USA):** une avenue de New York, où sont concentrées toutes les grandes agences de publicité américaines et, par extension, la publicité américaine.

Consumption
La consommation

Famous department stores - Grands magasins célèbres :
- **British department stores:** Harrod's, Selfridges, Debenham's.
- **American department stores:** Macy's, Bloomingdale's, Saks Fifth Avenue.

The consumer society - La société de consommation :
- **The Consumer Price Index:** l'indice des prix à la consommation.
- ***Which?* (Brit.), *Consumer Report* (US):** magazines équivalents de *60 millions de consommateurs.*
- **The Consumers' Association:** l'association britannique de défense des consommateurs.

Idioms and Colourful Expressions

Focus on Consuming and Buying

- **a customer (coll.):** un type, un individu.
- **an ugly/rough customer (coll.):** un sale type.
- **an awkward customer:** un type pas commode (*awkward:* maladroit/difficile à gérer).
- **an odd/queer customer:** un drôle d'oiseau (*odd, queer:* bizarre, étrange), un drôle de client.
- **it costs the earth (coll.):** ça coûte une fortune.
- **it costs an arm and a leg:** ça coûte les yeux de la tête.
- **to my costs:** à mes dépens.
- **at all costs:** coûte que coûte, à tout prix.
- **to talk shop (coll.):** parler boutique.
- **to buy a witness:** suborner un témoin.
- **"I won't buy that!" (coll.):** "Tu ne me feras pas gober ça !"
- **"I'll buy it!":** "Je te crois !"
- **"He's bought the farm" (coll.):** "Il est foutu, son compte est bon/Il a passé l'arme à gauche".
- **to buy a pig in a poke (coll.):** acheter chat en poche.
- **to buy sthg sight unseen:** acheter qqch les yeux fermés.
- **those who bought and sold in the temple:** les marchands du temple (dans la Bible).
- **to spend lavishly:** dépenser sans compter (*lavish:* prodigue).

Sayings and Proverbs

- **The customer is always right:** Le client a toujours raison.
- **The customer is king:** Le client est roi.
- **Never look a gift horse in the mouth:** À cheval donné, on ne regarde point les dents.
- **Take care of the pennies and the pounds will take care of themselves:** Les petits ruisseaux font les grandes rivières.
- **"People know the price of everything and the value of nothing" (Oscar Wilde):** "Les gens connaissent le prix de toute chose et la valeur d'aucune".

Business and Trade
Les affaires et le commerce

1 Economics — L'économie

Economic Systems — Les systèmes économiques

Economic Systems	Les systèmes économiques
• capitalism	• le capitalisme
• liberalism	• le libéralisme
• a free-market economy	• une économie de marché
supply and demand [sə'plaɪ]	l'offre et la demande
• free enterprise ['entəpraɪz]	• la libre entreprise
• free trade	• le libre-échange
• privatization	• la privatisation
• nationalization	• la nationalisation
• a state-run economy	• une économie d'État
• planned economy	• l'économie planifiée
a five-year plan	un plan quiquennal
• collectivism	• le collectivisme
• interventionism	• l'interventionnisme
state intervention	l'intervention de l'État
• protectionism	• le protectionnisme
a subsidy ['sʌbsɪdɪ]	une subvention
• the (semi) public sector	• le secteur (semi) public
• the private sector	• le secteur privé
• the domestic/home market	• le marché intérieur
• the world [wɜːld]/global market	• le marché mondial
• globalization	• la mondialisation

regulations: *les réglementations*

• privatize ['praɪvɪtaɪz]	• privatiser
• nationalize	• nationaliser
• bring under state control	• mettre sous tutelle d'État
• plan	• planifier
• control, regulate	• réguler
• intervene	• intervenir
• protect	• protéger
• subsidize ['sʌbsɪdaɪz]	• subventionner

a capitalist: *un capitaliste*

own: *posséder*

• capitalist, capitalistic	• capitaliste
• liberal	• libéral
• nationalized, state-owned	• nationalisé, étatisé
• interventionist [ɪntə'venʃənɪst]	• interventionniste

Notions of Economics — Notions d'économie

Trends — Les tendances

an increase **in** profit **by** 10 % (percent)

Trends	Les tendances
• growth	• la croissance
an increase, a rise [raɪz]	une augmentation
a boom	une vague de prospérité

	a boost	un coup de pouce, une relance
	• stagnation	• la stagnation
	• a standstill ['stændstɪl]	• un arrêt
	• a slump, a recession	• une crise, une récession
several crises ['kraɪsiːz]	• the economic crisis ['kraɪsɪs]	• la crise économique
a decrease **in** profit **by** 10%	a decrease, a fall	une diminution
	• a recovery	• une reprise
	• inflation, deflation	• l'inflation, la déflation
	• a deficit	• un déficit
a monopoly economy: *une économie monopoliste*	• monopolization	• la monopolisation
	• (horizontal/vertical) integration	• la concentration (horiz./vertic.)

	• grow	• croître, augmenter
	• go up	• monter, augmenter
increase by 10%: *augmenter de 10 %*	• increase, rise [raɪz]	• augmenter
	• boom	• être en plein essor
	• boost	• stimuler, propulser
	• be at a standstill	• s'immobiliser
the doldrums: *l'œil du cyclone*	• be in the doldrums	• être en plein marasme
	• decrease, go down, fall	• diminuer, baisser
	• slump, collapse	• s'effondrer
	• recover	• reprendre
	• monopolize	• monopoliser

Currencies — Les monnaies, les devises

	• money ['mʌnɪ]	• l'argent
a cash dispenser: *un distributeur automatique de billets*; (US) an ATM machine	• cash	• du liquide, des liquidités
	• a coin	• une pièce de monnaie
(US) a (bank)bill	• a banknote	• un billet
small change: *la petite monnaie*	change	la monnaie (à rendre)
	plastic money ['mʌnɪ]	les cartes de crédit
	• the pound sterling	• la livre Sterling
two pence	a penny	un penny (un centième de livre)
a buck (slang): *un dollar*	• the dollar	• le dollar
a greenback (slang): *un dollar (cf. la couleur verte du billet)*	• the U. S. dollar	• le dollar américain
	a quarter ['kwɔːtə]	un quart (de dollar)
	a dime [daɪm]	un dime (10 cents)
	a cent	un cent (un centième de dollar)
	• the Irish pound, the punt	• la livre irlandaise
	• the Canadian dollar	• le dollar canadien
	• a euro ['jʊərəʊ]	• un euro
	• the exchange rate	• le taux de change

• pay cash	• payer comptant
• have change	• avoir de la monnaie
• buy foreign currency	• acheter des devises
• change money	• changer de l'argent

• strong, hard (currency)	• (devise) forte
• firm (currency) ['kʌrənsɪ]	• (devise) stable
• steady ['stedɪ]	• sûr
• unsteady [ʌn'stedɪ]	• instable

The Stock Exchange / La Bourse (des valeurs)

The Stock Exchange	La Bourse (des valeurs)
• a share	• une action
• a bond	• une obligation
• quotation	• le cours, la cotation
• the exchange rate	• le taux de change
the price of the dollar	le cours du dollar
the market price	le cours du marché
the opening/closing price	le cours d'ouverture/de fermeture
• a shareholder	• un actionnaire
• a broker	• un courtier
• a stockbroker	• un agent de change
• a golden boy	• un (jeune) as de la finance
• a dabbler in stocks	• un boursicoteur
• a portfolio	• un portefeuille (d'actions)
• an investment	• un investissement
• the return on investment	• le retour d'investissement
• the rate	• le taux
• speculation	• la spéculation
a falling market	un marché à la baisse
a rising market	un marché à la hausse
• a crash	• un krach boursier
• junk bonds	• des obligations à risque
• insider trading	• le délit d'initié

> a foreign exchange broker: *un cambiste*

> dabble in sth: *tâter de (en amateur)*

> a wallet: *un portefeuille pour billets et papiers*

> (coll.) a bearish market

> (coll.) a bullish market

> junk: *les détritus*

> be quoted **at** £50: *être coté 50 livres*

• go to the market	• être introduit en bourse
• be quoted (on the Stock Exchange)	• être coté (en Bourse)
• invest	• investir
• speculate	• spéculer
• dabble ['dæbl] in stocks	• boursicoter
• go up, rise	• monter, augmenter
• soar, rocket	• monter en flèche
• peak	• être à son maximum
• go down	• descendre
• drop	• chuter
• plunge ['plʌndʒ], plummet	• dégringoler

Banks / Les banques

> (Brit.) a bank holiday: *un jour férié*

> (US) a wicket

Banks	Les banques
• banking	• les opérations bancaires
a banker	un banquier
a clerk [klɑːk]	un employé de banque
a window	un guichet
a cash point/dispenser	un distributeur de billets
a safe	un coffre-fort
• a commercial/mercantile bank	• une banque d'affaires
• a deposit bank	• une banque de dépôts
• a savings bank	• une caisse d'épargne
• a branch	• une agence, une division
• a reserve bank	• une banque de réserve
gold [gəʊld]	l'or
bullion ['bʊljən]	l'or en barre, les lingots
an ingot ['ɪŋgət]	un lingot
• an account	• un compte

	• **a deposit** [dɪ'pɒzɪt]	• un versement ; un acompte
	• **savings**	• les économies, l'épargne
	• **a withdrawal**	• un retrait
	• **an overdraft**	• un découvert
(US) a check	• **a cheque**	• un chèque
	a chequebook	un chéquier
	a blank cheque	un chèque en blanc
	a cheque to bearer	un chèque au porteur
rubber: *du caoutchouc*	**a rubber cheque (coll.)**	un chèque en bois
(US) a traveler's check	**a traveller's cheque**	un chèque de voyage
	• **a credit card**	• une carte de crédit
	• **a loan**	• un prêt/un emprunt
	• **interest**	• les intérêts
	an interest rate	un taux d'intérêt
	• **a mortgage** ['mɔːgɪdʒ]	• une hypothèque
	• **repayment**	• le remboursement
	• **default**	• le défaut de paiement

	• **bank with X**	• être à la banque X
	• **open/close an account**	• ouvrir/fermer un compte
	• **deposit**	• faire un dépôt
	• **save up**	• économiser, épargner
	• **withdraw**	• faire un retrait
	• **be overdrawn**	• être à découvert
(US) a check	• **issue/write out a cheque**	• faire un chèque
	• **pay by cheque**	• payer par chèque
	• **put sth on a credit card**	• payer par carte de crédit
be in the black (coll.): *avoir un solde créditeur* be in the red (coll.): *être dans le rouge, à découvert*	• **cash a cheque**	• encaisser un chèque
	• **borrow money** ['mʌnɪ]	• emprunter de l'argent
	• **buy on credit**	• acheter à crédit
	• **loan, lend money**	• prêter de l'argent
	• **mortgage** ['mɔːgɪdʒ]	• hypothéquer
	• **pay back, reimburse**	• rembourser
	• **default on a loan**	• ne pas acquitter une dette

	• **financial** [faɪ'nænʃl]	• financier
	• **extravagant**	• dépensier, dispendieux
	• **cost conscious**	• ≈ prudent en matière de dépenses
a miser: *un avare*	• **miserly** ['maɪzəlɪ], **avaricious**	• avare

2 Trade and Exchange / Le commerce et les échanges

Business / Les affaires

a big businessman: *un brasseur d'affaires*	• **a businessman** ['bɪznɪsmæn]	• un homme d'affaires
	a tycoon [taɪ'kuːn]	un magnat
	• **a businesswoman** ['bɪznɪswʊmən]	• une femme d'affaires
	a business school	une école de commerce
(US) center	**a business centre**	un quartier d'affaires

• **a business** ['bɪznɪs]	• une affaire, une entreprise
small businesses ['bɪznɪsɪz]	les petites entreprises
a family business	une entreprise familiale
a medium-sized business	une PME
• **an investor**	• un investisseur
• **capital, funds**	• des capitaux
share capital	le capital social
• **the turnover**	• le chiffre d'affaires
• **profit**	• le bénéfice, le profit
• **deficit**	• le déficit
• **a transaction**	• une transaction
• **a contract**	• un contrat

benefit: *un avantage (abstrait), des avantages sociaux*

• **do business**	• faire des affaires
• **be in business**	• être dans les affaires
• **lose business**	• perdre sa clientèle
• **invest**	• investir
• **negociate**	• négocier
• **clinch a deal**	• conclure une affaire
• **make something profitable**	• rentabiliser quelque chose
• **go bankrupt**	• faire faillite

(!) profitable: *rentable*

• **businesslike** ['bɪznɪslaɪk]	• méthodique, professionnel
• **thriving (business)**	• (affaires) florissantes
• **slack (business)**	• (affaires) en plein marasme
• **profit-making**	• lucratif
• **profitable**	• rentable

thrive: *prospérer*

Companies / Les entreprises

• **a corporation, a concern**	• une société, une entreprise
• **a firm, a company**	• une entreprise, une compagnie
a limited company	une société anonyme, une SARL
a state-owned company	une entreprise étatisée
• **a multinational**	• une multinationale
• **a holding (company)**	• une (société) holding
• **a trust**	• un cartel, un trust
• **a conglomerate**	• un conglomérat
• **a merger**	• une fusion
• **a group**	• un groupe
a branch	une succursale
a subsidiary	une filiale
the head office	le siège social
• **a department**	• un service
• **the board (of directors)**	• le conseil d'administration
• **shareholders**	• les actionnaires
• **the chairman, the chairperson**	• le président
• **the management**	• la direction
• **a managing director**	• un président-directeur général
• **a manager**	• un directeur, un gérant
• **a sales manager**	• un directeur commercial
• **a personnel director/manager**	• un directeur du personnel

a (detective) constable : un inspecteur de police

human resources	les ressources humaines
• **a head of department**	• un chef de service
• **the staff**	• le personnel
• **an employee**	• un employé
• **an executive**	• un cadre
• **an accountant**	• un comptable
accounting	la comptabilité
a commercial traveller	un représentant de commerce
• **downsizing**	• la réduction d'effectif
• **upsizing**	• la croissance (d'une entreprise)
• **corporate culture**	• la culture d'entreprise
• **corporate identity**	• l'image (de marque) d'une société
• **the corporate name**	• la raison sociale

count: *compter*

(US) traveler

• **manage, run**	• diriger, gérer
• **merge (with)**	• fusionner (avec)
• **chair**	• présider
• **employ**	• employer
• **hire, take on**	• embaucher, engager
• **recruit** [rɪ'kruːt]	• recruter

National and International Trade / Le commerce à l'échelle nationale et internationale

Trade / Le commerce

• **a shopkeeper**	• un commerçant, un marchand
• **a supply** [sə'plaɪ], **a stock**	• un stock
• **a supplier** [sə'plaɪə]	• un fournisseur
• **a wholesaler** ['həʊlseɪlə]	• un grossiste
• **a retailer**	• un détaillant
• **a supply chain/channel**	• un réseau de distribution
• **stock management**	• la gestion des stocks
• **stock-in-trade**	• les marchandises en stock
• **storage**	• l'entreposage
a warehouse	un entrepôt
• **an order**	• une commande
• **an invoice**	• une facture
• **the takings**	• la recette
• **overheads**	• les frais généraux
• **profit**	• le bénéfice, le profit
a profit margin	une marge bénéficiaire
• **an asset**	• un gain, un capital
• **liabilities**	• les dettes
• **a loss**	• une perte
• **payment facilities, easy terms**	• des facilités de paiement

invoicing: *la facturation*

assets and liabilities: *l'actif et le passif*

several losses

• **supply** [sə'plaɪ]	• fournir, approvisionner
• **sell wholesale** ['həʊlseɪl]	• vendre en gros
• **retail**	• vendre au détail
• **order**	• commander
• **invoice sb for sth**	• facturer qqch à qqn

• stock, store	• stocker
• cut prices	• baisser les prix
• slash prices	• casser les prix

The Position on the Market — La position sur le marché

• competition	• la concurrence
• the leader	• le numéro un
• a challenger	• un rival
• a competitor	• un concurrent
• a penetration	• une pénétration
• a breakthrough	• une percée, une victoire
• a market share	• une part de marché
• a bid, a tender	• un appel d'offre
• domination	• la domination
• cannibalization	• la cannibalisation
• a monopoly	• un monopole

• compete (with) [kəm'pi:t]	• concurrencer
• lead	• être à la tête du marché
• challenge	• briguer la première place
• penetrate a market	• pénétrer un marché
• have a foothold in	• avoir un pied dans
• gain/grab a market share	• prendre une part de marché
• corner the market	• accaparer le marché
• storm	• prendre d'assaut
• dominate	• dominer
• cannibalize	• cannibaliser

a storm: *une tempête*

• aggressive	• agressif
• risky	• risqué
• dominant	• dominant

Foreign Trade — Le commerce extérieur

domestic/home trade: *le commerce intérieur*

• exchanges	• les échanges
• imports	• les importations
an importer	un importateur
• exports	• les exportations
an exporter	un exportateur
• a trade barrier ['bæriə]/wall	• une barrière douanière
• a customs tariff	• un tarif douanier
customs duties	les droits de douane
the customs services	le service des douanes
• the balance of trade ['fɒrən]	• la balance commerciale
a favourable trade balance	une balance comm. excédentaire
a negative/adverse trade balance	une balance comm. déficitaire
• trade surplus ['sɜ:pləs]	• l'excédent du commerce extérieur
• trade deficit	• le déficit du commerce extérieur

a duty: *un droit, une taxe*
duty-free: *exempt de droits, en franchise*

• exchange	• échanger
• import	• importer
• export	• exporter

(!) an import
(!) an export

Trade Barriers	Les barrières commerciales
• a trade war	• une guerre commerciale
• international competition	• la compétition internationale
• protectionism	• le protectionnisme
• a restriction	• une restriction
• a sheltered market	• un marché protégé
• quotas	• les quotas
• dumping	• le "dumping"
• a sanction	• une sanction
• an embargo	• un embargo
• a blockade	• un blocus
• protect, shelter	• protéger
• dump (goods on a market)	• pratiquer le "dumping"
• enforce sanctions against	• appliquer des sanctions contre

a shelter: *un abri*

level sanctions at: *infliger des sanctions*

several embargoes

dump: *déverser*

3 Marketing — La mercatique

Market Research	L'étude de marché
• the marketing mix	• le plan marchéage
• market analysis	• l'analyse de marché
• a market survey	• une étude de marché
• a(n opinion) poll	• un sondage (d'opinion)
• a sample survey a sampling	• une enquête par sondage un échantillonnage
• a tracking study	• un panel
• a questionnaire	• un questionnaire
• a database, a databank	• une banque/base de données
• a socio-professional group	• une catégorie socioprofessionnell
• a target	• une cible
• a niche [niːʃ], a market gap	• une niche, un créneau
• a launch [lɔːntʃ]	• un lancement
• consumer profile	• le profil du consommateur
• (brand) loyalty	• la fidélité (à une marque)
• survey	• étudier
• carry out (a survey)	• mener (une étude)
• analyse	• analyser
• poll, make a survey	• sonder, faire un sondage
• test	• essayer, faire un essai
• target	• viser, cibler
• market	• mettre sur le marché
• launch [lɔːntʃ]	• lancer
• build brand/consumer loyalty	• fidéliser les clients

a survey: *une étude à grande échelle* ≠ a study: *une étude*

The Principles of Marketing | Les principes de la mercatique

> ≠ the produce: *les produits non manufacturés* (ex: dairy produce: *les produits laitiers*)

> goods: *les marchandises*

> loss-making: *déficitaire*

> the make of a car: *la marque d'une voiture*

The Product | Le produit

The Product	Le produit
• **an article, an item** ['aɪtəm]	• un article
• **consumer goods**	• les biens de consommation
• **a loss-leader**	• un produit d'appel
• **a loss-maker**	• un produit vendu à perte
• **food products**	• les produits alimentaires
• **domestic appliances,**	• l'électroménager,
white goods	les produits "blancs"
brown goods	les produits "bruns" (= la hi-fi)
• **staple goods** ['steɪpl]**/commodities**	• les biens de 1re nécessité
• **manufactured goods**	• les produits manufacturés
• **a range** [reɪndʒ]	• une gamme
• **a choice, a selection**	• un choix, une sélection
• **packaging**	• l'emballage, le conditionnement
• **a brand, a make**	• une marque
branded goods	des produits de marque
the brand image	l'image de marque
• **a label** ['leɪbl]	• une étiquette, un label

> a label: *une étiquette*

• **produce**	• produire
• **manufacture**	• fabriquer
• **offer**	• proposer
• **choose**	• choisir
• **package**	• emballer
• **label** ['leɪbl]	• étiqueter

> under guarantee: *sous garantie*

> a trend: *une tendance*

• **available**	• disponible, en stock
• **returnable**	• consigné
• **disposable, throwaway**	• jetable
• **recyclable** [rɪ'saɪkləbl]	• recyclable
• **ecological, green, eco-friendly**	• écologique
• **reliable** [rɪ'laɪəbl]	• fiable
• **fragile** ['frædʒaɪl], **breakable**	• fragile
• **faulty**	• défectueux
• **upscale, up-market**	• haut de gamme
• **downscale, down-market**	• bas de gamme
• **fashionable** ['fæʃnəbl], **trendy**	• à la mode, "dernier cri"
• **outdated**	• démodé
• **second-hand**	• d'occasion, de seconde main

The Price | Le prix

> pricing: *la fixation des prix*

The Price	Le prix
• **the market price**	• le prix du marché
• **the high street price**	• le prix public, conseillé
• **the retail price**	• le prix de détail
• **the price range**	• la gamme des prix
• **the price list**	• le tarif, les prix courants
• **a price tag**	• une étiquette (qui porte le prix)

> buy full price: *acheter au prix fort*

• **a bar code**	• un code-barre
• **full price**	• le plein tarif, le prix fort
• **a floor price**	• un prix plancher
• **the ceiling** ['siːlɪŋ]	• le plafond
• **good value for money** ['mʌnɪ]	• un bon rapport qualité-prix
• **a (price) freeze**	• un gel (des prix)

> I can/cannot afford (to buy) it: *j'ai/je n'ai pas les moyens d'acheter cela*

• **price**	• fixer le prix
• **price down**	• solder
• **cost**	• coûter
• **be able to, afford (to)**	• pouvoir, se permettre (de)
• **pay**	• payer
• **boost**	• gonfler (un prix)
• **slash**	• casser (un prix)
• **bargain (with sb/over sth)**	• marchander (avec qqn/qqch)
• **freeze**	• geler

> **(!)** *être sensible:* to be sensitive

> the average: *la moyenne*

• **costly, expensive**	• coûteux, cher
• **inexpensive, cheap**	• peu cher
• **prohibitive**	• prohibitif, dissuasif
• **sensible**	• raisonnable
• **average**	• moyen
• **attractive**	• attrayant, attractif
• **competitive**	• compétitif, concurrentiel

Promotion / La promotion

> refund: *rembourser*

• **an incentive**	• une incitation
• **a bargain**	• une (bonne) affaire
• **a discount**	• une réduction, une remise
• **a rebate**	• un rabais
• **a bonus**	• une prime
• **a (money-off) coupon** ['kuːpɒn]	• un bon de réduction
• **a voucher** ['vaʊtʃə]	• un bon, un coupon
• **a sample**	• un échantillon
• **a promotional offer**	• une offre spéciale
• **a trial offer** ['traɪəl]	• une offre d'essai
• **a refund offer**	• une offre de remboursement

• **offer**	• proposer
• **attract**	• attirer
• **entice, allure**	• attirer, allécher
• **build consumer loyalty**	• fidéliser les clients
• **hold a sale**	• organiser des soldes

> buy half-price: *acheter à moitié prix*

• **half price**	• demi-tarif, moité prix
• **promotional**	• promotionnel
• **free**	• gratuit
• **reduced**	• (à prix) réduit

PRACTICE

49 Would You be a Good Marketer? Seriez-vous un bon expert en mercatique ?

This is a list of operations carried out by marketers before the launching of a product. Put them in chronological order.

a. take a sample of potential customers.
b. have the customers test the product.
c. find a new concept.
d. analyse the data.
e. prepare a market survey.
f. adapt the product to the results.
g. select the right target.

50 The Odd-One-Out: Chassez l'intrus

Select the word which does not go with the rest of the list.

a. recyclable - throwaway - ecological - green - eco-friendly
b. a cheque - a banknote - a coin - change - cash
c. a launch - a target - a blockade - a poll - a test - a sample - a niche
d. a corporation - a concern - a voucher - a firm - a company - a holding - a trust - a branch
e. a boost - a recovery - a slump - a standstill - a bond - a boom - a recession

51 Easy Credit for All! Facilité de crédit pour tous !

Fill in the gaps with the appropriate words taken from the following list.

hire purchase - credit - loan - repayments - afford - repayment - income - default - expensive.

Nowadays, some stores specialize in giving ... to people who might not be able to ... it, especially those on low ... . They offer what is called... . The customer makes weekly or monthly ... over several years. The purchase will still be the property of the seller for the duration of the ... and can be returned by the buyer, or taken back by the store for ... . The problem is that the ... schedule may make the goods a lot more ... than if they had been bought cash. However, this practice is becoming a sort of national habit with the Americans.

▶ Corrigés page 413 ◀

More Words

The Contemporary Context

English Abbreviations and their French Equivalents

Abréviations anglaises et leurs équivalents français

- **The EBRD (European Bank For Reconstruction and Development):** Banque Européenne pour la Reconstruction et le Développement (la BERD).
- **The GATT (General Agreement on Tariffs and Trade):** Accord général sur les tarifs douaniers et le Commerce.
- **The GNP (Gross National Product):** Produit Intérieur Brut (P.I.B.).
- **HP (Hire Purchase):** la location-vente.
- **The IBRD (International Bank for Reconstruction and Development):** Banque Internationale pour la Reconstruction et le Développement (la BIRD).
- **an IOU** transcription phonétique de *"I owe you"* (= je vous dois): Une reconnaissance de dettes.
- **IMF (International Monetary Fund):** Fonds Monétaire International (F.M.I).
- **an LLC (a Limited Liability Company):** une compagnie à responsabilité limitée.
- **M&A ((the department of) Mergers and Acquisitions):** (le service des) Fusions et Acquisitions.
- **the MNF (the Most Favoured Nation Clause):** la clause de la nation la plus favorisée.
- **NAFTA (North American Free Trade Association):** Association pour le Libre Échange Nord-Américain (ALENA).
- **NYSE (The New York Stock Exchange):** la Bourse de New York.
- **OECD (Organization for Economic Cooperation and Development):** l'Organisation pour la Coopération et le Développement Économique (l'O.C.D.E).
- **a T-bill, a treasury bill:** un bon du Trésor.
- **VAT (Valued Added Tax):** la taxe à la valeur ajoutée (T.V.A).

Business and Banking in London

Les affaires et la finance à Londres

- **The City:** la "City" ou centre des affaires à Londres.
- **The Old Lady of Threadneedle Street, the Bank of England:** la Banque de Grande-Bretagne.
- **Lombard Street:** rue de Londres associée aux grandes banques et, par extension, le marché financier londonien.

Colloquial Expressions and Neologisms

Expressions idiomatiques et néologismes

- **the biggies:** les plus grosses entreprises/ les très grandes marques.
- **a zillionaire:** un homme richissime (mot-valise : ***zillion:*** des milliers + ***millionaire:*** milliardaire).
- **a perk (a perquisite):** un avantage en nature, un à-côté.
- **an oillionaire:** un homme qui doit sa fortune au pétrole, un magnat du pétrole (mot -valise ***oil:*** pétrole + ***millionaire:*** milliardaire).

Idioms and Colourful Expressions

Focus on Money

- **the other side of the coin:** le revers de la médaille.
- **a money spinner:** une mine d'or.
- **hush money (coll.):** le prix du silence (*to hush:* se taire ; *hush!:* chut !).
- **in mint condition:** à l'état neuf (*to mint:* frapper les pièces de monnaie).
- **a golden handshake** (littéralement, une poignée de main en or)**:** une grosse prime de départ (ou de bienvenue), pour un salarié.
- **a golden parachute:** une prime de départ (dans le cas d'une O. P. A.).
- **a golden opportunity:** une occasion en or, une occasion rêvée.
- **to cash in on (coll.):** tirer profit de.
- **to pay back in the same coin:** rendre à quelqu'un la monnaie de sa pièce.
- **to pay somebody hush money:** acheter le silence quelqu'un.
- **to spend a penny** (littéralement, dépenser un penny, ici, dans les toilettes publiques): aller au petit coin.
- **to kill the golden goose:** tuer la poule aux œufs d'or.
- **The penny has dropped (coll.):** Ça a fait tilt, il a compris.
- **It's money down the drain:** C'est jeter l'argent par les fenêtres (*the drain:* la vidange, la bouche d'égout).
- **He's rolling in it:** Il est plein aux as (*it:* money).

Focus on Business

- **monkey business (coll.):** des affaires louches.
- **a bad business:** une sale affaire.
- **a sorry business:** une bien triste affaire.
- **to mean business (coll.):** être sérieux, parler sérieusement.
- **to mix business with pleasure:** joindre l'utile à l'agréable.
- **"Mind your own business!":** "Mêlez-vous de vos affaires !"
- **"It's none of your business":** "Ce ne sont pas vos affaires !"
- **"He had no business telling her":** "Cela n'était pas à lui de le lui dire".

Sayings and Proverbs

- **Business is business:** Les affaires sont les affaires.
- **Money begets money:** L'argent va à l'argent (*beget:* engendrer)
- **Time is money:** Le temps, c'est de l'argent.
- **A penny saved is a penny gained:** Un sou est un sou.
- **Money can't buy happiness:** L'argent ne fait pas le bonheur.

18 Agriculture
L'agriculture

1 The Countryside — La campagne

Note	English	Français
	• **the land**	• la terre, le terrain
	• **the ground** [graʊnd]	• le sol
a clod of earth: *une motte de terre*	• **the earth** [ɜːθ]	• la terre
	• **the soil**	• la terre (cultivable)
	the topsoil	la couche arable, cultivable
	• **farmland**	• la terre cultivée
a hedge: *une haie*	**hedged farmland**	le bocage
idle: *oisif*	**idle land** [aɪdl]	la terre non cultivée
lie fallow: *être en jachère*	**fallow land**	la jachère
	wasteland	la friche
	• **a field** [fiːld]	• un champ
(also) *une ride*	**a furrow** ['fʌrəʊ]	un sillon
(US) prairie	• **a meadow**	• un pré, une prairie
	• **an acre** ['eɪkə]	• un arpent (0,4 ha)
	acreage ['eɪkərɪdʒ]	la superficie

• **fertile, fruitful**	• fertile
• **infertile**	• infertile
• **barren**	• stérile, improductif
• **arid**	• aride

2 Farming — L'agriculture

The Farm — La ferme

Note	English	Français
	• **the farmhouse**	• le corps de ferme
	the farmstead ['fɑːmsted]	les bâtiments de ferme
	a medium-sized farm	une exploitation de taille moyenne
	a pilot farm ['paɪlət]	une ferme expérimentale
	• **an estate**	• un domaine
	• **the outbuildings**	• les dépendances
	• **a shed**	• un hangar, un abri
	a cowshed	une étable
	a barn	une grange
	a stable	une écurie
	a granary	un grenier à grains
	• **a mill**	• un moulin
several silos	• **a silo** ['saɪləʊ]	• un silo
	• **a dairy-house**	• une laiterie
	• **a greenhouse, a hothouse**	• une serre
	• **the yard**	• la cour
	a well	un puits
	a pond	une mare, un étang
(US) doghouse	**the kennel**	la niche

(also) *un organisme de surveillance*

patchwork: *l'assemblage de pièces de tissu*

scare: *effrayer*

a watchdog	un chien de garde
• **a garden**	• un jardin
a vegetable garden ['vedʒtəbl]	un jardin potager
a patch	un carré
a plot of land	une parcelle, un lopin de terre
• **an orchard** ['ɔːtʃəd]	• un verger
a fruit-tree	un arbre fruitier
• **a scarecrow** ['skɛəkrəʊ]	• un épouvantail

Agricultural Workers and Producers / Les travailleurs et producteurs agricoles

(US) plowman

a landscape gardener: *un jardinier paysagiste*

a nursery: *une crèche/ une pépinière*

(US) a lumberjack, a lumberman

• **a countryman/countrywoman**	• un paysan, une paysanne
• **country people, countryfolk** ['kʌntrɪfəʊk]	• les campagnards, les gens de la campagne
• **a farmer**	• un fermier, un agriculteur
a farm manager	un régisseur
a tenant farmer	un métayer
a farm hand, a farm worker	un ouvrier agricole
• **a ploughman** ['plaʊmən]	• un laboureur
• **a landowner**	• un propriétaire terrien
• **a planter**	• un planteur
• **a market gardener**	• un maraîcher
• **a wine-grower**	• un vigneron, un viticulteur
• **a nurseryman**	• un pépiniériste
• **a woodcutter**	• un bûcheron

• **own**	• posséder
• **run a farm**	• diriger une exploitation agricole
• **work on a farm**	• travailler dans une ferme
• **manage**	• gérer
• **farm**	• exploiter (la terre)
• **cultivate, till**	• cultiver
• **live off the land**	• vivre de la terre

Farm-work / Les travaux agricoles

implement: *appliquer, exécuter (une décision)*

a lawnmower: *une tondeuse à gazon*

sowing: *les semailles*

(US) a plow

• **farm equipment**	• le matériel agricole
• **a tool, an implement**	• un outil, un instrument
• **a roller**	• un rouleau
• **a sprinkler**	• une arroseuse
• **a mower**	• une faucheuse
• **a thresher**	• une batteuse
• **a harrow**	• une herse
• **a sowing-machine, a sower**	• un semoir
• **a plough** [plaʊ]	• une charrue
• **a trailer**	• une remorque
• **a binder** ['baɪndə]	• une lieuse
• **a wine-press**	• un pressoir
• **a vat** [væt]	• une cuve
• **a cask, a barrel**	• un tonneau, un fût

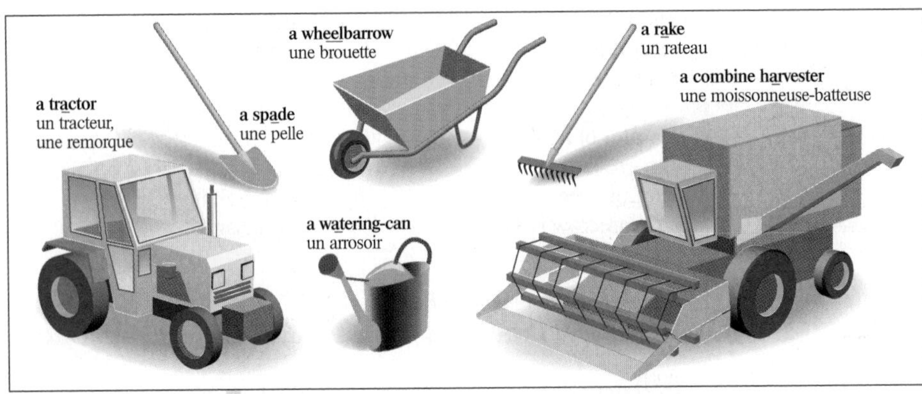

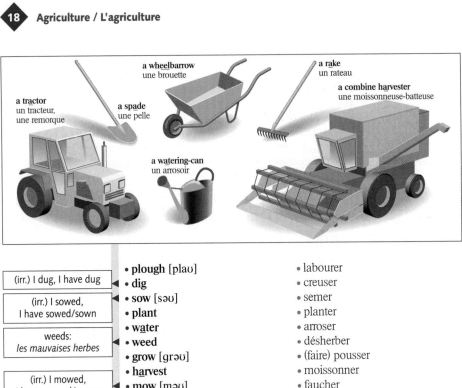

	• plough [plaʊ]	• labourer
(irr.) I dug, I have dug	• dig	• creuser
(irr.) I sowed, I have sowed/sown	• sow [səʊ]	• semer
	• plant	• planter
	• water	• arroser
weeds: *les mauvaises herbes*	• weed	• désherber
	• grow [grəʊ]	• (faire) pousser
	• harvest	• moissonner
(irr.) I mowed, I have mowed/mown	• mow [məʊ]	• faucher
	• thresh [θreʃ]	• battre
(irr.) I bound, I have bound	• bind [baɪnd]	• lier
	• graft	• greffer
	• prune	• tailler, élaguer
	• get the crop in	• rentrer la récolte
	• rotate a crop	• alterner les cultures
grapes: *le raisin*	• gather the grapes	• faire les vendanges
	• press	• presser
	• bottle	• mettre en bouteille

Agricultural Production — La production agricole

Production — La production

	• subsistence farming	• l'agriculture de subsistance
	• extensive/intensive farming	• l'agriculture extensive/intensive
	• agribusiness ['ægrɪbɪznɪs]	• l'agro-alimentaire
food: *la nourriture, les aliments*	the food (processing) industry	l'industrie alimentaire
(US) a can: *une boîte de conserve*	a cannery	une conserverie
	• an agricultural cooperative	• une coopérative agricole
a product: *un produit manufacturé*	• (farm) produce	• les produits fermiers/agricoles
	• the yield [ji:ld]	• le rendement
tropical crops: *les cultures tropicales*	• a crop	• une récolte
	a bumper crop	une récolte exceptionnelle
	a staple crop	une culture de base/principale

• germinate	• germer, faire germer
• yield [ji:ld]	• donner, produire

• natural	• naturel
• industrial	• industriel
• organic	• biologique

organic food: *les produits "bio"*

Cereal Growing / La culture céréalière

• cereal, grain	• les céréales
a seed	une graine
a bean	un grain, une fève
• corn	• les céréales
• wheat	• le blé, le froment
• sweet corn	• le maïs
a corn cob	un épi de maïs
• barley	• l'orge
• rye [raɪ]	• le seigle
• oats	• l'avoine
• rice	• le riz

cereal: *les céréales du petit déjeuner*

corn *désigne la culture céréalière dominante :* (US) *le maïs*, (Brit.) *le blé*

wheat bread: *pain complet*

(Brit.) maize (US) corn on the cob: *un épi de maïs grillé*

rye bread: *du pain de seigle*

a paddy field: *une rizière*

Market Gardening / La culture maraîchère

(US) truck farming

• food crops	• les cultures vivrières
• a greenhouse	• une serre
• fruit	• des fruits
• a berry	• une baie
• vegetables ['vedʒtəblz]	• des légumes

Wine-growing / La viticulture

• vine	• la vigne
a vine leaf	une feuille de vigne
a vine stock	un cep
a vineyard ['vɪnjəd]	un vignoble
• grapes	• le raisin
a bunch of grapes	une grappe de raisin
• the (grape) harvest	• les vendanges
• wine	• du vin
vintage (wine)	un millésime
a wine district	une région vinicole

a grape: *un grain de raisin ;* raisins: *des raisins secs*

a vintage car: *une voiture ancienne*

The Ills of Agriculture / Les plaies de l'agriculture

• weeds	• les mauvaises herbes
• a blight [blaɪt]	• une maladie végétale
• a parasite ['pærəsaɪt]	• un parasite
• a pest	• un animal nuisible, un parasite
a rodent	un rongeur
a grasshopper	une sauterelle
a caterpillar ['kætəpɪlə]	une chenille
• drought [draʊt]	• la sécheresse
• flood [flʌd]	• l'inondation
• frost	• le gel, la gelée
• hail	• la grêle
a hailstone	un grêlon

hop: *sauter, sautiller*

an act of God: *une catastrophe naturelle*

a stone: *une pierre/un noyau*

	• **blight (a crop)** [blaɪt]	• ruiner, détruire (une récolte)
	• **eat up**	• dévorer
	• **gnaw** [nɔː]	• ronger
	• **rot**	• pourrir
	• **infect**	• infecter
	• **wither** [wɪðə]	• (se) flétrir
	• **parched**	• desséché
	• **rotten**	• pourri
bite: *mordre*	• **frostbitten**	• gelé

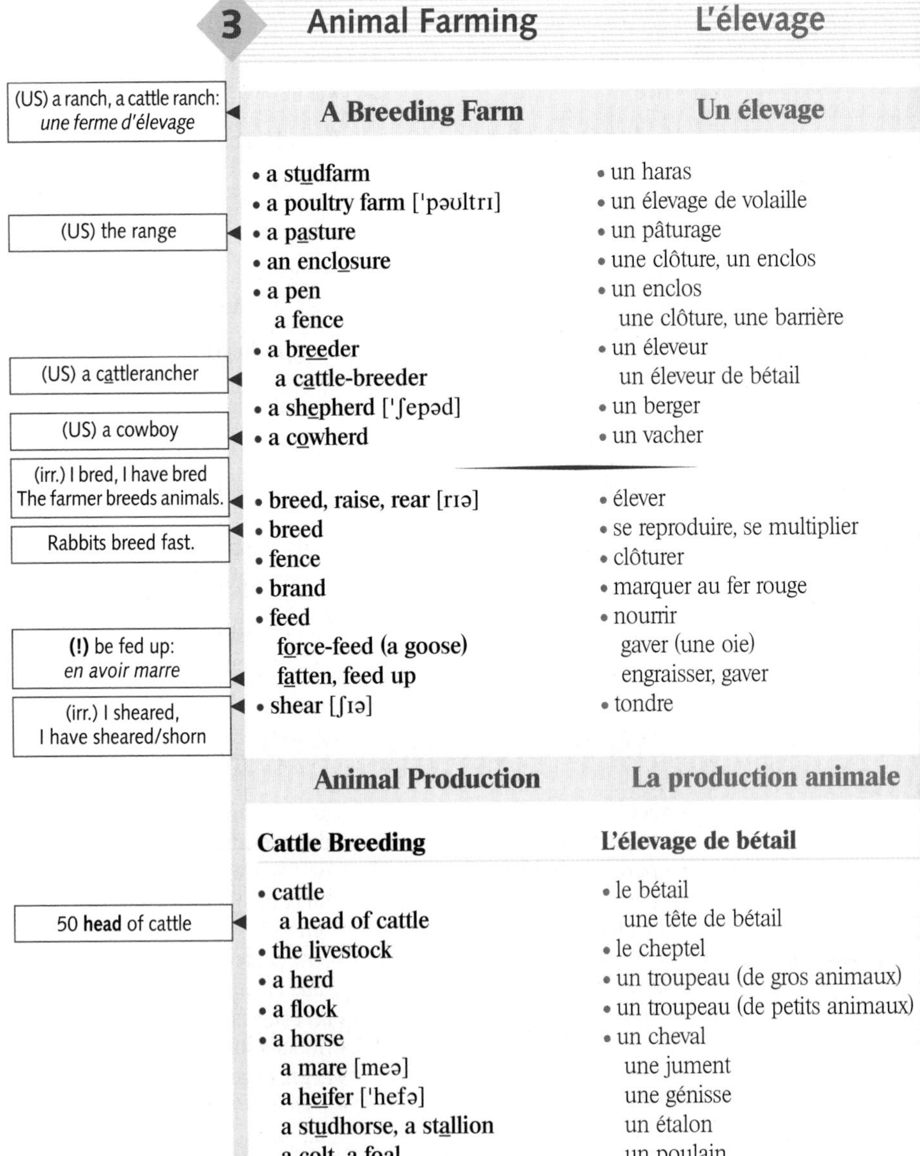

3 Animal Farming — L'élevage

A Breeding Farm — Un élevage

(US) a ranch, a cattle ranch: *une ferme d'élevage*

	• **a studfarm**	• un haras
	• **a poultry farm** ['pəʊltrɪ]	• un élevage de volaille
(US) the range	• **a pasture**	• un pâturage
	• **an enclosure**	• une clôture, un enclos
	• **a pen**	• un enclos
	a fence	une clôture, une barrière
	• **a breeder**	• un éleveur
(US) a cattlerancher	**a cattle-breeder**	un éleveur de bétail
	• **a shepherd** ['ʃepəd]	• un berger
(US) a cowboy	• **a cowherd**	• un vacher
(irr.) I bred, I have bred The farmer breeds animals.	• **breed, raise, rear** [rɪə]	• élever
Rabbits breed fast.	• **breed**	• se reproduire, se multiplier
	• **fence**	• clôturer
	• **brand**	• marquer au fer rouge
	• **feed**	• nourrir
	force-feed (a goose)	gaver (une oie)
(!) be fed up: *en avoir marre*	**fatten, feed up**	engraisser, gaver
(irr.) I sheared, I have sheared/shorn	• **shear** [ʃɪə]	• tondre

Animal Production — La production animale

Cattle Breeding — L'élevage de bétail

	• **cattle**	• le bétail
50 **head** of cattle	**a head of cattle**	une tête de bétail
	• **the livestock**	• le cheptel
	• **a herd**	• un troupeau (de gros animaux)
	• **a flock**	• un troupeau (de petits animaux)
	• **a horse**	• un cheval
	a mare [meə]	une jument
	a heifer ['hefə]	une génisse
	a studhorse, a stallion	un étalon
	a colt, a foal	un poulain

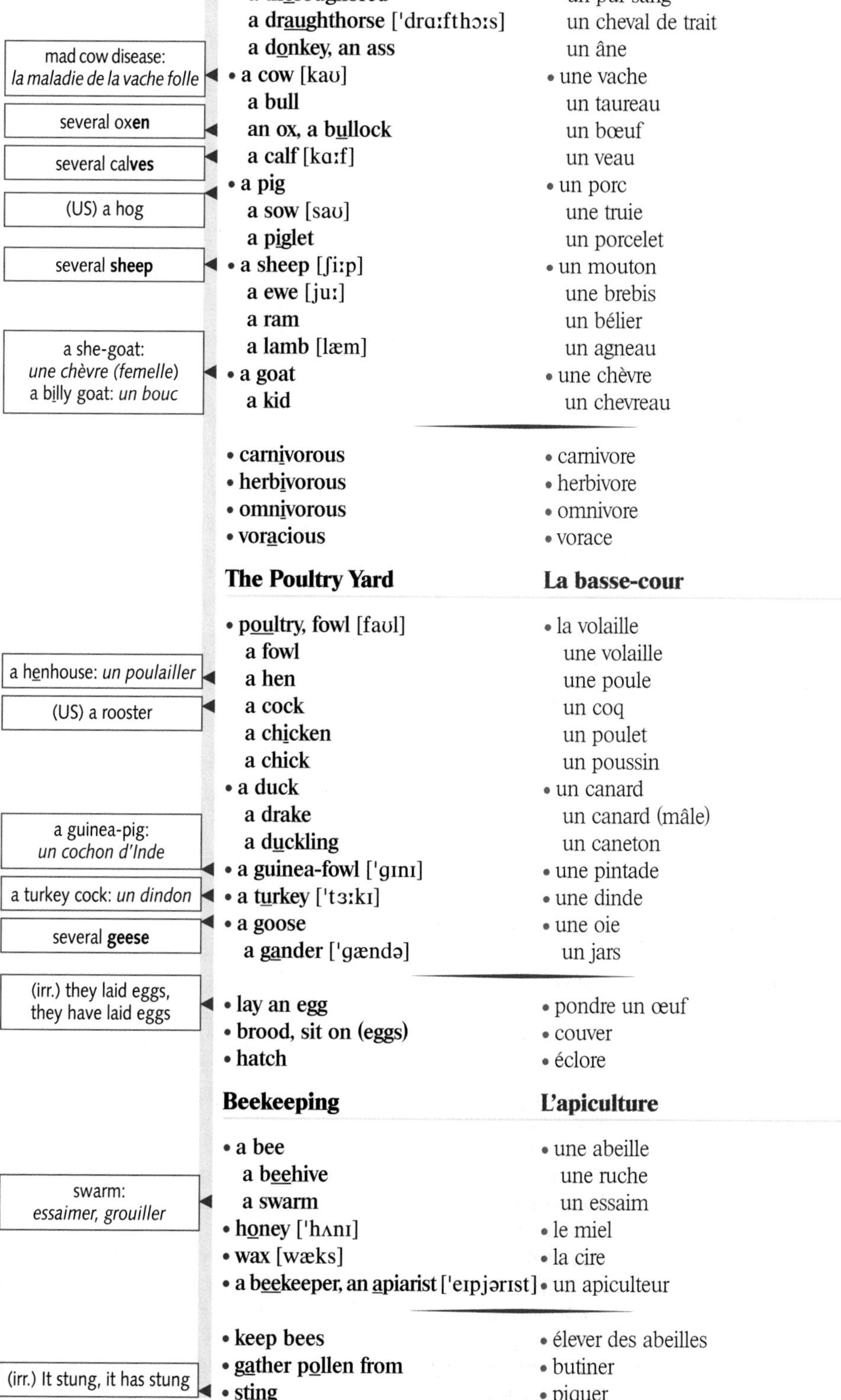

	a thoroughbred	un pur-sang
	a draughthorse ['drɑːfthɔːs]	un cheval de trait
	a donkey, an ass	un âne
mad cow disease: *la maladie de la vache folle*	• a cow [kaʊ]	• une vache
	a bull	un taureau
several ox**en**	an ox, a bullock	un bœuf
several cal**ves**	a calf [kɑːf]	un veau
(US) a hog	• a pig	• un porc
	a sow [saʊ]	une truie
	a piglet	un porcelet
several **sheep**	• a sheep [ʃiːp]	• un mouton
	a ewe [juː]	une brebis
	a ram	un bélier
	a lamb [læm]	un agneau
a she-goat: *une chèvre (femelle)* a billy goat: *un bouc*	• a goat	• une chèvre
	a kid	un chevreau

• carnivorous	• carnivore
• herbivorous	• herbivore
• omnivorous	• omnivore
• voracious	• vorace

The Poultry Yard / La basse-cour

	• poultry, fowl [faʊl]	• la volaille
	a fowl	une volaille
a henhouse: *un poulailler*	a hen	une poule
(US) a rooster	a cock	un coq
	a chicken	un poulet
	a chick	un poussin
	• a duck	• un canard
	a drake	un canard (mâle)
	a duckling	un caneton
a guinea-pig: *un cochon d'Inde*	• a guinea-fowl ['gɪnɪ]	• une pintade
a turkey cock: *un dindon*	• a turkey ['tɜːkɪ]	• une dinde
several **geese**	• a goose	• une oie
	a gander ['gændə]	un jars

(irr.) they laid eggs, they have laid eggs	• lay an egg	• pondre un œuf
	• brood, sit on (eggs)	• couver
	• hatch	• éclore

Beekeeping / L'apiculture

	• a bee	• une abeille
	a beehive	une ruche
swarm: *essaimer, grouiller*	a swarm	un essaim
	• honey ['hʌnɪ]	• le miel
	• wax [wæks]	• la cire
	• a beekeeper, an apiarist ['eɪpjərɪst]	• un apiculteur

	• keep bees	• élever des abeilles
	• gather pollen from	• butiner
(irr.) It stung, it has stung	• sting	• piquer

Fish Farming — La pisciculture

- **fish** — les poissons
- **fishing** — la pêche
  - **salmon** ['sæmən] — le saumon *(several salmon)*
  - **trout** [traʊt] — la truite *(several trout)*
- **a fishpond** — un vivier
- **a fish-farm** — un centre de pisciculture
- **the roe** — les oeufs (de poisson)

Dairy — La laiterie

- **dairy farming** — l'industrie laitière
- **a dairyman** — un ouvrier de laiterie
- **dairy produce** — les produits laitiers
- **milk** — le lait *(skimmed milk: du lait écrémé; curdled milk, curds: du lait caillé)*
  - **a milkmaid** — une laitière *(a maid: une jeune fille)*
  - **a milkman** — un laitier (qui livre le lait)
  - **milk delivery** — la livraison du lait
- **cream** — la crème
- **butter** — le beurre
- **cheese** — le fromage

- **milk** — traire
- **skim** — écrémer *((also) parcourir (un journal...))*
- **curdle** — faire cailler/cailler *(bloodcurdling: à vous figer le sang)*
- **churn** [tʃɜːn] — baratter
- **deliver** — livrer

4 New Trends — Les nouvelles orientations

Improving Production — L'amélioration de la production

- **agronomy** — l'agronomie
  - **an agronomist** — un agronome
  - **an agricultural engineer** — un ingénieur agronome
- **agribusiness** ['ægrɪbɪznɪs] — les agro-industries
- **the farm-produce industry** — l'industrie agro-alimentaire
- **water supply** [sə'plaɪ] — l'approvisionnement en eau
  - **water distribution** — la distribution de l'eau
  - **irrigation** — l'irrigation
  - **drainage** ['dreɪnɪdʒ] — le drainage, l'assainissement
- **fertilisation** — la fertilisation
  - **manure** [mə'njʊə] — le fumier, l'engrais naturel
  - **compost** — le compost, l'humus
  - **an organic fertiliser** — un engrais organique
  - **a chemical fertiliser** — un engrais chimique
- **chemicals** ['kemɪkəls] — les produits chimiques
  - **agrochemicals** — l'agrochimie *(Agrochemicals **is** a booming industry.)*
  - **a herbicide, a weed-killer** — un herbicide

a pest: *un parasite*

"GM": genetically modified "GM crops": *cultures génétiquement modifiées*

a pesticide	un pesticide
pest-control	la lutte antiparasitaire
• **biotechnology**	• la biotechnologie
biological engineering	les manipulations biologiques
genetic engineering	les manipulations génétiques
genetically engineered food	les aliments transformés génétiquement
• **bioresearch, bioengineering**	• la recherche biologique
a breed	une race, une espèce
a strain	une race, une souche
a hormone	une hormone
a gene [dʒiːn]	un gène
a mutation	une mutation
a transformation	une transformation
crossbreeding	le croisement (races, espèces)
a crossbreed	un hybride
• **a transgenic plant**	• une plante transgénique
• **bioethics** [baɪəʊ'eθɪks]	• la bio-éthique
• **factory farming**	• l'élevage industriel
• **battery farming**	• l'élevage en batterie
a feedlot	un centre d'élevage industriel
a battery	une batterie
• **veterinary control** ['vetrɪnrɪ]	• le contrôle vétérinaire
a veterinary surgeon ['sɜːdʒən]	un vétérinaire

genetics: *la génétique*

a battery-reared chicken: *un poulet d'élevage industriel*

(abbr. a vet) (US) a veterinarian

• **enhance** [ɪn'hɑːns]	• améliorer, accroître
• **yield** [jiːld]	• rapporter, produire
• **irrigate**	• irriguer
• **drain** [dreɪn]	• drainer
• **treat**	• traiter
• **spray**	• pulvériser
• **transform**	• transformer
• **tamper with**	• altérer, trafiquer
• **crossbreed**	• croiser (des animaux), hybrider (des plantes)
• **fertilise** ['fɜːtɪlaɪz]	• fertiliser
• **build up resistance (to)**	• devenir résistant (à)

(irr.) they crossbred, they have crossbred

• **organic**	• biologique (culture)
• **pest-resistant**	• qui résiste aux parasites
• **herbicide-resistant**	• qui résiste aux herbicides

Agricultural Policy — La politique agricole

CAP (Common Agricultural Policy): *PAC (politique agricole commune)*

• **the department of Agriculture**	• le ministère de l'Agriculture
• **glut**	• la surabondance
• **a surplus** ['sɜːpləs]	• un surplus
• **overproduction**	• la surproduction
• **crop yield** [jiːld]	• le rendement des cultures
• **a quota** ['kwəʊtə]	• un quota
• **a shortage**	• un manque, une pénurie
• **farming subsidies** ['sʌbsɪdɪz]	• les subventions agricoles

• the farm gate price	• le prix à la production
• the farm income	• le revenu agricole
• a farm slump	• une crise agricole

PRACTICE

52 The Right Sound: Le son qui convient

Classify the following words according to the way the underlined letters sound.

goose - duck - glut - ewe - butter - flood - fruit - tool - put - cultivate - prune - studfarm - manure - mower - slump - furrow - mutation - produce.

[u:]	[ʌ]	[ʊ]	[ju:]
...	duck	...	...
...	...	...	...
...	...	...	...

53 Agriculture and Genetics: L'agriculture et la génétique

Put the following sentences in the right order so as to obtain two short texts on genetic progress.

Text 1: **Banana Vaccines**

a. The bananas are expected to be made into purees similar to baby food
b. and hope to extend their work to a whole range of diseases.
c. Scientists at the Boyce Thompson Institute for Plant Research, New York, have succeeded in genetically modifying potatoes to carry a vaccine for hepatitis B.
d. They will use this technique to create the same vaccines in bananas
e. and will cost a fraction of the price of traditional vaccines.

Text 2: **Designer Jeans**

a. The idea is to use the cotton to make denim jeans without needing dye[1],
b. to produce plants with naturally blue lint[2].
c. In a few years' time you might not just be eating the latest in designer genes but wearing them as well!
d. Scientists at Monsanto, an American agrochemical company, have succeeded in inserting blue pigment genes into cotton
e. saving on all the environmental costs associated with the colouring process.

[1]dye: *la teinture* ; [2]lint: *les fibres*

Documents issued by the Science Museum, London.

54 Readers' Corner: Le coin lecture

(In this extract, John Steinbeck describes the work of the tractor which replaced men on the farms of Oklahoma in the 1930s.)

(The driver) could not see the land as it was, he could not smell the land as it smelled; his feet did not stamp[1] the clods or feel the warmth and power of the earth. He sat in an iron seat and stepped on iron pedals. [...] If a seed dropped did not germinate, it was nothing. If the young thrusting plant withered in drought or drowned in a flood of rain, it was no more to the driver than to the tractor.[...]
The driver sat in his iron seat and he was proud of the straight lines he did not will, proud of the tractor he did not own or love, proud of the power he could not control. And when that crop grew, and was harvested, no man had crumbled a hot clod in his fingers and let the earth sift[2] past his fingertips. No man had touched the seed, or lusted[3] for the growth. Men ate what they had not raised, had no connection with the bread. The land bore under iron, and under iron gradually died; for it was not loved or hated, it had no prayers or curses[4].

John Steinbeck, *The Grapes of Wrath*, 1939

[1]to stamp/to step: *marcher*
[2]to sift: *tamiser*
[3]to lust for: *désirer*
[4]a curse: *une malédiction*; to curse: *maudire*

Among the words which are underlined in the text, pick out the ones which are needed to complete this description of traditional agriculture (the form of the words may have to be adapted).
Formerly, before ... were introduced into farming, men walked on the land and touched it. They would pick up some earth and study it. They would break up the ... with their tools. Sometimes, when the ... were lost because of ... or ... they cursed the earth. And before the ..., when the young plants had grown, they prayed for a good ....

▶ Corrigés page 413 ◀

More Words

The Contemporary Context

Linguistic Heritage

L'héritage linguistique

From fields to plates - Du pâturage à l'assiette :

- **pig/pork**
- **calf/veal**
- **ox/beef**
- **sheep/mutton**

La tradition veut que la première série de mots désigne les animaux élevés par les paysans anglo-saxons qui leur donnaient donc un nom anglo-saxon, alors que l'animal dans l'assiette était consommé et nommé par les seigneurs normands (qui s'étaient emparés d'une grande partie de l'Angleterre en 1066 sous la bannière de Guillaume de Normandie, dit le Conquérant), d'où un nom d'origine latine.

The Preservation of Animals

La protection des animaux

- **the RSPCA, the Royal Society for the Prevention of Cruelty to Animals,** équivalent anglais de la SPA, Société Protectrice des Animaux (in the United States = SPCA).
- **the RSPB, the Royal Society for the Protection of Birds,** organisation britannique de protection des oiseaux.
- **the League against Cruel Sports:** association pour l'abolition de toutes les activités sportives cruelles envers les animaux.

Idioms and Colourful Expressions

Animals in Idioms

- **a black sheep:** une brebis galeuse.
- **It's a chicken and egg situation:** c'est l'histoire de l'œuf et de la poule.
- **to lead a dog's life:** mener une vie de chien.
- **to be as mute as a fish:** être muet comme une carpe (*a fish:* un poisson).
- **to drink like a fish:** boire comme un trou ("comme un poisson").
- **to have other fish to fry:** avoir d'autres chats à fouetter (avoir d'autres poissons à faire frire).
- **to kill two birds with one stone:** faire d'une pierre deux coups.
- **to be as blind as a bat:** être myope comme une taupe (*blind:* aveugle ; *a bat:* une chauve-souris).
- **to be as busy as a bee:** être très actif (*a bee:* une abeille).
- **to be as cunning as a fox:** être rusé comme un renard (*cunning:* rusé).

- **Pigs might fly:** Quand les poules auront des dents.
- **to be as gay as a lark:** être gai comme un pinson (*a lark:* une alouette).
- **to be as gentle as a lamb:** être doux comme un agneau.

Focus on Grass

- **knee-high to a grasshopper:** haut comme trois pommes (= arriver aux genoux d'une sauterelle).
- **the grassroots:** le peuple (*grass:* l'herbe ; *roots:* les racines).
- **It was so quiet, you could hear the grass growing:** on aurait pu entendre une mouche voler (= l'herbe pousser).
- **to grass (on somebody):** moucharder, "donner" quelqu'un.

Agriculture in Idioms

- **to be as brown as a berry:** être tout bronzé (*a berry:* une baie).
- **to separate the wheat from the chaff:** séparer le bon grain de l'ivraie (*wheat:* le blé, *chaff:* la menue paille).
- **to look as if one has been dragged through a hedge backwards:** avoir l'air tout ébouriffé.
- **to call a spade a spade:** appeler un chat un chat (*a spade:* une pelle).
- **to have green fingers/thumbs (US):** avoir la main verte (*a finger:* un doigt ; *a thumb:* un pouce).
- **to lead somebody up the garden path:** faire marcher quelqu'un ("le promener dans l'allée du jardin").
- **to tremble like a leaf:** trembler comme une feuille.

- **to make a mountain out of a molehill:** dramatiser (faire une montagne d'une taupinière).

Sayings and Proverbs

- **When the cat is away, the mice will play:** Quand le chat n'est pas là, les souris dansent.
- **Birds of a feather flock together:** Qui se ressemble s'assemble.
- **The early bird catches the worm:** Le monde appartient à ceux qui se lèvent tôt.
- **Don't count your chickens before they are hatched:** Ne vendez pas la peau de l'ours avant de l'avoir tué.
- **Don't put the cart before the horse:** Il ne faut pas mettre la charrue devant les bœufs (*cart:* charrette).
- **His bark is worse than his bite:** Chien qui aboie ne mort pas/Il fait plus de bruit que de mal.

Industrial Activity and Production
Activité industrielle et production

1 Craft Industry — L'artisanat

Craft and Craftspeople — L'artisanat et les artisans

several craftsmen	• craftsmanship	• le savoir-faire artisanal
	a (self-employed) craftsman	un artisan (indépendant)
	an apprentice	un apprenti
	• a trade	• un métier
a knack (for): *un tour de main (pour)*	• know-how	• le savoir-faire
	• a tool	• un outil
	• craft (industries)	• les activités artisanales
	• hand-crafted	• fait artisanalement, à la main
	• hand-made	• fait main
	• traditional	• traditionnel, artisanal
	• original	• original
	• unique [juːˈniːk]	• unique, rare

Working with Wood — Le travail du bois

a log: *une bûche*	• logging [ˈlɒgɪŋ]	• l'exploitation forestière
	• a lumberjack	• un bûcheron
	a wedge	un coin
	• carpentry	• la charpenterie, la menuiserie
	• a carpenter	• un charpentier, un menuisier
	a set square,	une équerre

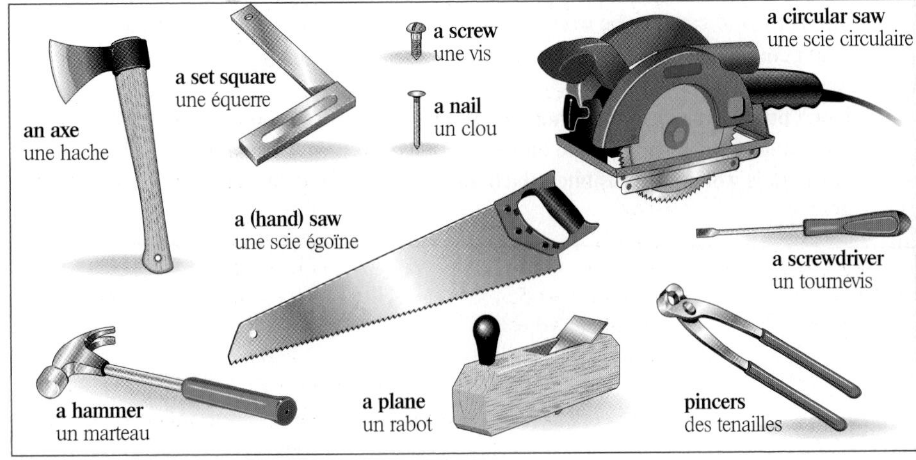

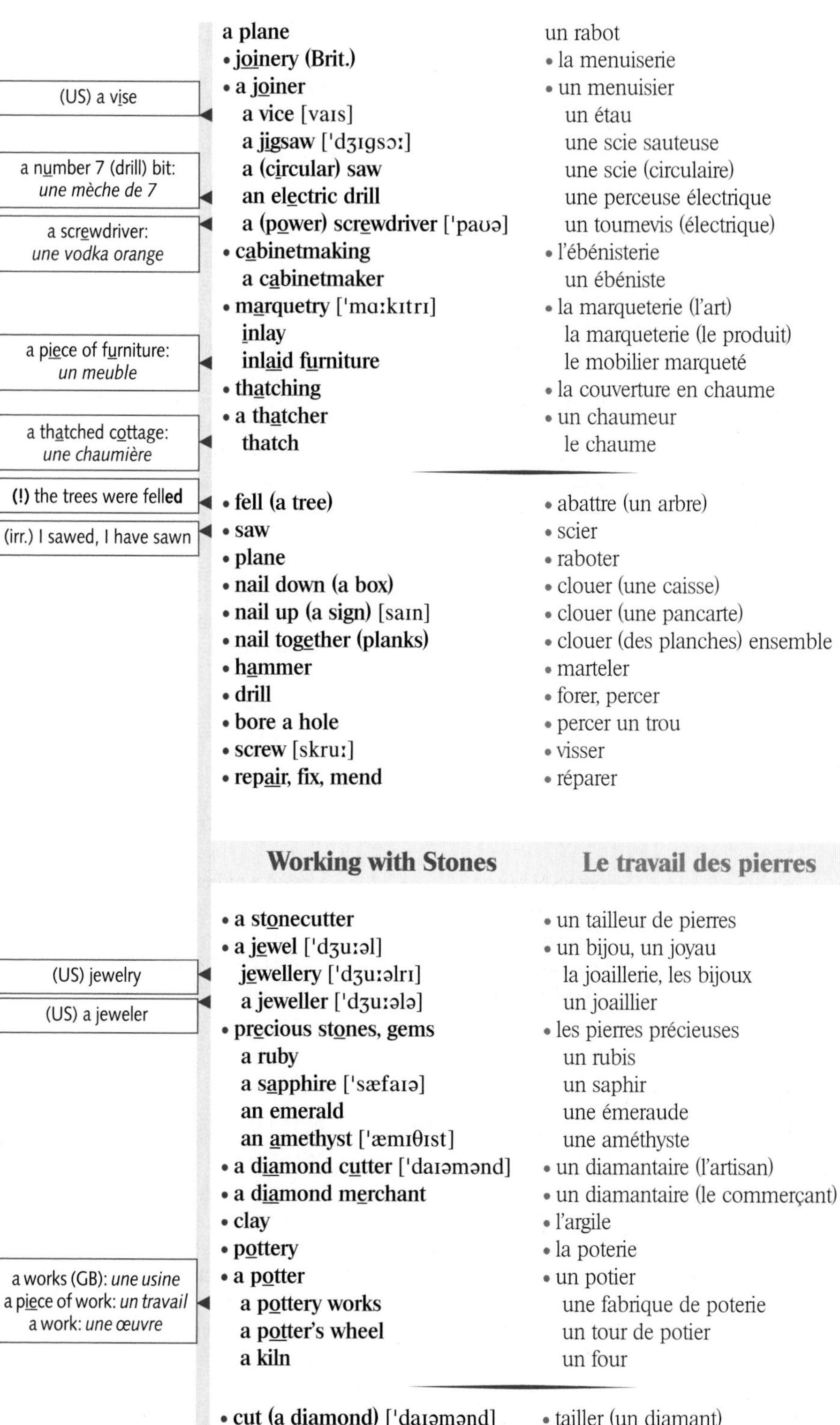

	a plane	un rabot
	• **joinery (Brit.)**	• la menuiserie
	• **a joiner**	• un menuisier
(US) a vise	**a vice** [vaɪs]	un étau
	a jigsaw ['dʒɪgsɔː]	une scie sauteuse
	a (circular) saw	une scie (circulaire)
a number 7 (drill) bit: *une mèche de 7*	**an electric drill**	une perceuse électrique
a screwdriver: *une vodka orange*	**a (power) screwdriver** ['paʊə]	un tournevis (électrique)
	• **cabinetmaking**	• l'ébénisterie
	a cabinetmaker	un ébéniste
	• **marquetry** ['mɑːkɪtrɪ]	• la marqueterie (l'art)
	inlay	la marqueterie (le produit)
a piece of furniture: *un meuble*	**inlaid furniture**	le mobilier marqueté
	• **thatching**	• la couverture en chaume
	• **a thatcher**	• un chaumeur
a thatched cottage: *une chaumière*	**thatch**	le chaume
(!) the trees were fel**led**	• **fell (a tree)**	• abattre (un arbre)
(irr.) I sawed, I have sawn	• **saw**	• scier
	• **plane**	• raboter
	• **nail down (a box)**	• clouer (une caisse)
	• **nail up (a sign)** [saɪn]	• clouer (une pancarte)
	• **nail together (planks)**	• clouer (des planches) ensemble
	• **hammer**	• marteler
	• **drill**	• forer, percer
	• **bore a hole**	• percer un trou
	• **screw** [skruː]	• visser
	• **repair, fix, mend**	• réparer

Working with Stones — Le travail des pierres

	• **a stonecutter**	• un tailleur de pierres
	• **a jewel** ['dʒuːəl]	• un bijou, un joyau
(US) jewelry	**jewellery** ['dʒuːəlrɪ]	la joaillerie, les bijoux
(US) a jeweler	**a jeweller** ['dʒuːələ]	un joaillier
	• **precious stones, gems**	• les pierres précieuses
	a ruby	un rubis
	a sapphire ['sæfaɪə]	un saphir
	an emerald	une émeraude
	an amethyst ['æmɪθɪst]	une améthyste
	• **a diamond cutter** ['daɪəmənd]	• un diamantaire (l'artisan)
	• **a diamond merchant**	• un diamantaire (le commerçant)
	• **clay**	• l'argile
	• **pottery**	• la poterie
	• **a potter**	• un potier
a works (GB): *une usine* a piece of work: *un travail* a work: *une œuvre*	**a pottery works**	une fabrique de poterie
	a potter's wheel	un tour de potier
	a kiln	un four
	• **cut (a diamond)** ['daɪəmənd]	• tailler (un diamant)
	• **set**	• sertir

Working with Metal — Le travail du métal

	• a blacksmith	• un forgeron
	• a forge, a smithy ['smɪðɪ]	• une forge (lieu)
	a bellows ['beləʊz]	un soufflet
	an anvil	une enclume
	• a boilermaker	• un chaudronnier
	a hacksaw	une scie à métaux
	• a goldsmith	• un orfèvre (travaillant l'or)
	solid gold	de l'or massif
an 18-carat gold chain: *une chaîne en or de 18 carats*	a gold plated item ['pleɪtɪd]	un article plaqué or
	• a silversmith	• un orfèvre (travaillant l'argent)
	cutlery ['kʌtlərɪ]	les couverts
	silverware	l'argenterie
	silver plate	la vaisselle en argent
	grinding ['graɪndɪŋ], sharpening	l'affûtage
	a grinder, a sharpener	un affûteur (outil)
	a whetstone	une pierre à aiguiser
	• a cutler	• un coutelier
	a cutlery works	une fabrique de coutellerie
	• a gunsmith	• un armurier
a lock: *une serrure*	• a locksmith	• un serrurier

	• forge	• forger
(irr.) I ground, I have ground	• grind [graɪnd]	• concasser, écraser, broyer
	• sharpen, whet	• aiguiser

Working with Glass — Le travail du verre

glass: *du verre* a glass: *un verre (pour boire)*	• a glassblower	• un souffleur de verre
	blown glass	du verre soufflé
	• glassware	• la verrerie, les cristaux
	• the glass industry	• la vitrerie (industrie)
	• glasswork	• la vitrerie (fabrication)
	• a glazier ['gleɪzjə]	• un vitrier
	a window pane	une vitre

Working with Fabric — Le travail du tissu

	• the clothing industry	• la confection
	• weaving	• le tissage
	• a weaver	• un tisserand
	a loom	un métier à tisser
	a fabric, a material	un tissu
	• upholstery [ʌp'həʊlstərɪ]	• la tapisserie
	• an upholsterer [ʌp'həʊlstərə]	• un tapissier

(irr.) I wove, I have woven	• weave	• tisser
	• upholster a chair (with)	• tapisser une chaise (de)

2 Industry — L'industrie

The Building Industry — Le bâtiment et les travaux publics

	• building ['bɪldɪŋ]	• la construction (activité)
	• the building trade	• le bâtiment (métier)
	• civil engineering	• les travaux publics
	• construction work	• les travaux de construction
	• a building site/yard	• un chantier de construction
	• a survey ['sɜːveɪ]	• un levé de terrain
	a land surveyor	un géomètre
	a quantity surveyor	un métreur
	• demolition	• la démolition
	• excavation	• le terrassement
	• the foundations	• les fondations
	• the shell	• le gros oeuvre
	• the heavy work	• les gros travaux
	• the finishing touches ['tʌtʃɪz]	• les finitions
	• renovation work, refurbishing	• les travaux de réfection
the scaffold: *l'échafaud*	• scaffolding	• l'échafaudage
	• the framework	• la charpente
(US) lumber	wood, timber	le bois de construction
	• the piping system, the mains	• les canalisations
sewerage ['sjʊərɪdʒ], sewage ['sjuːɪdʒ]: *les eaux usées*	• the sewerage/sewage system	• le réseau d'égouts
	• masonry ['meɪsnrɪ]	• la maçonnerie
	• roofing	• la couverture, la toiture
	• an architect ['ɑːkɪtekt]	• un architecte
	• an engineer	• un ingénieur
	• a building contractor ['bɪldɪŋ]	• un entrepreneur en bâtiment
"men at work": "attention chantier"	• building workers ['wɜːkəz]	• les ouvriers du bâtiment
several fore**men**	• a site foreman	• un chef de chantier
	• a builder ['bɪldə]	• un maçon (en général)
	(reinforced) concrete	le béton (armé)
	cement [sə'ment]	le ciment
	a cement mixer	une bétonneuse
	a spade, a shovel ['ʃʌvl]	une pelle
	a crane	une grue
	a pneumatic drill [njuː'mætɪk]	un marteau piqueur
	an excavator	un excavateur
	a bulldozer	un bulldozer
	• a mason ['meɪsn]	• un maçon
	• a bricklayer	• un maçon (qui pose les briques)
	a brick	une brique
	• a tiler ['taɪlə]/a slater ['sleɪtə]	• un couvreur de tuiles/d'ardoises
	• a plasterer	• un plâtrier
	• a plumber ['plʌmə]	• un plombier
	a pipe	un tuyau
	a drain	un tout-à-l'égout
	• an electrician	• un électricien

the social ladder: *l'échelle sociale*	• a painter	• un peintre en bâtiment
	a ladder	une échelle
a roll of wallpaper: *un rouleau de papier peint*	• a paperhanger	• un tapissier-décorateur
	wallpaper	du papier peint

	• build, construct, erect	• bâtir, construire, ériger
	• survey a site	• faire un levé de terrain
	• pull down/demolish a building	• démolir un bâtiment
	• knock down	• abattre
	• excavate	• excaver, creuser
(irr.) I laid, I have laid	• lay the foundations	• poser les fondations
(irr.) I dug, I have dug	• dig (a trench)	• creuser (une tranchée)
	• renovate, refurbish	• rénover
	• restore, rehabilitate	• réhabiliter
	• lay (down) a pipe	• poser un tuyau

The Manufacturing Industry — L'industrie manufacturière

	• manufacture	• la fabrication
	a manufacturer	un fabricant
	an industrialist	un industriel
goods: *les marchandises* a commodity: *une marchandise*	manufactured goods	les produits manufacturés
	• a plant, a factory	• une usine
	• a workshop	• un atelier
	• a warehouse	• un entrepôt
	• (factory) equipment [ɪˈkwɪpmənt]	• l'équipement, l'outillage
	a machine [məˈʃiːn]	une machine
	a machine-tool	une machine-outil
(US) a mold	a mould [məʊld]	un moule

Heavy Industry — L'industrie lourde
The Iron and Steel Industry — La sidérurgie

	• ore	• le minerai
	• iron [ˈaɪən]	• le fer
wrought: *travaillé* (archaïque)	wrought iron [rɔːt]	le fer forgé
	wrought iron work	la ferronnerie
	• an alloy	• un alliage
cast: *jeté/moulé* a cast: *un moule*	cast iron	la fonte
	corrugated iron	la tôle ondulée
	• steel	• l'acier
	stainless steel	l'acier inoxydable
(US) an iron plant	• an ironworks	• une sidérurgie
(US) a steel plant	• a steelworks	• une aciérie
	a steelworker	un sidérurgiste
	• a foundry	• une fonderie
	• a blast furnace [ˈfɜːnɪs]	• un haut-fourneau
(US) "the melting pot": *le "creuset" des ethnies, symbole de l'intégration*	• a melting pot, a crucible	• un creuset

Metallurgy — La métallurgie

	• **a metalworker**	• un métallurgiste
	• **brass**	• le laiton
	• **bronze**	• le bronze
coppers (Brit.): *de la petite monnaie*	• **copper**	• le cuivre
	• **lead** [led]	• le plomb
(US) a nickel: *une pièce de cinq cents*	• **nickel**	• le nickel
a tin: *une boîte de conserve* (US) a can	• **tin**	• l'étain
	• **zinc**	• le zinc
	• **a plate**	• une feuille, une plaque
	• **a sheet**	• une lame, une tôle
	• **a bar (of iron)** ['aɪən]	• une barre (de fer)
barbed wire: *du fil de fer barbelé*	• **wire**	• du fil de fer

---

(irr.) I ground, I have ground	• **grind** [graɪnd]	• broyer
	• **crush**	• écraser
	• **mix**	• mélanger
	• **alloy**	• faire un alliage
	• **melt**	• fondre
(irr.) I cast, I have cast	• **cast**	• fondre, couler
	• **weld**	• souder

	• **molten**	• en fusion
rust: *la rouille*	• **rusty**	• rouillé

Producing Energy — La production d'énergie

Energy — L'énergie

	• **power** ['paʊə]	• l'énergie
	• **energy resources**	• les ressources énergétiques
	• **a source of energy/of power**	• une source d'énergie
	renewable energy sources	les énergies renouvelables
	• **fuel** [fjʊəl]	• le combustible, le carburant
	fossil fuel	le combustible fossile
	energy-saving fuel	le combustible à fort rendement

---

the yield: *le rendement*	• **yield** [jiːld] **power** ['paʊə]	• produire de l'énergie
	• **power**	• fournir de l'énergie
(!) fuelling, fuelled	• **fuel** [fjʊəl]	• alimenter en combustible
	• **supply** [sə'plaɪ]	• approvisionner

The Mining Industry — L'industrie minière

	• **coke**	• le coke
charcoal: *le charbon (de bois)*	• **coal**	• le charbon
	• **peat**	• la tourbe
	• **mining**	• l'exploitation minière
	• **coalmining**	• l'exploitation de la houille
	• **a coalfield**	• un bassin houiller
	• **a coalseam**	• un gisement de charbon

	• a colliery ['kɒljərɪ]	• une houillère, un charbonnage
	the output	la production, le rendement
	• a coalmine	• le site d'une mine de charbon
	an open-cast/surface mine	une mine à ciel ouvert
(US) strip mining	open-cast/surface mining	l'exploitation à ciel ouvert
	• a pit, a shaft	• un puits
	a pit closure	la fermeture d'une mine
	• a gallery	• une galerie
	• a tunnel	• un tunnel
	• a (coal) miner, a collier	• un mineur
	• a cave-in, a rock fall	• un éboulement
firedamp: *le grisou*	• a firedamp explosion	• un coup de grisou

	• work a mine	• exploiter une mine
(irr.) I dug, I have dug	• dig something out from	• extraire quelque chose de
	• extract something from	• extraire quelque chose de
	• bore, drill	• forer (une roche)
	• go down the pit	• travailler à la mine
	• cave in	• s'effondrer

	Oil and Gas	**Le pétrole et le gaz**
(Brit.) petrol: *de l'essence* (US) gas	• oil, petroleum [pɪ'trəʊljəm]	• le pétrole
	crude oil	le pétrole brut
	• oil reserves	• les réserves de pétrole
	• an oilfield ['ɔɪlfiːld]	• un gisement de pétrole
a layer: *une couche*	• a layer of oil	• une nappe de pétrole
	• an oil company	• une compagnie pétrolière
	• an oil-producing country ['kʌntrɪ]	• un pays producteur de pétrole
	• an oil well	• un puits de pétrole
	• a derrick	• un derrick
	• a pipeline	• un oléoduc
	• an oil terminal	• un terminal pétrolier
	• an oil-rig	• une plateforme pétrolière
offshore ("off the shore"): *loin du rivage, en pleine mer*	offshore drilling	le forage en mer
an oil slick: *une marée noire*	• an oil tanker, a tanker	• un pétrolier
	a supertanker	un pétrolier géant
	a tank	une citerne
(US) a tank truck	a tanker (lorry)	un camion-citerne
	• a refinery	• une raffinerie
several gas(s)es	• gas [gæs]	• le gaz
	a gasworks	une usine à gaz
	a gas pipeline	un gazoduc
	• propane	• le propane
	• butane ['bjuːteɪn]	• le butane
	• natural gas	• le gaz naturel
	• town gas	• le gaz de ville
	• a cylinder of gas ['sɪlɪndə]	• une bouteille de gaz

	• drill for oil	• forer à la recherche de pétrole
	• strike oil	• trouver du pétrole
	• refine oil	• raffiner du pétrole

Electricity and Nuclear Energy | L'électricité et l'énergie nucléaire

• a power station/plant ['paʊə]	• une centrale électrique
a thermal power station	une centrale thermique
a hydroelectric power station	une centrale hydraulique
a generator	un générateur
a(n electricity) generator	un groupe électrogène
• a tidal power station	• une usine marémotrice
tidal/wave power	l'énergie marémotrice
a hydraulic turbine [haɪ'drəlik]	une turbine hydraulique
a dynamo ['daɪnəməʊ]	une dynamo
a dam, a reservoir	un barrage, un réservoir
• solar energy	• l'énergie solaire
a solar panel	un panneau solaire
a solar captor	un capteur solaire
• wind power ['paʊə]	• l'énergie éolienne
a windmill	une éolienne, un moulin à vent
• nuclear energy/power	• l'énergie nucléaire
nuclear fission ['njuːklɪə]	la fission nucléaire
nuclear fusion	la fusion nucléaire
a chain reaction	une réaction en chaîne
• a nuclear plant	• une centrale nucléaire
• a reactor	• un réacteur
the core	le cœur
a fast breeder reactor	un surgénérateur
the fuel rods [fjʊəl]	les crayons combustibles
• the cooling system	• le système de refroidissement
• radioactivity	• la radioactivité
• nuclear waste	• les déchets radioactifs
storage	le stockage
disposal	le traitement
dumping	le déversement illégal
• radiation [reɪdɪ'eɪʃn]	• la radiation
• a leak(age)	• une fuite
• (de)contamination	• la (dé)contamination

the tide: *la marée*

a rod: *une baguette, une tige*

"No dumping": *"Décharge interdite"*

• store	• stocker
• dispose of something	• se débarrasser de qqch
• dump	• déverser (illégalement)
• radiate ['reɪdɪeɪt]	• émettre (des rayons)
• leak	• fuire
• (de)contaminate	• (dé)contaminer

3 Production and Productivity | La production et la productivité

Production | La production

• (mass) production	• la production (en série)
• the production/assembly line	• la chaîne de fabrication/de montage
production-line work	le travail à la chaîne

assembly: *le montage*

• standardization	• la standardisation
• automation	• l'automatisation, la robotisation
industrial automation	la productique
a robot ['rəʊbɒt], an automaton	un robot, un automate
• a production worker ['wɜːkə]	• un ouvrier de fabrication
• a skilled worker	• un ouvrier qualifié
• an unskilled worker	• un ouvrier sans qualification
• a foreman ['fɔːmən]	• un contremaître
• a shift	• une équipe
the night shift	l'équipe de nuit
shift work	les trois-huit
• a mechanic [mɪ'kænɪk]	• un mécanicien
maintenance	l'entretien
a repair	une réparation
spare parts	les pièces de rechange

a shift: *un changement*

a car mechanic: *un garagiste*

• manufacture	• fabriquer, manufacturer
• produce	• produire
• (mass-)produce	• produire (en série)
• assemble [ə'sembl]	• assembler
• work on the line	• travailler à la chaîne
• subdivide (tasks)	• diviser (les tâches)
• automate ['ɔːtəmeɪt]	• automatiser
• work shifts	• travailler par équipes
• maintain	• entretenir
• repair	• réparer
• check	• vérifier
• change	• changer

≠ reward: *récompenser*
≠ a reward: *une récompense*

• repetitive	• répétitif
• thankless, unrewarding (work)	• (travail) ingrat
• alienating ['eɪljəneɪtɪŋ]	• aliénant
• dehumanizing [diː'hjuːmənaɪz]	• déshumanisant
• flexible	• flexible
• accurate	• précis

Productivity / La productivité

several bonuses

• the input	• l'apport, le facteur de production
• the output	• le rendement, la production
• productivity gains	• les gains de productivité
• efficiency	• l'efficacité
• profitability	• la rentabilité
profit motive	la recherche du profit
• manufacturing costs	• les coûts de fabrication
• an incentive	• une incitation, une motivation
• a bonus ['bəʊnəs]	• une prime
• profit-sharing	• l'intéressement aux bénéfices
• a quality circle ['kwɒlətɪ]	• un cercle de qualité
• ergonomics	• l'ergonomie

• streamline (tasks)	• rationaliser (des tâches)
• boost (productivity)	• stimuler (la productivité)
• enhance (productivity)	• améliorer (la productivité)
• bring in (money)	• rapporter (de l'argent)

save: *économiser*

waste: *gaspiller*

• time-consuming	• long, qui prend du temps
time-saving	qui fait gagner du temps
time-wasting	qui fait perdre du temps
• profitable, profit-making	• rentable
profitless	non rentable

PRACTICE

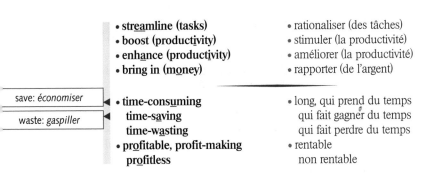

55 Match Them Up!: Le jeu des associations !

Put the following words into groups according to their meaning.

a dam - a gallery - oil - electricity - a derrick - a pit - mining - tidal power - a refinery - coal - offshore drilling.

56 Who Does What?: Qui fait quoi ?

Find what workers deal with the following objects and materials.

a. a gun: ...
b. thatch: ...
c. bricks: ...
d. clay: ...
e. gold: ...
f. electric wire: ...
g. coal: ...

57 Guess What They Are!: Identifiez-les !

Find the words which correspond to the following definitions.

a. A person whose job is cutting stones for a building, plastering a wall or cementing a floor: ...
b. What can be produced with water, air or fire: ...
c. The practice of melting metals and using them: ...
d. A fossil fuel which is transformed into various materials, from petrol to plastic: ...
e. A tool used to drive in a nail: ...
f. A person whose job is fitting or repairing pipes: ...

► Corrigés page 413 ◄

The Contemporary Context

Common Abbreviations
Abréviations courantes

Abbreviations about sources or production of energy - Abréviations concernant les sources ou la production d'énergie :

- **OPEC (the Organization of Petroleum Exporting Countries):** l'OPEP (l'organisation des pays exportateurs de pétrole).
- **the SPR (the Strategic Petroleum Reserve):** la R.S.P (la réserve stratégique de pétrole)
- **a bbl: a barrel:** un baril (unité de mesure du pétrole représentant environ 160 litres).
- **the IAEA (the International Atomic Energy Agency):** l'Agence internationale pour l'énergie atomique.

Abbreviations about production strategies - Abréviations concernant les stratégies de production :

- **JITP (just-in-time production):** une production à flux tendu.
- **EOQ (economic order quantity):** la commande du nombre exact de pièces désirées (dans le but de réduire les coûts).
- **TQC (total quality control):** le contrôle permanent de la qualité.

Trends in Robotics
Les tendances de la robotique

Improvements under way - Les améliorations actuelles :

- **adaptative systems:** des systèmes (informatisés) qui peuvent s'adapter aux besoins de leur utilisateur.
- **voice technology:** la technologie vocale (grâce à une voix de synthèse).
- **data-mining:** l'exploitation minitieuse des données informatiques (*mining:* le travail du mineur).

Robotics and the jobs of tomorrow - La robotique et les métiers de demain :

- **the sunrise industries:** les industries en plein expansion, par opposition à *sunset industries*, les industries sur le déclin (*sunrise:* le lever du soleil, l'aube ≠ *sunset:* le coucher du soleil, le crépuscule).
- **an imagineer:** un ingénieur informaticien qui traite les images d'ordinateur (mot valise : ***image+engineer**:* ingénieur).
- **an interface designer:** un concepteur d'interface graphique (qui décide de la présentation des écrans sur les sites de l'Internet).
- **a problem-solver:** une personne chargée de résoudre tous les problèmes posés par la robotique dans une entreprise (*sic*).

Idioms and Colourful Expressions

Focus on Expressions Referring to Metals

- **steeliness:** dureté, inflexibilité.
- **brass (slang):** de l'argent (en argot).
- **the brass:** les cuivres (dans un orchestre).
- **top brass:** des gros bonnets.
- **nerves of steel:** des nerfs d'acier.
- **brassy:** effronté.
- **steely:** inflexible.

Focus on Expressions Referring to Tools

- **to put the screws on someone:** mettre quelqu'un à la torture.
- **to tighten the screw:** serrer la vis.
- **to have a screw loose:** avoir une case en moins (*loose:* détaché, lâche).
- **to drive a nail into one's coffin:** creuser sa propre tombe, signer son arrêt de mort (*a coffin:* un cercueil).
- **to hit the nail on the head/to hit the nail home:** mettre le doigt dessus.
- **to hammer a point home:** mettre les points sur les "i".
- **to come under the hammer:** être vendu aux enchères (*the hammer:* le marteau).
- **to call a spade a spade:** appeler un chat un chat (*a spade:* une bêche).
- **to have an axe to grind:** prêcher pour son saint/sa paroisse.

Sayings and Proverbs

- **Every man to his job:** Chacun son métier.
- **A bad workman blames his tools:** Un mauvais ouvrier rejette la faute sur ses outils.
- **Jack of all trades, master of none:** Qui trop embrasse mal étreint (celui qui a des connaissances dans tous les métiers n'en maîtrise aucun).
- **Strike while the iron is hot:** Il faut battre le fer tant qu'il est chaud.

Work
Le monde du travail

1 The Job Market — Le marché du travail

Employment — L'emploi

Job Creation — La création d'emplois

	• the public/private sector	• le secteur public/privé
a field: *un champ*	• a field, a branch, a sector	• une branche, un domaine d'activit
	• a job	• un emploi
	job offers	les offres d'emploi
a boss: *un patron*	• an employer	• un employeur
	• labour ['leɪbə], the work force	• la main-d'œuvre
(US) labor	a labour shortage	une pénurie de main-d'œuvre
	a labour surplus ['sɜːpləs]	un excédent de main-d'œuvre
	an employee	un employé
hold: *tenir*	a jobholder	le titulaire d'un emploi
earn: *gagner (de l'argent)*	a wage-earner	un salarié
	• the working population	• la population active
	• create/generate jobs	• créer des emplois
	• create job opportunities	• créer des débouchés
	• offer jobs	• proposer des emplois
	• join the labour force	• arriver sur le marché de l'emploi
a crowd: *une foule*	• overcrowded	• bouché
	• glutted	• saturé
competition: *la concurrence*	• competitive	• concurrenciel

Being in Work — Avoir un emploi

	• an occupation	• une profession
	• the professions	• les professions libérales
	• a post, a position	• un poste
	• a career	• une carrière
	• a task	• une tâche
	• a charge, a responsibility	• une responsabilité
	• an executive	• un cadre
	a top executive	un cadre supérieur
	• a freelance	• un travailleur indépendant
	• have a job	• exercer un métier
	• be employed (in a company)	• travailler (pour une entreprise)
she works as **a** secretary	• work (as)	• travailler (comme)
	• hold a post/a position (as...)	• occuper un poste (en qualité de ...)
	• be in charge of	• être responsable de
	• earn a living	• gagner sa vie
	• be at work	• être au travail

	Recruitment	Le recrutement
	• a job hunt	• une recherche d'emploi
	a job hunter/seeker	un demandeur d'emploi
(abbreviation of) advertisements	• the classified ads, the classifieds	• les annonces classées
	job definition/description	le profil d'un poste
	a job title	un intitulé de poste
"no vacancies": *"pas d'embauche"* / *"complet" (pour un hôtel)*	• a vacancy ['veɪkənsɪ], a vacant post	• un poste vacant
	• an opportunity	• une opportunité d'emploi
	• an application	• une candidature
	an applicant	un postulant, un candidat
	a letter of application	une lettre de candidature
	an application form	un formulaire de candidature
	• a résumé (US), a CV (Brit.)	• un CV (Curriculum Vitae)
	• a letter of recommendation	• une lettre de recommandation
	• credentials	• des références
(!) qualifications: *les diplômes*	• skills	• les compétences, les qualifications
	a(n un)skilled worker	un travailleur (non) qualifié
	• work experience	• l'expérience professionnelle
(US) an Employment Service (US) a job center	• a job centre	• = une ANPE
	• placement services	• les agences pour l'emploi
	a placement office	un bureau de placement
	• an employment agency ['eɪdʒənsɪ]	• une agence de placement
	a recruiter [rɪ'kruːtə]	un recruteur
	• a human resources department	• un service de ressources humaines
	• a head-hunting firm [fɜːm]	• un cabinet de recrutement
	a head hunter	un chasseur de têtes
	• a (job) interview	• un entretien (d'embauche)
	• an appointment	• un rendez-vous
	• a test	• un test
	• graphology	• la graphologie
	• psychology [saɪ'kɒlədʒɪ]	• la psychologie
	• discrimination	• la discrimination
	• restrictive practices	• les pratiques de restriction
	sexism	le sexisme
	ageism ['eɪdʒɪzəm]	la discrimination par l'âge
	• look/hunt for a job	• rechercher un emploi
(irr.) I sought, I have sought	• change jobs	• changer d'emploi
	• apply for a job	• postuler
	• fill in a form	• remplir un formulaire
	• interview someone	• faire passer un entretien à qqn
(US) take a test	• sit a test	• passer un test
	• select	• sélectionner
	• choose	• choisir
	• offer a job	• proposer un emploi
	• take on, hire	• embaucher
	• recruit [rɪ'kruːt]	• recruter
	• fill a post	• pourvoir un poste
make an appointment: *prendre rendez-vous*	• appoint sb to a post	• nommer quelqu'un à un poste
	• employ sb as a...	• employer quelqu'un comme...
	• sign a contract [saɪn]	• signer un contrat
	• turn down (an applicant)	• refuser (un candidat) à l'embauche

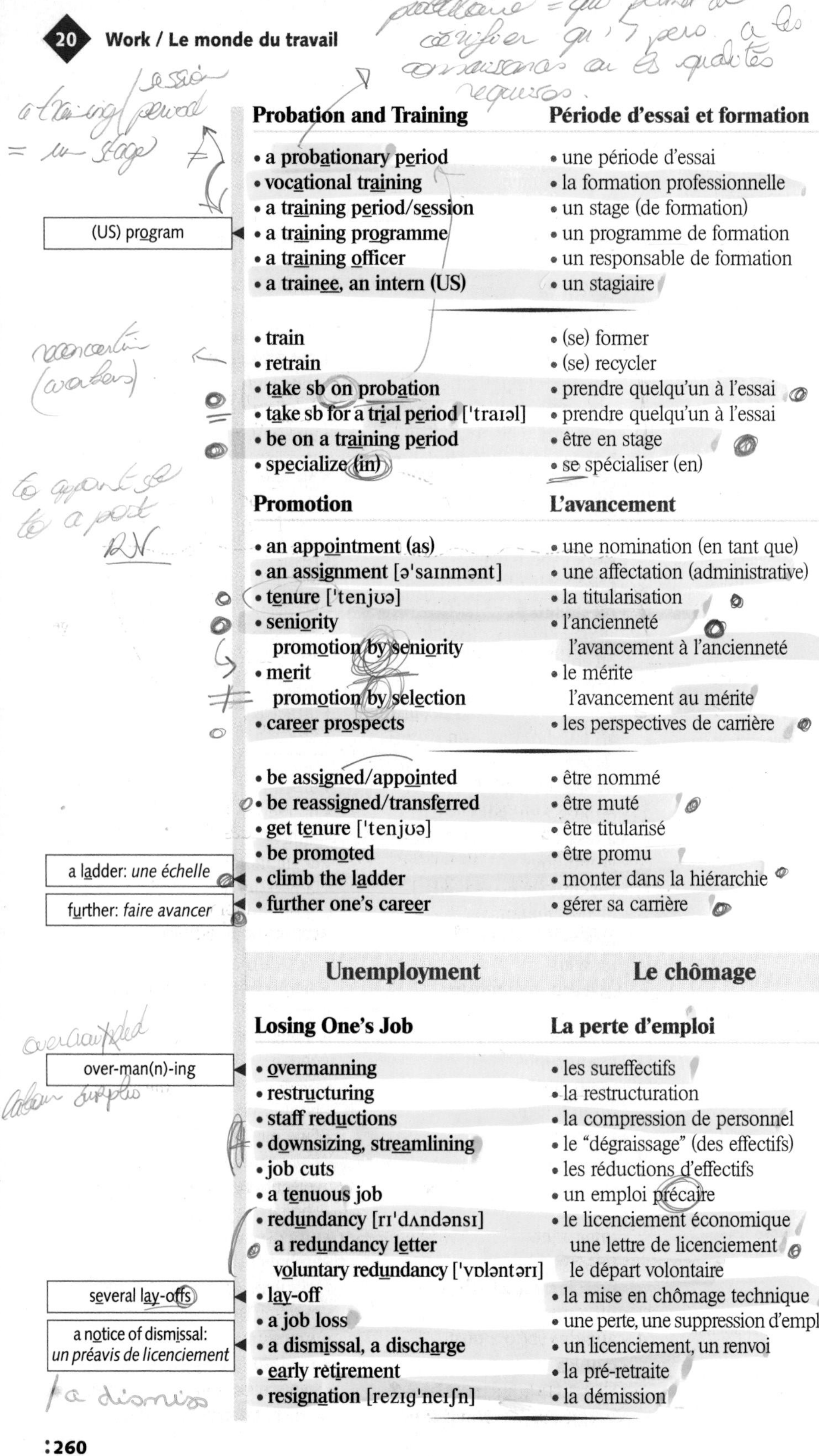

Probation and Training / Période d'essai et formation

	Probation and Training	Période d'essai et formation
	• a probationary period	• une période d'essai
	• vocational training	• la formation professionnelle
	• a training period/session	• un stage (de formation)
(US) program	• a training programme	• un programme de formation
	• a training officer	• un responsable de formation
	• a trainee, an intern (US)	• un stagiaire
	• train	• (se) former
	• retrain	• (se) recycler
	• take sb on probation	• prendre quelqu'un à l'essai
	• take sb for a trial period ['traɪəl]	• prendre quelqu'un à l'essai
	• be on a training period	• être en stage
	• specialize (in)	• se spécialiser (en)

Promotion / L'avancement

	Promotion	L'avancement
	• an appointment (as)	• une nomination (en tant que)
	• an assignment [ə'saɪnmənt]	• une affectation (administrative)
	• tenure ['tenjʊə]	• la titularisation
	• seniority	• l'ancienneté
	promotion by seniority	l'avancement à l'ancienneté
	• merit	• le mérite
	promotion by selection	l'avancement au mérite
	• career prospects	• les perspectives de carrière
	• be assigned/appointed	• être nommé
	• be reassigned/transferred	• être muté
	• get tenure ['tenjʊə]	• être titularisé
	• be promoted	• être promu
a ladder: *une échelle*	• climb the ladder	• monter dans la hiérarchie
further: *faire avancer*	• further one's career	• gérer sa carrière

Unemployment / Le chômage

Losing One's Job / La perte d'emploi

	Losing One's Job	La perte d'emploi
over-man(n)-ing	• overmanning	• les sureffectifs
	• restructuring	• la restructuration
	• staff reductions	• la compression de personnel
	• downsizing, streamlining	• le "dégraissage" (des effectifs)
	• job cuts	• les réductions d'effectifs
	• a tenuous job	• un emploi précaire
	• redundancy [rɪ'dʌndənsɪ]	• le licenciement économique
	a redundancy letter	une lettre de licenciement
	voluntary redundancy ['vɒləntərɪ]	le départ volontaire
several lay-offs	• lay-off	• la mise en chômage technique
	• a job loss	• une perte, une suppression d'emploi
a notice of dismissal: *un préavis de licenciement*	• a dismissal, a discharge	• un licenciement, un renvoi
	• early retirement	• la pré-retraite
	• resignation [rezɪg'neɪʃn]	• la démission

	• reduce the staff	• réduire les effectifs
	• cut down jobs	• supprimer des emplois
100 workers were made redundant	• lay off, make (sb) redundant	• licencier (quelqu'un)
	• dismiss, discharge	• renvoyer
be sacked (coll.): *être viré*	• fire (coll.)	• mettre à la porte
	• pension sb off	• mettre qqn à la retraite d'office
	• retire	• prendre sa retraite
	• resign [rɪ'zaɪn]	• démissionner
	• quit (a job)	• quitter (un emploi)

Being Out of Work — Être sans emploi

job-less-ness	• joblessness, unemployment	• le chômage
	youth unemployment	le chômage des jeunes
	short/long-term unemployment	le chômage de courte/longue durée
	• the unemployed, the jobless	• les chômeurs
	• the unemployment rate	• le taux de chômage
	• redundancy compensation	• une indemnité de licenciement
severance: *la séparation*	• severance pay ['sevərəns]	• une prime de licenciement
a handshake: *une poignée de main*; golden: *en or*	• a golden handshake	• une prime de départ
	• unemployment insurance	• l'assurance chômage
	• an unemployment fund	• une caisse d'assurance-chômage
	• unemployment benefits	• les indemnités chômage
(US) welfare	• dole (money) ['mʌnɪ] (coll.)	• les allocations de chômage
	• a claimant	• un demandeur
	• loss of status	• la perte de statut

	• compensate (for sth)	• indemniser, dédommager (de qqch)
	• ask for compensation	• réclamer des indemnités
	• collect unemployment benefits	• toucher des allocations chômage
(US) be on welfare	• be on the dole (Brit. coll.)	• toucher le chômage
	• check in/sign on at the unemployment agency ['eɪdʒənsɪ]	• pointer à une agence pour l'emploi
	• find a job again	• retrouver un emploi

	• jobless, unemployed	• sans emploi, au chômage
idle: *oisif*	• idle ['aɪdl], inactive	• inactif, désœuvré
	• temporary	• temporaire
	• chronic	• chronique
	• cyclical	• cyclique, conjoncturel

2 Working Conditions — Les conditions de travail

Work Places — Les lieux de travail

(US) a plant	• a factory	• une usine
	• a shop	• un atelier
sweat: *la sueur*	a sweatshop ['swetʃɒp]	un atelier (souvent clandestin)
	• a company, a firm [fɜːm]	• une entreprise

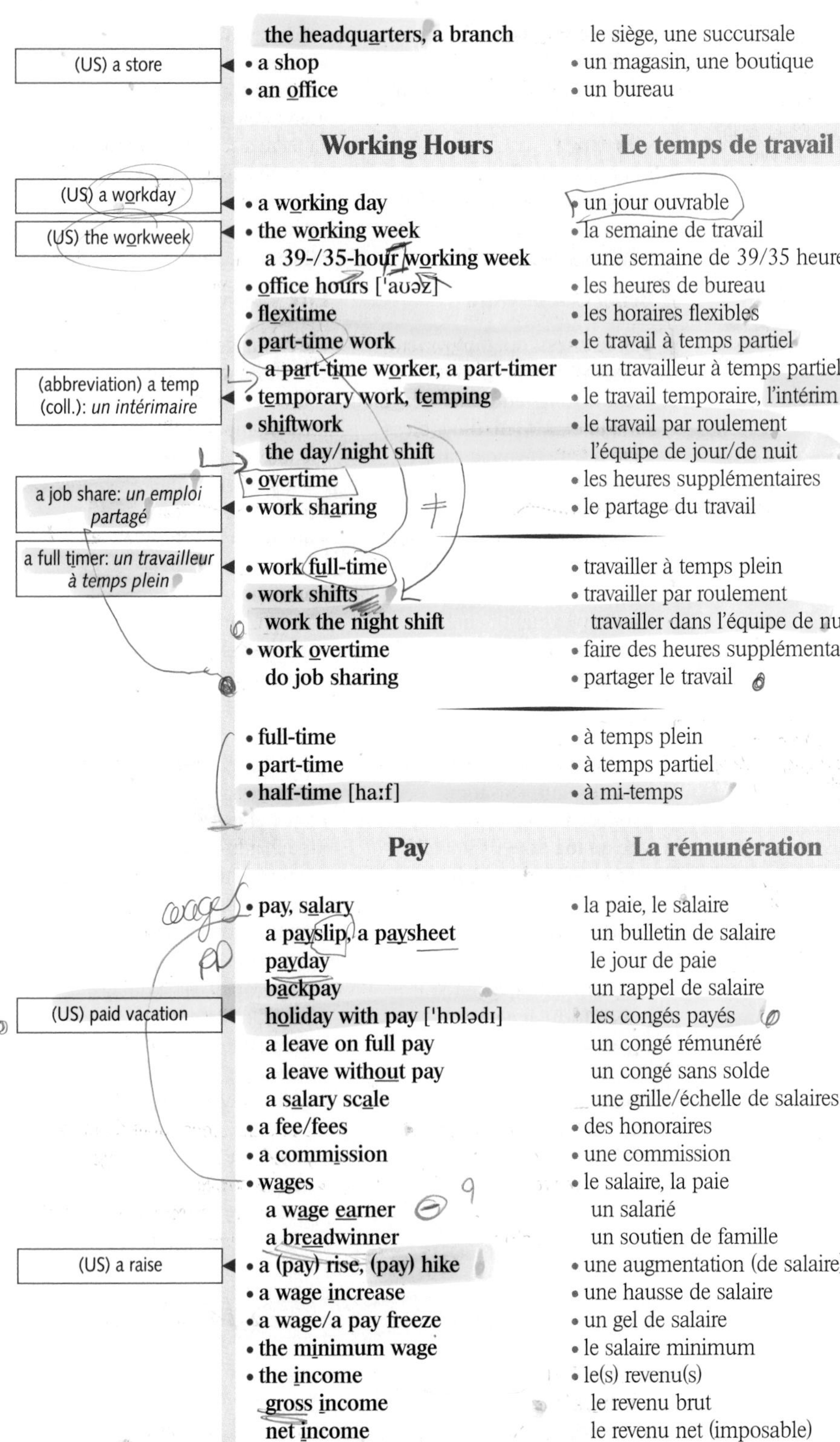

	the headquarters, a branch	le siège, une succursale
(US) a store	• a shop	• un magasin, une boutique
	• an office	• un bureau

Working Hours — Le temps de travail

(US) a workday	• a working day	• un jour ouvrable
(US) the workweek	• the working week	• la semaine de travail
	a 39-/35-hour working week	une semaine de 39/35 heures
	• office hours ['aʊəz]	• les heures de bureau
	• flexitime	• les horaires flexibles
	• part-time work	• le travail à temps partiel
	a part-time worker, a part-timer	un travailleur à temps partiel
(abbreviation) a temp (coll.): *un intérimaire*	• temporary work, temping	• le travail temporaire, l'intérim
	• shiftwork	• le travail par roulement
	the day/night shift	l'équipe de jour/de nuit
	• overtime	• les heures supplémentaires
a job share: *un emploi partagé*	• work sharing	• le partage du travail
a full timer: *un travailleur à temps plein*	• work full-time	• travailler à temps plein
	• work shifts	• travailler par roulement
	work the night shift	travailler dans l'équipe de nuit
	• work overtime	• faire des heures supplémentaires
	do job sharing	• partager le travail
	• full-time	• à temps plein
	• part-time	• à temps partiel
	• half-time [hɑːf]	• à mi-temps

Pay — La rémunération

	• pay, salary	• la paie, le salaire
	a payslip, a paysheet	un bulletin de salaire
	payday	le jour de paie
	backpay	un rappel de salaire
(US) paid vacation	holiday with pay ['hɒlədɪ]	les congés payés
	a leave on full pay	un congé rémunéré
	a leave without pay	un congé sans solde
	a salary scale	une grille/échelle de salaires
	• a fee/fees	• des honoraires
	• a commission	• une commission
	• wages	• le salaire, la paie
	a wage earner	un salarié
	a breadwinner	un soutien de famille
(US) a raise	• a (pay) rise, (pay) hike	• une augmentation (de salaire)
	• a wage increase	• une hausse de salaire
	• a wage/a pay freeze	• un gel de salaire
	• the minimum wage	• le salaire minimum
	• the income	• le(s) revenu(s)
	gross income	le revenu brut
	net income	le revenu net (imposable)
	disposable income	le revenu disponible

• purchasing power ['paʊə]	• le pouvoir d'achat
• a bonus ['bəʊnəs]	• une prime, une gratification
• fringe benefits	• les avantages sociaux
• a perk (coll.)	• un avantage en nature
• an expense account	• les frais de représentation
• a company car	• une voiture de fonction
• a lunch voucher ['vaʊtʃə]	• un ticket-restaurant

several bonuses

(abbreviation of) perquisite: *un avantage*

• earn money ['mʌnɪ]	• gagner de l'argent en travaillant
• earn one's living (as..)	• gagner sa vie (comme...)
• eke out a living [iːk]	• gagner un maigre salaire
• be/get paid	• gagner, être payé
• be paid in kind [kaɪnd]	• être payé en nature
• be paid in cash	• être payé en espèces
• draw/earn a salary	• toucher un salaire
• get a rise	• obtenir une augmentation
• increase, raise	• augmenter
• freeze (wages)	• geler (les salaires)
• keep one's head above water	• survivre tant bien que mal

win money: *gagner de l'argent grâce à un jeu*

"I get paid 10,000 francs a month".

(irr.) I froze, I have frozen

• overpaid	• surpayé
• well-paid	• bien payé
• badly-paid	• mal payé
• underpaid	• sous-payé

Occupational Hazards — Les risques du métier

(!) a hazard: *un risque, un danger* chance: *le hasard*

• an occupational disease	• une maladie du travail
• an accident	• un accident
a workplace accident	un accident sur le lieu de travail
• incapacitation for work	• une incapacité de travail
• (sick) leave	• un congé maladie
• an insurance [ɪn'ʃʊərəns]	• une assurance
health [helθ]/sickness insurance	l'assurance maladie
cover	la couverture
sick pay	les prestations maladie

paternity/maternity leave: *le congé de paternité/maternité*

• have an accident	• avoir un accident
• be incapacitated for work	• être dans l'incapacité de travailler
• take a day off	• prendre un jour de congé
• be on leave	• être en congé
• get compensation	• obtenir des dommages et intérêts
• be on a pension	• recevoir une pension

Work Regulations — La législation du travail

• a law [lɔː]	• une loi
• a guideline	• une directive
• a (work) contract	• un contrat (de travail)
• (un)declared work	• du travail (non) déclaré

	• moonlighting (coll.)	• le travail au noir
	a moonlighter (coll.)	un travailleur au noir
	• legislate	• légiférer
	• regulate	• réglementer
	• enforce (a law)	• appliquer (une loi)
	• declare	• déclarer
	• moonlight, work on the sly (coll.)	• travailler au noir

3 Industrial Relations — Les relations sociales

Unionism — Le syndicalisme

(US) a labor union	• a (trade) union ['ju:njən]	• un syndicat
	a spokesperson (for)	un porte-parole (de)
	• the union movement	• le mouvement syndical
	• unionization	• la syndicalisation
	• a union member	• un travailleur syndiqué
	• a trade-unionist ['ju:njənɪst]	• un syndicaliste
the shop: *l'atelier*	the shop-floor	les ouvriers
	the rank and file	la base
	a union official	un responsable syndical
(also) a shop steward	a union representative	un délégué syndical
	a union leader	un dirigeant syndical
	• union fees	• la cotisation syndicale
	• a non-union worker	• un ouvrier non syndiqué
	• unionize ['ju:njənaɪz]	• (se) syndiquer
	join a union	adhérer à un syndicat
	• protect rights	• préserver les droits
	• represent	• représenter
	• defend	• défendre
(!) bear: *supporter*	• support	• soutenir
	• back up a claim	• soutenir une revendication

Social Tensions — Les tensions sociales

Dissatisfaction — Le mécontentement

(US) labor	• labour unrest	• le mécontentement des travailleurs
	• social discontent	• le mécontentement social
(US) a labor dispute	• an industrial dispute	• un conflit social
	• a grievance ['gri:vns]	• un grief, une doléance
	• a claim	• une revendication
	a shorter working week	une réduction du temps de travail
	(better) working conditions	(de meilleures) conditions de travail
	(more) safety regulations	(davantage de) consignes de sécurité
	a wage demand	une revendication salariale
	improved pay, a wage increase	une augmentation de salaire

• a deadline	• une date limite
• a deadlock	• une impasse

• be dissatisfied	• être insatisfait, mécontent
• disagree with sb/disapprove of sth	• ne pas être d'accord avec qqn/qqch
• claim	• réclamer, revendiquer
• ask for	• demander, réclamer
• demand	• exiger
• meet demands	• satisfaire les revendications
• arbitrate	• arbitrer
• reach a deadlock	• aboutir à une impasse
• break off negociations	• quitter la table des négociations

(!) a demand: *une exigence*

break off: *interrompre*

Going on Strike / La grève

• industrial action	• la grève, l'action revendicative
• the right to strike	• le droit de grève
a striker	un gréviste
a strike committee	un comité de grève
a strike call	un appel à la grève
without advance warning	sans préavis
a strike	• une grève
a lightning strike	une grève surprise
a sit-down strike	une grève sur le tas
a rolling strike	une grève tournante
a wildcat strike	une grève sauvage
a general strike	une grève générale
a hunger strike	une grève de la faim
• a picket	• un piquet de grève
a picket line	les piquets de grève
• a non-striker	• un non-gréviste
• a strikebreaker	• un briseur de grève

lightning: *la foudre, les éclairs*

sit down: s'asseoir

a scab, a blackleg (Brit.): *un "jaune"*

• give notice of strike action	• déposer un préavis de grève
• call a strike	• lancer un appel à la grève
• go on strike	• se mettre en grève
• strike, be on strike	• faire la grève
• lead a strike	• mener une grève
• break a strike	• briser une grève
• picket (a factory)	• placer des piquets de grève (devant une usine)

• indefinite	• illimité
• sudden, unexpected	• soudain, inattendu
• determined [dɪ'tɜːmɪnd]	• décidé, déterminé
• entrenched [ɪn'trentʃt]	• campé sur ses positions
• strikebound	• paralysé par la grève

Negotiations / Les négociations

• bargaining	• les tractations
• an offer	• une proposition
a counter-offer	une contre-proposition

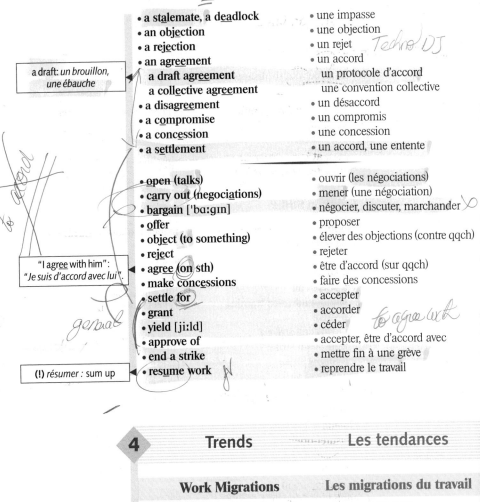

• **a stalemate, a deadlock**	• une impasse
• **an objection**	• une objection
• **a rejection**	• un rejet
• **an agreement**	• un accord
a draft agreement	un protocole d'accord
a collective agreement	une convention collective
• **a disagreement**	• un désaccord
• **a compromise**	• un compromis
• **a concession**	• une concession
• **a settlement**	• un accord, une entente

a draft: *un brouillon, une ébauche*

• **open (talks)**	• ouvrir (les négociations)
• **carry out (negociations)**	• mener (une négociation)
• **bargain ['bɑːgɪn]**	• négocier, discuter, marchander
• **offer**	• proposer
• **object (to something)**	• élever des objections (contre qqch)
• **reject**	• rejeter
• **agree (on sth)**	• être d'accord (sur qqch)
• **make concessions**	• faire des concessions
• **settle for**	• accepter
• **grant**	• accorder
• **yield [jiːld]**	• céder
• **approve of**	• accepter, être d'accord avec
• **end a strike**	• mettre fin à une grève
• **resume work**	• reprendre le travail

"I agree with him": *"Je suis d'accord avec lui"*.

(!) *résumer* : sum up

4 Trends — Les tendances

Work Migrations — Les migrations du travail

• **national migrations**	• les flux migratoires nationaux
a migrant worker	un travailleur immigré
• **the rural exodus ['eksədəs]**	• l'exode rural
• **the drift to towns**	• la migration vers les villes
a demand for labour	un appel de main d'œuvre
• **seasonal migrations**	• les migrations saisonnières
• **commuting**	• les migrations quotidiennes
a commuter	un travailleur de banlieue
• **relocation**	• la délocalisation
• **a transfer, a re-assignment**	• une mutation

drift: *dériver*

(US) labor

• **migrate**	• migrer
• **commute**	• faire le trajet domicile-travail
• **relocalize**	• délocaliser
• **transfer, move, re-assign**	• muter

• **migratory ['maɪgrətərɪ]**	• migratoire
• **temporary ['tempərərɪ]**	• temporaire

The Abolition of Distances — L'abolition des distances

> a cottage: *une petite maison (à la campagne)*

• a cottage industry	• une entreprise artisanale
• teleworking	• le télétravail
• telecommuting	• le travail depuis son domicile
a telecommuter	un travailleur à domicile
• home-based accounting	• la comptabilité à distance
• flexibility	• la flexibilité, la souplesse

• work at home/from home	• travailler depuis son domicile
• run a business from home	• diriger une entreprise à domicile
• telecommute, telework	• travailler à domicile
• be self-employed	• être à son compte
• save time	• gagner du temps
• reduce maintenance cost	• réduire les frais d'entretien
• cut down overheads	• réduire les frais généraux

• convenient	• pratique
• flexible	• souple, flexible
• time-saving	• qui fait gagner du temps

The End of Work? — La fin du travail ?

> a leisure-oriented society: *une société de loisirs*
>
> (US) vacation
>
> a holiday: *un jour férié*
>
> an OAP (Old Age Pensioner)

• the leisure society	• la société de loisirs
• leisure time ['leʒə]	• du temps pour les loisirs
• time off, free time, spare time	• du temps libre
• recreation	• la détente
• idleness ['aɪdlnɪs]	• l'oisiveté
• leisure(-oriented) activities	• les activités de loisirs
a pastime	un passe-temps
a hobby	un violon d'Ingres
entertainment	les distractions, le divertissement
• holidays ['hɒlədɪz]	• les vacances
a holiday maker	un vacancier
• a sabbatical	• un congé sabbatique
• retirement [rɪ'taɪəmənt]	• la retraite
a retiree [rɪtaɪ'riː], **a pensioner**	un retraité
• a work-free society	• une société sans travail

• do something at leisure	• faire qqch à loisir
• have time on one's hands	• avoir du temps libre
• go on holiday ['hɒlədɪ]	• partir en vacances
• retire [rɪ'taɪə], **be a pensioner**	• prendre sa retraite
• take a sabbatical	• prendre une année sabbatique
• be freed/released from work	• être libéré du travail

> the leisured classes: *les nantis*

• leisurely ['leʒəlɪ]	• tranquille, détendu
• leisured ['leʒəd]	• privilégié, nanti
• free	• libre
• recreational	• récréatif, de détente
• idle ['aɪdl]	• oisif

PRACTICE

58 Compound Words: Mots composés

Make as many compound words as possible with the words in the following list.
hunter - work - job - head - relations - offer - industrial - money.

59 A Successful Job Hunt: Une recherche d'emploi réussie

Put the following actions in chronological order.

a. I accepted this new opportunity
b. I had to look for a new job
c. I sent my résumé and a letter of recommendation
d. I finally got an interview
e. I was made redundant because of corporate downsizing
f. I looked through the classifieds every day
g. I went through the interview
h. I selected several ads
i. I went through psychological tests as well
j. I was offered the job
k. I wish all job-seekers were as lucky as me

60 A Revolution that Begins at Home: Une révolution qui débute chez soi

Fill in the gaps with the appropriate words from the following list.
commute - flexible - company - responsibility - costs - part-time - offices - commuting - teleworking - freedom.

... is catching on. It is a really convenient solution - instead of ..., an office worker stays at home and uses a computer linked to the ... by a telephone line.
Everybody sees benefits in ... working - boosting local employment, reducing business ..., and cutting down the number of large ... . The practice is particularly suited to ... workers. People ... less so energy consumption, and therefore pollution, is curbed. Furthermore individuals are given greater ... and ... .

▶ Corrigés page 413 ◀

More Words

The Contemporary Context

Colourful Terms and Neologisms

Termes imagés et néologismes

- **a blue-collar worker:** un col bleu, un ouvrier (ainsi appelé car il porte un bleu de travail).
- **a blue-collar job:** un emploi dans l'industrie.
- **a white-collar worker:** un col blanc, un cadre (ainsi appelé car il porte une chemise blanche sous son costume).
- **a white-collar job:** un emploi de bureau.
- **a pink-collar worker:** un col rose, une secrétaire (en raison de la couleur rose, souvent associée aux femmes).
- **a nine-to-five job:** un emploi de bureau (qui commence à neuf heures et se termine à cinq heures).
- **a workaholic (coll.):** un bourreau de travail (mot-valise : *work + alcoholic:* alcoolique).
- **a disposable worker:** un employé en situation précaire (littéralement : jetable).
- **burger flipping jobs:** des emplois précaires, sans perspective de carrière (souvent dans la restauration rapide, d'où le terme *burger*).

Today's Main Unions

Les principaux syndicats d'aujourd'hui

British unions - Les syndicats britanniques :

- **the Trades Union Congress (TUC):** la direction confédérale des syndicats.
- **NUS (the National Union of Students):** le syndicat national des étudiants.
- **NUT (the National Union of Teachers):** le Syndicat national des enseignants.
- **the TGWU (the Transports and General Workers' Union):** le syndicat des conducteurs de transports et des ouvriers en général.
- **a closed shop:** une entreprise n'admettant que des travailleurs syndiqués.
- **an open shop:** une entreprise ouverte aux non-syndiqués.

American trade unions - Les syndicats américains :

- **the AFL-CIO (the American Federation of Labor and Congress of Industrial Organizations):** la principale centrale syndicale américaine, née d'une fusion.
- **the UAW (the Union Automobile Workers):** le syndicat des ouvriers du secteur automobile.
- **the UFW (the United Farm Workers):** le syndicat agricole.
- **the Teamsters' Union:** le syndicat des transporteurs et des manutentionnaires (*a teamster:* un routier).
- **the Syndicate:** le syndicat du crime !

Idioms and Colourful Expressions

Focus on Work and Job

- **odd jobs:** des petits travaux, des petits boulots.
- **an odd-jobber, an odd-job man:** un homme à tout faire.
- **a soft job, a cushy job:** un boulot pépère (*cushy* vient de *cushion:* coussin).
- **jobs for the boys:** le copinage, les planques pour les copains.
- **a job lot of…:** un ramassis de …
- **a put-up job:** un coup monté.
- **just the job!:** tout à fait ce qu'il me faut !
- **to have a job doing something:** avoir du mal à faire quelque chose.
- **to have a big job on one's hands:** avoir une tâche difficile sur les bras.
- **to make a good/bad job of something:** réussir/rater quelque chose.
- **to make light/short/quick work of something:** expédier quelque chose, le faire rapidement et sans efforts.
- **to work oneself to death:** se tuer à la tâche.
- **to work one's way up:** faire son chemin, gravir tous les échelons grâce à son travail.
- **to work something out:** imaginer, trouver quelque chose.
- **to work through a problem:** résoudre un problème.
- **to be worked up (coll.):** être furieux, être en pétard/être (sexuellement) excité.
- **workaday:** ordinaire, de tous les jours.
- **workshy:** paresseux, fainéant (*shy:* timide).

- **an inside job:** un cambriolage perpétré avec l'aide de complices travaillant sur les lieux.

Sayings and Proverbs

- **Thank God, it's Friday (TGIF):** Dieu merci, c'est vendredi ! (la semaine est finie !).
- **All work and no play make Jack a dull boy:** Il n'y a pas que le travail dans la vie (*dull:* triste, morne).
- **Make the best of a bad job:** Accommodez-vous de votre sort, tirez toujours le meilleur parti en toute circonstance.
- **If a job is worth doing, it's worth doing well:** Si une chose vaut la peine d'être faite, faites-la bien.
- **You don't get something for nothing:** On n'a rien sans rien.

Sport and Performance
Sport et performance

1 Sport and Sports — Le sport et les sports

Sport — Le sport

• exercise ['eksəsaɪz]	• l'exercice	
• activity	• l'activité	
• physical education	• l'éducation physique	(abbreviation) PE
• competitive sports	• les sports de compétition	
• indoor sports	• les sports en salle	
• outdoor sports	• les sports de plein air	
• team sports	• les sports collectifs	
• individual sports	• les sports individuels	
• water sports	• les sports nautiques	
• mountain sports	• les sports de montagne	
• sports facilities	• les équipements sportifs	
• an athlete ['æθliːt]	• un athlète	
• a sportsman	• un sportif	sports**people**
• a sportswoman	• une sportive	
a sports fan (coll.)	un amateur de sport	a sports buff, a sports freak (coll.): *un "mordu" de sport*
• sportsmanship	• la sportivité, l'esprit sportif	
• practise a sport	• pratiquer un sport	(US) practice
• exercise, do some exercise	• faire de l'exercice	
• exercise indoors/outdoors	• pratiquer en salle/à l'extérieur	
• athletic [æθ'letɪk]	• athlétique	
• physical ['fɪzɪkəl]	• physique	
• sporty	• sportif	
• amateur ['æmətə]	• amateur	
• professional	• professionnel	
• individual	• individuel	

Sports — Les sports

Indoor sports	**Les sports en salle**	Note
• the changing/locker room	• les vestiaires	a locker: *un casier, un vestiaire*
• gymnastics	• la gymnastique	
a gymnast	un gymnaste	
a gym(nasium) [dʒɪm'neɪzɪəm]	un gymnase	several gymnasiums or gymnasia
• aerobics	• l'aérobic	"Aerobics **is** exhausting."
• swimming	• la natation	
a swimming-pool	une piscine	
a swimmer	un nageur	
breaststroke	la brasse	do/swim breaststroke: *nager la brasse*
butterfly stroke	la brasse papillon	
crawl [krɔːl]	le crawl	crawl: *ramper*
backstroke	le dos crawlé	

	• skating	• le patinage
	figure skating	le patinage artistique
	a skater	un patineur
	ice-skates	des patins à glace
	an ice rink, a skating rink	une patinoire
	• ice-hockey ['hɒkɪ]	• le hockey sur glace
	• fencing	• l'escrime
	a fencer	un escrimeur
	a foil [fɔɪl]	un fleuret
lift: *soulever*	• weight lifting [weɪt]	• l'haltérophilie
	a weightlifter	un haltérophile
a bell: *une cloche*	a dumbbell ['dʌmbel]	une haltère à boules
	a barbell	une haltère à disques
	• body building	• le culturisme
	• martial arts ['mɑːʃl]	• les arts martiaux
	a fighter	un combattant
	a hold	une prise
be **a** Black Belt: *être ceinture noire*	a belt	une ceinture
	• boxing	• la boxe
	a boxer	un boxeur
a feather: *une plume*	a featherweight boxer	un poids plume
heavy: *lourd*	a heavyweight boxer	un poids lourd
	a ring	un ring
	a glove [glʌv]	un gant
	a fist	un poing
	a punch	un coup de poing
	• wrestling ['reslɪŋ]	• la lutte, le catch
	a wrestler ['reslə]	un lutteur
	• basketball	• le basket
	a basketball player	un joueur de basket
score a basket: *marquer un panier*	a basket	un panier
	a ball	une balle
	• volleyball	• le volley(ball)
	• handball	• le hand(ball)
	• bowling	• le bowling
	a bowl [bəʊl]	une boule
	an alley ['ælɪ], a lane	un couloir
	• darts	• les fléchettes
a bull: *un taureau*	the bull's-eye	le mille

	• swim	• nager
	• fence	• faire de l'escrime
	• fight [faɪt]	• combattre
	• kick	• donner un coup de pied
	• punch	• donner un coup de poing
	• knock sb out [nɒk]	• mettre qqn au tapis/K.O.
	• hit	• frapper
	• wrestle ['resl]	• lutter (corps à corps)
(!) parrying, parried	• parry	• parer (une attaque)
	• skate	• patiner
	• play (basketball)	• faire du (basket)

Outdoor sports	Les sports de plein air
• **American football**	• le football américain
a football player	un joueur de football
the quarterback	le joueur qui dirige l'attaque
a field [fiːld], **a pitch**	un terrain
a ball	un ballon
a touchdown	un essai
• **soccer**	• le football
a soccer player	un joueur de football
a goal	un but
a goalkeeper	un gardien de but
• **rugby**	• le rugby
a rugby player	un joueur de rugby
a scrum	une mêlée
a try	un essai
a conversion	une transformation

Sport américain proche du rugby qui se joue avec un ballon ovale

(!) football: *un jeu de ballon ; le football ; le football américain*

score a try: *marquer un essai*

• **baseball**	• le base-ball
• **athletics**	• l'athlétisme
a stadium ['steɪdjəm]	un stade
the track	la piste
a lap	un tour de piste
the field	le terrain
a race	une course, une compétition
• **running**	• la course à pied
long-distance running	la course de fond
a (long-distance) runner	un coureur (de fond)
sprint	le sprint, la course de vitesse
• **pole vaulting** ['vɔːltɪŋ]	• le saut à la perche
• **the long jump**	• le saut en longueur
• **the high jump**	• le saut en hauteur
• **a hurdle race**	• une course de haies
a hurdler	un coureur de haies

a track-and-field event: *une compétition d'athlétisme*

run a lap of honour: *faire un tour d'honneur*

a hurdle: *un obstacle*

	• discus throwing	• le lancer de disque
	• shot putting ['pʌtɪŋ]	• le lancer de poids
	• motor sports	• les sports mécaniques
	a sports car	une voiture de course
	a racing driver	un pilote automobile
speed: *la vitesse*	a speedway/a racetrack	un circuit
	• cycling ['saɪklɪŋ]	• le cyclisme
	a cyclist ['saɪklɪst]	un cycliste
	a racing cycle ['saɪkl]	un vélo de course
	• tennis	• le tennis
	a seed	une tête de série
	a racket	une raquette
	a forehand (drive)	un coup droit
	a backhand (stroke)	un revers
"It's my serve": *"à moi de servir"*	a serve	un service
	a tennis court	un court de tennis
	• golf	• le golf
	a golf course	un terrain de golf
	a hole	un trou
	• badminton	• le badminton
	a net	un filet
	a shuttlecock	un volant
	• shooting	• le tir
	a marksman	un tireur (d'élite)
	a target ['tɑːgɪt]	une cible
	• archery	• le tir à l'arc
	an archer	un archer
	a bow	un arc
	an arrow	une flèche
	• diving	• la plongée
	a diver	un plongeur
take a dive: *faire un plongeon*	a dive	un plongeon
	a diving-board	un plongeoir
	• scuba-diving	• la plongée sous-marine
	a scuba-diver	un plongeur sous-marin
(abbreviation) Self-Contained Underwater Breathing Apparatus	a scuba ['skuːbə]	un scaphandre autonome
	• sailing	• la voile
	• rowing ['rəʊɪŋ]	• l'aviron
	a rower, an oarsman	un rameur
	an oar [ɔː]	une rame, un aviron
	• windsurfing	• la planche à voile
	• skiing ['skiːɪŋ]	• le ski
	a skier ['skiːə]	un skieur
	Alpine skiing/downhill skiing	le ski de descente/de piste
	cross-country skiing	le ski de fond
	monoski	le monoski
	snowboarding	le surf des neiges
	the slope	la pente
	• rock-climbing ['klaɪmɪŋ]	• la varappe, l'escalade
	a climber ['klaɪmə]	un grimpeur, un varappeur
	• mountaineering	• l'alpinisme
	a mountaineer	un alpiniste
a rope: *une corde*	a roped-party	une cordée

	• hiking	• la randonnée
	a hiker	un randonneur
	• trekking	• la randonnée (longue distance)
	a trek	une longue marche
	a trekker	un randonneur
	• horse riding, horse racing	• l'équitation
	a rider	un cavalier
(!) a horse race: *une course de chevaux*	a race horse	un cheval de course
	a race course	un champ de course
a steeple: *un clocher*	a steeplechase	une course d'obstacles
	a saddle	une selle
spur: *encourager, inciter*	a spur [spɜː]	un éperon
	a stirrup	un étrier

	• run	• courir
	• race	• courir, faire la course
	• kick	• donner un coup de pied
	• score (a goal, a try, a basket)	• marquer (un but, un essai, un panier)
	• touch down	• marquer un essai
	• convert a try	• transformer un essai
	• jump	• sauter
	• cycle ['saɪkl]	• faire du vélo
(!) ski**i**ng, ski**ed**	• ski [skiː]	• skier
	• go down a slope	• descendre une piste
	• shoot	• tirer
	• dive (into)	• plonger (dans)
	• sail	• faire de la voile
"They climbed the Everest".	• climb [klaɪm]	• grimper, faire l'ascension de
	• go hiking	• faire de la randonnée
trek: *marcher avec peine* (!) tre**kk**ing, tre**kk**ed	• go trekking	• faire de la marche
	• ride a horse	• faire du cheval

2 Training and Competition / L'entraînement et la compétition

Training / L'entraînement

A Training Session / Une séance d'entraînement

	• a coach, a trainer	• un entraîneur
advice: *des conseils*	• an adviser	• un conseiller
(US) a physical therapist	• a physiotherapist	• un kinésithérapeute
	• a sparring partner	• un adversaire (à l'entraînement)
	• practice	• l'entraînement, la pratique
	• a workout	• une séance d'entraînement
(US) a program	• a programme	• un programme
	• an exercise ['eksəsaɪz]	• un exercice
	• warming-up	• l'échauffement
	• stretching	• les étirements
	• a routine	• un enchaînement

	• **push-ups, press-ups**	• des tractions, des pompes
	• **weight-training**	• la musculation
	• **effort, exertion**	• l'effort
(US) an endeav**or**	• **an endeavour**	• un effort

	• **coach** [kəʊtʃ]	• entraîner
	• **train**	• entraîner, s'entraîner
	• **direct**	• diriger
	• **work out**	• s'entraîner
	• **spar (with)**	• s'entraîner à la boxe (avec)
	• **exert oneself**	• se fatiguer, se dépenser
(irr.) I strove, I have striven	• **strive**	• faire des efforts, s'efforcer
	• **excel oneself**	• se surpasser
sweat blood (coll.): *suer sang et eau*	• **sweat** [swet]	• transpirer
	• **warm up**	• s'échauffer
(!) jogging, jogged	• **jog**	• trottiner
	• **stretch**	• étirer, s'étirer
	• **flex one's muscles** ['mʌslz]	• assouplir, faire jouer ses muscles
	• **push, press**	• pousser
	• **pull**	• tirer
	• **lift**	• soulever
	• **jump**	• sauter, faire un saut
(!) skipping, skipped	• **skip**	• sauter, sautiller
bend double: *se plier en deux*	• **bend**	• plier, se plier
	• **roll**	• rouler

	• **exhausting** [ig'zɔːstɪŋ]	• épuisant
	• **demanding**	• exigeant
tire: *fatiguer*	• **tireless** ['taɪəlɪs]	• infatigable

Qualities / Les qualités

	• **aptitude (for)**	• l'aptitude (à)
	• **fitness**	• la forme physique
	• **skill**	• l'adresse, l'habileté
	• **accuracy**	• la précision
	• **strength**	• la force
	• **power** ['paʊə]	• la puissance
"it lacks punch": *"ça manque de nerf"*	• **energy, punch**	• l'énergie
	• **endurance, stamina**	• l'endurance
	• **resistance**	• la résistance
	• **courage** ['kʌrɪdʒ] **grit (coll.)**	• le courage le cran
	• **aggressiveness**	• l'agressivité
	• **speed**	• la vitesse
	• **coordination**	• la coordination
	• **suppleness**	• la souplesse
(!) *une balance :* (a pair of) scales	• **balance**	• l'équilibre
	• **sportsmanship**	• la sportivité
	• **team spirit**	• l'esprit d'équipe

	• be fit	• être en forme
	be in good shape	être en bonne forme physique
	be in top shape	être en grande forme
	• keep fit	• se maintenir en forme
(!) developing, developed	• develop [dɪ'velɒp]	• développer
	• improve	• améliorer
	• perfect	• perfectionner

• fit	• en forme
• accurate	• précis, juste
• sharp	• vif
• strong	• fort
• vigorous	• vigoureux
• powerful ['paʊəfʊl]	• puissant
• muscular ['mʌskjʊlə]	• musclé
• resistant	• résistant
• resilient	• résistant, qui récupère vite
• supple	• souple
• lithe [laɪð]	• leste
• dynamic [daɪ'næmɪk]	• dynamique
• courageous [kə'reɪdʒəs]	• courageux
gritty (coll.)	qui a du cran
• aggressive	• agressif
• fast	• rapide
• light	• léger
• good (at)	• bon (en)
• gifted	• doué

Competition / La compétition

Contests / Les rencontres

(US) a meet	• a meeting	• une rencontre
(US) a track meet	an athletics meeting	une rencontre d'athlétisme
	• a tournament	• un tournoi
	• an event	• une épreuve
	a heat	une épreuve éliminatoire
a game of cricket/ a cricket game: *on n'utilise pas le mot "match" pour 2 équipes mais lorsque 2 individus se rencontrent.*	• a match, a game	• un match, une partie
	half-time	la mi-temps
	• a selection	• une sélection
	• a cap (Brit.)	• une sélection dans l'équipe nationale
	• a qualification	• une qualification
	qualifying heats/rounds	des épreuves de qualification
	• a round (of golf)	• une partie (de golf)
	• a run	• une course à pied
	• a race	• une course
a world championship: *un championnat du monde*	• a championship	• un championnat
	• the Olympic Games	• les Jeux Olympiques
	the Winter Games	les Jeux Olympiques d'hiver
	the Summer Games	les Jeux Olympiques d'été

- a grand prix [grɑːn'priː] — un grand prix
- a (semi-)final — une (demi-)finale

- qualify ['kwɒlɪfaɪ] — se qualifier
- participate in, take part in — participer à
- compete in — participer à
- compete with — être en compétition avec
- challenge sb — lancer un défi à qqn

Participants / Les participants

- a team — une équipe
- a side — un camp, une équipe
- a competitor — un concurrent
- an opponent [ə'pəʊnənt] — un adversaire
- a contestant — un concurrent, un adversaire
- a contender, a challenger — un concurrent, un prétendant au titre
- a rival ['raɪvl] — un rival
- a finalist ['faɪnəlɪst] — un finaliste

- confront — affronter, faire face à
- contend with — combattre, lutter contre
- play (a team) — affronter (une équipe)
- take on — s'attaquer à
- defy, challenge — défier *(!) defying, defied*
- take up the challenge — relever le défi
- rival with — rivaliser avec
- vie with sb (for sth) [vaɪ] — se mesurer à qqn (pour obtenir qqch) *(!) vying, vied*

Victory / La victoire

- a winner — un vainqueur, un gagnant
- the winning side — les vainqueurs
- a champion — un champion
  - a world champion — un champion du monde
  - a reigning champion ['reɪnɪŋ] — un champion en titre
  - a record-breaker — un recordman
- the runner-up — le second *several runners-up*
- the score — le résultat, le score
- the outcome — l'issue
- equalization — l'égalisation *(US) tying*
- a draw [drɔː] — un match nul *(US) a tie*
- a podium — un podium
- a trophy — un trophée
- a cup — une coupe
- a medal — une médaille
  - a gold medal — une médaille d'or
  - a silver medal — une médaille d'argent
  - a bronze medal — une médaille de bronze
- a prize [praɪz] — un prix (à gagner) *(!) a price: un prix à payer*
- a reward — une récompense
- the Yellow Jersey — le maillot jaune *a jersey: un maillot*

	• win	• gagner
	win a game	gagner une partie
	• lead	• mener
	• have the advantage	• avoir l'avantage
the edge: *le bord, le tranchant*	• have the edge (on/over)	• avoir l'avantage (sur)
	• have the upper hand	• avoir le dessus
	• face a strong challenge	• avoir affaire à forte partie
	• score a point	• marquer un point
	score a success/a hit	remporter un succès
(US) tie the score	• even (up) the score, equalize	• égaliser
	• narrow a lead	• réduire l'écart
(US) tie	• draw a match [drɔː]	• faire match nul
lose: *perdre*	• defeat, beat	• battre, vaincre
	go/be unbeaten	rester invaincu
	• knock down [nɒk]	• jeter à terre
	knock out [nɒk]	éliminer, mettre au tapis
(!) pinned, pinning	• pin down	• immobiliser
	• crush, overwhelm	• écraser
hollow: *creux*	• beat hollow (coll.)	• battre à plates coutures
	• set a record	• établir un record
	break a record	battre un record
smash: *briser*	smash a record (coll.)	pulvériser un record
	• overpower	• dominer
	• outclass	• surclasser
(irr.) I outran, I have outrun	• outrun	• distancer, dépasser à la course

	• daring	• audacieux
	• bold [bəʊld]	• téméraire, hardi
fearful: *craintif*	• fearless	• sans peur, intrépide
	• self-confident	• assuré, sûr de soi
un - rival (l) -ed	• matchless, unrivalled	• sans égal
un - equal (l) - ed	• unequalled	• inégalé
in - compar(e) - able	• incomparable	• incomparable

Defeat — La défaite

	• a loser	• un perdant
	• the losing side	• les perdants
	• elimination	• l'élimination

	• lose	• perdre
(irr.) I withdrew, I have withdrawn	• withdraw [wɪð'drɔː]	• déclarer forfait
	• be eliminated, be defeated	• être éliminé, être vaincu

The Public — Le public

	• the spectators, the public	• le public
	• the crowd [kraʊd]	• la foule
	• a supporter	• un supporter
from fanatic	• a fan	• un fan
	• an admirer [əd'maɪərə]	• un admirateur
devote oneself to: *se consacrer à*	• an enthusiast, a devotee	• un passionné
a lot of applause	• applause [ə'plɔːz]	• les applaudissements

the bookmaker's (Brit.): *le lieu où l'on prend les paris*	• **cheers**	• les acclamations
	• **a bet**	• un pari
	• **prognostication, a forecast**	• un pronostic
"The odds are 20 to 1": *la cote est de 20 contre 1.*	• **the odds**	• la cote
	• **hooliganism**	• le vandalisme, le hooliganisme
	• **chauvinism**	• le chauvinisme

support (a family): *subvenir aux besoins de sa famille*	• **support**	• soutenir (une équipe)
	• **admire** [əd'maɪə]	• admirer
	• **encourage** [ɪn'kʌrɪdʒ]	• encourager
	• **cheer**	• acclamer, applaudir
clap one's hands: *applaudir, frapper dans ses mains*	• **applaud** [ə'plɔːd]	• applaudir
	• **hold one's breath** [breθ]	• retenir son souffle
	• **bet on**	• parier sur
	• **hiss (at sb)**	• siffler (qqn)
	• **jeer (at sb)**	• lancer des quolibets (à qqn)
	• **go on the rampage**	• se déchaîner

faith: *la foi*	• **faithful**	• fidèle
	• **supportive**	• qui apporte son soutien
	• **encouraging**	• encourageant
	• **enthusiastic** [ɪnθjuːzɪ'æstɪk]	• enthousiaste
	• **devoted**	• fervent
	• **fanatic**	• fanatique

3 Performance at All Costs — La performance à tout prix

The Stakes — Les enjeux

	• **a performance** [pə'fɔːməns]	• une performance
	• **a feat**	• un exploit, une prouesse
a world record: *un record du monde*	• **a record**	• un record
	• **the prize money**	• le montant du prix
	• **winnings**	• les gains
	• **glory**	• la gloire
lasting fame: *une gloire durable*	• **fame**	• la gloire, la célébrité
	• **success**	• le succès
	• **sponsoring** **a sponsor**	• le parrainage un parrain, un sponsor
	• **media coverage**	• la couverture médiatique

• **be at stake**	• être en jeu
• **win at all costs**	• gagner à tout prix
• **win easily** **win hands down**	• gagner aisément gagner haut la main
• **stay at the pinnacle**	• rester au sommet
• **be sponsored**	• être parrainé
• **attract media coverage**	• attirer l'attention des médias

greed: *l'avidité*

- **greedy, money-minded** [mʌnɪ] — avide, vénal, cupide
- **famous** ['feɪməs] — célèbre

opposite: fair play; play fair: *jouer franc jeu*

Foul Play — Le jeu déloyal

- **a foul** [faʊl] — une faute
- **bribery** ['braɪbərɪ] — la corruption
  - **a bribe** [braɪb] — un pot-de-vin
- **doping** — le dopage
- **an illegal substance** — un produit interdit
  - **drugs** — des produits dopants
  - **steroids** ['stɪərɔɪdz] — des stéroïdes
  - **anabolic steroids** — des anabolisants

(also) *des médicaments, de la drogue*

- **cheat** [tʃiːt] — tricher
- **bribe** — soudoyer, offrir un pot-de-vin
- **rig a match** — truquer un match
- **harm** — faire du mal à
- **fake** — feindre
- **pretend** — feindre, faire semblant
- **fool** — tromper
- **disregard the rules** — ignorer le règlement
- **(not) to play by the rules** — (ne pas) respecter le réglement
- **take drugs, be on drugs** — se doper
- **boost** — augmenter, stimuler
- **increase muscle bulk** — développer la masse musculaire
- **strain** — forcer, mettre à rude épreuve
- **avoid detection** — échapper au contrôle

(also) *se droguer*

- **unfair** — injuste
- **foul** [faʊl] — déloyal
- **unsportsmanlike** — indigne d'un sportif
- **suspicious** [səs'pɪʃəs] — suspect
- **dishonest** [dɪs'ɒnɪst] — malhonnête
- **fake** [feɪk] — faux, feint
- **corrupt** — corrompu
- **forbidden** — interdit
- **illegal** [ɪ'liːgl] — illégal

fair: *juste*

un-sportsman-like

Controls and Sanctions — Les contrôles et les sanctions

Refereeing — L'arbitrage

- **a referee** — un arbitre
- **an umpire** ['ʌmpaɪə] — un arbitre
- **a judge** — un juge
- **a control, a check** — un contrôle
  - **a drug check** — un contrôle anti-dopage
  - **a random check** — un contrôle au hasard

for football, basketball, boxing

for baseball, cricket, tennis, hockey

• a whistle ['wɪsl]	• un sifflet
a stopwatch	un chronomètre
• referee	• arbitrer (boxe, football)
• umpire	• arbitrer (cricket, tennis)
• watch	• surveiller
• control	• contrôler
• check	• vérifier
• investigate	• mener une enquête

Sanctions / Les sanctions

• a fine	• une amende
• a caution ['kɔːʃn], a warning	• un avertissement
a yellow card	un carton jaune
a red card	un carton rouge
• a penalty	• une pénalité, un penalty
• a suspension	• une suspension
• a sending off	• une expulsion

• ban	• interdire	(!) banned, banning
• penalize	• pénaliser	
• disqualify	• disqualifier	(!) disqualified, disqualifying
• eliminate	• éliminer	
• send off	• expulser	
• strip of a medal	• priver d'une médaille, disqualifier	(!) stripped, stripping
• downgrade, demote	• rétrograder	
• suspend	• suspendre	

• exemplary	• exemplaire	
• temporary	• temporaire	
• severe [sɪ'vɪə], harsh	• sévère	
• offside	• hors-jeu	be offside: *être hors-jeu*
• disqualified	• disqualifié	
• deserved [dɪ'zɜːvd]	• mérité	
• undeserved	• immérité	

PRACTICE

61 The Right Word: Le mot juste

Match the words given below with the sports they evoke.

a. a scrum, a try, a conversion	**1.** weightlifting
b. dumbbells and barbells	**2.** tennis
c. a racket, a net, a backhand drive	**3.** rugby
d. a shuttlecock, a net, a racket	**4.** karate
e. a club, a hole	**5.** golf
f. a belt, kicks and punches	**6.** badminton

62 The Right Place: Le bon endroit

Use the following words to match each event and its location.

field - pitch - alley - course - lane - racetrack - court - ring - running track - strip - court.

Ex: A football match on a **pitch.**

a. a round of golf on a golf ...
b. a bowling game in a bowling ... or ...
c. a boxing match in a ...
d. track-and-field events on a ... and a ...
e. a car race on a ...
f. a tennis game on a tennis ...
g. a basketball game on a basketball ...
h. a fencing match on a fencing ...
i. a cricket game on a cricket ...

63 Describe the Athlete: Décrivez l'athlète

Make up compound adjectives with the help of the definitions and words given below.

a. Somebody who has broad shoulders is ... - ...
b. Somebody with a large chest is (barrel - chest)... - ...
c. If you move gracefully, you are (light - foot) ... - ...
d. If you are physically strong, you are (able - body) ... - ...
e. Somebody with very good eyesight is (sharp - sight) ... - ...

▶ Corrigés page 414 ◀

The Contemporary Context

Some Popular Sports in Great Britain and the United States

Quelques sports populaires en Grande-Bretagne et aux États-Unis

- **Rugby:** le rugby fut inventé dans la ville de Rugby en Angleterre en 1823, lorsqu'un joueur de football saisit le ballon et se mit à courir avec. Il s'agit de marquer des essais *(tries)* et des transformations *(conversions)*. En Europe, les équipes d'Angleterre, d'Écosse, du Pays de Galles, d'Irlande et de France participent au tournoi des Cinq Nations *(the Five Nations Championship)* rejointes par l'Italie.
- **Cricket:** deux équipes de onze joueurs s'opposent au cricket. Une équipe de batteurs *(the batsmen)* essaie de marquer des points en frappant à l'aide d'une batte *(a bat)* la balle qui leur est lancée par l'équipe adverse, les défenseurs ou hommes de champ *(the fielders)*. Ce jeu est également très populaire dans les pays du *Commonwealth* (association des colonies ou anciennes colonies britanniques).
- **Darts:** les fléchettes, activité pratiquée dans les pubs anglais et dans des tournois. Deux joueurs ou deux équipes visent le mille (*the bull's eye:* l'œil du taureau).
- **American football:** le football américain oppose, sur un terrain appelé *(field)*, deux équipes de joueurs portant casques et diverses protections aux genoux *(knee pads)*, aux épaules *(shoulder pads)*… À l'issue du championnat national, le vainqueur gagne le *Superbowl*. Les joueurs sont encouragés par des groupes de *cheerleaders* (*cheer:* les acclamations).
- **Baseball:** sport très populaire aux États-Unis. Deux équipes de neuf joueurs s'affrontent sur un terrain appelé *field* ou *diamond* (en raison de sa forme de losange). Une balle imparable permet à l'équipe du batteur de faire le tour complet des bases, le *home run*.

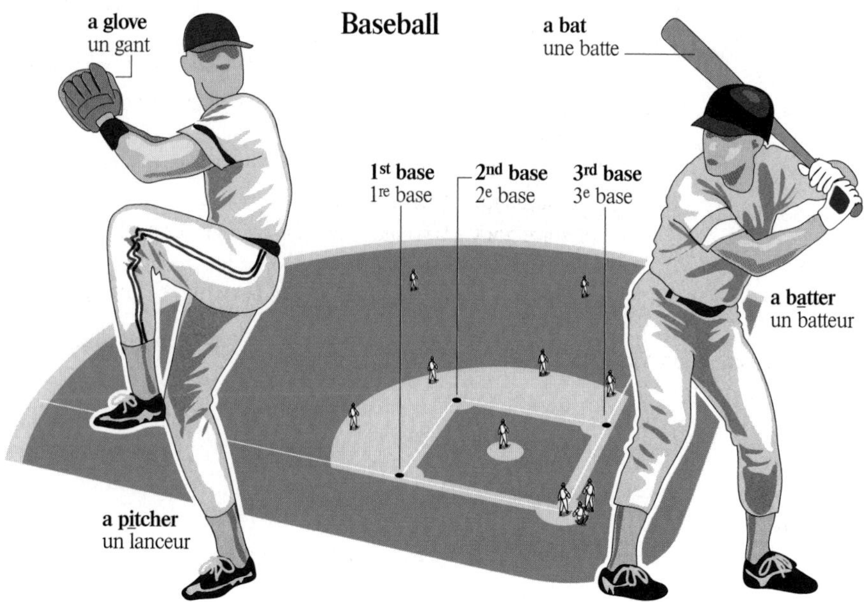

Expressing Sport Results
L'expression des résultats sportifs

- **"The Sprinboks scored a record 52 points against France.":** "Les Sprinboks ont marqué 52 points contre la France, un record."
- **"England lost to the All Blacks after being lucky to struggle to a draw against Australia's Wallabies.":** "L'Angleterre a perdu face aux All Blacks après avoir eu la chance de faire match nul de justesse face aux Wallabies australiens."
- **"Easy victories were scored by the southern hemisphere teams over Ireland, Scotland and Wales.":** "Les équipes de l'hémisphère sud se sont imposées sans difficultés face à l'Irlande, à l'Écosse et au Pays de Galles."
- **"England was defeated by 25 to 8.":** "L'Angleterre a perdu 25 à 8."
- **"What was the final score?" "Two all":** "Quel a été le résultat final ?" "2 partout".
- **Manchester 1 - Newcastle 0** (= **nil:** zéro, en langage sportif).
- **"Smith created a sensation by knocking out the first seed in the quarter finals in three sets, 7-6, 4-6, 6-3.":** "Smith a fait sensation en éliminant la première tête de série dans les huitièmes de finale en trois sets, 7-6, 4-6, 6-3."
- **"Ryan won the qualifiying heat with a personal best time of 10.23":** "Ryan a gagné l'épreuve de qualification en battant son propre record de 10 secondes 23".

Idioms and Colourful Expressions

Focus on Sport

- **a good sport (coll.):** un beau joueur
- **a bad sport (coll.):** un mauvais joueur
- **"Be a good sport!" (coll.):** "sois sympa !" (*a sport:* un chic type)
- **"I'm not the sporty type" (coll.):** "je ne suis pas du genre sportif."
- **to sport:** batifoler
- **to sport a moustache:** arborer une moustache.
- **to be the sport of fate:** être le jouet du destin.
- **to do something in sport:** faire quelque chose pour s'amuser, pour rire.
- **to make sport of somebody:** taquiner qqn.
- **to keep the ball rolling:** entretenir la conversation ; garder le rythme (= maintenir la balle/le ballon en mouvement).
- **to play ball with somebody:** coopérer avec quelqu'un (= jouer au ballon avec).
- **to play a straight bat:** jouer franc jeu (*straight:* droit, direct).
- **to be one jump ahead of somebody:** avoir une longueur d'avance sur quelqu'un (*a jump:* un saut).
- **to jump the gun:** (pour un athlète) partir avant le signal ; au sens figuré : anticiper, agir trop vite (*a gun:* une arme à feu).
- **to be skating on thin ice:** s'aventurer sur un terrain glissant (*thin:* mince).

Sayings and Proverbs

- **That's not cricket!:** Ce n'est pas du jeu ! Cela ne se fait pas !
- **May the best man win:** Que le meilleur gagne !
- **Win some, lose some:** On ne peut pas gagner à tous les coups.

Health and Medicine
La santé et la médecine

1 The Human Body — Le corps humain

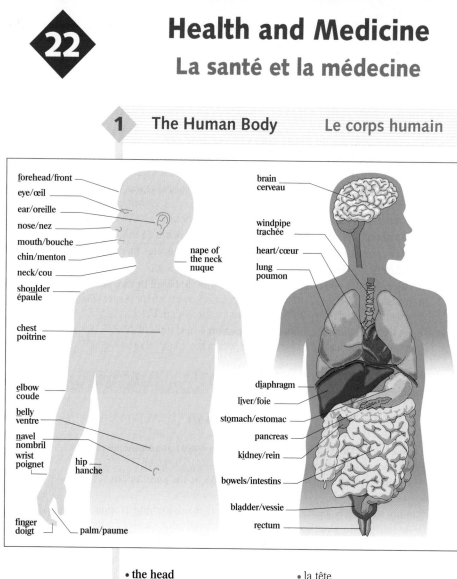

forehead/front
eye/œil
ear/oreille
nose/nez
mouth/bouche
chin/menton
neck/cou
nape of the neck / nuque
shoulder / épaule
chest / poitrine
elbow / coude
belly / ventre
navel / nombril
wrist / poignet
hip / hanche
finger / doigt
palm/paume

brain / cerveau
windpipe / trachée
heart/cœur
lung / poumon
diaphragm
liver/foie
stomach/estomac
pancreas
kidney/rein
bowels/intestins
bladder/vessie
rectum

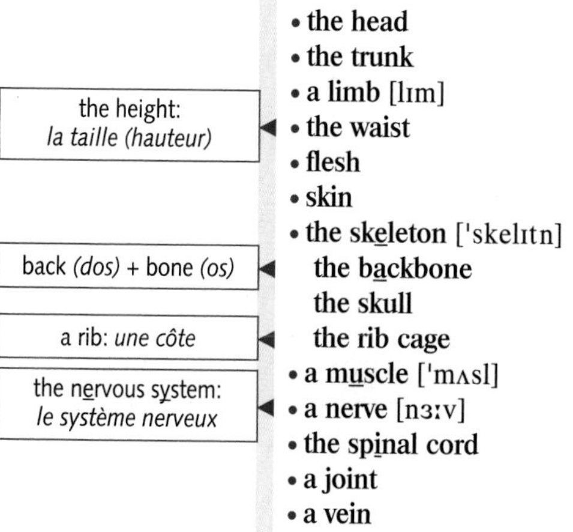

	• the head	• la tête
	• the trunk	• le tronc
	• a limb [lɪm]	• un membre
the height: *la taille (hauteur)*	• the waist	• la taille
	• flesh	• la chair
	• skin	• la peau
	• the skeleton ['skelɪtn]	• le squelette
back *(dos)* + bone *(os)*	the backbone	la colonne vertébrale
	the skull	le crâne
a rib: *une côte*	the rib cage	la cage thoracique
	• a muscle ['mʌsl]	• un muscle
the nervous system: *le système nerveux*	• a nerve [nɜːv]	• un nerf
	• the spinal cord	• la moelle épinière
	• a joint	• une articulation
	• a vein	• une veine
	• an artery	• une artère
	• an organ	• un organe
	• the genitals	• les organes génitaux

2 Good or Bad Health — Bonne ou mauvaise santé

Good Health and Physical Condition — Bonne santé et bonne condition physique

a healthy lifestyle ['helθɪ]	une bonne hygiène de vie
fitness	la forme
vitality [vaɪ'tælətɪ]	la vitalité
resistance, stamina	la résistance, l'endurance
energy	l'énergie
the immune system	le système immunitaire
antibodies	les anticorps

keep fit	entretenir sa forme
enjoy good health	avoir une bonne santé
look the picture of health	respirer la santé
have a cast-iron constitution	avoir une santé de fer

cast-iron: *la fonte*

healthy, in good health [helθ]	en bonne santé
fit, in good shape	en forme
sound	sain
lively	plein de vitalité
energetic	énergique
strong, sturdy	robuste, fort, solide
vigorous ['vɪgərəs]	vigoureux
resilient	endurant

safe and sound: *sain et sauf*

energy-giving: *énergétique*

Bad Health and Poor Physical Condition — Mauvaise santé et mauvaise condition physique

health trouble ['trʌbl]	les problèmes de santé
poor health, ill health	la mauvaise santé
past/previous history (of) ['priːvjəs]	les antécédents (en)
sickness	la maladie
a sick person	un malade
an illness, a disease [dɪ'ziːz]	une maladie
overwork, strain, stress	le surmenage

several illness**es**

be out of sorts	ne pas se sentir très bien
be ill (with)	être malade (de)
be sick	vomir
be infected with	être atteint de, avoir contracté
neglect oneself	négliger sa santé

(US) be sick: *être malade*
be sick of (coll.): *en avoir marre de*

unhealthy [ʌn'helθɪ]	maladif
diseased	malade
unfit, unwell, poorly	souffrant
weak [wiːk]	faible

(environnement) malsain : unhealthy, unwholesome

(!) he's **ill** *(attribut)* ≠ a **sick/diseased** person *(épithète)*

3 Ailments and Diseases / Les maux et les maladies

Accidents / Les accidents

• **an injury** ['ɪndʒərɪ]	• une blessure
• **a wound** [wuːnd]	• une blessure (infligée par qqn)
• **a slash, a cut**	• une coupure, une entaille
• **a bump**	• une bosse
• **a bruise** [bruːz]	• un bleu, une ecchymose
a black eye	un œil au beurre noir
• **a burn**	• une brûlure
• **a sprain**	• une foulure
• **a fracture**	• une fracture
a broken arm	un bras cassé
• **a trauma** ['trɔːmə]	• un traumatisme
• **the aftereffects, the repercussions**	• les séquelles, le contrecoup
• **a scar**	• une cicatrice
• **a plaster**	• un sparadrap
• **a bandage**	• un bandage, un pansement
• **a cast**	• un plâtre
• **a sling**	• une écharpe
• **a (walking) stick**	• une canne
• **crutches**	• des béquilles
• **a wheelchair**	• un fauteuil roulant

a serious wound: *une blessure grave*

first-degree/second-degree burns: *des brûlures au 1er/2e degré*

scar: *défigurer*

have/carry one's arm in a sling: *avoir le bras en écharpe*

(Brit.) a white stick, (US) a white cane: *une canne blanche*

• **wound**	• blesser intentionnellement
be wounded ['wuːndɪd]	se blesser (gravement)
• **injure (oneself)** ['ɪndʒə]	• (se) blesser (accidentellement)
• **cut oneself**	• se couper
• **burn (oneself)**	• (se) brûler
• **sprain**	• fouler
• **twist (one's ankle)**	• (se) tordre (la cheville)
• **be in a cast**	• être dans le plâtre
• **bruise** [bruːz]	• meurtrir
• **maim**	• estropier, mutiler
• **paralyze**	• paralyser

The Beginning of the Disease / Le début de la maladie

• **a symptom**	• un symptôme
• **a bout of fever** [baut]	• un accès de fièvre
• **a shiver**	• un frisson
• **an outbreak**	• un accès, un déclenchement
• **the incubation period**	• la période d'incubation
• **detection**	• la détection, le dépistage
• **a diagnosis** [daɪəg'nəʊsɪs]	• un diagnostic

• **catch a disease**	• attraper une maladie
• **fall ill/sick**	• tomber malade

be sick (Brit.): *vomir*	• **feel sick**	• avoir mal au cœur
	• **have a temperature**	• avoir de la température
	• **run a fever**	• avoir de la fièvre
	• **shiver**	• frissonner
(US) harbor	• **harbour** ['hɑːbə]/**carry (a virus)**	• être porteur d'un virus
	• **transmit**	• transmettre
	• **diagnose** ['daɪəgnəʊz]	• diagnostiquer

• **feverish**	• fiévreux
• **contaminated (by)**	• atteint (par), contaminé (par)
• **symptomatic (of)**	• symptomatique (de)

Benign Diseases / Les maladies bénignes

sore: *irrité, douloureux*	• **a sore throat**	• un mal de gorge
	• **a cold**	• un rhume
(abbreviation of) influenza	• **(the) flu**	• la grippe
	• **indigestion**	• une indigestion
(US) diarrhea	• **diarrhoea** [daɪə'riːə]	• la diarrhée
a heartache: *une peine de cœur*	• **a headache** ['hedeɪk]	• un mal de tête
	• **a backache**	• un mal de dos
	• **an allergy**	• une allergie
several teeth	• **a toothache**	• une rage de dent
a decayed tooth: *une dent cariée*	**decay/cavity**	les caries
	• **a stomachache** ['stʌməkeɪk]	• un mal de ventre
	a tummyache (coll.)	un mal de ventre (coll.)

	• **suffer (from)**	• souffrir (de)
	• **cough** [kɒf]	• tousser
"(God) bless you!": *"À vos souhaits !"*	• **sneeze**	• éternuer
	• **blow one's nose**	• se moucher
	• **sweat** [swet]	• transpirer
	• **fight off** [faɪt]	• combattre

Major Diseases and Main Body Malfunctions / Les maladies graves et les troubles organiques principaux

	• **a coronary disease, a heart condition**	• une maladie cardiaque
	heart failure [hɑːt]	la défaillance cardiaque
	a heart attack	une crise cardiaque
blood: *le sang*	• **high blood pressure** [blʌd]	• l'hypertension
	• **low blood pressure**	• l'hypotension
	• **cirrhosis (of the liver)** [sɪ'rəʊsɪs]	• la cirrhose (du foie)
have cancer: *avoir un cancer*	• **cancer**	• le cancer
(US) tumor	**a tumour**	une tumeur
	• **myopathy**	• la myopathie
	• **hepatitis** [hepə'taɪtɪs] **A/B/C**	• l'hépatite A/B/C
	• **Kreutzfeld Jacob disease**	• la maladie de Kreutzfeld Jacob
	• **asthma** ['æsmə]	• l'asthme

• **tuberculosis**	• la tuberculose
• **sterility**	• la stérilité

• **thump**	• palpiter, battre la chamade
• **be out of breath** [breθ]	• être essoufflé
• **gasp**	• avoir du mal à respirer, haleter
• **choke, stifle** [staɪfl]	• étouffer, manquer d'air
• **bleed**	• saigner
• **feel faint**	• être pris d'un malaise
• **pass out**	• s'évanouir
• **go into a coma**	• tomber dans le coma

feel dizzy: *avoir des vertiges*
suffer from vertigo: *avoir le vertige*

• **bedridden**	• cloué au lit, alité
• **chronic**	• chronique
• **infectious**	• infectieux
• **contagious** [kən'teɪdʒəs], **catching**	• contagieux
• **congenital**	• congénital
• **(in)curable**	• (in)curable
• **seriously ill**	• gravement malade
• **terminal, fatal** ['feɪtl], **lethal** ['liːθl]	• mortel
• **past/beyond cure, past recovery**	• perdu, condamné

terminally ill: *condamné*

Infectious Diseases / Les maladies infectieuses

• **a germ**	• un microbe
• **a virus** ['vaɪərəs]	• un virus
• **an infection**	• une infection
• **contamination**	• la contamination
• **an epidemic**	• une épidémie
• **the immune system** [ɪ'mjuːn]	• le système immunitaire
• **blood poisoning** [blʌd]	• la septicémie
• **a venereal disease** [və'nɪərɪəl]	• une maladie vénérienne
• **sexually transmitted diseases**	• les maladies sexuellement transmissibles
• **A.I.D.S.** [eɪdz]	• le SIDA
a HIV-positive [eɪtʃaɪ'viː]	un séropositif
an Aids sufferer	un sidéen
a high-risk community/group	une population/un groupe à risque

• **infect, contaminate**	• infecter, contaminer
• **test positive for**	• se révéler positif au contrôle de
• **harbour/carry a virus** ['vaɪərəs]	• être porteur d'un virus
• **pass on a virus**	• transmettre un virus
• **contract a disease**	• contracter une maladie
• **contain/control an epidemic**	• contenir une épidémie
• **break out**	• se déclarer
• **spread**	• se propager

(US) harbor

• **microbic**	• microbien
• **viral**	• viral
• **infected (with)**	• infecté, contaminé (par)

Mental Handicaps | Les handicaps mentaux

Heredity | L'hérédité

• a genetic disease	• une maladie génétique
the genetic code	le code génétique
a genetic legacy	l'héritage génétique
• a birth defect	• une malformation congénitale
• a genetic defect	• une anomalie génétique
a chromosome	un chromosome
• an abnormality/anomaly	• une anomalie
• mental retardation	• l'arriération mentale
• mongolism, Down's syndrome	• le mongolisme, la trisomie 21
• pass on a disease	• transmettre une maladie
• inherit a defect	• hériter d'une déficience
• run in the family	• être héréditaire
• hereditary	• héréditaire
• innate	• inné
• acquired	• acquis
• (mentally) retarded	• attardé (mental)

Mental Illnesses | Les maladies mentales

have a phobia about sth: *avoir la phobie de qqch*

(!) *lunatique:* whimsical

(a fit of) hysterics: *une crise de nerfs*

• autism	• l'autisme
• anxiety [æŋ'zaɪətɪ]	• l'angoisse, l'anxiété
• a phobia	• une phobie
• neurosis [njʊə'rəʊsɪs]	• la névrose
• psychosis [saɪ'kəʊsɪs]	• la psychose
• schizophrenia [skɪtsəʊ'friːnjə]	• la schizophrénie
• paranoia	• la paranoïa
• hysteria	• l'hystérie
• a depression	• une dépression
• a nervous breakdown	• une dépression nerveuse
• (premature) senility	• la sénilité (précoce)
• a mad person, a lunatic	• un fou, un aliéné
• a (sex) maniac ['meɪnɪæk]	• un obsédé (sexuel)
• a neurotic [njʊə'rɒtɪk]	• un névrosé
• a paranoid, a paranoiac	• un paranoïque
• a psychotic [saɪk'ɒtɪk]	• un psychotique
• a schizo(phrenic)	• un schizo(phrène)
• a megalomaniac	• un mégalomane
• autistic	• autiste
• phobic	• phobique
• hysterical	• hystérique
• depressive	• dépressif
• depressed	• déprimé
• anxious	• anxieux
• psychologically deficient [saɪkə'lɒdʒɪkəklɪ]	• qui souffre d'une déficience psychologique

- **neurotic** [njʊə'rɒtɪk] — • névrosé
- **senile** ['siːnaɪl] — • sénile
- **(mentally) unbalanced** — • déséquilibré
- **insane** — • aliéné, dément

Physical Disabilities — Les handicaps physiques

two dwarves *mais* Snow White and the Seven Dwarfs: *Blanche Neige et les Sept Nains*

colour blindness: *le daltonisme*

the blind: *les aveugles*

the deaf: *les sourds*

the mute: *les muets*

- **a malformation** — • une malformation
- **a disability, a handicap** — • un handicap
- **dwarfism** — • le nanisme
  a dwarf — • un nain
- **a hunchback** — • un bossu
- **a cripple, an invalid** — • un invalide
- **lameness** — • la claudication
- **lisping** — • le zozotement
- **stuttering** — • le bégaiement
- **blindness** — • la cécité
  a blind person — une personne aveugle
- **long-sightedness** — • l'hypermétrie, la presbytie
- **short-sightedness** — • la myopie
- **deafness** ['defnɪs] — • la surdité
  a deaf person — un sourd
- **dumbness** — • le mutisme
  a mute, a speech-impaired person — un muet
  a deaf-mute — un sourd-muet

---

a lame duck: *un canard boiteux*

(US) color

- **handicapped** — • handicapé, infirme
- **disabled** — • handicapé physique
- **crippled** — • estropié
- **lame** — • boiteux, éclopé
- **long-sighted** — • hypermétrope, presbyte
- **short-sighted** — • myope
- **colour blind** — • daltonien

The Body in Pain — Le corps souffrant

- **discomfort** — • la gêne, le malaise
- **an ache** [eɪk], **a pain** — • une douleur
- **a twinge** — • un élancement
- **suffering** — • la souffrance
- **agony** — • la souffrance atroce

(irr.) it stung, it has stung

My head/tooth/heart aches.

It hurts: *ça fait mal*

- **itch** — • démanger
- **sting** — • piquer
- **be in pain** — • souffrir
- **ache** [eɪk] — • faire souffrir, avoir mal
- **hurt** — • faire mal
- **suffer agonies** — • souffrir le martyre

• persistent	• tenace
• recurrent [rɪ'kʌrənt]	• récurrent
• painful	• douloureux
• shooting (pain)	• (douleur) lancinante, aiguë
• agonizing, excruciating (pain)	• (douleur) effroyable, atroce
• unbearable	• insupportable

un-bear-able

4 Remedies and Prevention / Les remèdes et la prévention

Treatments and Therapies / Les traitements et les thérapies

Conventional Treatments / Les traitements somatiques

• a cure	• un remède
• a drug, a medicine	• un médicament
• a tablet	• un cachet
• a pill	• un comprimé
• a syrup, a mixture	• un sirop
• antibiotics [æntɪbaɪ'ɒtɪks]	• des antibiotiques
• an injection, a shot	• une piqûre, une injection
a syringe ['sɪrɪndʒ]	une seringue
a needle	une aiguille
• chemotherapy [keməʊ'θerəpɪ]	• la chimiothérapie
• radiation therapy [reɪdɪ'eɪʃn]	• la radiothérapie
• physical therapy	• la rééducation
• detoxication	• la désintoxication
• side effects	• les effets secondaires
• overmedication	• la surmédication
• self-medication	• l'auto-médication

(US) medication

the (contraceptive) pill: *la pilule* ; on the pill: *sous pilule*

• cure	• soigner
• treat	• traiter
• be on (a medicine)	• prendre (un médicament)
• take effect	• faire de l'effet
• undergo	• subir
• irradiate [ɪreɪdɪ'eɪt]	• irradier
• boost the immune system	• renforcer le système immunitaire

• potent	• puissant
• efficacious, efficient	• efficace
• available	• disponible
• over-the-counter	• en vente libre
• antiviral [æntɪ'vaɪərəl]	• antiviral
• intramuscular, intravenous	• intramusculaire, intraveineux

only delivered on prescription: *délivré uniquement sur ordonnance*

Therapies for the Soul / La médecine de l'âme

• group therapy	• la thérapie de groupe
• psychoanalysis [saɪkəʊə'næləsɪs]	• la psychanalyse
• an antidepressant	• un antidépresseur

Alternative Techniques / Les thérapies parallèles

	• herbal medicine	• la médecine par les plantes
	• homeopathy	• l'homéopathie
	• acupuncture	• l'acuponcture
	• a cure-all/a nostrum	• une panacée
	• a wonder cure/a miracle cure	• un remède miracle
	• a medicine man, a witch doctor	• un sorcier-guérisseur
faith: *la foi*	• a faith healer	• un guérisseur
	• a hypnotizer ['hɪpnətaɪzə]	• un magnétiseur
	• believe in	• croire à
	• turn to	• se tourner vers
	• irrational	• irrationnel
	• controversial, challenged	• controversé, discutable
	• dubious	• douteux, suspect

Pain Relief / Le soulagement

	• a painkiller	• un calmant, un analgésique
(US) anesthetic	• an anaesthetic [ænɪs'θetɪk]	• un anesthésique
	• a sedative ['sedətɪv]	• un sédatif
(US) tranquilizer	• a tranquillizer	• un tranquillisant
	• a sleeping pill	• un somnifère
the placebo effect: *l'effet placébo*	• a placebo [plə'siːbəʊ]	• un placébo
	• an ointment	• une pommade
	• a massage	• un massage
	• drops	• des gouttes
	• local/general anaesthesia	• une anesthésie locale/générale
	• an epidural	• une péridurale
	• relieve	• soulager, apaiser
	• heal	• guérir, cicatriser
numb: *engourdi*	• numb the pain [nʌm]	• endormir la douleur
	• ease/soothe the pain	• soulager/calmer la douleur
(US) anesthetize	• anaesthetize [æ'niːs'θətaɪz]	• anesthésier

Types of Operations / Les types d'opérations

• surgery	• la chirurgie
heart surgery [hɑːt]	la chirurgie cardiaque
eye surgery	la chirurgie oculaire
brain surgery	la neurochirurgie
• plastic surgery	• la chirurgie esthétique
• reconstructive surgery	• la chirurgie réparatrice
• a transplant, a transplantation, a graft	• une greffe
a liver transplant	une greffe du foie

	an organ donation	un don d'organe
	an organ donor	un donneur d'organe
	a recipient	un receveur
be operated on: *subir une intervention chirurgicale*	• operate on a patient ['peɪʃnt]	• opérer un patient
	• perform an operation	• pratiquer une opération
	• graft	• greffer
	• transplant	• transplanter
	• life-saving	• vital
	• compatible	• compatible
	• incompatible	• incompatible

Relapse or Recovery — La rechute ou la guérison

A Turn for the Worse — Une aggravation

bad: *mauvais/mal* worse: *plus mauvais/pire* the worst: *le plus mauvais/le pire*	• a critical state	• un état critique
	• a relapse [rɪ'læps]	• une rechute
	• recurrence	• la récurrence, le retour
	• a complication	• une complication
	• a stable condition	• un état stationnaire
	• relapse	• rechuter
(!) recurred, recurring	• recur	• revenir
	• deteriorate	• empirer
	• get worse ['wɜːs], worsen	• s'aggraver

A Change for the Better — Une amélioration

good, better, the best: bien/bon, meilleur/mieux, le meilleur/le mieux	• an improvement	• une amélioration
	• a remission	• une rémission
	• a cure	• une guérison/un remède
	• healing	• la cicatrisation
	• power of recuperation ['paʊə]	• la capacité de récupération
	• re-education	• la rééducation (d'un membre)
	• rehabilitation	• la rééducation (d'un malade)
from the French *"recouvrer la santé"*	• recover (from), heal (from)	• se rétablir (de), guérir (de)
	• improve, get better	• (s')améliorer
	• make progress	• aller mieux
	• regain strength	• reprendre des forces
	• be out of the woods (coll.)	• être tiré d'affaire
	• be back on one's feet	• être remis sur pied

Prevention — La prévention

check: *vérifier*	• a check-up	• un bilan de santé
	• inoculation, vaccination	• la vaccination
	• a vaccine ['væksiːn]	• un vaccin
	• a booster	• un rappel
an automatic vending machine: *un distributeur automatique*	• a condom, a sheath	• un préservatif

	• safe sex	• la sexualité sans risques
	• a free needle supply	• la distribution gratuite des seringues
	• an information campaign	• une campagne d'information
(US) a program	• a prevention programme	• un programme de prévention
	• mandatory screening	• le dépistage obligatoire

	• vaccinate (against)	• vacciner (contre)
	• boost	• faire un rappel
	• be on the pill	• prendre la pilule
	• make aware (of)	• sensibiliser (sur)
	• protect (against)	• protéger (contre)
	• protect oneself	• se protéger

5 The Medical World — Le monde médical

Medical Staff — Le personnel médical

a physicist: *un physicien*	• a physician a doctor (of)	• un médecin un docteur (en)
	• a general practitioner, a G.P. (Brit.)	• un généraliste
	• a volunteer doctor	• un médecin bénévole
	• a specialist	• un spécialiste
	a heart specialist [hɑːt]	un cardiologue
	a surgeon	un chirurgien
(US) an anesthesiologist	an anaesthetist [æ'niːsθɪtɪst]	un anesthésiste
	a radiologist	un radiologue
(US) pediatrician	a paediatrician	un pédiatre
	a psychiatrist [saɪ'kaɪətrɪst]	un psychiatre
	a dentist	un dentiste
several midwives	• a midwife	• une sage-femme
	• a nurse	• une infirmière
	a male nurse	un infirmier
	• an ambulance man	• un ambulancier
a first-aid certificate: *un brevet de secourisme*	• a first-aid worker	• un secouriste
(US) a druggist, a pharmacist	• a chemist ['kemɪst]	• un pharmacien

Medical Staff at Work — Le personnel médical au travail

	• a medical examination	• un examen médical
	• a prescription	• une ordonnance
	• a shot, an injection	• une piqûre, une injection
(US) an IV (intravenous)	• a drip	• une perfusion, un goutte-à-goutte
	• a (blood) transfusion [blʌd]	• une transfusion (sanguine)
	• a surgical operation	• une intervention chirurgicale
a back-street abortionist: *une faiseuse d'anges, une avorteuse*	• an abortion	• un avortement
	• an X-ray	• une radiographie
	• a scanner	• un scanner
	• an ultrasound scan	• une échographie

• **a (blood) test** [blʌd]	• une analyse (du sang)
• **a stethoscope**	• un stéthoscope
• **a lancet**	• un bistouri
• **a stitch**	• un point de suture

• **visit**	• rendre visite à
• **check**	• examiner, vérifier
• **take the pulse**	• prendre le pouls
• **sound the chest, auscultate**	• ausculter
• **detect**	• détecter
• **X-ray**	• faire passer une radio
• **be under observation**	• être en observation
• **give a shot/an injection**	• faire une injection
• **prescribe**	• prescrire
• **carry out an abortion** (abort: *avorter*)	• pratiquer un avortement
• **dress a wound** [wuːnd]	• panser une plaie
• **nurse**	• soigner, s'occuper de
• **be on duty**	• être de garde

• **clinical**	• clinique
• **thorough** [ˈθʌrə]	• complet, consciencieux
• **faulty**	• erroné
• **sterile**	• stérile

Places / Les lieux

• **a (GP's) surgery**	• un cabinet (médical)
• **a hospital**	• un hôpital
• **a private hospital, a nursing home**	• une clinique
• **a ward** [wɔːd] (the emergency ward: *le service des urgences*; the maternity ward: *le service de maternité*)	• une salle
• **a nursery**	• une pouponnière
• **an intensive-care unit**	• un service de soins intensifs
• **a surgical unit, an operating theatre**	• un bloc opératoire
• **a laboratory** ((abbreviation) a lab)	• un laboratoire
• **an organ bank**	• une banque d'organes
• **a mental hospital**	• un hôpital psychiatrique
• **a rehabilitation centre** ((US) center)	• un centre de rééducation

• **be hospitalized, go into hospital**	• être hospitalisé
• **keep a patient**	• hospitaliser un malade
• **intern**	• interner

Health Systems / Les systèmes de santé

• **social security**	• la sécurité sociale
• **health spending**	• les dépenses de santé
• **health/medical costs**	• le coût de la santé/de la médecine
social/sickness/health insurance	l'assurance maladie
health-care coverage	la couverture sociale
• **health-care/social security benefits**	• les prestations de la sécurité sociale

	a health-care beneficiary	un assuré social
	• **a mutual benefit insurance company**	• une mutuelle
	• **a sick leave**	• un congé maladie
	• **fixed medical costs**	• les tarifs conventionnés
	• **out-of-pocket health care**	• les soins non conventionnés
	• **be entitled to** [ɪn'taɪtld]	• avoir droit à
	• **be covered**	• être couvert
	• **lose cover**	• perdre ses droits
deny: *refuser/nier*	• **be denied care**	• se voir refuser des soins
	• **be (un)insured** [ɪn'ʃʊəd]	• (ne pas) être assuré
	• **be reimbursed**	• se faire rembourser

6 Medical Research and Ethics / La recherche médicale et l'éthique

The Achievements of Medical Research / Les victoires de la recherche médicale

	• **a challenge**	• un défi
	• **a success**	• une réussite
	• **a feat** [fiːt]	• un exploit
	• **a breakthrough**	• une percée
	• **a discovery**	• une découverte
(!) *achever:* finish, complete	• **achieve something** [ə'tʃiːv]	• mener à bien, réussir qqch
	• **succeed (in doing something)**	• réussir (à faire quelque chose)
	• **discover**	• découvrir
	• **chance upon**	• découvrir par hasard
	• **devise (a treatment)** [dɪ'vaɪz]	• mettre au point (un traitement)
	• **major** ['meɪdʒə]	• d'une grande importance
	• **successful**	• réussi
	• **revolutionary**	• révolutionnaire

The Power of Scientists / Le pouvoir des savants

	Euthanasia	**L'euthanasie**
	• **active/passive euthanasia** [juːθə'neɪzjə]	• l'euthanasie active/passive
mercy: *la pitié*	• **mercy-killing**	• l'euthanasie
	• **therapeutic fury** [θerə'pjuːtɪk]	• l'acharnement thérapeutique
a living will: *un testament de vie, ou les dernières dispositions médicales à prendre*	• **the right to live/die**	• le droit à la vie/à la mort
	• **long for death**	• aspirer à mourir
	• **carry out euthanasia**	• pratiquer l'euthanasie
	• **keep alive**	• maintenir en vie
drift: *dériver*	• **drift off to sleep**	• s'endormir

• **switch off a machine**	• débrancher un appareil
• **put an end to sb's suffering**	• abréger les souffrances de qqn
• **artificial**	• artificiel
• **vegetative**	• végétatif
• **clinically dead**	• cliniquement mort
• **brain dead**	• à l'état de mort cérébrale
• **irreversible**	• irréversible
• **(in)humane** [hjuː'meɪn]	• (in)humain, sans qualité humaine

The Sorcerer's Apprentice / L'apprenti sorcier

• **reproductive techniques**	• les techniques de fécondation
artificial insemination	l'insémination artificielle
in-vitro fertilization	la fécondation in-vitro
a test-tube baby	un bébé-éprouvette
• **genetic manipulations**	• les manipulations génétiques
• **stem cells**	• des cellules-souches
• **a guinea pig** ['gɪnɪ]	• un cobaye
• **cloning**	• le clonage
• **eugenics** [juː'dʒenɪks]	• l'eugénisme
• **manipulate, tamper with**	• manipuler
• **splice a gene** ['dʒiːn]	• modifier un gène
• **clone**	• cloner
• **misuse (a technique)**	• faire (d'une technique) un usage impropre ou abusif

The Ethical Debate / La controverse éthique

ethics: *la morale, l'éthique*

• **medical ethics**	• la déontologie médicale
• **the Hippocratic oath**	• le serment d'Hippocrate
• **a dilemma**	• un dilemme
• **a principle**	• un principe
• **the respect for life/ human dignity**	• le respect de la vie/ de la dignité humaine
• **a legal limbo** [liːgl]	• un vide juridique
• **a code of ethics/conduct/practice**	• un code de conduite
• **an ethics commission**	• une commission d'éthique
• **legislation**	• des lois, la législation
• **a guideline**	• une directive
• **a safeguard** ['seɪfgɑːd]	• un garde-fou, une garantie
• **a ban (on)**	• une interdiction (de)
• **legislate**	• légiférer
• **legalize**	• légaliser
• **uphold a principle**	• défendre un principe
• **control**	• contrôler
• **ban**	• interdire
• **legal** ['liːgl], **illegal**	• légal, illégal
• **banned, forbidden**	• interdit
• **ethical**	• éthique

PRACTICE

64 What's Wrong, Doc?: Quel est le problème, docteur ?

Diagnose the right ailment. Match each element in column A with an element in column B.

A	B
If you...	*You may suffer from...*
a. are allergic	**1.** a liver problem
b. drink heavily	**2.** a heart condition
c. don't wear warm clothes in cold weather	**3.** asthma
d. have a high level of cholesterol	**4.** lung cancer
e. smoke heavily	**5.** a cold or a sore throat
f. don't drink enough	**6.** fatigue
g. work too much and over-exercise	**7.** kidney trouble

65 Compound Words: Mots composés

Make as many compound words as possible with the following elements. You may use them more than once.

pain - operation - injury - liver - killer - complaint - infection - cancer - bone - heart - transplant - surgeon.

66 The Short History of an Illness, or All's Well That Ends Well: La petite histoire d'une maladie, ou, tout est bien qui finit bien

Put the following sentences in chronological order.

a. I went to the chemist's with my prescription.
b. I had not been feeling well for the past two days.
c. I bought my tablets: a painkiller and vitamins.
d. He examined me: he sounded my chest, and checked my blood pressure.
e. I went to the G.P.'s surgery.
f. He diagnosed a general weakness -nothing to worry about really.
g. After a week, I felt much better.
h. He said that the medicine should take effect quickly.
i. The G.P. prescribed a light treatment.
j. I felt faint, and I had suffered from painful headaches.
k. The treatment proved really effective.

▶ Corrigés page 414 ◀

The Contemporary Context

Common Initials and their French Equivalents

Les abréviations usuelles et leurs équivalents français

- **A.I.D.S (Acquired Immune Deficiency Syndrome):** SIDA, syndrome d'immuno-déficience acquise.
- **an AIDS patient/victim:** un malade du sida, un sidéen.
- **H.I.V (Human Immunodeficiency virus):** HIV, virus d'immuno-déficience chez l'homme.
- **H.I.V. positive:** porteur du virus H.I.V.
- **T.B (Tuberculosis):** la tuberculose.
- **an S.T.D (a sexually transmissible disease):** une MST, maladie sexuellement transmissible.
- **S.I.D.S (Sudden Infant Death Syndrome):** la mort subite du nourrisson.
- **D.N.A (deoxyribonucleic acid):** l'A.D.N., l'acide désoxyribonucléique.

Organizations and Institutions

Les organismes et les institutions

- **the W.H.O. (the World Health Organization):** Organisation Mondiale de la Santé (O.M.S).
- **The Health Department (US):** le ministère de la santé américain.
- **The Food and Drug Administration (US):** les instances fédérales qui contrôlent les produits alimentaires et pharmaceutiques aux États-Unis.
- **Medicare (US):** système d'assurance-maladie qui couvre les handicapés et les personnes âgées.
- **Medicaid (US):** système d'assurance-maladie qui couvre les personnes aux revenus les plus modestes.
- **Harley Street:** rue où exercent en particulier les spécialistes privés, à Londres, et par extension, la communauté médicale britannique.
- **the Red Cross:** la Croix Rouge.
- **N.H.S. (Brit.), National Health Service:** Sécurité sociale britannique.
- **a volunteer-medic movement:** une organisation de médecins bénévoles.
- **"medicine without borders":** traduction de Médecins sans Frontières.

Politically Correct Equivalents of Certain Ailments or Disadvantages

Équivalents politiquement corrects de certains maux et handicaps

Le "politiquement correct" émane d'une volonté de nommer les choses de telle façon qu'elles ne blessent personne. Quelques exemples :

- **differently abled:** aux capacités physiques différentes.
- **aurally challenged (deaf):** à l'ouïe problématique (sourd).
- **vertically challenged (short):** à la taille problématique (petit).
- **hair disadvantaged (bald):** qui a de graves problèmes capillaires (chauve).
- **chemically inconvenienced (psychotic):** victime de problèmes de métabolisme (psychotique).

Idioms and Colourful Expressions

Expressions About Health Disorders with a Figurative Meaning

- **a blind spot (for):** un point faible, une faiblesse (en).
- **a blind date:** un rendez-vous avec un(e) inconnu(e).
- **a diplomatic illness:** une maladie diplomatique.
- **an infectious laugh:** un rire contagieux.
- **a pain in the neck:** un casse-pieds.
- **verbal diarrhoea:** une diarrhée verbale.
- **an eyesore:** une horreur (pour les yeux).
- **teething troubles:** des débuts difficiles (*to teethe:* faire ses premières dents).
- **to turn a blind eye to:** fermer les yeux sur.
- **to be blinded by hatred:** être aveuglé par la rage.
- **to turn a deaf ear to:** faire la sourde oreille à.
- **to rub it in:** retourner le couteau dans la plaie.
- **as blind as a bat:** myope comme une taupe (*a bat:* une chauve-souris).
- **as deaf as a door-post:** sourd comme un pot (*a door-post:* le montant d'une porte).
- **stiff-necked:** raide, entêté (*stiff:* raide; *the neck:* le cou).
- **as fit as a fiddle:** qui respire la forme, la santé (*a fiddle:* un violon).
- **as mad as a hatter:** fou à lier (le mercure autrefois utilisé pour amidonner les chapeaux dégageait des émanations toxiques pour le cerveau ; *a hatter:* un chapelier).

Expressions About Medicine and Medical Treatment with a Figurative Meaning

- **(it's) a bitter pill to swallow:** c'est dur à avaler.
- **to sugar the pill (to):** dorer la pilule (à).
- **to give somebody a taste of his own medicine:** rendre à quelqu'un la monnaie de sa pièce.
- **to doctor data... (coll.):** falsifier des informations.
- **to nurse (a hope/a grievance...):** nourrir (un espoir/une rancune...).
- **to bleed somebody dry/white:** saigner quelqu'un à blanc.

Sayings and Proverbs

- **An apple a day keeps the doctor away:** Manger une pomme chaque jour prévient la maladie.
- **Never tell your enemy your foot aches:** Ne révélez jamais votre faiblesse à votre adversaire.
- **What cannot be cured must be endured:** Quand il n'y a pas de remède, il faut se résigner.
- **No gain without pain:** Qui ne risque rien n'a rien (*gain:* le gain).
- **Prevention is better than cure:** Mieux vaut prévenir que guérir.

Sciences and Scientific Progress
Les sciences et le progrès scientifique

1 Scientific Fields — Les sciences

Exact Sciences — Les sciences exactes

(!) Maths is easy.

Mathematics — **Les mathématiques**

Pythagoras' theorem: *le théorème de Pythagore*

a demonstration ad absurdo: *une démonstration par l'absurde*

3 plus 3 makes 6.

3 minus 3 equals 0.

3 by 3 are 1.

3 times 3 are 9.

a simple/quadratic equation: *une équation du 1er/2nd degré*

• **a mathematician**	• un mathématicien
• **a theorem** ['θɪərəm]	• un théorème
• **a law** [lɔː]	• une loi
• **a rule**	• une règle
• **an axiom**	• un axiome
• **a proof, a demonstration**	• une démonstration
• **calculation, computation**	• le calcul
• **a calculator**	• une calculatrice
• **a figure** ['fɪgə], **a digit, a cipher**	• un chiffre
• **the four sums/processes**	• les quatre opérations
addition	addition
subtraction	la soustraction
division	la division
multiplication	la multiplication
• **a fraction**	• une fraction
• **an (in)equation**	• une (in)équation
• **a function**	• une fonction
• **a graph**	• un graphique, un diagramme
• **a solution**	• une solution
• **a reasoning**	• un raisonnement
• **a result**	• un résultat
• **a conclusion**	• une conclusion
• **geometry**	• la géométrie
a straight line	une droite
a plane	un plan
an acute/obtuse angle	un angle aigu/obtus
the perimeter	le périmètre
the area ['ɛərɪə]	l'aire, la surface
the volume	le volume
a sphere [sfɪə]	une sphère
a cube	un cube

• **calculate, compute, reckon**	• calculer
• **make a calculation**	• faire/effectuer un calcul
• **add**	• additionner
• **subtract**	• soustraire
• **divide**	• diviser

	• multiply	• multiplier
	• solve a problem/an equation	• résoudre un problème/une équatio
	• equate	• mettre en équation
"I got it wrong": *"je me suis trompé"*	• make a mistake	• faire une erreur

	• scientific [saɪən'tɪfɪk]	• scientifique
	• mathematical	• mathématique
	• even	• pair
	• odd	• impair
	• (in)finite	• (in)fini
	• prime/whole [həʊl]/decimal	• premier/entier/décimal
	• (in)accurate	• (in)exact
	• geometric	• géométrique
square root: *racine carrée*	• square	• carré
	• circular	• circulaire
	• triangular [traɪ'æŋgjʊlə]	• triangulaire
	• rectangular	• rectangulaire
	• spherical	• sphérique

Physics / Les sciences physiques

(!) Physics is interesting.

(!) a physician: *un médecin*	• a physicist ['fɪzɪsɪst]	• un physicien
	• nuclear physics ['nju:klɪə]	• la physique nucléaire
	• an atom ['ætəm]	• un atome
	• gravity	• la gravité
	• resistance	• la résistance
	• a force	• une force
	• mechanical engineering	• la mécanique
	• mass	• la masse
	• weight	• le poids
	• optics	• l'optique
	• a lens	• une lentille
focus on sth : *se concentrer sur qqch*	• the focus	• le foyer
	• electricity	• l'électricité
	an electron	un électron
	a neutron ['nju:trɒn]	un neutron
	• the current	• le courant
	• the voltage ['vəʊltɪdʒ]	• le voltage
	a volt [vəʊlt]	un volt
	• power ['paʊə]	• la puissance
	a watt	un watt
	an amp(ere)	un ampère
	• a fuse	• un fusible, un plomb
long/medium/short waves: *les ondes longues/moyennes/courtes*	• a wave	• une onde
	• astronomy	• l'astronomie
	an astronomer	un astronome
	• astrophysics	• l'astrophysique
	an astrophysicist	un astrophysicien
	• cosmology	• la cosmologie
	a cosmologist	un cosmologue
	• an observatory [əb'zɜ:vətrɪ]	• un observatoire
	• a telescope	• un télescope

• **a star chart**	• une carte du ciel
• **the Big Bang**	• le Big Bang
• **the theory of chaos** ['keɪɒs]	• la théorie du chaos
• **a black hole**	• un trou noir
• **a celestial phenomenon** (several phenomena)	• un phénomène céleste

• **peer through a telescope**	• regarder à travers un télescope
• **scan the sky**	• scruter le ciel
• **spot/locate (a star)**	• repérer/localiser (une étoile)
• **monitor (a planet)**	• surveiller (une planète)

• **physical**	• physique
• **optical**	• optique
• **electric**	• électrique
• **astronomical**	• astronomique

Chemistry / La chimie

• **a chemical** ['kemɪkl] **a chemist** ['kemɪst]	• un produit chimique un chimiste
• **biochemistry** [baɪəʊ'kemɪstrɪ] **a biochemist** [baɪəʊ'kemɪst]	• la biochimie un biochimiste
• **pharmacology**	• la pharmacologie
• **pharmacy**	• la pharmacie
• **an experiment** ((!) an experience: *une expérience vécue*)	• une expérience
• **a test tube**	• un tube à essai
• **a formula** (several formulas/formulae)	• une formule
• **a symbol**	• un symbole
• **a base** [beɪs]	• une base
• **an acid**	• un acide
• **the pH** (a pH of 7: *un pH de 7*)	• le pH
• **a gas** [gæs] (several gas(s)es)	• un gaz
• **a liquid**	• un liquide
• **a solid**	• un solide
• **fusion**	• la fusion
• **a synthesis** (several syntheses)	• une synthèse
• **a reaction**	• une réaction
• **a solution**	• une solution
• **a catalyst**	• un catalyseur
• **a precipitate**	• un précipité

• **pour** [pɔː]	• verser
• **drip**	• couler goutte à goutte
• **mix**	• mélanger
• **concentrate**	• concentrer
• **react (on/to something)**	• réagir (à quelque chose)
• **oxidize**	• s'oxyder

• **chemical** ['kemɪkl]	• chimique
• **biochemical** [baɪəʊ'kemɪkl]	• biochimique
• **synthetic**	• synthétique

Natural Sciences	Les sciences naturelles	
• biology	• la biologie	
• a biologist	• un biologiste	
• microbiology	• a microbiologie	
a microbiologist	un microbiologiste	
• cellular biology	• la biologie cellulaire	
• embryology	• l'embryologie	
an embryologist	un embryologiste	
• physiology	• la physiologie	
a physiologist	un physiologiste	
• anatomy	• l'anatomie	
• an anatomist	• un anatomiste	
• dissection	• la dissection	
• vivisection	• la vivisection	
• a guinea pig ['gɪnɪpɪg]	• un cobaye	(also) *un cochon d'Inde*
• biological	• biologique	
• physiological	• physiologique	
• anatomical	• anatomique	
• in vivo	• in vivo	
• in vitro	• in vitro	in vitro fertilization: *la fécondation in vitro*
• geology	• la géologie	
a geologist	un géologue	
• mineralogy	• la minéralogie	
a mineralogist	un minéralogiste	
• a stone, a rock	• une pierre, une roche	
• a layer, a stratum ['strɑːtəm]	• une couche, une strate	several strata
• sediment	• les sédiments	a type of sediment: *un sédiment*
• erosion	• l'érosion	
• botany	• la botanique	
a botanist	un botaniste	
• photosynthesis	• la photosynthèse	
• reproduction	• la reproduction	
• adaptation	• l'adaptation	
• zoology [zəʊ'ɒlədʒɪ]	• la zoologie	
a zoologist	un zoologiste	
• a species ['spiːʃiːz]	• une espèce	
• a category, a group	• une catégorie, un groupe	

Social Sciences — Les sciences humaines

Archaeology and Anthropology	L'archéologie et l'anthropologie	(US) archeology
• an archaeologist	• un archéologue	(US) archeologist
• an anthropologist	• un anthropologue	
• ethnology	• l'ethnologie	
• an ethnologist	• un ethnologue	
• an excavation	• une fouille	
• an archaeological site	• un chantier de fouille	
• a fossil ['fɒsl]	• un fossile	
• remains	• des restes, des vestiges	

	• evolution	• l'évolution
Darwinism: *le darwinisme*	evolutionism	l'évolutionnisme
	• determination	• la détermination
	determinism	le déterminisme

	• anthropological	• anthropologique
(US) archeological	• archaeological	• archéologique
	• ethnological	• ethnologique

Sociology and Economics — La sociologie et l'économie

	• a sociologist	• un sociologue
	• a rite [raɪt], a ritual ['rɪtʊəl]	• un rite, un rituel
	• customs	• les coutumes, les mœurs
	• a way of life	• un mode de vie
	• a habit	• une habitude
(US) behavior	• behaviour [bɪ'heɪvɪə]	• le comportement, la conduite
	• everyday life	• la vie courante
the man in the street: *l'homme de la rue*	• the average man	• le citoyen moyen
	• a majority [mə'dʒɒrətɪ]	• une majorité
	• a minority [maɪ'nɒrətɪ]	• une minorité
	• a class	• une classe
	• a group	• un groupe
	an age group	une classe d'âge
	• a tribe	• une tribu
a sample: *un échantillon*	• a sampling	• un échantillonnage
	• an economist	• un économiste
	• statistics	• les statistiques
	a statistician	un statisticien
20% = twenty per cent: *vingt pour cent*	• percentage [pə'sentɪdʒ]	• le pourcentage
	• a ratio ['reɪʃɪəʊ]	• une proportion
	• probability	• la probabilité
	calculation of probability	le calcul des probabilités
	• a graph	• un graphique, une courbe
	• a chart	• un diagramme, un graphique
a pie: *une tourte*	a pie chart	un diagramme en camembert
	• modelling	• la modélisation
in the short/long run: *à court/long terme*	• (short-term/long-term) forecasting	• la prévision (à court/long terme)
	• simulation	• la simulation

	• sociological	• sociologique
(!) economical: *économique, bon marché*	• economic	• économique, ayant trait à l'économie
	• statistical	• statistique

Sciences of the Psyche — Les sciences de la psyché

	• psychology [saɪ'kɒlədʒɪ]	• la psychologie
psychobabble: *le jargon des psychologues*	a psychologist [saɪ'kɒlədʒɪst]	un psychologue
	• psychiatry [saɪ'kaɪətrɪ]	• la psychiatrie
	a psychiatrist [saɪ'kaɪətrɪst]	un psychiatre
	• psychoanalysis [saɪkəʊə'næləsɪs]	• la psychanalyse
a shrink (slang): *un psy*, (abbreviation of) "head shrinker": *réducteur de tête*	a psychoanalyst [saɪkəʊ'ænəlɪst]	un psychanalyste
	a couch [kaʊtʃ]	un divan

	• **psychotherapy** [saɪkəʊ'θerəpɪ]	• la psychothérapie
	a psychotherapist [saɪkəʊ'θerəpɪst]	un psychothérapeute
group therapy: *la thérapie de groupe*	**a therapy** ['θerəpɪ]	une thérapie
	• **an analysis**	• une analyse
	• **the ego**	• le moi
	the superego	le sur-moi
	the id	le ça
	• **repression**	• le refoulement
the Oedipus complex	• **a complex**	• un complexe
	• **a syndrome** ['sɪndrəʊm]	• un syndrome
a psycho (coll.): *un dingue*	• **a psychopath** ['saɪkəʊpæθ]	• un psychopathe
	• **a mad/crazy person**	• un fou
	• **a mental/psychiatric hospital**	• un hôpital psychiatrique
	• **a straitjacket**	• une camisole de force

• **undergo psychoanalysis**	• se faire psychanalyser
• **be in analysis**	• être en analyse
• **have somebody committed**	• interner quelqu'un

• **psychological** [saɪkə'lɒdʒɪkl]	• psychologique
• **psychiatric** [saɪkɪ'ætrɪk]	• psychiatrique
• **(psycho)analytical**	• (psych)analytique
• **therapeutic** [θerə'pjuːtɪk]	• thérapeutique
• **psychosomatic** [saɪkəʊsə'mætɪk]	• psychosomatique

Linguistics — La linguistique

	• **psycho/socio/neurolinguistics**	• la psycho/socio/neurolinguistiqu
	• **a linguist**	• un linguiste
	• **a language**	• une langue, un langage
a speech community: *une communauté linguistique*	• **speech**	• la parole
	• **a dialect** ['daɪəlekt]	• un dialecte
	• **an idiolect**	• un idiolecte
	• **a sociolect**	• un sociolecte
	• **semantics**	• la sémantique
	• **semiotics**	• la sémiotique
	• **semiology**	• la sémiologie
	• **phonetics**	• la phonétique
	• **phonology**	• la phonologie
	• **a lexicon**	• un lexique
	• **syntax**	• la syntaxe
	• **the predicate** ['predɪkət]	• le prédicat
	• **the speaker**	• l'énonciateur, l'émetteur
	• **the hearer**	• l'auditeur, le récepteur

• **linguistic**	• linguistique
• **semantic**	• sémantique
• **semiotic**	• sémiotique
• **semiological**	• sémiologique
• **phonetic(al)**	• phonétique
• **phonological**	• phonologique
• **structural**	• structurel
• **syntactic(al)**	• syntaxique

2 Scientific Research — La recherche scientifique

Basic Research — La recherche fondamentale

> an R&D lab. = a Research and Development laboratory: *un laboratoire de recherche et de développement*

> a scholar: *un savant, un érudit*

> a laboratory assistant: *un laborantin*

• **a field of research** [rɪ'sɜːtʃ]	• un domaine de recherche
a research laboratory	• un laboratoire de recherche
• **a team**	• une équipe
teamwork	le travail d'équipe
• **a researcher** [rɪ'sɜːtʃə]	• un chercheur
• **a scientist** ['saɪəntɪst]	• un scientifique, un savant
• **an expert, a specialist**	• un expert, un spécialiste
• **an assistant**	• un assistant
• **do/carry out research**	• faire de la recherche
• **team up with**	• faire équipe avec
• **study**	• étudier
• **research into**	• mener une recherche sur
• **basic** ['beɪsɪk], **fundamental**	• fondamental
• **experimental**	• expérimental
• **applied**	• appliqué

The Way to Discoveries — La voie des découvertes

> several phenomena

> a piece of evidence: *une preuve*

> several hypotheses

> trial and error: *l'essai et l'erreur*

• **a phenomenon**	• un phénomène
• **observation**	• l'observation
• **description**	• la description
• **an intuition**	• une intuition
• **methodology**	• la méthodologie
• **a proof**	• une preuve
evidence	des preuves
• **a stroke of genius** ['dʒiːnjəs]	• un trait de génie
a stroke of inspiration	une trouvaille
a stroke of luck	un coup de chance
• **a hypothesis** [haɪ'pɒθɪsɪs]	• une hypothèse
• **a theory** ['θɪərɪ]	• une théorie
• **experimentation**	• l'expérimentation
• **a test**	• un test, un essai
• **a procedure** [prə'siːdjə]	• un protocole
• **a check**	• un contrôle, une vérification
• **an improvement**	• une amélioration
• **a discovery, a find(ing)**	• une découverte
• **a breakthrough**	• une découverte capitale, une percée
• **a patent**	• un brevet
• **experiment**	• expérimenter
carry out an experiment	procéder à une expérience
• **proceed by trial and error** ['traɪəl]	• tâtonner
• **progress, make headway**	• progresser

	• prove	• prouver
	disprove	réfuter
	• confirm	• confirmer
	invalidate	infirmer
(US) analyze	• analyse	• analyser
(US) synthesize	synthesise	synthétiser
	• build/contrive a theory	• élaborer une théorie
	• discover	• découvrir
	• devise, design	• inventer, imaginer, concevoir
put to the acid test: *faire subir l'épreuve de vérité*	• test, put to the test	• tester, mettre à l'essai
	• check	• vérifier
	• develop	• mettre au point
	• improve, upgrade	• améliorer

at random: *au hasard*	• random	• aléatoire
	• empirical	• empirique
	• confirmed	• avéré, confirmé
	• major ['meɪdʒə]	• crucial, majeur
	• spectacular	• spectaculaire
	• ground-breaking	• révolutionnaire
	• controversial, debatable	• contestable, controversé

Funds for Research / Le financement de la recherche

	• credits	• les crédits
	• a subsidy ['sʌbsɪdɪ]	• une subvention
	• a donation	• un don
	a donor ['dəʊnə]	un donateur
	• investment	• les investissements
	• public/private funding	• le financement public/privé
	• sponsoring	• le parrainage
	a sponsor	un parrain, un mécène
	• cuts, cutbacks (in)	• les réductions (de)
tight: *serré*	• a tight budget	• un budget restreint

(!) *supporter:* bear	• support	• soutenir, financer
	• fund	• financer
(US) subsidize	• subsidise	• subventionner
	• sponsor	• parrainer

3 Astronautics / L'astronautique

The Space Age / L'ère spatiale

The Crew and the Staff / L'équipage et le personnel

• an astronaut	• un astronaute
• a cosmonaut ['kɒzmənɔːt]	• un cosmonaute
• a spaceman, a spacewoman	• un(e) spationaute

a space base [beɪs]	une base spatiale
• a pilot ['paɪlət]	• un pilote
• a flight [flaɪt]/mission controller	• un contrôleur de mission
• a flight instructor	• un instructeur de vol

a flight: *un vol*

The Equipment / L'équipement

• a flight simulator [flaɪt]	• un simulateur de vol
• a spaceship, a spacecraft	• un vaisseau spatial
• a manned spacecraft	• un engin spatial habité
an unmanned spacecraft	un engin spatial inhabité
a space suit [suːt]	une combinaison spatiale
a gravity-suit	une combinaison spatiale antigravité
remote control	le contrôle à distance
a roving robot ['rəʊbɒt]	un robot autonome
• a rocket	• une fusée
a multi-stage rocket	une fusée à étages
the retrorockets	les rétrofusées
a booster	un propulseur auxiliaire, un booster
an airlock	un sas
• a space shuttle	• une navette spatiale
• a lunar vehicle ['viːɪkl]	• un véhicule lunaire
a moon buggy	une jeep lunaire

manned: *occupé par un homme*

(abbreviation) a G-suit

remote: *lointain*

rove: *vagabonder, rôder*

boost: *stimuler*

• explore	• explorer
• fly a mission	• faire partie d'une mission
• orbit (a satellite)	• placer (un satellite) en orbite
• go/put into orbit	• se mettre/mettre en orbite
• circle (the earth) ['sɜːkl][ɜːθ]	• tourner (autour de la terre)
• retrieve, recover	• récupérer

Space Conquest / La conquête de l'espace

The Space Race / La course vers les étoiles

• space venture	• l'aventure spatiale
• a launch [lɔːntʃ]	• un lancement
a launcher [lɔːntʃə]	un lanceur
a launch pad	une rampe/une aire de lancement
the countdown ['kaʊntdaʊn]	le compte à rebours
• a blast off	• une mise à feu
• a lift-off, a take-off	• un décollage
• a space flight [flaɪt]	• un vol spatial
space sickness	le mal de l'espace
weightlessness	l'apesanteur
• the orbit	• l'orbite
in orbit (round)	en orbite (autour de)
• docking	• l'arrimage
• a stay in space	• un séjour dans l'espace
• a moon landing	• un alunissage
a moon walk	une sortie sur la Lune
• re-entry	• l'entrée dans l'atmosphère

lift: *soulever*

weight: *le poids, la pesanteur* weight-less-ness

stay: *séjourner*

	• a touchdown	• un atterrissage
	• a splashdown	• un amerrissage
	• a malfunction	• un dysfonctionnement
	• a breakdown	• une panne

	• count down ['kaʊnt] [daʊn]	• lancer le compte à rebours
	• launch [lɔːntʃ]	• lancer
	• blast off	• être mis à feu
	• lift off, take off	• décoller
	• propel	• propulser
	• spacewalk ['speɪswɔːk]	• marcher dans l'espace
	• dock (with)	• s'arrimer (à)
alunir : land on the moon	• land (on a planet)	• se poser (sur une planète)
	• touch down	• toucher le sol
splash: *éclabousser*	• splash down	• amerrir
	• abort (a launch) [lɔːntʃ]	• interrompre (un lancement)
	• postpone	• ajourner, reporter
	• cancel	• supprimer, annuler

	• malfunctioning	• qui fonctionne mal/avarié
a chart: *une carte, un graphique*	• uncharted	• inexploré
	• risky	• risqué, hasardeux
	• adventurous	• aventureux, audacieux

Purposes of Space Exploration / Les fins de l'exploration spatiale

	• space probing	• l'exploration de l'espace
	a space probe	une sonde spatiale
	a land-based observatory	un observatoire terrestre
	a space-based observatory	un observatoire spatial
	• a space platform, a space station	• une station spatiale
(US) program	a space programme	un programme spatial
	• a space laboratory, a skylab	• un laboratoire spatial
	• a space colony	• une colonie spatiale
	• satellite observations	• l'observation par satellite
	• a(n artificial) satellite	• un satellite (artificiel)
	a solar panel	un panneau solaire
stray (*seulement épithète): égaré* a stray cat: *un chat errant*	a stray satellite ['sætəlaɪt]	un satellite à la dérive
	an applications satellite	un satellite utilitaire
	a communications satellite	un satellite de télécommunications
	a weather satellite ['weðə]	un satellite météorologique
	satellite transmission	la transmission par satellite
	a spy satellite	un satellite espion
	satellite imagery ['ɪmɪdʒərɪ]	les images satellite
(!) a photograph: *une photographie*	satellite photography	la photographie par satellite
	• a rescue attempt	• une tentative de sauvetage

	• probe (space)	• sonder (l'espace)
	• sample the soil	• prélever des échantillons du sol
a pattern: *un motif, un dessin*	• map/chart (weather patterns/ ocean currents) ['əʊʃn]	• dresser la carte (météorologique/ des courants océaniques)
	• provide global coverage	• fournir une vue spatiale

	In Search of New Forms of Life	À la recherche de nouvelles formes de vie
(abbreviation) an ET	• an extraterrestrial	• un extraterrestre
	• a creature from outer space	• une créature venue de l'espace
	• a Martian ['mɑːʃən]	• un Martien
	• a green man	• un homme vert
	• an alien ['eɪlɪən]	• une créature inconnue
	• a flying saucer	• une soucoupe volante
(abbreviation) UFO *(OVNI)*	• an Unidentified Flying Object	• un Objet Volant Non Identifié

PRACTICE

67 To Each Worker his Tools: À chaque ouvrier son outil

Match the following scientists with their most likely instruments.

a. a mathematician	**1.** a couch
b. an astronomer	**2.** a laser
c. a laboratory assistant	**3.** a calculator
d. an astronaut	**4.** a telescope
e. a psychoanalyst	**5.** a test tube
f. a physicist	**6.** a moon buggy

68 Play with Words: Jouez avec les mots

a. Form as many compound words as possible with the following list.
space - satellite - research - spy - laser - industry - suit - war.

b. Analyse the word: weightlessness, and infer the role of the suffixes you have isolated. Then, find two words formed in the same way , and translate them.

69 Find the Missing Words: Trouvez les mots manquants

Complete the following table with the appropriate words.

NOUN	VERB	ADJECTIVE
analysis	...	...
...	...	experimental
...	Ø	physical
...	chart	....
....	...	manly

▶ Corrigés page 414 ◀

The Contemporary Context

The Space Odyssey
L'odyssée de l'espace

- **NASA (National Aeronautics and Space Administration):** NASA, Administration nationale de l'Aéronautique et de l'Espace.
- **ESA (The European Space Agency):** A.S.E, l'Agence spatiale européenne.
- **MOL (a Manned Orbiting Laboratory):** un laboratoire habité placé en orbite.
- **SDI (Strategic Defense Initiative):** I.D.S, l'Initiative de Défense Stratégique.
- **Star Wars:** la Guerre des Étoiles, système militaire américain fondé sur l'utilisation des satellites et des lasers.
- **The High Frontier:** la "frontière haute", la frontière de l'espace, en référence à *the New Frontier* la nouvelle frontière, le programme politique et social de J.F. Kennedy (1968). L'expression était elle-même dérivée de *the Frontier,* la ligne mouvante qui séparait l'Amérique colonisée des nouvelles terres à conquérir.
- **a space opera (coll.):** un film ou une série de science-fiction sur le thème des voyages interplanétaires, comme *2001, a Space Odyssey* (1968), de Stanley Kubrick.
- **space tourism:** le tourisme de l'espace, qui permet d'envoyer des touristes en voyage dans l'espace.

Figures in Political and Social Life
Les chiffres dans la vie politique et sociale

- **third degree:** interrogatoire de police employant l'intimidation, la fatigue nerveuse et physique du suspect, voire la torture.
- **the Fourth Estate:** le quatrième pouvoir, la Presse.
- **to take the Fifth (US):** invoquer le 5e amendement de la Constitution, qui donne le droit de ne pas répondre à la justice.
- **elevenses:** le thé ou le café de onze heures, en Grande-Bretagne.
- **a forty-niner (US):** un chercheur d'or, de la Ruée vers l'or de 1849.

Idioms and Colourful Expressions

Focus on Science and Mathematics

- **mathematical accuracy:** la précision mathématique.
- **the dismal science:** la science funeste, l'économie politique (*dismal:* affreux).
- **to give somebody the third degree (coll.):** passer quelqu'un à tabac.
- **to draw the line:** fixer une limite.
- **to draw a parallel:** faire un parallèle.
- **to go round in circles:** tourner en rond.
- **to be mathematical:** avoir la bosse des maths.
- **"it all adds up":** "tout concorde/tout s'explique".
- **"it doesn't add up":** "cela ne tient pas debout".
- **"what does it all add up to?" (coll.):** "qu'est-ce que cela signifie?/où cela mène-t-il ?"
- **"count me in":** "je suis partant".
- **"count me out":** "ne comptez pas sur moi".
- **to try to square the circle:** chercher à faire la quadrature du cercle.
- **to be all square:** être quitte.
- **a square (coll.):** un ringard.
- **back to square one:** retour à case départ.
- **to come full circle:** revenir à son point de départ.

Focus on Figures

- **to be at sixes and sevens:** être dans tous ses états/sens dessus dessous.
- **first things first:** commençons par le commencement.
- **to take care of number one:** s'occuper de sa petite personne.
- **to be second in none:** être sans égal.
- **to put two and two together (coll.):** faire le rapprochement.
- **a two/three digit figure:** un nombre à deux/trois chiffres.
- **a double-decker:** un autobus à impériale (*a deck:* un pont).
- **a three-decker:** un bateau à trois ponts/un sandwich à trois couches.
- **fifth-rate:** de dernier ordre, de dernière catégorie.
- **to be dressed up to the nines:** être sur son trente-et-un.
- **a baker's dozen:** treize à la douzaine (*a baker:* un boulanger).
- **to have forty winks (coll.):** faire la sieste (*a wink:* un clin d'œil).
- **fifty-fifty:** cinquante-cinquante, moitié-moitié.

Sayings and Proverbs

- **He that nothing questions, nothing learns:** La curiosité est mère de la connaissance.
- **A dwarf on a giant's shoulders sees further of the two:** L'homme construit son savoir sur le savoir des grands hommes (un nain monté sur les épaules d'un géant voit plus loin que lui).
- **Science knows no frontiers:** La science n'a pas de frontières.
- **A little learning is a dangerous thing:** La connaissance, en trop petite quantité, est chose dangereuse.
- **Much learning makes men mad:** Une grande science est source de folie.

Food and Taste
L'alimentation et le goût

1 Food — La nourriture

Basic Food — Les aliments de base

grub (slang): *la bouffe*	• **food**	• la nourriture, les aliments
	food products	les produits alimentaires
	• **meat**	• de la viande
	white/red meat	de la viande blanche/rouge
	• **fish**	• du poisson
	• **vegetables**	• les légumes
eat fruit: *manger des fruits*	• **fruit** [fruːt]	• des fruits
	• **flour** ['flaʊə]	• de la farine
	• **brown/white sugar**	• du sucre roux/blanc
	• **salt** [sɔːlt]	• du sel
	• **mustard**	• de la moutarde
	• **animal fat**	• la matière grasse animale
	• **vegetable fat**	• la graisse végétale
	• **spices**	• les épices
	pepper	du poivre
	chilli	du piment
	cinnamon	de la cannelle
	ginger	du gingembre
	saffron	du safran
cod-liver oil: *de l'huile de foie de morue*; elbow grease: *de l'huile de coude*	• **oil**	• de l'huile
	peanut oil, groundnut oil	de l'huile d'arachide
	olive oil	de l'huile d'olive
	sunflower oil ['sʌnflaʊə]	de l'huile de tournesol
	• **vinegar**	• du vinaigre
(!) de l'herbe: *grass*	• **herbs**	• les herbes (aromatiques)
	mint	de la menthe
	parsley ['pɑːslɪ]	du persil
	basil ['bæzl]	du basilic
	thyme [taɪm]	du thym
	chives [tʃaɪvz]	de la ciboulette
	• **garlic**	• de l'ail
	• **onion**	• de l'oignon
	• **dairy products**	• les produits laitiers
	milk	du lait
	cream	de la crème
	butter	du beurre
a loaf (of bread): *une miche de pain, un pain*	• **(white/brown) bread**	• du pain (blanc/bis)

• **edible**	• comestible
• **eatable**	• mangeable
• **drinking (water)**	• (eau) potable
• **drinkable**	• buvable
• **fatty**	• gras
• **lean**	• maigre

Drinks — Les boissons

Soft Drinks — Les boissons non alcoolisées

• a beverage	• une boisson
• mineral water	• de l'eau minérale
• sparkling water	• de l'eau gazeuse
• soda	• une boisson gazeuse
• lemonade	• de la limonade
• orange/lemon squash (Brit.)	• du sirop d'orange/de citron
• tea	• du thé
• herb(al) tea	• de la tisane
• coffee	• du café
• have a drink	• prendre un verre
• quench one's thirst	• étancher sa soif, se désaltérer
• be parched	• mourir de soif
• thirsty	• assoiffé
• plain (water)	• (de l'eau) plate
• fizzy, sparkling	• gazeux

Alcoholic Beverages — Les boissons alcoolisées

booze (slang): *de l'alcool*	• alcohol	• de l'alcool
	• spirits	• les spiritueux
	• a liquor (US) ['lɪkə]	• un spiritueux
a Bloody Mary: Vodka + tomato juice; a Screwdriver (*un tournevis*): Vodka + orange juice	• a cocktail	• un cocktail
	• brandy	• de l'eau-de-vie, du Cognac
	• port	• du Porto
(US) whiskey, bourbon; (Ir.) whiskey	• whisky	• du whisky
	• Scotch	• du whisky écossais
	• sherry	• du Xérès, du sherry
	• beer	• la bière
	pale ale, lager	la bière blonde
	brown ale, stout beer	la bière brune
unité de mesure (un demi-litre environ)	a pint	une pinte
	• wine	• le vin
	burgundy	le Bourgogne
	claret	le vin de Bordeaux
	hock	le vin du Rhin
	• champagne [ʃæm'peɪn]	• le Champagne
	a vintage	un millésime
"Cheers!": *"À votre santé !"*	• drink someone's health [helθ]	• boire à la santé de
a toast: *une libation*; **some** toast: *du pain grillé*	• drink a toast (to someone)	• porter un toast (à quelqu'un)
	• buy somebody a drink	• offrir un verre à quelqu'un
booze (slang): *"picoler"*	• have a drop of	• prendre une goutte de
	• strong	• fort
	• heady	• enivrant, capiteux, qui monte à la tête
intoxicated: *ivre*	• intoxicating	• grisant/alcoolisé
(US) draft	• draught (beer) [drɑːft]	• (bière) pression

	• **stale**	• éventé, sans goût
	• **lukewarm**	• tiède
	• **white/red/rosé (wine)**	• (vin) blanc/rouge/rosé
	• **dry**	• sec
	• **mellow**	• mœlleux
	• **sweet**	• doux
	• **full-bodied**	• corsé

Cooking Food — Faire la cuisine

the kitchen: *la cuisine (la pièce)* haute cuisine: *la grande cuisine*	• **cooking**	• la cuisine, la cuisson
	cuisine [kwɪ'ziːn]	l'art culinaire
	• **a cook, a chef**	• un cuisinier, un chef
	a cookery book	un livre de cuisine
	a recipe ['resɪpɪ]	une recette
a pressure cooker: *une cocotte-minute*	• **a (gas) cooker**	• une cuisinière (à gaz)
	• **an oven** ['ʌvn]	• un four
	a microwave (oven)	un (four à) micro-ondes
	• **a deep-freeze/a freezer**	• un congélateur
	• **a food processor**	• un robot ménager
a coffee machine: *un percolateur*	• **a coffee maker**	• une cafetière électrique
	• **a (sauce) pan**	• une casserole
	• **a frying pan**	• une poêle
Chicken casserole: *du poulet en cocotte*	• **a pot, a casserole**	• une marmite
	• **the cutlery**	• les couverts
	a fork [fɔːk]	une fourchette
several **knives**	**a knife** [naɪf]	un couteau
a spoonful of: *une cuillerée de*	**a spoon**	une cuillère
	a teaspoon	une cuillère à café
	a soup spoon, a tablespoon	une cuillère à soupe
	chopsticks	des baguettes (chinoises)
a ladleful of: *une louch(é)e de*	• **a ladle**	• une louche
	• **a dish**	• un plat, un récipient/un mets
	• **a plate**	• une assiette
	• **a glass**	• un verre
	• **a cup**	• une tasse
a flying saucer: *une soucoupe volante* (a UFO: *un OVNI*)	• **a saucer**	• une soucoupe
	• **a mug**	• une grande tasse, une choppe
	• **a jug**	• un broc, un pichet
	• **an ingredient** [ɪn'griːdjənt]	• un ingrédient
	• **an additive**	• un additif
	• **a mixture**	• un mélange

---

a slice: *une tranche*	• **cut/slice**	• couper/couper en tranches
	• **chop**	• hacher
a blender: *un mixeur*	• **mix, blend**	• mélanger
	• **stir** [stɜː]	• remuer
whipped cream: *de la crème Chantilly*	• **whisk, whip**	• fouetter
	• **pour** [pɔː]	• verser
	• **melt**	• (faire) fondre
	• **cook**	• cuisiner, faire cuire
	• **heat**	• chauffer
	• **boil**	• (faire) bouillir

	• **stew** [stjuː]	• (faire) mijoter
	• **fry**	• (faire) frire
	• **grill**	• (faire) griller
	• **roast**	• (faire) rôtir
	• **bake**	• (faire) cuire au four
	• **season**	• assaisonner
	• **sweeten**	• sucrer
	• **salt** [sɔːlt]	• saler
	• **pepper**	• poivrer
	• **dress**	• dresser, parer (un plat)
	• **help someone (to)**	• servir quelqu'un (en)
a second helping: *une 2[e]part*	• **help oneself (to)**	• se servir (en)
	• **preserve**	• conserver
frost: *le gel*	• **freeze/defrost**	• congeler/décongeler

• **raw** [rɔː]	• cru
• **cooked**	• cuit
• **over-cooked, overdone**	• trop cuit
• **well-done (steak)**	• bien cuit
• **medium (-cooked)** ['miːdɪəm]	• à point
• **burnt**	• brûlé
• **under-cooked, underdone**	• pas assez cuit
• **rare (steak)**	• (steak) saignant

The Meals of the Day — Les repas de la journée

Everyday Eating — L'alimentation au quotidien

"Bon appétit !" : "Enjoy your meal!"	• **appetite**	• l'appétit
	• **hunger**	• la faim
	• **thirst** [θɜːst]	• la soif
	• **a snack**	• un "en-cas"
	• **the leftovers**	• les restes

"dinner's ready": *"le repas est servi."*	• **have an appetite**	• avoir de l'appétit
	• **be hungry/thirsty** ['θɜːstɪ]	• avoir faim/soif
(US) set (irr.) I laid, I have laid	• **lay the table**	• mettre la table
	• **clear away/clear the table**	• débarrasser la table
	• **eat**	• manger
	• **have some food**	• prendre quelque chose (à manger)
chewing-gum: *de la gomme à mâcher*	• **chew** [tʃuː]	• mâcher
	• **swallow** ['swɒləʊ]	• avaler
	• **gulp down**	• engloutir
	• **nibble (at something)**	• grignoter (quelque chose)
	• **drink**	• boire
sipping, sipped	• **sip**	• siroter
	• **digest** [daɪ'dʒest]	• digérer
	• **burp**	• faire un rot
	• **do the washing-up**	• faire la vaisselle

	• **frugal, light (meal)**	• frugal, léger (repas)
	• **substantial (meal)**	• copieux (repas)
starvation: *la famine*	• **starving, famished (person)**	• affamé (personne)
(!) They are full (up): *Ils sont repus* ; a sated/ full-fed guest: *un invité repu.*	• **full, full up**	• repu, rassasié
	• **filling**	• bourratif

Breakfast / Le petit déjeuner

	• **traditional English breakfast**	• le petit déjeuner anglais traditionnel
	• **fruit juice** [fru:t] [dʒu:s]	• du jus de fruits
	• **tea (black or with milk)**	• du thé (sans lait ou au lait)
a rasher (of bacon): *une tranche (de bacon)*	• **bacon and eggs**	• des œufs au bacon, au lard
	scrambled eggs	des œufs brouillés
	fried eggs	des œufs sur le plat
	• **a sausage** ['sɒsɪdʒ]	• une saucisse
	• **a piece/slice of toast** [təʊst]	• une tranche de pain grillé
bread and butter: *des tartines beurrées*	• **butter**	• du beurre
	• **honey** ['hʌnɪ]	• du miel
	• **maple syrup** ['meɪpl]	• du sirop d'érable
thick-cut/thin-cut/ medium cut : *avec de gros/petits/ moyens morceaux d'écorces d'orange*	• **marmalade**	• de la confiture d'orange
	• **cereal** ['sɪərɪəl]	• des céréales
	• **a pancake**	• une crêpe
	• **continental breakfast**	• le petit déjeuner continental
	• **coffee (black or white)**	• du café (noir ou au lait)
	• **hot cocoa** ['kəʊkəʊ], **hot chocolate**	• du chocolat chaud
	• **jam**	• de la confiture

Lunch and Dinner / Le déjeuner et le dîner

(US) an appetizer: *une entrée*	• **an appetiser**	• un amuse-gueule
(US) chips	**crisps**	des chips
	a canapé, a cocktail snack	un canapé
	• **a starter, hors d'œuvre (US)**	• une entrée
a green salad: *une salade verte*	**a salad**	une salade composée
	French dressing	de la vinaigrette
	• **a main course/dish**	• un plat principal
the white, the yolk: *le blanc, le jaune (d'œuf)*	• **an egg**	• un œuf
	a boiled/poached egg	un œuf à la coque/poché
	an omelette, an omelet (US)	une omelette
a bullock: *un bœuf*	• **beef**	• du bœuf
(US) ground meat	**mince meat**	de la viande hachée
a pig: *un cochon*	• **pork**	• du porc
	• **cooked pork meats**	• la charcuterie
	ham	du jambon
a sheep: *un mouton* **(!)** several sheep	• **mutton**	• du mouton
	lamb [læm]	de l'agneau
a calf: *un veau* several calves	• **veal**	• du veau
	a cutlet, a chop	une côtelette
(US) a roast	**a joint**	un rôti
	• **poultry** ['pəʊltrɪ]	• de la volaille
	chicken	du poulet
	duck	du canard
	venison ['venɪsən], **game**	du gibier
(US) organ meats	• **offal**	• les abats

	liver	le foie
	kidneys	les rognons
	• **fish**	• du poisson
	cod	de la morue
	salmon ['sæmən]	du saumon
	tuna ['tjuːnə]	du thon
	• **seafood**	• des fruits de mer
	shrimps, prawns [prɔːnz]	des crevettes
	lobster	du homard
(US) crawfish	**crayfish**	la langouste
	scallops	les coquilles Saint-Jacques
clam chowder: *la soupe aux palourdes, spécialité de Boston*	**clam**	la palourde
	• **vegetables**	• des légumes
	• **greens**	• les légumes verts
	(French) beans	les haricots (verts)
	peas	les petits pois
	cabbage	du chou
	spinach ['spɪnɪdʒ]	des épinards
	corn	du maïs
	a mushroom	un champignon
	a leek	un poireau
	broccoli	du brocoli
	a cauliflower	un chou-fleur
(US) eggplant	**an aubergine**	une aubergine
mashed potatoes: *de la purée*	**a potato** [pə'teɪtəʊ]	une pomme de terre
(US) French fries	• **chips**	• des frites
	• **pasta**	• des pâtes
	• **rice**	• du riz
	• **desserts** [dɪ'zɜːts], **afters (coll.)**	• les desserts
black/white pudding: *du boudin noir/blanc*	**a rice pudding**	un gâteau de riz
	a cake	un gâteau
a sponge: *une éponge*	**a sponge cake**	une génoise
	a pie	une tourte
	a tart	une tarte, une tartelette
	a trifle	un diplomate
	custard	de la crème anglaise
	jelly	de la gelée
an ice lolly: *un bâtonnet glacé*	**ice-cream**	de la crème glacée
eat fruit	• **fruit** [fruːt]	• des fruits
a citrus fruit: *un agrume*	**an orange**	une orange
	a pineapple	un ananas
	a grapefruit	un pamplemousse
	a banana	une banane
a berry: *une baie*	**a strawberry**	une fraise
	a raspberry	une framboise
	grapes	le raisin
	a pear [peə]	une poire
	an apple	une pomme
En Angleterre, le fromage se mange traditionnellement après le dessert, accompagné de porto.	• **cheese**	• du fromage
"Hard cheese!": *"pas de chance !"*	**soft/hard cheese**	du fromage crémeux/sec
	• **a yoghourt** ['jɒgət]	• un yaourt

• lunch (off something)	• déjeuner (de quelque chose)
• have breakfast/dinner	• petit-déjeuner/dîner

Special Occasions — Les grandes occasions

dinner (Brit.): *le principal repas de la journée, midi ou soir*

• Sunday dinner ['dɪnə] Sunday roast	• le repas du dimanche le rôti du dimanche
• Christmas dinner Christmas pudding Christmas crackers	• le repas de Noël le dessert traditionnel de Noël des diablotins
• Thanksgiving dinner turkey	• le repas de Thanksgiving de la dinde
• a banquet, a feast	• un banquet, un festin
• a buffet lunch/supper ['bʊfeɪ]	• un buffet

• special	• spécial
• festive	• festif, de fête
• plentiful	• abondant

Places to Eat and Drink — Les lieux où boire et manger

"all you can eat": *"buffet à volonté"* (→ a restaurant)

(US) *un café-restaurant* (→ a diner)

(abbreviation of) "**pub**lic house" (→ a pub)

"service (not) included": *"service (non) compris"* (→ the tip)

• a kitchen	• une cuisine
• a dining-room	• une salle à manger
• a canteen, a refectory	• une cantine, un réfectoire
• a restaurant	• un restaurant
• a take-away (restaurant)	• un restaurant de plats à emporter
• a diner, a dining car	• un wagon-restaurant
• a bar	• un bar
• a café	• un café
• a pub	• un pub
• a tea-shop	• un salon de thé
• the bill	• l'addition
• the tip	• le pourboire

• have a meal out, dine out	• manger au restaurant
• treat someone to a meal	• inviter à déjeuner/à dîner
• choose (from the menu)	• choisir (sur la carte)
• order	• commander
• serve	• servir
• ask for the bill	• demander l'addition
• pay the bill	• payer l'addition
• tip	• donner un pourboire (à)

2 Taste and Tastes — Le goût et les goûts

Taste — Le goût

• savour ['seɪvə]	• la saveur
• flavour ['fleɪvə]	• le parfum, le goût

• an aftertaste	• un arrière-goût
• the palate	• le palais (de la bouche)

• relish/savour ['seɪvə]	• savourer, déguster
• taste	• goûter

> sweet and sour: *aigre-doux*

> have a discriminating palate: *avoir le palais fin*

• plain	• simple/nature
• sweet	• sucré, doux
• salty [sɔːltɪ]	• salé
• bitter	• amer
• sour ['saʊə]	• aigre, acide
• peppery	• poivré
• hot, spicy	• épicé
• appetizing	• appétissant
• mouth-watering	• qui met l'eau à la bouche
• palatable	• succulent
• tasty	• savoureux
• tasteless	• insipide
• disgusting	• dégoûtant
• sickening	• qui donne la nausée

Trends / Les tendances

International Food / La cuisine internationale

• a pizza ['piːtsə]	• une pizza
• lasagna	• des lasagnes
• (mild/hot) curry	• du curry (doux/fort)
• a kebab	• une brochette
• smoked salmon ['sæmən]	• du saumon fumé
• lacquered duck	• du canard laqué
• (egg-)fried rice	• du riz cantonais
• a spring-roll	• un rouleau de printemps

> posh = port out starboard home: *désigne les meilleures cabines sur des bateaux de croisière*

• foreign [fɒrən]	• étranger
• exotic	• exotique
• unusual [ʌn'juːʒʊəl]	• inhabituel
• unexpected	• inattendu
• typical	• typique
• local	• local
• traditional	• traditionnel/à l'ancienne
• genuine, authentic	• authentique
• trendy, fashionable	• à la mode, dans le vent
• snobbish	• snob
• posh	• huppé

Fast Food / La restauration rapide

> *inventé à...Hambourg, en Allemagne!*

• a fast-food restaurant	• un "fast-food"
• a sandwich	• un sandwich
• a hamburger	• un hamburger
• a roll	• un petit pain

	• a hot dog	• un hot-dog
	• fish and chips	• du poisson frit et des frites
	• a portion of chips	• une part de frites
a (gold) nugget: *une pépite (d'or)*	• nuggets ['nʌgɪts]	• des beignets de poulet
	• ketchup	• du ketchup
shake: *secouer*	• a milk-shake	• un milk-shake
	• a sundae	• une coupe de crème glacée
	• processed food	• de la nourriture transformée
	• convenience food	• des plats cuisinés prêts à l'emplo
	• frozen food	• les surgelés
(US) canned food	• tinned food	• la nourriture en conserve
(US) a can	a tin	une boîte de conserve
junk, trash: *ordures*	• junk food	• de la nourriture peu équilibrée
(US) takeout	• takeaway	• à emporter
	• ready-to-eat	• (plat) cuisiné
	• standardized	• uniformisé
	• plastic	• en plastique
	• disposable/throwaway	• jetable
	• artificial	• artificiel

The Quest for Quality / À la recherche de la qualité

	• the composition	• la composition
	• the origin	• la provenance
"Best before...": *« À consommer avant le... »*	• the sell-by date	• la date de péremption
	• the cold chain	• la chaîne du froid
	• fresh	• frais
	• natural	• naturel
	• additive-free	• sans additifs
(US) coloring	• colouring-free	• sans colorant
	• biological	• biologique
	• macrobiotic [mækrəʊbaɪ'ɒtɪk]	• macrobiotique
health: *la santé*	• wholesome, healthy ['helθɪ]	• sain
	• home-made	• fait maison

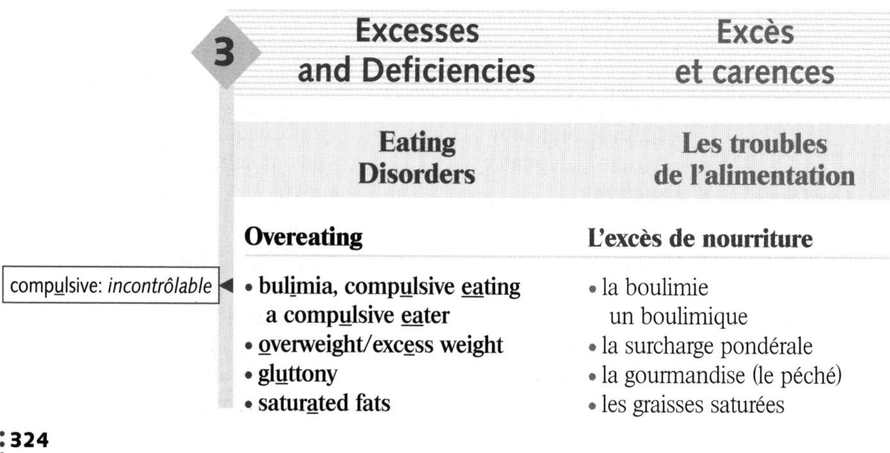

3 Excesses and Deficiencies / Excès et carences

Eating Disorders / Les troubles de l'alimentation

Overeating / L'excès de nourriture

compulsive: *incontrôlable*	• bulimia, compulsive eating	• la boulimie
	a compulsive eater	un boulimique
	• overweight/excess weight	• la surcharge pondérale
	• gluttony	• la gourmandise (le péché)
	• saturated fats	• les graisses saturées

• **cholesterol**	• le cholestérol
• **poor eating habits**	• de mauvaises habitudes alimentaires
• **consume**	• consommer
• **overeat**	• trop manger
• **eat oneself sick**	• manger à s'en rendre malade
• **gulp down**	• avaler goulûment
• **put on weight** [weɪt]	• prendre du poids
• **bulimic** [bjuː'lɪmɪk]	• boulimique
• **greedy**	• gourmand
• **ravenous, voracious**	• vorace, glouton
• **fat**	• gros
• **obese** [əʊ'biːs]	• obèse
• **overweight**	• en surpoids

Eating Deficiencies / Les carences alimentaires

for lack of: *par manque de*

• **a lack of**	• un manque de
• **dehydration** [diːhaɪ'dreɪʃən]	• déshydratation
• **malnutrition, undernourishment**	• la malnutrition, la sous-alimentation
• **starvation**	• la famine
• **a vitamin deficiency**	• une carence en vitamines
• **anorexia**	• l'anorexie
• **rickets**	• le rachitisme
• **thinness, skinniness**	• la maigreur

Refugees want/need food: *les réfugiés ont besoin de nourriture.*

• **lack something**	• manquer de quelque chose
• **want, need**	• avoir besoin de
• **starve**	• mourir de faim

skin: *la peau*

a bone: *un os*

• **thin, slim**	• mince
• **skinny, gaunt**	• maigre, décharné
• **bony, scrawny**	• osseux, squelettique
• **anorexic**	• anorexique

Diets / Les régimes

a health-food shop: *un magasin de produits diététiques*

• **dietetics** [daɪə'tetiks]	• la diététique
• **a dietician** [daɪə'tɪʃn]	• un diététicien
• **a nutritionist**	• un nutritionniste
• **a staple diet** ['daɪət]	• une alimentation de base
• **a sugar-free diet**	• un régime sans sucre
• **a salt-free diet**	• un régime sans sel, hyposodé
• **a well-balanced diet**	• un régime équilibré
• **a low/high-calorie diet**	• un régime pauvre/riche en calories
• **diet foods**	• des produits de régime
• **a substitute** ['sʌbstɪtjuːt]	• un substitut
• **sweeteners**	• les édulcorants
• **an appetite suppressant**	• un coupe-faim
• **skimmed milk**	• du lait écrémé
• **the figure**	• la silhouette

She tries to keep her figure: *Elle veut garder la ligne*

- the ideal weight [weɪt] — le poids idéal
- a slim waist — une taille fine
- a vegetarian — un végétarien
- a vegan ['viːgən] — un végétalien

> breakfast: *littéralement, casser le jeûne, comme en français, dé-jeuner, arrêter le jeûne (de la nuit)*

- go on a diet — suivre un régime
- fast — jeûner
- slim — mincir
- lose weight — perdre du poids

- dietary ['daɪətərɪ] — diététique
- light — léger, allégé
- calorie-free — sans calories, hypocalorique
- fat-free — sans matières grasses
- low-fat — allégé

Alcoholic Abuse — L'excès d'alcool

Addiction — La dépendance

> a drunk (coll.): *un ivrogne*

- an addiction — une dépendance
- alcoholism, drunkenness — l'alcoolisme
- a heavy drinker — un gros buveur
- an alcoholic — un alcoolique
- a hangover — une gueule de bois
- a breath-test, an alcohol test — un alcootest
- a breathalyser — un ballon d'alcootest

- take to drinking — se mettre à boire
- develop a drinking problem — devenir alcoolique
- drink oneself to death — boire à en mourir

> blind drunk (coll.): *ivre mort*

- addicted — dépendant (d'une drogue)
- alcoholic — alcoolique
- tipsy ['tɪpsɪ] — éméché
- drunk — ivre

Abstinence — L'abstinence

> go cold turkey (on): *s'abstenir (de)* ; be cold turkey: *être en manque*

- cold turkey — l'état de manque
- a teetotaller, an abstainer — un non-buveur
- soberness — la sobriété

- cut down (one's consumption) — réduire sa consommation
- abstain from drinking — s'abstenir de boire
- go/be on the wagon — s'arrêter de boire
- be in detox(ification) — être en cure de désintoxication
- kick the habit — se débarrasser d'une habitude

- treated — traité
- cured — guéri
- sober — sobre

PRACTICE

70 The Traditional Recipe for Chocolate Brownies: La recette traditionnelle des "brownies" au chocolat

Complete the following directions with words taken from the following list.

serve - stir - pour - cut - whisk - melt - bake.

You'll need the following ingredients: 225g sugar, 140g cocoa, 75g self-raising flour, 2 eggs, 2 tablespoons milk, 150g butter.

a. ... together the sugar and cocoa.
b. ... the eggs and milk and ... into the dry mixture
c. ... the butter and beat into the mixture
d. Put into a greased tin and ... in a moderate oven for 45 minutes
e. Let it cool in the tin and ... into squares before you ...

71 Find the Missing Words: Trouvez les mots manquants

Fill in the following grid.

Noun	Verb	Adjective
salt	...	...
...	to sugar	...
...	...	tasty
alcohol	...	...
diet	...	...
...	...	hot

72 Idiom Salad: Salade idiomatique

Find the French equivalent of the following expressions.
N.B. Only slight adaptations, if any, are necessary.

a. the cream of society
b. a sandwich man
c. the salt of the earth
d. a stick-and-carrot policy
e. to mushroom
f. as red as a beetroot*
g. small beer
h. "appetite comes with eating"
i. the forbidden fruit
j. in good/bad taste

* a beetroot: *une betterave*

▶ Corrigés page 414 ◀

The Contemporary Context

Food and Political Expressions

Nourriture et termes politiques

- **a butter mountain:** une montagne de beurre (les surplus de la Communauté européenne).
- **a wine lake:** un surplus de vin (de la Communauté européenne).
- **a banana republic:** une république bananière.
- **a ginger group:** un groupe de pression à l'intérieur d'un parti ou d'un organisme (*ginger:* le gingembre, réputé pour ses vertus tonifiantes).

Food and Everyday Expressions

Images culinaires dans la vie quotidienne

- **a lollipop lady:** une femme agent de la circulation qui aide les enfants à traverser la rue ; elle tient à la main un bâton fixé à une pancarte ronde qui ressemble ainsi à une sucette (*a lollipop:* une sucette).
- **a couch potato:** un "pantouflard" (toujours avachi devant la télévision, sur le canapé).
- **to be spoon-fed:** se faire mâcher le travail (*to spoon-feed:* nourrir à la cuillère).
- **to take pot luck:** manger à la fortune du pot.
- **to jump out of the frying pan into the fire:** tomber de Charybde en Scylla.
- **an accent you could cut with a knife:** un accent à couper au couteau.
- **a vegetable:** un "légume", un malade réduit à l'état végétatif.
- **a sandwich course:** une formation en alternance.
- **a spaghetti junction:** un nœud routier, un carrefour particulièrement grand.
- **a bread-and-butter job:** un gagne-pain.
- **the sandwich:** il fut inventé par le cuisinier du comte de Sandwich. Ce dernier, lord anglais passionné de jeu, pouvait ainsi s'alimenter sans interrompre sa partie de cartes.

A few French Words about Food Borrowed by English

Quelques mots français de gastronomie empruntés par les Anglais

- **cuisine:** la cuisine du chef (*cooking:* la cuisine courante).
- **a creme:** une crème.
- **a soufflé:** un soufflé.
- **a gateau:** un gâteau (à la française).
- **a cordon bleu cook:** un cordon bleu.
- **a chef:** un chef, un cuistot.
- **a gourmet:** un gourmet.
- **à la mode (US):** servi avec la glace.

Public Health

La santé publique

- **An anti-drinking campaign:** Une campagne anti-alcoolique.
- **D.U.I. (Driving Under the Influence) (of alcohol):** la conduite en état d'ivresse.
- **M.A.D.D. (Brit.) (Mothers Against Drunk Driving):** Association des mères dont les enfants ont été victimes de l'alcool au volant.
- **A.A. (Alcoholic Anonymous):** Les Alcooliques Anonymes, association d'aide aux personnes ayant un problème de boisson.
- **B.S.E, Bovine Spongiform Encephalopathy, "mad cow disease":** L'encéphalopathie spongiforme bovine, la maladie de la "vache folle".

Idioms and Colourful Expressions

Focus on Food and Drink

- **food for thought:** matière à réflexion.
- **the bread winner:** le soutien de famille.
- **a pot-boiler:** une œuvre alimentaire (en édition).
- **an egg-head:** un intellectuel, un intello.
- **to drink like a fish:** boire comme un trou.

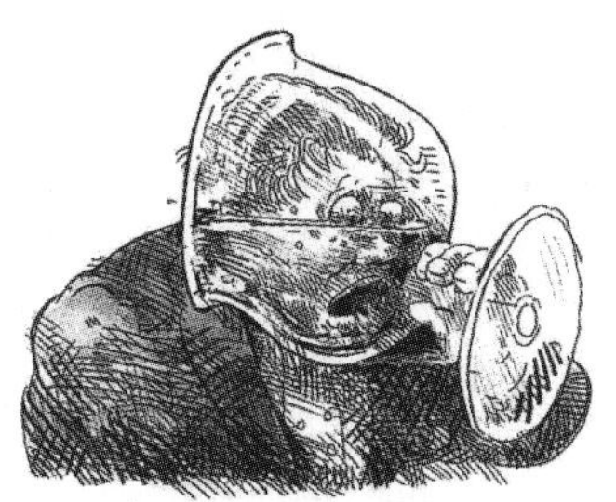

- **to go bananas:** devenir fou.
- **to take the bread out of somebody's mouth:** ôter le pain de la bouche de quelqu'un.
- **to go like hot cakes:** se vendre comme des petits pains.
- **to tread upon eggs:** marcher sur des œufs.
- **to be in a jam, to be in the soup:** être dans le pétrin.
- **it's a piece of cake:** c'est du gâteau.
- **to have a sweet tooth:** aimer les sucreries.
- **"What's for pudding?":** "Qu'est-ce qu'on mange en dessert ?".
- **it's strong meat:** Ce n'est pas de la petite bière.
- **it's a pie in the sky:** C'est un rêve irréalisable.
- **it's not my cup of tea:** Ce n'est pas mon style.
- **to be mutton dressed (up) as lamb:** s'habiller trop jeune pour son âge.
- **toffee-nosed:** Collet-monté, bêcheur.
- **full of beans:** Plein d'énergie, d'entrain (*beans:* des haricots).
- **nuts about someone:** Fou de quelqu'un (*a nut:* une noisette).
- **to hear something through the grapevine:** apprendre quelque chose par des bruits de couloir.
- **to eat humble pie:** faire amende honorable.
- **to take something with a pinch of salt:** en prendre et en laisser.

Sayings and Proverbs

- **You can't make an omelette without breaking eggs:** On ne peut faire une omelette sans casser des œufs.
- **Don't put all your eggs in one basket:** Ne mettez pas tous vos oeufs dans le même panier.
- **The proof of the pudding is in the eating:** À l'œuvre, on connaît l'artisan (*proof:* preuve).
- **Too many cooks spoil the broth:** Trop de cuisiniers gâtent le bouillon.
- **You can't have your cake and eat it:** on ne peut pas avoir le beurre et l'argent du beurre.

Housing and Architecture

Habitat et architecture

1 Shapes, Materials and Styles — Formes, matériaux et styles

Shapes — Les formes

• **a line** [laɪn]	• une ligne
• **a rectangle**	• un rectangle
• **a triangle**	• un triangle
• **a square** [skwɛə]	• un carré
• **a cube**	• un cube
• **a circle**	• un cercle
• **a curve**	• une courbe
• **a sphere** [sfɪə]	• une sphère
• **an arch**	• une arche
• **a vault**	• une voûte
• **a pillar** ['pɪlə]	• un pilier
• **a column** ['kɒləm]	• une colonne
• **a dome**	• un dôme
• **a pyramid** ['pɪrəmɪd]	• une pyramide
• **the outline**	• le contour, l'ébauche
• **the level**	• le niveau

	• **shape** / **fashion**	• donner une forme à façonner, modeler
straight - en	• **straighten** ['streɪtn]	• redresser
flat - (t) -en	• **flatten**	• aplatir
	• **round off**	• arrondir
	• **curve**	• faire une courbe, s'incurver
	• **outline**	• faire une ébauche
	• **level something off** / **be level (with)**	• égaliser, aplanir / être au même niveau (que)

	• **straight**	• droit
	• **level**	• droit, horizontal, plat
	• **vertical**	• vertical
	• **rectangular**	• rectangulaire
	• **triangular**	• triangulaire
a cubic metre: *un mètre cube*	• **cubic**	• cubique
	• **round**	• rond
	• **circular**	• circulaire
	• **curved**	• courbe, incurvé
a wave: *une vague*	• **wavy**	• ondulé

Volumes — Les volumes

• **the size**	• la taille
• **the measurements** ['meʒəmənts]	• les dimensions
• **the dimension** [daɪ'menʃn]	• la dimension

	• the proportions [prə'pɔːʃənz]	• les proportions
	• the volume, the bulk	• le volume, la masse
on a small/large scale: *à petite/grande échelle*	• the scale	• l'échelle
	• space spaciousness	• l'espace/la place les grandes dimensions
	• the depth	• la profondeur
	• the length [leŋkθ]	• la longueur
	• the width [wɪdθ]	• la largeur
heighten: *intensifier*	• the height [haɪt]	• la hauteur
	• the thickness	• l'épaisseur
	• the thinness	• la minceur

size up a room: *évaluer la taille d'une pièce*	• measure size up	• mesurer évaluer du regard
	• deepen	• approfondir
	• lengthen ['leŋkθən]	• prolonger, allonger
wid(e) - en	• widen	• élargir
	• broaden	• élargir
	• raise (the level)	• élever (le niveau)

	• spacious, roomy	• spacieux
	• vast	• vaste, immense
	• immense	• immense
	• huge [hjuːdʒ]	• énorme
squat: *s'accroupir*	• squat [skwɒt]	• trapu
	• narrow	• étroit
be cramped: *être à l'étroit*	• cramped	• exigu
	• deep	• profond
	• long	• long
	• wide, broad	• large
	• high [haɪ], lofty	• haut, élevé
soar: *s'élever, se dresser*	• soaring	• élancé
	• thick	• épais
	• thin	• mince

Materials — Les matériaux

	• wood timber	• le bois le bois de construction
	• stone	• la pierre
	• brick	• la brique
play marbles: *jouer aux billes*	• marble	• le marbre
	• clay	• l'argile
	• sandstone	• le grès
	• limestone ['laɪmstəʊn]	• le calcaire
	• plaster	• le plâtre
	• slate	• l'ardoise
	• a tile	• une tuile, un carreau
a thatched roof: *un toit de chaume*	• thatch	• le chaume
	• cement [sə'ment]	• le ciment
the concrete jungle: *la jungle urbaine*	• concrete reinforced concrete	• le béton le béton armé

	• **iron** ['aɪən]	• le fer
	castiron	la fonte
	wrought iron	le fer forgé
	• **steel**	• l'acier
	stainless steel	l'acier inoxydable
	• **paint**	• la peinture
	• **glass**	• le verre

	• **blend**	• mélanger
(!) sculpt *(pour un artiste-sculpteur)*	• **carve, sculpt**	• sculpter, tailler
(US) mold; a mould: *un moule*	• **mould** [məʊld]	• modeler
	• **tile**	• couvrir de tuiles/carreler
	• **paint**	• peindre

	• **hard**	• dur
	• **soft**	• mou
	• **resilient**	• élastique
a steely glance: *un regard d'acier*	• **steel**	• en acier
a timbered ceiling: *un plafond à poutres apparentes*	• **wooden, timbered**	• en bois
	• **tiled**	• couvert de tuiles, carrelé
	• **soundproof**	• insonorisé
rot: *pourrir*	• **rotproof**	• imputrescible
a waterproof: *un imperméable*	• **waterproof**	• imperméable
	• **watertight**	• étanche

Styles / Styles

	• **classicism**	• le classicisme
	• **originality**	• l'originalité
	• **avant-gardism**	• l'avant-gardisme
	• **symmetry**	• la symétrie
	• **asymmetry**	• l'asymétrie
a pattern for a dress: *un patron pour une robe*	• **a pattern**	• un dessin, un motif, un modèle
	• **a plan**	• un plan
	• **an ornament**	• un ornement

• **classical**	• classique
• **original**	• original
• **imposing**	• imposant
• **majestic**	• majestueux
• **decorative**	• décoratif
• **ornate**	• très orné
• **avant-garde** [ævɒŋ'gɑːd]	• d'avant-garde
• **ancient** ['eɪnʃənt]	• ancien, antique
• **Romanesque**	• (de style) roman
• **Norman (Brit.)**	• (de style) roman
• **medieval** [medɪ'iːvl]	• médiéval
• **Gothic**	• gothique
• **Tudor**	• (de style) Tudor
• **Elizabethan** [ɪlɪzə'biːθn]	• (de style) élisabétain
• **Georgian**	• (de style) georgien

• **Victorian**	• (de style) victorien
• **Colonial**	• (de style) colonial
• **Art-Deco**	• (de style) art-déco
• **Art-Nouveau**	• (de style) art-nouveau
• **Modern** ['mɒdən]	• (de style) moderne
• **Contemporary** [kən'tempərərɪ]	• (de style) contemporain
• **Southern**	• du sud (des États-Unis)

2 Town-and-Country Planning / L'aménagement du territoire

Town Planning / L'urbanisme

(US) city-planning

• **a planner**	• un urbaniste
planning permission	le permis de construire
• **architecture** ['ɑːkɪtektʃə]	• l'architecture
an architect ['ɑːkɪtekt]	un architecte
• **the building trade/industry**	• le bâtiment, l'industrie du bâtiment
a builder, a contractor	un entrepreneur en bâtiment
• **civil engineering**	• les travaux publics
• **a developer**	• un promoteur immobilier
• **a building site/construction site**	• un chantier
a construction worker	un ouvrier du bâtiment
• **real estate**	• l'immobilier
an estate agent	un agent immobilier
an estate agency	une agence immobilière
• **renovation, refurbishment**	• la rénovation
• **improvement**	• l'amélioration
• **demolition**	• la démolition

(US) a realtor

• **plan**	• concevoir
• **design**	• concevoir, faire le plan de
• **build** [bɪld]	• construire
have a house built	faire construire une maison
rebuild	reconstruire
• **erect, put up**	• ériger
• **be under construction**	• être en construction
• **rise from the ground**	• sortir de terre (pour un bâtiment)
• **renovate, refurbish**	• rénover
revamp (coll.)	retaper
• **restore**	• restaurer
give a facelift to (coll.)	faire le ravalement de
rehabilitate	réhabiliter, remettre en état
• **upgrade**	• moderniser
• **improve**	• améliorer
• **list**	• classer
• **protect**	• protéger
• **knock down** [nɒk]	• abattre
• **demolish, pull down**	• démolir
• **level**	• raser, démolir

(Brit.) a listed building: *un bâtiment classé*

(Brit.) levelling; (US) leveling

Space Organisation — L'organisation de l'espace

the skyline: *la ligne des toits*	**Built-up Areas**	**Les agglomérations**
	• **a town**	• une ville
	townspeople	les citadins
the cityscape: *le paysage urbain*	• **a city**	• une (grande) ville
	a megacity, a major city	une mégalopole, une métropole
	the inner city	les vieux quartiers populaires
dwell: *résider*	• **a city dweller** ['dwelə]	• un citadin
	• **suburbia, the suburbs**	• la banlieue
	a suburbanite	un habitant de la banlieue
(US) a dormitory, a dorm: *une résidence universitaire*	• **a dormitory town**	• une ville-dortoir
	• **a market town**	• un bourg
	• **a village**	• un village
	• **a hamlet**	• un hameau
	• **urban**	• urbain
	• **suburban**	• suburbain, de banlieue
	• **small-town**	• provincial
	• **inhabited**	• habité
	• **uninhabited**	• inhabité
	• **residential**	• résidentiel
	• **deserted**	• désert, abandonné
	Urban Organization	**L'organisation urbaine**
	• **a borough** ['bʌrə]	• un arrondissement
	• **a district**	• un quartier
(US) neighborhood	**the neighbourhood** ['neɪbəhʊd]	le quartier, le voisinage
(US) downtown	**the city centre**	le centre ville
	the financial district	le quartier des affaires
the precincts: *les alentours*	**a shopping precinct**	un quartier commerçant
a pedestrian: *un piéton*	**a pedestrian precinct** ['priːsɪŋkt]	une zone piétonne
several ghettos	• **a ghetto**	• un ghetto
	• **green areas** ['eərɪəz]	• les espaces verts
	• **a road**	• une route
	• **a street**	• une rue
(US) Main Street	**the High Street**	la rue principale, la Grand Rue
	a one-way street	une rue à sens unique
	• **an avenue**	• une avenue
	• **a lane, an alley** ['ælɪ]	• une ruelle
blind: *aveugle*	**a blind alley**	une voie sans issue
	• **a cul-de-sac, a dead end**	• une impasse, une voie sans issue
	• **wasteland, waste ground**	• un terrain vague
	• **a park**	• un parc
	• **a square**	• une place
	• **a block (US)**	• un pâté de maisons
(US) the sidewalk	• **the pavement**	• le trottoir
	• **a pedestrian crossing**	• un passage pour piétons
a zebra: *un zèbre*	**a zebra crossing (Brit.)**	un passage pour piétons
	a crosswalk (US)	un passage pour piétons
	• **a level-crossing**	• un passage à niveau

3 Housing — Le logement

City Habitat — L'habitat urbain

A House — Une maison

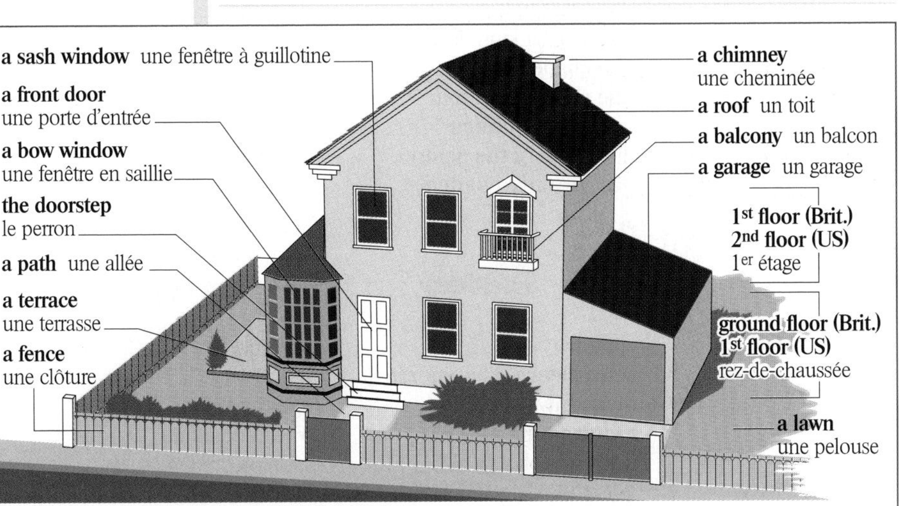

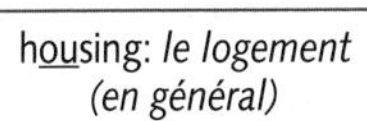
housing: *le logement (en général)*

Communal Housing — L'habitat collectif

	Communal Housing	L'habitat collectif
the projects (US)	• a housing development	• un grand ensemble
	council housing	les logements sociaux
	• a tower ['taʊə]	• une tour
	a high-rise	une tour
scrape: *gratter*	a skyscraper	un gratte-ciel
(US) an apartment building	• a block of flats	• un immeuble
	• a tenement ['tenɪmənt]	• un immeuble ancien et délabré
(US) a story (several stories)	• a floor, a storey	• un étage
(US) an apartment, a condo(minium)	• a flat	• un appartement
	a studio flat	un studio
	a council flat	un appartement à loyer modéré
(US) a roommate	a flatmate	un colocataire
	a penthouse	un appartement (construit sur le toit d'un immeuble)
(US) a studio	a bedsit(ter)	une chambre meublée
a loft: *un grenier*	• a loft	• un loft
	• a slum	• un taudis
	the slums, a shanty town	les quartiers pauvres, un bidonville

In the Country — À la campagne

- a cottage — une maison de campagne
- a thatched cottage — une chaumière
- a farmhouse — un corps de ferme

	• **a bungalow**	• un pavillon de plain-pied
the main home: *la résidence principale*	• **a second home**	• une résidence secondaire
	• **a palace**	• un palais
a chateau: *un château à la française*	• **a castle** ['kɑːsl]	• un château
	• **a manor, a hall, a country house**	• un manoir
	the drive	l'allée
always plural	**the grounds**	le parc
	the great hall	la grande salle
	the master staircase	l'escalier d'honneur
	the chapel	la chapelle
	the master bedroom	la chambre principale
	the state bedroom	la chambre d'apparat
	the scullery, the pantry	l'arrière-cuisine, l'office
	the servants' quarters	les quartiers des domestiques

Facilities — Les équipements

	• **comfort**	• le confort
	• **convenience** [kən'viːnɪəns]	• l'avantage, la commodité
	• **modernity**	• la modernité
	• **running water**	• l'eau courante
	• **water supply** [sə'plaɪ]	• l'alimentation en eau
(US) a faucet	**a tap**	un robinet
	• **electricity**	• l'électricité
	• **lighting**	• l'éclairage
	a plug	une prise de courant
	a switch	un interrupteur
	• **central heating**	• le chauffage central
	• **air-conditioning**	• la climatisation
asbestos: *l'amiante*	• **insulation**	• l'isolation
sound-proof: *insonorisé*	**sound insulation**	l'insonorisation
	• **double-glazing**	• le double-vitrage
shut: *fermer*	• **shutters**	• des volets
	• **blinds**	• des stores
	• **a fitted kitchen**	• une cuisine équipée
	a cupboard ['kʌbəd]	un placard
	a refrigerator	un réfrigérateur
	a washing-machine	un lave-linge
	a dishwasher	un lave-vaisselle
(US) an elevator	• **a lift**	• un ascenseur
	• **an alarm**	• un système d'alarme

	• **devise**	• concevoir
	• **think out**	• bien réfléchir à, bien étudier
(!) fitting, fitted	• **fit out**	• équiper
	• **save**	• économiser
	• **make easier**	• faciliter
(!) supplying, supplied	• **supply**	• fournir
(irr.) It lit, it has lit	• **light (up)**	• éclairer
	• **switch on, switch off**	• allumer, éteindre
	• **heat**	• chauffer

• **cool**	• rafraîchir
• **insulate**	• isoler, insonoriser

• **comfortable**	• confortable
• **convenient** [kən'viːnɪənt]	• pratique
• **recent** ['riːsnt]	• récent
• **brand-new**	• tout neuf
• **up-to-date**	• moderne
• **state-of-the-art**	• ultra-moderne, de pointe
• **luxurious** [lʌg'zjʊərɪəs], **plush**	• luxueux
• **snug**	• douillet et intime
• **cosy**	• douillet, confortable
• **warm**	• chaud
• **economical**	• économique, qui consomme peu
• **clever**	• astucieux
• **well thought out**	• bien conçu
• **user-friendly**	• convivial
• **labour-saving**	• qui allège le travail

a house-warming (party): *une pendaison de crémaillère*

economic: *fait référence au domaine économique*

(US) labor

Trends — Les tendances

Town Life — La vie urbaine

• **rural exodus**	• l'exode rural
• **the urban sprawl** [sprɔːl]	• l'expansion urbaine
• **the suburban sprawl**	• la banlieue tentaculaire
• **gentrification**	• transformation en quartier bourgeois
• **a mushroom town, a boom town**	• une ville champignon
• **a housing shortage**	• une pénurie de logements

sprawl: *s'étaler, s'affaler (personne) ; s'étendre de façon tentaculaire (plantes)*

• **live (in)**	• habiter
• **settle**	• s'installer
• **move in**	• emménager
move out	déménager
• **own**	• posséder
• **let, rent to**	• louer (à un locataire)
• **rent**	• louer, prendre en location
• **spread**	• s'étendre
• **gentrify**	• transformer en quartier bourgeois
• **mushroom** ['mʌʃrʊm]	• pousser comme des champignons
• **commute**	• faire la navette quotidienne domicile-travail
• **flock into, pour into** [pɔː]	• affluer

the owner: *le propriétaire*

pay the rent: *payer le loyer*

the gentry (Brit.) = *la petite noblesse*

pour (water): *verser (de l'eau)*
a flock: *un troupeau*

• **sprawling**	• tentaculaire
• **gigantic**	• gigantesque
• **dehumanized**	• déshumanisé
• **anonymous**	• anonyme
• **overcrowded**	• surpeuplé
• **vacant**	• inoccupé
• **abandoned, derelict**	• à l'abandon
• **polluted**	• pollué

• **noisy**	• bruyant
• **dirty**	• sale
• **rundown**	• décrépit
• **dilapidated**	• délabré
• **insalubrious** [ɪnsə'luːbrɪəs]	• insalubre
• **squalid** ['skwɒlɪd]	• sordide
• **insecure**	• peu sûr
• **crime-ridden**	• où sévit la criminalité

ridden: *participe passé de ride ; en adj. composé, signifie "affligé de", infesté de.*
bug-ridden: *infesté de puces*

Urban Exodus	**L'exode urbain**
• **country life**	• la vie à la campagne
• **the back-to-nature movement**	• le retour à la nature
• **the call of the wild**	• l'appel de la nature

the wild: *la nature sauvage*

• **leave**	• quitter, partir
• **abandon**	• abandonner, renoncer à
• **move away from**	• s'éloigner de
• **flee**	• fuir
• **live in the provinces**	• vivre en province

(irr.) I fled, I have fled

• **quiet** ['kwaɪət]	• calme
• **isolated, secluded**	• isolé
• **quaint** [kweɪnt]	• désuet, au charme suranné
• **unpolluted**	• non pollué
• **bracing**	• vivifiant
• **wholesome**	• sain
• **well-kept**	• bien entretenu
• **safe**	• sûr
• **affordable**	• abordable

I can afford it: *j'ai assez de temps ou d'argent pour le faire*

PRACTICE

73 The Right Sound: Le son juste

Classify the following words according to the pronunciation of the a-sound:
[æ], [ɑː] **or** [ei]:
hamlet - marble - pattern - **plaster** - lane - avenue - castle - mansion - to shape - to fashion - to carve - spacious - graceful - **ornate** - narrow

[æ]	[ɑː]	[ei]
hamlet	**plaster**	**ornate**
…	…	…
…	…	…
…	…	…
…	…	…

74 Describe the House: Décrivez la maison

Use the words in bold type* to make up compound adjectives and complete these sentences.

a. A house that **looks Southern** is a...
b. A house with several **stories** is a multi-...
c. A room with a **high ceiling** is a...
d. An architectural element **shaped** like an **egg** is an...
e. Glass which is the **colour** of **bronze** is...
f. Bedrooms where **pastel colours** are predominant are...

* *caractères gras*

75 Readers' Corner: Le coin lecture

Read the extract and find the words corresponding to the definitions given below

a. a small country house: ...
b. an area where many shops can be found: ...
c. items attached to a house to keep out light or thieves: ...
d. style of architecture in the United States: ...
e. rundown houses: ...
f. a private park: ...

[Paul] was on his way, this Saturday afternoon, to swim in a movie executive's private pool in the plushest part of Beverly Hills. [...]
Paul had turned off the freeway now, and as he drew nearer to his goal the houses grew larger, the lawns wider and greener, and the underground sprinklers rose into higher fountains, as if heralding his coming. In Los Angeles, water equalled money. He had noticed this before, driving past the dry, barren yards of the slums near the Nutting Corporation - and down in Venice Beach, where the taps in Ceci's kitchen often gave only a brownish, brackish trickle, and no one could afford to water anything larger than a potted plant.
Across Wilshire Boulevard, and through the Beverly Hills shopping district. Now Paul drove along wide streets lined with palms and flowers, richly bathed in artificial rain, and the houses had swelled to castles - but castles reminiscent of the cottages on his street, in that each one was built in a different style. Here the grounds, too, had been made to conform to the owners' whims, so that the Louisiana plantation house was hung with limp wisteria and climbing roses, while the Oriental temple next door had a Japanese garden [...].
The movie executive's castle [...] was glaringly Colonial - white, with gables, shutters, wrought iron, and a comic weathervane, behind an expanse of lush green lawn.

from *The Nowhere City*, by Alison Lurie (1965)

► Corrigés page 414 ◄

The Contemporary Context

Housing
L'habitat

- **gated cities:** aux États-Unis, lotissements de luxe fermés et gardés.
- **brownstones:** maisons new-yorkaises construites en grès brun, à Harlem notamment.
- **(a row of) back-to-back houses:** en Grande-Bretagne, un alignement de maisons dos à dos.
- **council houses:** en Grande-Bretagne, HLM, habitations à loyers modérés qui sont souvent des petites maisons.
- **council housing estates (US : projects):** cités H.L.M.
- **the homeless:** les S.D.F, les sans-domicile-fixe.
- **township:** en Afrique du Sud, il s'agit des ghettos noirs bâtis sous l'apartheid.
- **trailer parks:** aux États-Unis, lotissements de caravanes (en périphérie des villes) où vit une population modeste.
- **mobile homes:** grandes caravanes utilisées comme logement. Aux États-Unis, il n'est pas rare pour les retraités de vendre leur maison et de sillonner le pays en *mobile home*.
- **the sick-building syndrome:** la maladie des immeubles, qui affecte les employés travaillant dans des bâtiments climatisés.

Different Types of Houses
Différents styles de maisons

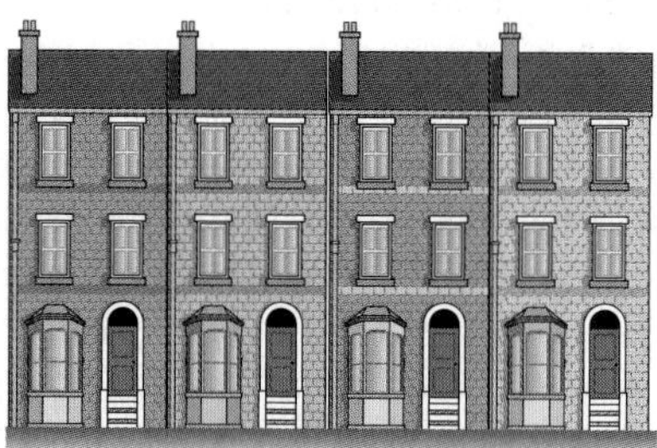
a row of terraced houses
une rangée de maisons attenantes

a detached house
un pavillon (indépendant)

semi-detached houses
des maisons jumelles mitoyennes

a cottage
une maison de campagne

Idioms and Colourful Expressions

Focus on Home

- **the homeland:** la patrie, le pays d'origine.
- **home life:** la vie de famille.
- **a home ground:** un terrain familier.
- **the Home Counties:** les comtés proches de Londres (Essex, Kent et Surrey).
- **a homebody:** une personne casanière.
- **a homemaker:** un homme ou une femme au foyer.
- **"Home Sweet Home":** concept d'attachement à son foyer.
- **to play a sport at home:** jouer à domicile (un sport).
- **to strike home:** toucher juste.
- **to drive something home:** bien faire passer (un message).
- **to be home and dry (US) to be home and free:** être sauvé, être arrivé au bout de ses peines.
- **to make oneself at home:** se mettre à l'aise, faire comme chez soi.
- **to be first home:** gagner une course.
- **it is nothing to write home about:** cela n'a rien d'extraordinaire.

Focus on Building Materials

- **a marble cake:** un gâteau marbré.
- **slate-blue:** couleur bleu ardoise.
- **the Stone Age:** l'âge de pierre.
- **It's a stone's throw from here:** c'est à deux pas d'ici, à un jet de pierre.
- **stoned (slang):** défoncé (drogué).
- **stone-cold:** glacé.
- **stone-deaf:** sourd comme un pot.
- **to leave no stone unturned:** remuer ciel et terre (*turn:* retourner).
- **to be set in stone:** être gravé dans le marbre.
- **to kill two birds with one stone:** faire d'une pierre deux coups.
- **to have feet of clay:** avoir des pieds d'argile.

Sayings and Proverbs

- **There is no place like home:** On n'est vraiment bien que chez soi.
- **Home is where the heart is:** Notre foyer est là où nous a mené notre cœur.
- **An Englishman's home is his castle:** Charbonnier est maître chez soi.
- **Charity begins at home :** Charité bien ordonnée commence par soi-même.

Fashion and Garments
La mode et les vêtements

1 Textiles — Le textile

Fabrics — Les tissus

a piece of cloth: *une pièce de tissu* a cloth: *une nappe/ un chifffon*

(US) a fiber

Harris Tweed: *célèbre tweed robuste et épais*

(also) *linge de corps/ de maison*

Composition	**La composition**
• **cloth** [klɒθ]	• du tissu, de l'étoffe
• **a material**	• un tissu, une étoffe
• **man-made/synthetic fibres** ['faɪbəz]	• des fibres synthétiques
• **leather** ['leðə]	• le cuir
mock leather	le similicuir
imitation leather [leðə]	le skaï
• **suede** [sweɪd]	• le daim
• **fur** [fɜː]	• la fourrure
• **cotton**	• le coton
• **terry (cloth)**	• le tissu-éponge
• **gingham** ['gɪŋəm]	• le vichy
• **lace**	• la dentelle
a piece of embroidery [piːs]	une broderie
• **wool**	• la laine
tweed	le tweed
• **linen** ['lɪnɪn]	• le lin
• **velvet**	• le velours
corduroy ['kɔːdərɔɪ]	le velours côtelé
• **silk**	• la soie
• **satin** ['sætɪn]	• le satin
• **polyester**	• le polyester
• **nylon** ['naɪlɒn]	• le nylon
• **viscose**	• la viscose
• **acrylic**	• l'acrylique

(US) woolen

silk: *en soie*

a velvet dress: *une robe de velours*

• **woollen**	• en laine
• **silky**	• soyeux
• **velvety**	• velouté
• **fluffy**	• pelucheux
• **furry**	• à poil épais
• **rough** [rʌf]	• rugueux
• **smooth** [smuːð]	• mœlleux, soyeux, lisse
• **pure (silk)**	• (soie) naturelle

the Stars and Stripes: *nom familier du drapeau américain composé d'étoiles et de rayures*

Patterns and Appearances	**Motifs et apparences**
• **a plain fabric**	• un tissu uni
• **a printed material**	• un tissu imprimé
a pattern	un motif
a dot	un pois
a stripe	une rayure
checks	des carreaux

a hound's tooth: *une dent de chien de meute*

a herringbone: *une arête de hareng*

(irr.) I shrank, I have shrunk

she wears plain colours: *elle porte de l'uni.*

a polka-dot shirt: *une chemise à pois*

rags: *des haillons* in rags: *en haillons*

a moth: *une mite*

tartan ['tɑːtən]	un motif écossais
hound's tooth	un motif à pied-de-poule
a herringbone pattern	un motif à chevrons

- **shrink** • rétrécir
- **fade** • se décolorer

- **plain** • uni
- **striped** • rayé, à rayures
- **check(ed)** • à carreaux
- **spotted** ['spɒtɪd] • à pois
- **flowered, flowery** • à fleurs
- **shiny** • lustré
- **frayed** • effiloché
- **ragged** ['rægɪd] • en lambeaux, en loques
- **crumpled, creased** • froissé
- **threadbare** ['θredbeə] • élimé, râpé
- **moth-eaten** • mité

The Textile Industry — L'industrie textile

Textile Production — La production textile

- **weaving** • le tissage (activité)
- **knitting** ['nɪtɪŋ] • le tricot (activité)
- **a loom, a weaving machine** • un métier à tisser
- **a knitting machine** • une machine à tricoter
- **a dye** [daɪ] • une teinture

(irr.) I wove, I have woven

(irr.) I spun, I have spun

(irr.) I knit(ted), I have knit(ted)

I am dyeing my shirt: *je teins ma chemise.*

- **weave** • tisser
- **spin** • filer
- **knit** [nɪt] • tricoter
- **wear well (for a fabric)** [weə] • être solide (pour un tissu)
- **dye** [daɪ] • teindre
- **run (for a colour)** • déteindre (pour une couleur)
- **crease** [kriːs], **crumple** • (se) froisser

(US) colorfast

a crease: *un faux pli* creased: *froissé* crumpled: *fripé*

- **colourfast** • grand teint
- **crease-resistant** • infroissable
- **hard-wearing** • résistant, solide

Sewing and Clothes-Making — La couture et la confection

- **a tailor** • un tailleur
- **a seamstress, a dressmaker** • une couturière
- **a sewing machine** • une machine à coudre
- **a pattern** • un patron
- **the size** • la taille
- **the length** • la longueur
- **the cut** • la coupe, la découpe
- **a mend** • un raccommodage, une reprise
  a tear [teə] — un accroc, une déchirure
  a hole — un trou

without a hitch: *sans accroc, sans problème*

	• **a collar**	• un col
	• **a lapel** [lə'pel]	• un revers de veste
	• **a sleeve**	• une manche
	• **a pocket**	• une poche
cufflinks: *des boutons de manchette*	• **a cuff**	• une manchette
	• **a button**	• un bouton
	• **a buttonhole**	• une boutonnière
(US) a snap (fastener)	• **a press stud**	• un bouton-pression
(US) a zipper	• **a zip (fastener) (Brit.)** ['fɑːsnə]	• une fermeture éclair®
	• **flies, a fly**	• une braguette
	• **a shoulder pad** ['ʃəʊldə]	• une épaulette
	• **a lining**	• une doublure
a pleated skirt: *une jupe plissée*	• **a pleat** [pliːt]	• un pli
(US) a cuff several turn-ups	• **a turn-up (Brit.)**	• un revers de pantalon
	• **a ribbon**	• un ruban

---

measurements: *les mensurations*	• **take sb's measurements**	• prendre les mesures de qqn
	• **measure** ['meʒə]	• mesurer
	• **cut**	• couper
	cut out	découper
(irr.) I sewed, I have sewed/sewn	• **sew** [səʊ]	• coudre
	sew on (a button)	coudre (un bouton)
an alteration: *une transformation* alter: *changer, transformer*	• **do alterations**	• faire des retouches
	• **(un)stitch**	• (dé)coudre
	come unstitched	se découdre
	come off (for a button)	se découdre (pour un bouton)
	• **shorten, take sth up**	• raccourcir
	• **lengthen, let sth down**	• rallonger
	• **line (a jacket) with**	• doubler (une veste) de
	• **tear** [teə]	• déchirer
	• **mend**	• raccommoder, réparer
	• **darn**	• repriser

	• **ready-to-wear, ready-made**	• prêt à porter
(US) off-the-rack	• **off-the-peg**	• de confection
	• **tailor-made** ['teɪlə], **made-to-measure** ['meʒə]	• fait sur mesure

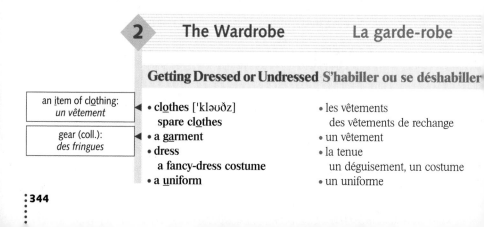

2 The Wardrobe — La garde-robe

Getting Dressed or Undressed — S'habiller ou se déshabiller

an item of clothing: *un vêtement*	• **clothes** ['kləʊðz]	• les vêtements
	spare clothes	des vêtements de rechange
gear (coll.): *des fringues*	• **a garment**	• un vêtement
	• **dress**	• la tenue
	a fancy-dress costume	un déguisement, un costume
	• **a uniform**	• un uniforme

	• overalls	• un bleu de travail
	• rags	• des haillons, des nippes
	• wear	• porter
	• dress (oneself), get dressed	• s'habiller
	dress up as	se déguiser en
	• be in fancy dress	• être déguisé
	have dress sense	s'habiller avec goût
	have no dress sense	s'habiller sans goût
	• put something on	• mettre quelque chose
	• be in uniform	• être en uniforme
	• change, get changed	• se changer
"It fits you (like a glove)": *"ça te va (comme un gant)."* "it suits me": *"ça me convient."*	• try something on	• essayer quelque chose
	• slip on, put on	• enfiler
	• button (up), do up	• boutonner
	• undress, get undressed	• se déshabiller
	• take something off	• ôter quelque chose
	• roll up one's sleeves	• remonter ses manches
	• strip	• se déshabiller
	• have nothing on	• être nu
	• be (stark) naked ['neɪkɪd]	• être (tout) nu
nude: *nu (artistique)*	• be in the nude [njuːd]	• être déshabillé
bareheaded: *nu-tête*	• bare (arm)	• (le bras) nu, dénudé
	• barefoot	• pieds nus
the waist: *la taille*; the waistline: *le tour de taille*	• stripped to the waist	• torse nu
	• topless	• seins nus

Tops — Les hauts

	• a shirt	• une chemise
	• a blouse [blaʊz]	• un chemisier
	• a sports shirt	• un polo
	• a T-shirt	• un T-shirt, un maillot de corps
sweat: *la sueur*	• a sweatshirt ['swetʃɜːt]	• un sweat (shirt), un maillot
a sleeve: *une manche*	• a short-sleeved shirt	• une chemise à manches courtes
	in one's shirt sleeves	en manches de chemise
	• a jumper, a pullover, a sweater	• un tricot
	a twinset (Brit.)	un twin-set, (= gilet et pull assortis)
	a V-necked sweater ['swetə]	un pull en V
(US) a turtleneck	a poloneck	un col roulé
	a turtleneck (Brit.)	un col cheminée
	a round-necked sweater	un pull ras de cou
(US) a vest: *un gilet*	• a cardigan	• un gilet de laine

Bottoms — Les bas

These trousers are/ this pair of trousers is comfortable.	• (a pair of) trousers	• un pantalon
	• (a pair of) jeans	• un jean
	• flannels	• un pantalon de flannelle

	• cords (coll.)	• un pantalon en velours côtelé
slack: *mou, sans forme*	• slacks	• un pantalon de "sport"
	• front-pleated trousers	• un pantalon à pinces
flare: *s'évaser*	• flares	• un pantalon "à pattes d'éléphant"
	• leggings	• un pantalon collant
	• dungarees (Brit.)	• une salopette
	• a skirt	• une jupe
	a full skirt	une jupe ample
	a straight/full skirt	une jupe droite
	a pleated skirt ['pliːtɪd]	une jupe à plis, plissée
	a miniskirt	une mini-jupe
a gown: *une robe de soirée ou une toge (de juge ou d'universitaire)*	• a dress	• une robe

Outfits — Les ensembles

(US) a pant suit	• a (trouser) suit [suːt]	• un costume
	a three-piece suit	un costume trois pièces
(US) a (matching) vest	a (matching) waistcoat	un gilet (assorti)
	• a lady's suit	• un tailleur

• fit somebody	• aller à quelqu'un
• suit [suːt]	• aller, convenir à
• go (well) with	• (bien) aller avec
• match (colours, garments)	• assortir (des couleurs, des vêtements)

Underwear and Nightwear — Le linge de corps et les vêtements de nuit

	• underclothing, underwear	• les sous-vêtements
	• an undergarment	• un sous-vêtement
(US) an undershirt	• a vest	• un maillot de corps
(US) shorts	• underpants, boxer shorts	• un caleçon
	• briefs	• un slip
	• socks	• des chaussettes
(US) (coll.) panties, underpants	• knickers, pants	• une culotte (de femme)
	• a slip	• une combinaison de femme
	• a girdle ['gɜːdl]	• une gaine
	• a petticoat, an underskirt	• un jupon
(US) panty hose tight: *serré, étroit*	• tights	• des collants
(US) a garter	• a suspender	• une jarretelle
	a suspender belt	un porte-jarretelles
	• a bra [brɑː], a brassiere	• un soutien-gorge
	• stockings	• des bas
a fishnet: *un filet de pêche*	• fishnet stockings	• des bas résille
	• nightwear, night clothes	• les vêtements de nuit
(US) pajamas	• pyjamas [pə'dʒɑːməz]	• un pyjama
(US) a nightgown	• a nightdress, a nightie (coll.)	• une chemise de nuit
	• a dressing gown, a bathrobe (US)	• une robe de chambre

Outdoors Clothes — Les vêtements d'extérieur

a straitjacket: *une camisole de force*	• a jacket	• une veste
	a double-breasted jacket	une veste croisée
	a single-breasted jacket	une veste droite
	• a blazer	• un blazer
	• a (bomber) jacket ['bɒmə]	• un blouson (d'aviateur)
	a leather jacket ['leðə]	un blouson de cuir
	• a sheepskin jacket	• une canadienne
	• an anorak, a parka	• un anorak, un parka
cheat: *tromper, tricher*	• a windcheater, a windbreaker (US)	• un coupe-vent
	• a coat	• un manteau
	an overcoat	un pardessus
	a raincoat, a waterproof	un imperméable
(US) oilers	• oilskins (Brit.)	• un (imperméable) ciré

Sportswear — Les vêtements de sport

	• sportswear, casuals ['kæʒjʊəls]	• les vêtements de sport
	• a jogging suit [suːt], a tracksuit	• un survêtement
	a tracksuit top	une veste de survêtement
(US) tracksuit pants	tracksuit bottoms	un pantalon de survêtement
	• shorts	• un short, une culotte courte
	• a shirt, a jersey	• un maillot sportif
(US) (coll.) sneakers	• trainers	• des chaussures de sport
	• a cap	• une casquette
	a visor ['vaɪzə]	une visière
	• a bathrobe	• un peignoir de bain
	• a bathing cap	• un bonnet de bain
(US) bathing trunks	• swimming trunks	• un slip de bain
a one-piece/two-piece swimsuit: *un maillot de bain une pièce/deux pièces*	• a swimsuit	• un maillot de bain
	• a bikini	• un bikini

Shoes — Les chaussures

the heel: *le talon*	• high-heeled shoes	• des chaussures à talons hauts
a stiletto: *un stylet*	stiletto heels	des talons aiguilles
(US) pumps	• court shoes	• des escarpins
	• platform shoes	• des chaussures à semelles compensées
	• lace-up shoes	• des chaussures à lacets
	• boots, brogues	• des bottes, des grosses chaussures
the ankle: *la cheville*	ankleboots	des bottillons, des bottines
the thigh: *la cuisse*	thigh boots [θaɪ]	des cuissardes
(US) rubber boots	wellington boots	des bottes en caoutchouc
	cowboy boots	des santiags
(US) loafers	• moccasins	• des mocassins
	• sandals	• des sandales
	• slippers	• des chaussons

	• put on (shoes)	• mettre (des chaussures)
	• take off (shoes)	• enlever (des chaussures)
	• lace up (shoes)	• lacer (des chaussures)
(irr.) I undid, I have undone	• undo (the laces)	• défaire (les lacets)

Accessories / Les accessoires

jewelry: *des bijoux*; a piece of jewelry: *un bijou*	• a jewel ['dʒuːəl]	• un bijou
	• a necklace ['neklɪs]	• un collier
	• a bracelet ['breɪslɪt]	• un bracelet
	• a ring	• une bague, un anneau
(body) piercing: *le "piercing", la mode de se faire percer la peau*	• earrings	• des boucles d'oreille
	• a brooch [brəʊtʃ]	• une broche
	• a hat	• un chapeau
	• gloves [glʌvz]	• les gants
several scarves	• a scarf	• une écharpe, un foulard
	• a shawl [ʃɔːl], a wrap	• un châle, une étole
a tie knot: *un nœud de cravate*	• a tie	• une cravate
	• a bow-tie	• un nœud papillon
	• a belt	• une ceinture, un ceinturon
(US) suspenders	• braces ['breɪsɪz]	• des bretelles
	• a felt hat	• un (chapeau de) feutre
	• a bowler hat ['bəʊlə]	• un chapeau melon
(!) *une ombrelle*: a sunshade, a parasol	• an umbrella	• un parapluie
	• a walking stick ['wɔːkɪŋ]	• une canne
(US) a purse	• a handbag	• un sac à main
	• make-up	• le maquillage
	foundation	le fond de teint
	lipstick	le rouge à lèvres
	blusher	le fard à joues
	powder ['paʊdə]	la poudre
	eye shadow	de l'ombre à paupières
	• nail polish/varnish	• le vernis à ongles
	• a tattoo	• un tatouage

• tie (a tie)	• nouer (une cravate)
• (un)buckle (a belt)	• (dé)boucler (une ceinture)

3 Style and Look / Le style et l'apparence

Fashion and Styles / La mode et les styles

• basic ['beɪsɪk]	• de base
• casual ['kæʒjʊəl], informal	• de détente, sans façon
• comfortable	• confortable
• loose [luːs], baggy	• ample, lâche
• tight	• serré, collant
• close-fitting	• ajusté
• slovenly ['slʌvnlɪ]	• débraillé

grunge: *la crasse*

hip (coll.): *à la dernière mode, "branché"*
snazzy (coll.): *super chic*

• **grunge**	• "grunge" (style clochard)
• **provocative**	• provocant
• **elegant**	• élégant
• **fashionable, trendy**	• à la mode, dans le vent
old-fashioned, dated	démodé
• **ostentatious, loud, gaudy** ['gɔːdɪ]	• voyant, tapageur
• **stunning**	• sensationnel, stupéfiant
• **showy, flashy**	• tape-à-l'œil
• **tattooed**	• tatoué
• **plain**	• simple
• **unobtrusive** [ʌnəb'truːsɪv]	• discret
• **retro(-style)**	• rétro
• **square**	• vieux jeu, ringard
• **tacky (coll.)**	• vulgaire, de mauvais goût

High Fashion — Le grand style

(US) a tuxedo [tʌk'siːdəʊ]

• **luxury clothes** ['lʌkʃərɪ]	• les vêtements de luxe
• **an evening dress**	• une robe de soirée
• **a low-necked/low-cut dress**	• une robe décolletée
• **a tail coat, tails**	• un habit à queue-de-pie
• **a morning coat**	• une jaquette
• **a dinner jacket**	• un smoking
• **a mink coat**	• un (manteau de) vison
• **a feather boa** ['feðə]	• un boa (de plume)
• **a top hat**	• un haut-de-forme
• **cuff links**	• des boutons de manchette
• **a bow tie**	• un nœud papillon

in full regalia: *en grande tenue*

• **formal**	• cérémonieux
• **ceremonial**	• de cérémonie, cérémonial
• **regal** ['riːgl]	• royal, majestueux
• **in full dress**	• en grande tenue
• **overdressed**	• trop bien habillé (pour l'occasion)
• **underdressed**	• pas assez bien habillé

4 The Fashion Industry — Le secteur de la mode

Creation — La création

a stylist: *un coiffeur de style*

a designer label: *une griffe*

• **a clothing manufacturer**	• un fabricant de vêtements
• **a fashion house** ['fæʃn]	• une maison de couture
• **a fashion empire**	• un empire de la mode
• **a creator**	• un créateur
• **a fashion designer**	• un créateur, un styliste
• **a top designer**	• un grand couturier
a studio	un atelier
• **a trend**	• une tendance
• **a style**	• un style
• **a line (of clothes)**	• un style (de vêtements)

• **an imitation**	• une copie, une imitation
• **haute couture**	• la haute couture
• **the winter/summer collection**	• la collection d'hiver/d'été
• **the autumn/spring collection** [ɔːtəm]	• la collection d'automne/ de printemps
• **a designer suit** [suːt]	• un costume haute couture
• **a fashion parade** [pə'reɪd]**/show**	• un défilé de mode
a catwalk	un podium de défilé
a fashion victim (coll.)	une victime de la mode
• **a model** ['mɒdl]	• un mannequin
a top model	un top model, un mannequin-vedette

• **design (clothes)**	• dessiner/créer (des vêtements)
• **have (a dress) made**	• se faire faire (une robe)
• **start a trend**	• lancer une mode
• **follow the fashion**	• suivre la mode

ready-to-wear clothing: *le prêt-à-porter*

"it's in": *"c'est à la mode"*
"it's out": *"c'est démodé"*

• **made-to-measure** ['meʒə]	• fait sur mesure
• **ready-to-wear**	• prêt à porter
• **fashionable, in fashion** ['fæʃn]	• à la mode
• **original**	• original
• **eccentric, odd**	• original, excentrique
• **unique** [juː'niːk]	• unique
• **exclusive** [ɪk'skluːsɪv]	• exclusif
• **revolutionary**	• révolutionnaire
• **unwearable**	• importable, pas mettable
• **de luxe** [dɪ'lʌks]	• de luxe

Retailing — La distribution

• **a dress/clothes shop**	• une boutique de vêtements
• **a boutique**	• une boutique de mode
• **a flagship store**	• un magasin-vedette
• **a second-hand shop**	• un dépôt-vente
second-hand clothes	des vêtements d'occasion
• **a designer seconds store**	• un magasin de dégriffés
an unlabelled designer garment	un vêtement dégriffé
• **a department store**	• un grand magasin
the menswear department	le rayon des habits pour hommes
the ladieswear department	le rayon des habits pour femmes
the footwear department	le rayon des chaussures
• **a fitting-room**	• une cabine d'essayage
• **a anti-theft device**	• un antivol
• **the (clearance) sale**	• les soldes

• **sell**	• (se) vendre
• **try on a garment**	• essayer un vêtement

acheté en solde: bought at sale price/in a sale

• **off label**	• dégriffé
• **on sale**	• soldé (US), en vente (GB)

PRACTICE

76 Piece them Together: Recollez les morceaux

Match each element of column A with an element of column B.

A	B
a. turtleneck	**1.** stockings
b. three-piece	**2.** stick
c. double-breasted	**3.** skirt
d. pleated	**4.** jacket
e. walking	**5.** sweater
f. fishnet	**6.** suit

77 Get Dressed ! Habillez-vous !

Put the following garments in the correct order to dress someone in logical order.

a. underpants - brogues - trousers
b. a suspender belt - high-heeled shoes - stockings
c. an overcoat - a bra - a pullover
d. a tie - a shirt - a waistcoat

78 The Odd-One-Out: Chassez l'intrus

Find the word which does not go with the others in the following lists.

a. Silk - wool - cotton - nylon - linen
b. to put on - to lace up - to tie - to take off - to slip on
c. an umbrella - a raincoat - wellingtons - a kilt - a waterproof
d. a swimsuit - sneakers - a jumper - shorts - a jogging suit
e. a striped shirt - a polka-dot shirt - a plain shirt - a chequered shirt

▶ Corrigés page 414 ◀

The Contemporary Context

Conventions and Traditions

Conventions et traditions

- **a black tie:** une cravate noire, qui, traditionnellement, se porte avec un smoking. Par extension, l'expression notée sur un carton d'invitation signifie que la tenue de soirée sera exigée (on trouve également la mention équivalente *white tie*).
- **a mortarboard:** une toque portée par les étudiants et les professeurs d'université lors des remises de diplômes (ainsi nommée car sa forme rappelle la planche carrée sur laquelle les maçons transportent leur mortier, *mortar*).
- **a kilt:** vêtement masculin, originaire de l'Écosse ; cette jupe plissée aux motifs écossais (*tartan*) compose la tenue traditionnelle du *Highlander*, avec le *sporran* (pochette en cuir ou en fourrure qui se porte sur le devant du kilt).

The Linguistic Heritage

L'héritage linguistique

- **a riding coat:** vient du français "redingote", et a été phonétiquement retranscrit.
- **wellington boots:** bottes hautes en caoutchouc mises à la mode par le duc de Wellington, homme politique britannique du XIXe siècle.
- **denim:** la toile de jean jadis importée de France sous le nom de "serge de Nîmes".
- **jean** (= "Gênes", prononcé à l'anglaise)**:** doit son nom à la ville d'où était expédiée la toile de tente que vendaient Lévi et Strauss aux pionniers, et dont ils firent plus tard de solides pantalons teintés en bleu (*blue jeans*).
- **nylon:** mot anglo-américain formé à partir de *no run* (qui ne file pas) ; cette matière synthétique fut créée durant la Seconde Guerre pour contrer l'embargo des Japonais sur la soie d'Asie et a pour certains Américains revanchards donné lieu à l'acronyme *Now You Lost, Old Nippons* (maintenant, vous avez perdu, sales Japonais).
- **bra(ssiere), négligé, lingerie:** ces noms qui évoquent la lingerie féminine viennent du français, la France passant pour le pays du raffinement en matière de séduction pour les Anglais !
- **Jacquard:** les Anglais nous ont emprunté ce mot, pour désigner les motifs sur un tricot, l'invention de 1834 venant du Français Joseph-Marie Jacquard.
- **a bowler hat:** un chapeau arrondi et rigide, de couleur noire, associé aux hommes d'affaires de la *City* et qui doit son nom à John Bowler, un chapelier londonien.
- **a duffel coat:** un manteau trois-quarts à capuche, qui tire son nom de la ville belge de Duffle, d'où provenait son épaisse étoffe de laine.
- **Beau Brummel:** célèbre dandy anglais, dont la mise impeccable et les manières raffinées ont fait un être de légende… et l'enseigne d'un grand magasin parisien.
- **Savile Row:** rue de Londres connue pour ses tailleurs.

Idioms and Colourful Expressions

Focus on Clothes and Shoes

- **the Sunday best:** les habits du dimanche.
- **a strait-laced lady:** une femme collet-monté (littéralement: dont le corset est maintenu très serré par des lacets).
- **a night cap:** le dernier verre pris avant de se coucher (*a cap:* une casquette).
- **a feather in somebody's cap:** un avantage, un bon point pour quelqu'un (*a feather:* une plume).
- **"that caps it all!":** "c'en est trop! c'est le bouquet !"
- **a bootlicker:** un lèche-botte.
- **to be dressed to kill:** bien s'habiller pour séduire, être "sapé à mort".
- **to turn one's coat:** retourner sa veste, changer d'opinion.
- **to wear the trousers:** porter la culotte (pour une femme, dans le ménage).
- **to patch up a quarrel:** se raccommoder après une dispute (*a patch:* une pièce de tissu pour raccommoder un vêtement).
- **to lose the thread of a story:** perdre le fil d'une histoire.
- **to fit like a glove:** aller comme un gant.
- **to be in somebody's shoes:** occuper la place de quelqu'un.
- **mad as a hatter:** complètement fou (comme le chapelier, personnage d'*Alice au pays des merveilles-Alice in Wonderland*, le roman de Lewis Carroll).
- **that's old hat:** c'est de l'histoire ancienne.
- **"that's where the shoe pinches":** "c'est là que le bât blesse".
- **to laugh up one's sleeve:** rire sous cape.
- **to have something up one's sleeve:** dissimuler un atout en réserve.

Sayings and Proverbs

- **Don't wash your dirty linen in public:** Ne lavez pas votre linge sale en public.
- **Better be out of the world than out of fashion:** Plutôt mourir que de ne pas être à la mode.
- **Fools may invent fashions that wise men will wear:** Les fous créent les modes et les sages les suivent.
- **Good clothes open all doors:** De beaux vêtements vous ouvrent toutes les portes.

Arts and Entertainment
Les arts et les spectacles

1 The Theatre — Le théâtre

Dramatic Art — La dramaturgie

Dramatic Art	La dramaturgie
a play	une pièce de théâtre
a playwright	un dramaturge
a comedy	une comédie
a farce [fɑːs]	une farce
a tragedy	une tragédie
a pantomime	un pantomime
an act	un acte
a scene	une scène
a line	une réplique
a speech	une longue réplique
a monologue	un monologue
an aside	un aparté
stage directions	les indications scéniques

(!) a tirade: *une diatribe*

dramatic	théâtral (œuvre, langage)
theatrical	scénique
histrionic [hɪstrɪˈɒnɪk]	théâtral (geste)
melodramatic	théâtral (ton)
comic	comique
tragic	tragique, dramatique

farcical: *digne d'une farce, ridicule*

Acting — Le jeu de l'acteur

Acting	Le jeu de l'acteur
an actor, an actress	un acteur, une actrice
a company	une troupe
an amateur company	une troupe d'amateurs
the cast	la distribution
a part	un rôle
a supporting part	un rôle secondaire
the leading role	le rôle principal
an understudy	une doublure
a prompter	un souffleur
a producer	un producteur
a stage director	un metteur en scène
a stage manager	un régisseur
a (dress) rehearsal [rɪˈhɜːsl]	une répétition générale (en costumes
stage fright	le trac
the first night, the opening night	la première
a matinée [ˈmætɪneɪ]	une matinée
an evening performance	une soirée
an interval, an intermission	un entracte

prompt sth: *souffler qqch*

"Break your leg!": *"Bonne chance !" (à un acteur)*

No performance today: *Relâche*

	• audition (for)	• passer une audition (pour)
	• act (a part)	• jouer, tenir (un rôle)
	• play a part	• jouer, interpréter un rôle
	• perform a play	• jouer (une pièce)
(!) mimicking, mimicked mimic: *mimer, imiter*	• mime	• mimer
	• stage (a play)	• monter (une pièce)
	• produce	• produire
	• rehearse [rɪˈhɜːs]	• répéter
"What's on these days?"	• be on	• être à l'affiche
	• tour [tʊə]	• faire une tournée

The Theatre House — La salle de théâtre

(US) theater

	• the stage	• la scène
	• a box	• une loge
a seat: *une place*	• the stalls/the orchestra	• les fauteuils d'orchestre
	• the dress circle	• la corbeille
	• the circle	• le balcon
	• the balcony	• le deuxième balcon
	• the gods (coll.)	• le poulailler
	• backstage	• les coulisses
	• a dressing-room	• une loge
	• the stage door	• l'entrée des artistes
	• the curtain [ˈkɜːtn]	• le rideau
	• the scenery	• le décor
	• the backdrop	• la toile de fond (du décor)
	• the limelights	• (les feux de) la rampe
(abbreviation of) properties	• the props	• les accessoires
	• a ticket	• un billet

	• book	• réserver
(!) dropping, dropped	• raise/drop the curtain	• lever/abaisser le rideau
	• watch (a performance)	• assister à (une représentation)

The Audience — Le public

• a playgoer	• un amateur de théâtre
• a success	• un succès, une réussite
• a box-office hit	• un succès commercial
• a full/an empty house	• une salle comble/vide
• applause [əˈplɔːz]	• les applaudissements
• an ovation	• une ovation
• an encore	• un bis, un rappel
• a flop	• un bide, un échec
• booing	• les huées

• applaud [əˈplɔːd], clap	• applaudir
• give sb a standing ovation	• se lever pour ovationner qqn
• (call for an) encore	• rappeler, bisser
• give an encore	• jouer un rappel

	• **boo** [buː]	• huer
	• **hiss**	• siffler
a foot, several feet: *un pied, plusieurs pieds*	• **stamp one's feet**	• taper des pieds
a crowd: *une foule*	• **crowded** ['kraʊdɪd]	• plein
	• **packed**	• bondé
sell out: *vendre toutes les places*	• **sold out**	• complet

2 The Cinema — Le cinéma

Making a Film — La réalisation d'un film

	• **a producer**	• un producteur
	• **a film director**	• un réalisateur/metteur en scène
	• **a scriptwriter**	• un scénariste
	• **the crew** [kruː]	• l'équipe
	a director of photography	un directeur de la photographie
	a lighting director	un chef éclairagiste
	a cameraman	un cameraman
a camera: *un appareil photo*	**a (shooting/cine) camera**	une caméra
	a continuity girl	une script(-girl)
	a boom operator	un perchiste
	a film actor	un acteur de cinéma
	a supporting actor	un second rôle
	• **a film actress**	• une actrice de cinéma
"guest star": *"avec la participation de"*	• **a star**	• une étoile, une vedette
	stardom	la célébrité
	• **a stand-in**	• un remplaçant, une doublure
perform stunts: *faire des cascades*	• **a stunt**	• une cascade
	• **a stuntman/a stuntwoman**	• un cascadeur, une cascadeuse
	• **an extra**	• un figurant
	• **a studio** ['stjuːdɪəʊ]	• un studio de tournage
	the set	le plateau de tournage
	the props	les accessoires du décor
the lighting: *la manière d'éclairer*	**the light**	la lumière, l'éclairage
a board: *une planche*	• **a clapper board**	• un clap
	• **a screenplay**	• un scénario
	• **a script**	• un script
	• **a remake**	• une nouvelle version
	• **a sequel** ['siːkwəl]	• une suite
	• **direct**	• réaliser
"Quiet now! Action!": *"Silence ! On tourne !"*	• **shoot (a film)**	• tourner
	shoot on location	tourner en extérieur
	shoot in a studio	tourner en studio
	• **screen a novel**	• porter un roman à l'écran
	• **show a film**	• projeter un film, mettre à l'affiche
"Featuring X as": *"avec X dans le rôle de"*	• **feature**	• présenter en vedette

Filming Techniques / Les techniques cinématographiques

	Filming Techniques	Les techniques cinématographiques
	• camera movement	• le mouvement de la caméra
	• a shot	• une prise de vue, un plan
	• a sequence ['siːkwəns]	• une séquence
	• a shooting angle	• un angle de vue
a frame: *un cadre*	• the framing	• le cadrage
	• a long shot	• un plan général
	• a close-up ['kləʊsʌp], a close shot	• un gros plan
a thigh: *une cuisse*	• a close medium shot, a thigh shot	• un plan américain
	• a high-angle shot	• une plongée
	• a low-angle shot	• une contre-plongée
	• a tracking shot	• un travelling
deep: *profond*	• depth of field	• la profondeur de champ
	• day for night	• la nuit américaine
	• close up on, focus on	• faire un gros plan sur
	• scan	• balayer
	• pan	• faire un panoramique

Editing / Le montage

	Editing	Le montage
	• a film	• une pellicule
	• a film editor	• un monteur
	• an editing table	• une table de montage
	• the dailies, the rushes	• les épreuves du tournage
	the out-takes	• les chutes
the sound: *le son* a track: *une piste*	• a soundtrack	• une bande-son
	• special effects	• les effets spéciaux
	• dubbing	• le doublage
	• a subtitle ['sʌbtaɪtl]	• un sous-titre
≠ an original version	a subtitled version	une version sous-titrée
	• the credits	• le générique
	• edit a film	• monter un film
	• assemble	• assembler, monter, coller
	• synchronize	• synchroniser
(!) dubbing, dubbled	• dub	• doubler
	• subtitle	• sous-titrer
	• colorize	• coloriser

Movie-going / La fréquentation des salles de cinéma

	Movie-going	La fréquentation des salles de cinéma
(US) a movie theater	• a cinema	• un cinéma
	a multiplex cinema	un cinéma multisalles
(!) a library: *une bibliothèque ;* *une librairie :* a bookshop	• a film library	• une cinémathèque
	• a screen	• un écran
	• a projector	• un projecteur

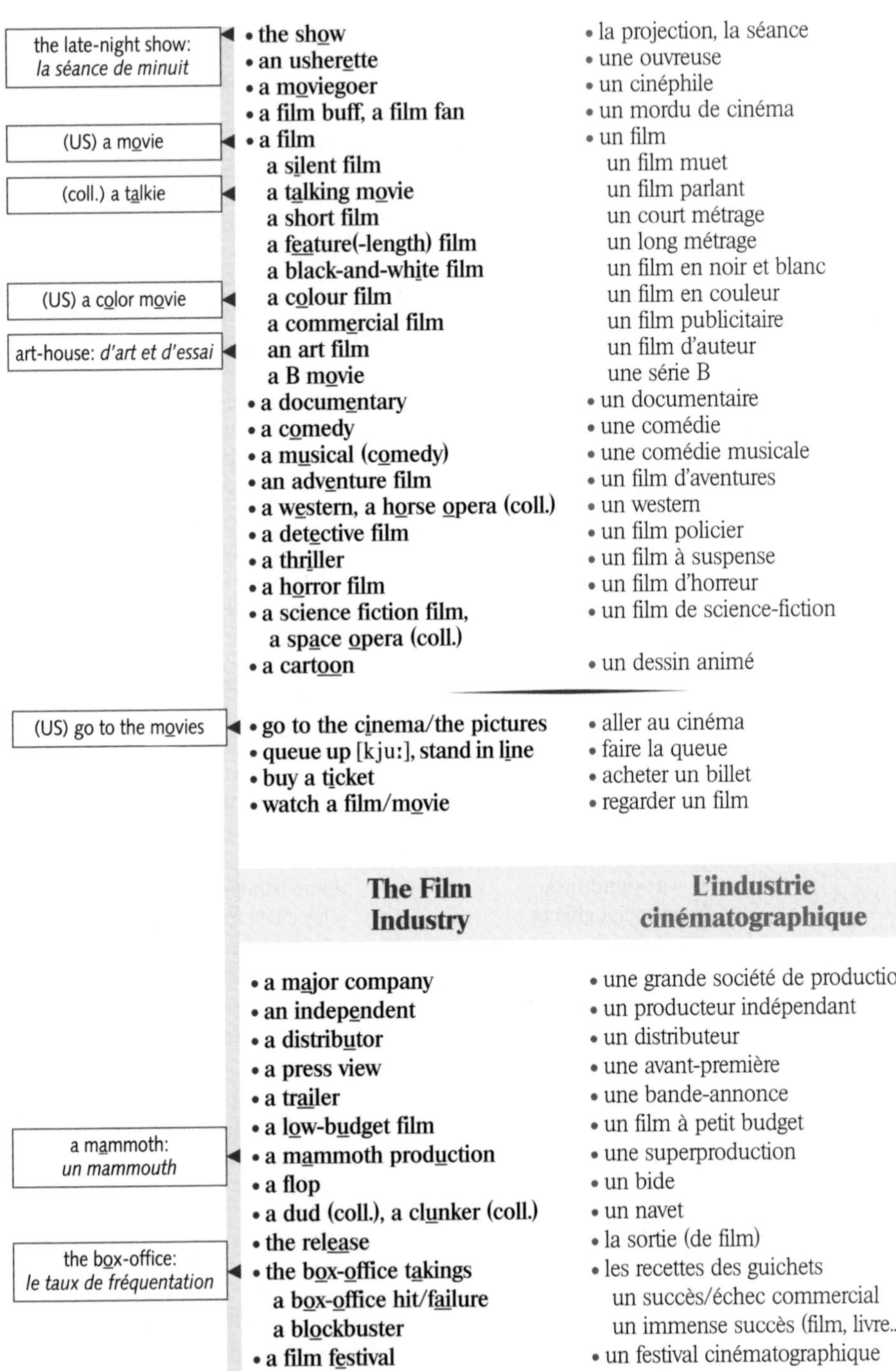

the late-night show: *la séance de minuit*	• the show	• la projection, la séance
	• an usherette	• une ouvreuse
	• a moviegoer	• un cinéphile
	• a film buff, a film fan	• un mordu de cinéma
(US) a movie	• a film	• un film
	a silent film	un film muet
(coll.) a talkie	a talking movie	un film parlant
	a short film	un court métrage
	a feature(-length) film	un long métrage
	a black-and-white film	un film en noir et blanc
(US) a color movie	a colour film	un film en couleur
	a commercial film	un film publicitaire
art-house: *d'art et d'essai*	an art film	un film d'auteur
	a B movie	une série B
	• a documentary	• un documentaire
	• a comedy	• une comédie
	• a musical (comedy)	• une comédie musicale
	• an adventure film	• un film d'aventures
	• a western, a horse opera (coll.)	• un western
	• a detective film	• un film policier
	• a thriller	• un film à suspense
	• a horror film	• un film d'horreur
	• a science fiction film, a space opera (coll.)	• un film de science-fiction
	• a cartoon	• un dessin animé

(US) go to the movies	• go to the cinema/the pictures	• aller au cinéma
	• queue up [kju:], stand in line	• faire la queue
	• buy a ticket	• acheter un billet
	• watch a film/movie	• regarder un film

The Film Industry / L'industrie cinématographique

	• a major company	• une grande société de production
	• an independent	• un producteur indépendant
	• a distributor	• un distributeur
	• a press view	• une avant-première
	• a trailer	• une bande-annonce
	• a low-budget film	• un film à petit budget
a mammoth: *un mammouth*	• a mammoth production	• une superproduction
	• a flop	• un bide
	• a dud (coll.), a clunker (coll.)	• un navet
	• the release	• la sortie (de film)
the box-office: *le taux de fréquentation*	• the box-office takings	• les recettes des guichets
	a box-office hit/failure	un succès/échec commercial
	a blockbuster	un immense succès (film, livre...)
	• a film festival	• un festival cinématographique
	a film award [ə'wɔːd]	un prix
(!) the price: *le prix à payer*	a prize, an Oscar	une récompense, un Oscar
	an Award-winning film	un film couronné
	• a series	• une série
	• a season	• une saison

rake: *ratisser*, a rake: *un râteau*

• distribute	• distribuer
• release	• faire sortir en salle
• draw an audience ['ɔːdjəns]	• attirer un public
• bring in, rake in	• rapporter (de l'argent)
• award a prize [ə'wɔːd]	• décerner un prix
• win a prize	• remporter un prix

3 Music — La musique

Styles — Les styles

(!) *ancien*: old

a gospel: *un évangile*

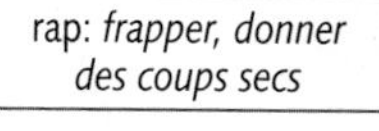

rap: *frapper, donner des coups secs*

• ancient music ['eɪnʃənt]	• la musique ancienne
• baroque music	• la musique baroque
• classical music	• la musique classique
• contemporary music	• la musique contemporaine
• folk music [fəʊk]	• la musique folklorique
• gospel	• le gospel
• blues	• le blues
• jazz	• le jazz
• rock'n'roll	• le rock and roll
• hard rock	• le "hard rock"
• pop music	• la musique pop
• reggae	• le reggae
• rap	• le rap
• techno	• la techno

Singing — Le chant

Scale gamme

(!) *un vers (poésie)* : a line

(!) a partition: *une cloison*

A, B, C...: *la, si, do...* E flat: *mi bémol* ; G sharp: *sol dièse*

croon: *chantonner, fredonner*

• a song [sɒŋ]	• une chanson
• a piece of music [piːs]	• un morceau (de musique)
• a tune, a melody	• un air, une mélodie
• the lyrics	• les paroles (d'une chanson)
a verse	un couplet
a chorus ['kɔːrəs]	un refrain
• the score	• la partition
• the rhythm ['rɪðəm], the beat	• le rythme
• the voice	• la voix
• a choir [kwaɪə]	• un chœur d'église, une chorale
• a chorus ['kɔːrəs]	• un chœur de scène
• a chorister ['kɒrɪstə]	• un choriste d'église
• a backing singer	• un chanteur d'accompagnement
• a singer ['sɪŋə]	• un chanteur
a crooner	un chanteur de charme
a jazz singer	un chanteur de jazz
a rock singer	un chanteur de rock
an opera singer	un chanteur d'opéra, une cantatrice
a bass [beɪs]	une basse
a baritone	un baryton

	a tenor	un ténor
	an alto	un alto
	a mezzo-soprano	un mezzo-soprano
	a soprano	un soprano
(coll.) a mike	• a microphone	• un micro
	• an amplifier	• un amplificateur
	• a loudspeaker	• un haut-parleur

Instruments and Players / Les instruments et les musiciens

• a musical instrument	• un instrument de musique
• a musician	• un musicien
• a (jazz) band	• un groupe (de jazz)
• a band, a group	• un groupe
• an orchestra	• un orchestre
• a conductor	• un chef d'orchestre

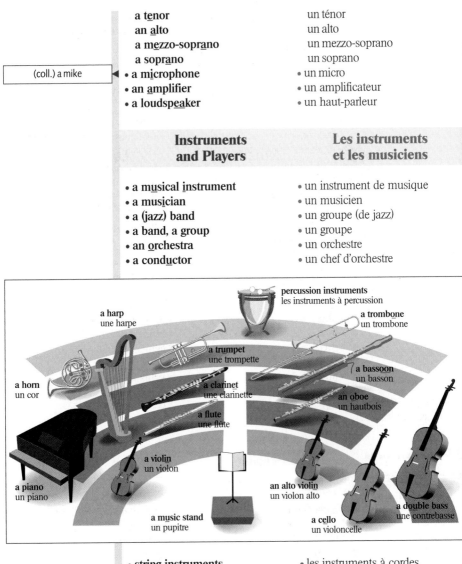

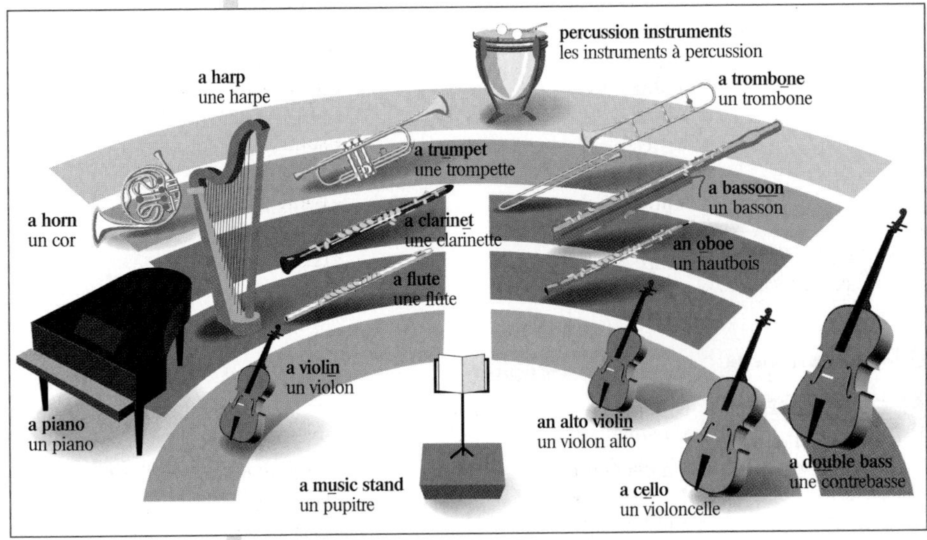

	• string instruments	• les instruments à cordes
	the strings	les cordes
	a violinist [vaɪə'lɪnɪst]	un violoniste
	a viola-player	un joueur de viole
	a cellist ['tʃelɪst]	un violoncelliste
	a double bass player	un contrebassiste
	a guitarist	un guitariste
	a harpist	un harpiste
	• wind instruments	• les instruments à vent
(US) a flutist	a flautist ['flɔːtɪst]	un flûtiste
	• the woodwinds	• les bois
	a clarinettist	un clarinettiste
	an oboist ['əʊbəʊɪst]	un joueur de hautbois
	a bassoonist	un joueur de basson
a brass band: *une fanfare*	• brass instruments, the brass	• les cuivres

a trumpet player, a trumpeter	un trompettiste
a trombonist	un joueur de trombone
a horn-player	un joueur de cor
a saxophone player, a saxophonist	un saxophoniste
a bugler ['bju:glə]	un joueur de clairon
• the percussion instruments	• les instruments à percussion
a percussionist	un percussionniste
• a drum	• un tambour
a drummer	un joueur de tambour, un batteur
cymbals ['sɪmbəls]	des cymbales
the kettledrums, the timpani	les timbales
• the keyboard instruments ['ki:bɔ:d]	• les instruments à clavier, les claviers
a grand piano	un piano à queue
an upright piano	un piano droit
a pianist, a piano-player	un pianiste
a harpsichord	un clavecin
an organ	un orgue
an organist	un organiste
a synthesizer ['sɪnθəsaɪzə]	un synthétiseur

a horn: *une corne*

a key: *une touche/une clé*

an upright person: *une personne droite, honnête*

• play (an instrument)	• jouer d'un instrument
• play the guitar, the horn...	• jouer de la guitare, du cor...
• blow	• souffler
• keep time	• être en rythme
• beat time	• battre la mesure
• sing in tune	• chanter juste
• sing out of tune	• chanter faux
• lip-sync(h)	• chanter en play-back

the lips: *les lèvres*

Musical Performance / L'exécution musicale

• a performer	• un exécutant, un interprète
• the interpretation	• l'interprétation
• a D.J. ['di:dʒeɪ]	• un D.J., un disc-jockey
• a music lover	• un mélomane
• a concert	• un concert
• a concert hall	• une salle de concert
• an opera house	• un opéra
• a recital [rɪ'saɪtl]	• un récital
• a symphony	• une symphonie
• a concerto [kən'tʃeətəʊ]	• un concerto
• a sonata [sə'nɑ:tə]	• une sonate
• an opera	• un opéra

the first/second movement: *le premier/deuxième mouvement*

a libretto: *un livret*

• perform	• exécuter
• interpret	• interpréter
• go to the concert	• aller au concert
• play a record	• mettre un disque
• evoke	• évoquer

	• expressive	• expressif
	• inspired	• inspiré
	• warm	• chaleureux
	• slow	• lent
	• quick	• rapide
	• technical	• technique

The Music Industry / L'industrie musicale

a tape: *un ruban*	• a tape, a cassette	• une bande, une cassette
	• a record	• un disque (vinyl)
	• an album	• un album
	• a single	• un simple titre
(abbreviation) a CD	• a compact disc	• un compact-disque
(abbreviation) a VCD	• a video compact disc	• un vidéodisque
	• a new release	• un nouvel album
	• a video clip	• un clip vidéo
	• a label	• un label, une compagnie de disques
	• a hit	• une chanson à succès, un tube
	• a standard	• un classique
(abbreviation) high-fidelity	• hi-fi [haɪ'faɪ]	• la haute fidélité, le matériel hi-fi
	• record, tape	• enregistrer
	• remaster	• remixer
	• release (a record)	• sortir un disque
	• analogical (recording)	• (enregistrement) analogique
a digit: *un chiffre*	• digital (recording)	• (enregistrement) numérique

4 Dancing / La danse

Ballet / La danse classique

	• a ballet ['bæleɪ]	• un ballet
	the ballet master	le maître de ballet
	• a company	• une compagnie
	• a choreographer [kɒrɪ'ɒgrəfə]	• un chorégraphe
	• choreography [kɒrɪ'ɒgrəfɪ]	• la chorégraphie
	• a ballet dancer	• un danseur, une danseuse de ballet
	• a ballerina	• une ballerine
	the principal dancer	le danseur étoile
	the prima ballerina	la danseuse étoile
	a ballet skirt, a tutu ['tuːtuː]	un tutu
	a ballet shoe	un chausson de danse
wear tights: *porter un collant*	tights	un collant (de danseuse)
	a leotard ['liːətɑːd]	un collant/un justaucorps

	• **dance**	• danser
	• **be/dance on points**	• faire des pointes
	• **choreograph** ['kɒrɪəgrɑːf]	• créer la chorégraphie

Other Forms of Dancing — Autres formes de danse

	• **folk dancing** [fəʊk]	• la danse folklorique
	• **belly dancing**	• la danse du ventre
a ballroom: *une salle de bal*	• **ballroom dance**	• la danse de salon
	• **the waltz**	• la valse
	• **the tango**	• le tango
	• **tap-dance**	• les claquettes
	a tap dancer	un danseur de claquettes
rock: *bercer* roll: *rouler*	• **rock-and-roll**	• le rock and roll
twist: *(se) tortiller, (se) tordre*	• **twist**	• le twist
	• **rhythmic dancing**	• la danse rythmique
	• **contemporary dance**	• la danse contemporaine
	• **a partner**	• un partenaire, un cavalier

	• **waltz** [wɔːls]	• valser
	• **tango**	• danser le tango
	• **move in rhythm** ['rɪðəm]	• bouger en rythme
	• **follow**	• suivre

5 Other Forms of Entertainment — Autres formes de spectacles

	• **entertainment**	• le spectacle, le divertissement
(US) vaudeville	• **variety** [və'raɪətɪ]	• le music-hall
	• **a show**	• un spectacle
	a one-man show	un spectacle en solo
	• **stand-up comedy**	• le comique de cabaret (en solo)
	a stand-up comic	un comique (en solo)
	a humorist	un humoriste
	an impersonator	un imitateur
	• **a variety show** [və'raɪətɪ]	• une revue de music-hall
	a chorus girl	une danseuse (de revue)
	the chorus line	la troupe (d'une revue)
	• **showbusiness** ['bɪznɪs]	• le monde du spectacle
	• **a night-club**	• une boîte de nuit
	an act	un numéro, une attraction
	• **a cabaret** ['kæbəreɪ]	• un cabaret
strip: *se déshabiller* tease: *taquiner*	• **striptease**	• le strip-tease
	a stripper	une strip-teaseuse
	• **a circus**	• un cirque
	a clown [klaʊn]	un clown
	an acrobat	un acrobate
	a juggler	un jongleur
	a magician, a conjurer	un magicien, un prestidigitateur
	an illusionist [ɪ'luːʒənɪst]	un illusionniste

tame: *dompter*

Punch: *Guignol*

(US) theater

a lion tamer ['laɪən]	un dompteur de fauves
• a Punch-and-Judy show	• un théâtre de marionnettes
a puppet	une marionnette
• street theatre ['θɪətə]	• le théâtre de rue
• busking	• les concerts de rue
a busker (Brit.), a street musician	un musicien/chanteur des rues

• perform an act	• faire un numéro
• impersonate	• imiter
• perform stunts	• faire des acrobaties, des cascades
• juggle	• jongler
• do conjuring tricks	• faire des tours de passe-passe

PRACTICE

79 Where do the Instruments go? Où vont ces instruments ?

Classify each of the following instruments:

	the wind section	the strings	the percussion instruments
a. a saxophone	×		
b. an electric guitar			
c. a violin			
d. a harpsichord			
e. the drums			
f. an oboe			
g. a cello			
h. a horn			

80 Test your Vocabulary! Testez votre vocabulaire !

Translate the following sentences.

a. Un véritable cinéphile préfère la version sous-titrée à la version doublée.

b. Pour son film, le réalisateur peut choisir entre différents mouvements de caméra : gros plans, plongées, contre-plongées, travellings, etc.

c. Ce roman a été porté à l'écran ; j'ai vu le nom de l'écrivain au générique.

d. Fred Astaire est mon danseur de claquettes préféré. C'est une étoile de la danse et un excellent acteur. J'ai vu tous ses longs métrages.

81 Readers' Corner: Le coin lecture

Complete the following text:
Names of Plays: Hamlet - Macbeth.
Other words to use in the text: play - tragedies - comedies - historical tragedies - stages (verb)

William Shakespeare was born in 1564, at Stratford-Upon-Avon. He wrote a lot of plays which are still well-known today. There are, for instance ..., like The Taming of the Shrew[1], or The Merry Wives of Windsor[2], ..., like Julius Caesar[3], and other ... like Hamlet, in 1600, Macbeth, in 1605, or King Lear, in 1606.
Many of Shakespeare's plays deal with power and usurpation of power, as in ..., the story of the Danish[4] Prince whose father has been murdered, and whose purpose is to expose the murderer throughout the play, or in ..., which ... the murder of a legitimate King, the political consequences of this regicide on the kingdom and the psychological effects on the usurper and his wife.
Shakespeare's last ..., less sombre and pessimistic, is said to be The Tempest.

[1] La Mégère apprivoisée
[2] Les Joyeuses Commères de Windsor
[3] Jules César
[4] danois

▶ Corrigés page 415 ◀

The Contemporary Context

More about Films

Pour en savoir plus au sujet du cinéma

Classification in Great-Britain: Classification en Grande-Bretagne

- **U (Universal admission):** tous publics.
- **Uc (Universal, children):** tous publics, y compris jeunes enfants.
- **PG (Parental Guidance):** accompagnement parental conseillé.
- **A:** présence conseillée des parents.
- **AA:** interdit aux moins de 14 ans.
- **12, 15, 18:** destiné aux plus de 12, 15 ou 18 ans.
- **18 Restricted:** interdit aux moins de 18 ans et distribué uniquement dans les salles et magasins spécialisés.
- **X:** interdit aux moins de 18 ans.
- **an X-rated film:** un film classé X.
- **The British Board of Film Censors:** la Commission de censure britannique.

Classification in the USA: Classification aux États-Unis

- **G (General Audiences):** tous publics.
- **PG (Parental Guidance):** accompagnement parental conseillé.
- **M15:** destiné aux plus de 15 ans.
- **MA15:** destiné aux plus de 15 ans accompagnés d'un adulte.
- **R (Restricted):** interdit aux moins de 18 ans.
- **an X-rating:** une interdiction aux moins de 18 ans.

Jargon and colloquial expressions: Jargon et expressions familières

- **a skin flick:** un film porno (*skin:* la peau).
- **a gore movie:** un film d'horreur sanglant, un film "gore" (*gore:* le sang).
- **a snuff movie:** un film sadique (et illégal) montrant des sévices et un meurtre réels filmés en direct (*snuff it:* casser sa pipe).
- **a travelogue:** un documentaire touristique (livre ou film) (mot-valise: *travel* + *catalogue*).
- **a drive-in:** un cinéma de plein air où l'on regarde le film de sa voiture, un "ciné-parc".
- **Bollywood:** le surnom donné à Bombay, en Inde, qui a beaucoup de studios de cinéma et produit un grand nombre de films chaque année, ce qui l'apparente à Hollywood, aux États-Unis (mot-valise: *Bombay* + *Hollywood*).

More about the Theatre

Pour en savoir plus au sujet du théâtre

Institutions: Les institutions

- **a drama festival:** un festival d'art dramatique.
- **a fringe festival:** un festival moins institutionnel joué en marge du festival principal, un festival "off".
- **a happening:** un spectacle unique et souvent partiellement improvisé qui fait événement.

In America: Aux États-Unis

- **Broadway:** le quartier des théâtres à New York.
- **an off-Broadway theater:** un petit théâtre à la périphérie de Broadway qui joue des pièces d'avant-garde à New York.
- **off-off Broadway (OOB):** le théâtre expérimental.

In Great-Britain: En Grande-Bretagne

- **the West End:** le quartier des spectacles à Londres.
- **Royal Theatre Drury Lane:** Le plus ancien théâtre de Londres, célèbre pour ses comédies musicales.
- **The Globe:** nom du théâtre dans lequel Shakespeare faisait jouer ses pièces, à Londres et qui fut finalement détruit en 1644, avant d'être reconstruit à l'identique il y a quelques années.

More about Music

Pour en savoir plus au sujet de la musique

- **the charts:** le classement des meilleures ventes de disques.
- **top of the pops (Brit.):** émission de variétés présentant les meilleures ventes de disques.
- **a gold record:** un disque d'or (*go gold:* obtenir un disque d'or).
- **muzak (péj.):** musique pré-enregistrée, reprenant souvent des airs connus et diffusée dans les grandes surfaces, les hôtels, etc.
- **a Grammy (award):** prix récompensant les meilleurs disques aux États-Unis.
- **a Brit award:** équivalent britannique du Grammy.

Idioms and Colourful Expressions

Focus on Theatre and Shows

- **to happen behind the scenes:** se passer dans les coulisses.
- **to make a scene:** faire une scène.
- **to steal the show:** voler la vedette, éclipser tout le monde.
- **to run the show:** dicter ses lois.
- **to show off:** se vanter, poser pour la galerie.
- **to upstage a rival:** supplanter un rival.
- **to cast someone in the role of the villain:** donner le mauvais rôle à quelqu'un.
- **to put on an act:** faire un numéro, jouer la comédie.
- **to take one's cue from:** suivre l'exemple de (*a cue:* une réplique).
- **to be in the limelight:** être sous les feux de la rampe.
- **to play to the gallery:** jouer pour la galerie.
- **to pull the strings:** tirer les ficelles.
- **to walk on a tight rope:** marcher sur une corde raide.
- **"it's the same old song":** "c'est toujours la même rengaine".
- **"it's curtains for him":** "c'est fini pour lui" (*curtain:* le rideau de théâtre).
- **"... and all that jazz":** "et tout le bataclan".

Sayings and Proverbs

- **There's many a good tune played on an old fiddle:** C'est dans les vieilles marmites que l'on fait la bonne soupe (*a fiddle:* un violon).
- **The show must go on:** Il faut continuer coûte que coûte.
- **It takes two to tango:** Il faut être deux pour jouer à ce jeu-là.

Fine Arts
Les beaux-arts

1 The Artistic World — Le monde de l'art

The Artist and his Work — L'artiste et son travail

an amateur/ spare-time painter: *un peintre du dimanche*

(US) a draftsman

several crafts(wo)men

a gifted person: *une personne douée*

the Old Masters: *les maîtres*

• **an artist**	• un artiste
• **a painter, an artist**	• un peintre
• **a draughtsman** ['drɑːftsmən]	• un dessinateur (industriel)
• **an illustrator**	• un illustrateur
• **an engraver**	• un graveur
• **fine arts**	• les beaux-arts
• **plastic/graphic arts**	• les arts plastiques/graphiques
• **an art school, an art college**	• une école des beaux-arts
• **an academy**	• un conservatoire, une académie
• **a studio** ['stjuːdɪəʊ]	• un atelier, un studio photo
• **a craftsman**	• un artisan
• **a craftswoman**	• une femme artisan
• **craftsmanship**	• le travail, la technique
craft	l'artisanat
arts and crafts	l'artisanat d'art
• **convention**	• la convention
• **tradition**	• la tradition
• **technique**	• la technique
• **skill**	• la dextérité, la compétence
• **creation**	• la création
• **creativity**	• la créativité
• **talent**	• le talent
• **artistry**	• le talent artistique
• **inspiration**	• l'inspiration
• **a gift**	• un don
• **a genius, an artist of genius**	• un génie, un artiste de génie

(US) skillful

• **conventional**	• conventionnel, conformiste
• **traditional**	• traditionnel
• **technical**	• technique
• **skilful**	• adroit, habile
• **creative**	• créatif
• **talented**	• talentueux
• **brilliant**	• génial

Artistic Creation — La création artistique

work: *le/du travail*

• **a work of art**	• une œuvre d'art
• **a masterpiece**	• un chef-d'œuvre
• **composition**	• la composition
• **perspective**	• la perspective
• **the foreground**	• le premier plan
• **the background**	• l'arrière-plan, le fond

	• proportions	• les proportions
	• the outline	• le contour
	• a line	• une ligne, un trait
	• a curve	• une courbe
	• the scale	• l'échelle
(US) color	• a colour	• une couleur
	• light	• la lumière
	• shade	• l'ombre
	• a tone	• un ton
a shade of grey: *une nuance de gris* a shade of meaning: *une nuance de sens*	• a shade	• une ombre, une nuance
	• a tint, a hue, a tinge	• une teinte, une nuance
	• a contrast	• un contraste
	• a shading off	• un dégradé
	• a second thought [θɔːt]	• un repentir
(!) *une altération :* impairment, deterioration	• an alteration [ɔːltəˈreɪʃn]	• une retouche, un remaniement

	• throw into relief [rɪˈliːf]	• mettre en relief, faire ressortir
	• soften down	• adoucir, estomper
	• tone down	• atténuer
	• shade off	• se dégrader, se fondre
(!) *altérer :* impair, deteriorate	• alter [ˈɔːltə]	• retoucher, remanier

2 Art and its Public — L'art et son public

Places — Les lieux

	• a museum	• un musée
	• a fine arts museum, an art institute	• un musée des beaux-arts
	• an art gallery	• un musée d'art, une galerie d'art
	a curator	un conservateur
	an attendant	un gardien
	• a picture gallery	• une galerie de peinture
	• a showroom	• une salle d'exposition
	• a department	• une section
	• a permanent collection	• une exposition permanente
(US) exhibit	• an exhibition [eksɪˈbɪʃən]	• une exposition
	an exhibit	une pièce exposée
	a preview	un vernissage

• show, exhibit	• exposer
• visit	• visiter

The Appreciation of Art — L'accueil du public

	• art review [rɪˈvjuː]	• la critique d'art
	an art reviewer [rɪˈvjuːə]	un critique d'art
	• a museum goer	• un amateur de musées
(!) distaste: *le dégoût*	• taste	• le goût

(US) esthetic	• aesthetic	• esthétique
	• beautiful	• beau
	• pleasant ['pleznt]	• agréable
	• tasteful	• de bon goût
glow: *rougeoyer*	• glowing	• brillant, rutilant
	• vivid	• vif
	• moving	• émouvant
	• puzzling	• intrigant, curieux
	• disquieting	• inquiétant, troublant
	• striking, impressive	• saisissant, impressionnant
	• sublime [sə'blaɪm]	• sublime
	• tasteless	• de mauvais goût
	• dull, drab	• sans intérêt, terne
(US) colorless	• colourless	• sans éclat, terne
	• formal	• formel
	• ugly	• laid
	• gaudy ['gɔːdɪ]	• criard, voyant
	• garish	• tapageur, cru (pour la lumière)
	• provocative	• provocateur, provocant
	• shocking	• choquant

The Art Market — Le marché de l'art

(!) *un patron:* an employer	• a patron ['peɪtrən]	• un mécène
	• patronage ['pætrənɪdʒ]	• le mécénat
	• an auction (sale) ['ɔːkʃn]	• une vente aux enchères
	an auction room	une salle des ventes
"going, going, gone": *"une fois, deux fois, trois fois, adjugé, vendu".*	an auctioneer	un commissaire-priseur
	an assessment	une évaluation
	an inflation of estimates ['estɪməts]	une surenchère d'estimations
	an offering	une offre
	a bid	une enchère
a freakish price: *un prix démentiel*	a higher bid	une surenchère
	• an art dealer	• un marchand d'art
	• the art market boom	• l'explosion du marché de l'art
	• a private collection	• une collection privée
a collector's item: *une pièce de collection*	a(n art) collector	un collectionneur (d'œuvres d'art)
	• art investment	• l'investissement dans l'art
	• an antique shop	• un magasin d'antiquités
	an antique dealer	un antiquaire
	an antique	une antiquité
	• a daub [dɔːb]	• une croûte, un tableau sans qualité
	• an original	• un original
	• a copy	• une copie
	• a fake, a forgery	• un faux, une contrefaçon

	• sell by auction ['ɔːkʃn]	• vendre aux enchères
	• assess	• évaluer
	• value	• estimer, expertiser
	• authenticate	• authentifier
the hammer: *le marteau du commissaire-priseur*	• come under the hammer	• être mis aux enchères
	• drive a price up	• faire monter un prix

the knock: *le coup de marteau du commissaire-priseur*

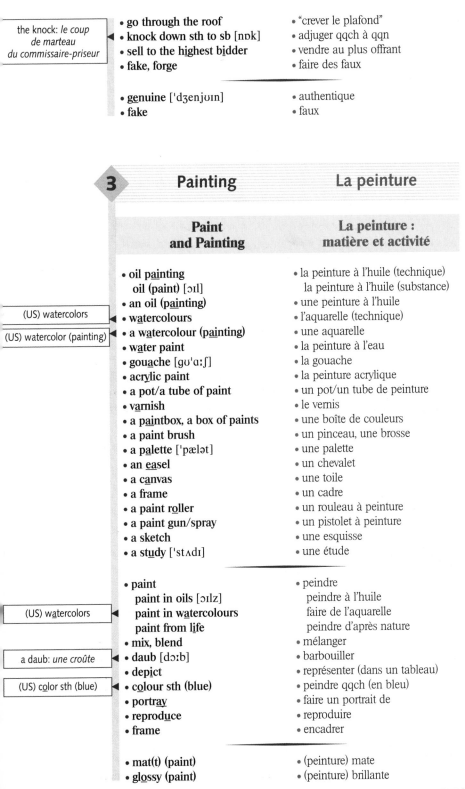

• **go through the roof**	• "crever le plafond"
• **knock down sth to sb** [nɒk]	• adjuger qqch à qqn
• **sell to the highest bidder**	• vendre au plus offrant
• **fake, forge**	• faire des faux
• **genuine** ['dʒenjʊɪn]	• authentique
• **fake**	• faux

3 Painting — La peinture

Paint and Painting — La peinture : matière et activité

(US) watercolors; (US) watercolor (painting)

• **oil painting**	• la peinture à l'huile (technique)
oil (paint) [ɔɪl]	la peinture à l'huile (substance)
• **an oil (painting)**	• une peinture à l'huile
• **watercolours**	• l'aquarelle (technique)
• **a watercolour (painting)**	• une aquarelle
• **water paint**	• la peinture à l'eau
• **gouache** [gʊ'ɑːʃ]	• la gouache
• **acrylic paint**	• la peinture acrylique
• **a pot/a tube of paint**	• un pot/un tube de peinture
• **varnish**	• le vernis
• **a paintbox, a box of paints**	• une boîte de couleurs
• **a paint brush**	• un pinceau, une brosse
• **a palette** ['pælət]	• une palette
• **an easel**	• un chevalet
• **a canvas**	• une toile
• **a frame**	• un cadre
• **a paint roller**	• un rouleau à peinture
• **a paint gun/spray**	• un pistolet à peinture
• **a sketch**	• une esquisse
• **a study** ['stʌdɪ]	• une étude

(US) watercolors; a daub: *une croûte*; (US) color sth (blue)

• **paint**	• peindre
paint in oils [ɔɪlz]	peindre à l'huile
paint in watercolours	faire de l'aquarelle
paint from life	peindre d'après nature
• **mix, blend**	• mélanger
• **daub** [dɔːb]	• barbouiller
• **depict**	• représenter (dans un tableau)
• **colour sth (blue)**	• peindre qqch (en bleu)
• **portray**	• faire un portrait de
• **reproduce**	• reproduire
• **frame**	• encadrer
• **mat(t) (paint)**	• (peinture) mate
• **glossy (paint)**	• (peinture) brillante

Colours | Les couleurs

(US) color

- a dark colour — une couleur sombre
  dark green — vert foncé

plus/moins rouge: a darker/lighter shade of red

- a light colour — une couleur claire
  light green/red — vert/rouge clair
- black — noir
- (mat) white — blanc (mat)

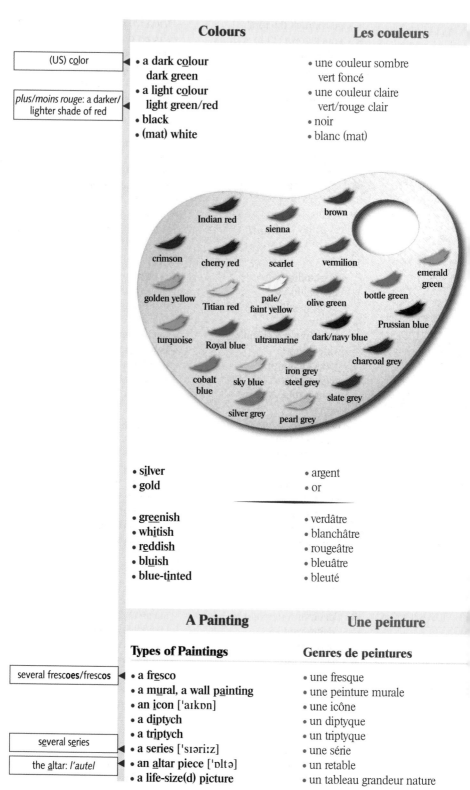

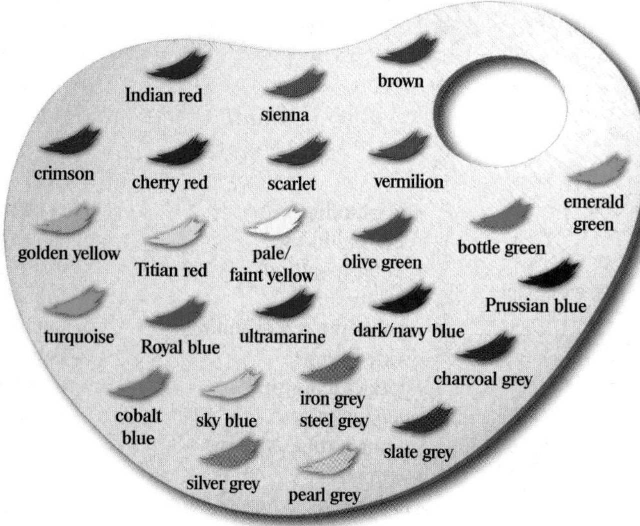

- silver — argent
- gold — or

- greenish — verdâtre
- whitish — blanchâtre
- reddish — rougeâtre
- bluish — bleuâtre
- blue-tinted — bleuté

A Painting | Une peinture

Types of Paintings | Genres de peintures

several frescoes/frescos

- a fresco — une fresque
- a mural, a wall painting — une peinture murale
- an icon ['aɪkɒn] — une icône
- a diptych — un diptyque
- a triptych — un triptyque

several series

- a series ['sɪəriːz] — une série

the altar: *l'autel*

- an altar piece ['ɒltə] — un retable
- a life-size(d) picture — un tableau grandeur nature

• **a miniature** ['mɪnətʃə]	• une miniature
• **a collage** [kɒ'lɑːʒ]	• un collage
• **a portrait**	• un portrait
a model	un modèle
a sitting (sit: *poser*)	une séance de pose
• **a self-portrait**	• un auto-portrait
• **a nude**	• un nu
• **a conversational piece**	• une scène de genre
• **a landscape**	• un paysage
a seascape	une marine
a mountainscape	un paysage montagnard
a cityscape	un paysage urbain
• **a view** [vjuː]	• une vue
• **a scene**	• une scène
• **a still life** (still: *immobile*)	• une nature morte
• **a vanitas**	• une vanité

• **half-length** (length: *la longueur*)	• en buste
• **full-length**	• en pied

Artistic Trends / Les tendances artistiques

• **a school** [skuːl]	• une école
• **a movement**	• un mouvement
• **Gothic** ['gɒθɪk]	• le gothique
• **Renaissance** (a Renaissance painting: *un tableau de la Renaissance*)	• la Renaissance
• **Baroque** [bə'rɒk] (baroque style: *le style baroque*)	• le baroque
• **Rococo** [rəʊ'kəʊkəʊ]	• le rococo
• **Classicism**	• le classicisme
• **Realism**	• le réalisme
• **Neoclassicism**	• le néo-classicisme
• **Hyperrealism**	• l'hyperréalisme
• **Academicism** (the Academy: *l'Académie*)	• l'académisme
• **Romanticism**	• le romantisme
• **Modern art** ((!) modern style: *l'art déco*)	• l'art moderne
• **Impressionism**	• l'impressionnisme
• **Expressionism**	• l'expressionnisme
• **Naïve art**	• l'art naïf
• **Cubism**	• le cubisme
• **Surrealism**	• le surréalisme
• **Futurism**	• le futurisme
• **Pop art**	• le Pop art
• **Contemporary art**	• l'art contemporain
• **Conceptual art**	• l'art conceptuel
• **figurative art**	• l'art figuratif
• **abstract art**	• l'art abstrait

• **classical**	• classique
• **academic**	• académique
• **kitsch**	• kitsch, pompier
• **neoclassic(al)**	• néo-classique
• **(hyper)realistic**	• (hyper)réaliste
• **romantic**	• romantique

• decadent	• décadent
• impressionist	• impressionniste
• expressionist	• expressionniste
• cubist	• cubiste
• surrealist	• surréaliste
• futurist	• futuriste
• (non) figurative	• (non-) figuratif
• abstract	• abstrait

4 Drawing and Engraving / Le dessin et la gravure

Drawing / Le dessin

Equipment / Le matériel

lead: *le plomb*

• a pencil	• un crayon
a lead pencil [led]	un crayon à mine
• a crayon ['kreɪən]	• un crayon de couleur
• a pastel, a crayon	• un pastel
• charcoal	• le fusain
• an eraser	• une gomme
• a drawing pen	• une plume à dessin, un tire-ligne
a nib	une plume
drawing/China ink	l'encre de Chine
• chalk [tʃɔːk]	• la craie
• a stencil	• un pochoir
• drawing paper	• le papier à dessin
• tracing paper	• le papier-calque
• a drawing block	• un bloc à dessin
• a sketchbook, a drawing book	• un cahier à croquis
• a drawing board	• une planche à dessin

The Drawer's Work / L'œuvre du dessinateur

draw freehand: *dessiner à main levée*

rough: *rêche, rugueux ; brutal*

a strip: *une bande (de papier…)*

• an illustrator, a drawer	• un dessinateur
a draftsman, a draughtsman	un dessinateur industriel
• a drawing ['drɔːɪŋ]	• un dessin
freehand drawing	le dessin à main levée
• a (rough) sketch	• une ébauche, un croquis
a rough [rʌf]	un crayonné, un brouillon
• doodle	• le griffonnage
• scale drawing	• le dessin à l'échelle
• full-size drawing	• le dessin grandeur nature
• drawing from life	• le dessin d'après nature
• a cartoon	• un dessin humoristique
• a comic strip, comics	• une bande dessinée
• a (motion-picture) cartoon	• un dessin animé
• an illustration	• une illustration
• a caricature	• une caricature
• hatching	• les hachures

• **draw** [drɔː]	• dessiner
• **trace something**	• décalquer quelque chose
• **crayon something** ['kreɪən]	• colorier qqch au crayon
• **stencil something**	• reproduire qqch au pochoir
• **sketch**	• faire un croquis, croquer
• **doodle**	• griffonner
• **illustrate**	• illustrer
• **caricature**	• caricaturer
• **shade off (a colour)**	• estomper (une couleur)
• **erase, rub out/off**	• gommer

> a stencil: *un pochoir*

> a rubber, an eraser: *une gomme*

Engraving — La gravure

• **an engraver**	• un graveur
• **a burin** ['bjʊərɪn]	• un burin
• **acid**	• l'acide
• **copper**	• le cuivre
• **a press**	• une presse
• **an engraving, a print**	• une gravure
• **wood engraving**	• la gravure sur bois
• **etching**	• la gravure à l'eau forte
• **lithography**	• la lithographie (le procédé)
a lithograph	une lithographie, une estampe
• **a print**	• une estampe
• **to engrave**	• graver
• **to etch**	• graver à l'eau forte
• **to reproduce**	• reproduire
• **to print**	• imprimer
• **to ink**	• encrer

> a printroom: *un cabinet des estampes (musée)*

> ink: *l'encre*

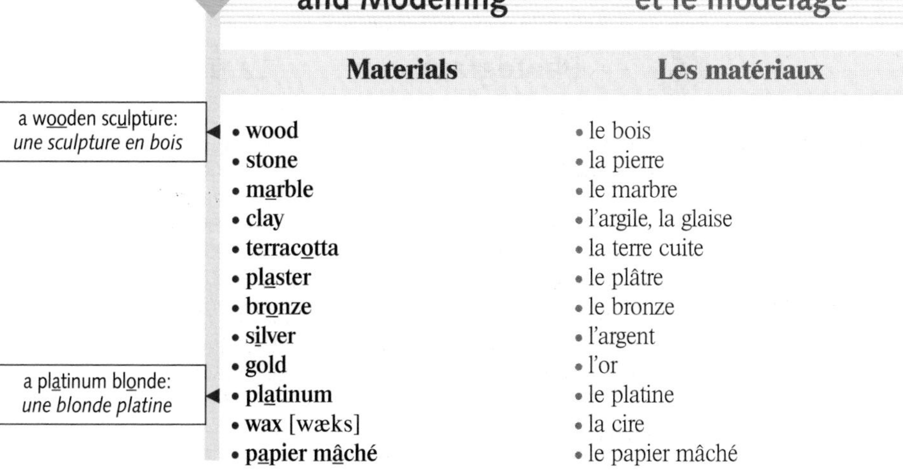

5 Sculpture and Modelling — La sculpture et le modelage

Materials — Les matériaux

• **wood**	• le bois
• **stone**	• la pierre
• **marble**	• le marbre
• **clay**	• l'argile, la glaise
• **terracotta**	• la terre cuite
• **plaster**	• le plâtre
• **bronze**	• le bronze
• **silver**	• l'argent
• **gold**	• l'or
• **platinum**	• le platine
• **wax** [wæks]	• la cire
• **papier mâché**	• le papier mâché

> a wooden sculpture: *une sculpture en bois*

> a platinum blonde: *une blonde platine*

The Activity — L'activité

	The Activity	L'activité
scissors: *des ciseaux (pour couper le papier)*	• a silversmith, a goldsmith	• un orfèvre
	• a chisel ['tʃɪzl]	• un ciseau
	• a mallet	• un maillet
	• moulding ['məʊldɪŋ]	• le moulage
	• wood carving	• la sculpture sur bois
	• stonecutting	• la taille de la pierre
sculpt a statue out of stone/sculpt stone into a statue: *sculpter une statue*	• sculpt [skʌlpt]	• sculpter
	sculpt in stone	sculpter dans la pierre
	• carve	• sculpter (le bois)
(US) mold	• mould [məʊld]	• mouler
(irr.) I cast, I have cast	• cast (something in)	• mouler, fondre, couler (qqch dans)
	• model, fashion, shape	• modeler (statue, argile)
	• emboss	• estamper
	• chisel	• ciseler
(!) Polish: *polonais*	• polish ['pɒlɪʃ]	• polir

The Work — L'œuvre

	The Work	L'œuvre
	• a wood carving	• une sculpture en bois
	• a carved figure	• une figure sculptée
	• a marble	• un marbre
	• a bronze	• un bronze
	• a statue ['stætʃuː]	• une statue
	• a figurine	• une figurine
	• a recumbent figure	• un gisant
	• a bust [bʌst]	• un buste
	• a pedestal ['pedɪstl]	• un piédestal
	• a monument	• un monument
	• a frieze [friːz]	• une frise
	• a bas relief, a low relief [rɪ'liːf]	• un bas-relief
a Doric/Ionic/Corinthian column: *une colonne dorique/ionique/corinthienne*	• a column	• une colonne
	• an installation	• une installation

6 Photography — La photographie

The Equipment — L'équipement

	The Equipment	L'équipement
	• a photographer	• un photographe
	• a studio ['stjuːdɪəʊ]	• un studio (de prises de vue)
an instant camera: *un appareil à développement instantané*	• a camera	• un appareil photo
several lenses	• a lens	• un objectif
wide: *large*	a wide-angle lens	un grand angle
	a telephoto lens	un téléobjectif
	a zoom (lens)	un zoom
	• a filter	• un filtre
shut: *fermer*	• a shutter	• un obturateur

	English	Français
	• a viewfinder ['vjuːfaɪndə]	• un viseur
	• a flash gun/a flash unit	• un flash
delay: *le retard*	• a delay timer	• un retardateur
remote: *éloigné*	• a remote control	• une télécommande
	• a film, a roll of film	• une pellicule
	a reel, a spool	une bobine
	a cartridge film	une cartouche
	• a negative	• un négatif
	• a print	• une épreuve, un tirage
	• the grain	• le grain
	• a tripod ['traɪpɒd]	• un trépied
	• a projector	• un projecteur
	• a viewer ['vjuːə]	• une visionneuse

	English	Français
	• load a camera	• charger un film dans l'appareil
	• unload a camera	• retirer le film de l'appareil

Technique — La technique

	English	Français
	• an exposure	• une pose
	exposure time	le temps de pose
	an exposure meter ['miːtə]	un posemètre
deep: *profond*	• the depth of focus ['fəʊkəs]	• la profondeur de foyer
	the depth of field [fiːld]	la profondeur de champ
	• aperture	• l'ouverture
	• framing	• le cadrage
	• lighting	• l'éclairage
	• backlighting	• le contre-jour (pour l'éclairage)
	• a backlit/contre-jour shot	• une photo prise à contre-jour
	underexposure	la sous-exposition
	overexposure	la surexposition
	• a darkroom	• une chambre noire
	• a processing bath	• un bain de développement
	• a fixing bath	• un bain de fixage
	a fixer	un fixateur
	• an enlarger	• un agrandisseur
	a blow-up, an enlargement	un agrandissement
	• a photograph, a picture	• une photographie
	a black and white picture	une photo en noir et blanc
(US) color	a colour picture	une photo en couleur
	• a snapshot	• un instantané
(Brit.) a transparency	• a slide	• une diapositive
	• a contact print	• un contact
	• a daguerreotype [də'geɪrəʊtaɪp]	• un daguerréotype

	English	Français
	• photograph sb/sth	• prendre qqn/qqch en photo
	• take a picture/photo of	• prendre une photo de
	have one's photo taken	se faire photographier
	• focus (the camera) on ['fəʊkəs]	• mettre au point sur
	• get/bring sth into focus	• mettre qqch au point
(US) center	• centre, frame	• cadrer

• **zoom in (on)**	• faire un zoom (sur)
• **process a film**	• développer un film
• **fix**	• fixer
• **print**	• tirer
• **blow up, enlarge**	• agrandir
• **sharp**	• net
• **accurate**	• précis
• **blurred**	• flou
• **underexposed**	• sous-exposé
• **overexposed**	• surexposé

PRACTICE

82 Pick the Right Tools and Materials: Choisissez les bons outils et le bon matériel

Match the list of materials and tools with the names of the arts they are connected with.

a slide
stone
gouache
charcoal
copper
a reel
a canvas
a brush
an eraser
wood

a. photography
b. drawing
c. sculpture
d. engraving
e. painting

83 Test Your Artistic Knowledge! Évaluez vos connaissances artistiques !

Choose the correct answer.

A. Green is obtained by mixing
a. blue and white
b. blue and yellow
c. brown and yellow

B. An etching is
a. a preliminary sketch
b. an engraving technique which requires acid
c. the tool used to carve out a stone

C. A lithograph is
a. an engraving made on a special type of stone
b. a light-coloured photograph
c. a stone sculpture

D. A triptych is
- **a.** a work made of three different paintings
- **b.** a painting made with only three colours
- **c.** a three-dimensional picture

E. If you want to make a room appear larger than it actually is you use
- **a.** a filter
- **b.** a wide-angle lens
- **c.** a low-angle lens

F. A fresco is
- **a.** an Italian style of painting
- **b.** a painting with cold colours
- **c.** a painting done on a wall

G. Overexposing your photo means that
- **a.** you have allowed too much light into the lens
- **b.** your photo is too dark
- **c.** your photo is too contrasted

84 Who Does What? Qui fait quoi ?

Fill in the following grid.

artist	activity	the work of art
painter		
engraver		
photographer		
drawer		
sculptor		

▶ Corrigés page 415 ◀

The Contemporary Context

Famous British and American Places Related to Art

Célèbres lieux britanniques et américains liés à l'art

- **the MoMA, the Museum of Modern Art:** le musée d'art moderne de New York.
- **the Metropolitan Museum of Art (the Met):** à New York, vaste musée d'art contemporain également dédié à l'archéologie et aux arts décoratifs.
- **the Guggenheim Museum:** musée d'art contemporain situé à New York ; c'est la dernière réalisation de l'architecte Franck Lloyd Wright, en 1959.
- **the National Gallery:** musée londonien célèbre pour ses collections de peintures italiennes.
- **the National Portrait Gallery:** musée londonien célèbre pour ses portraits de personnages publics réalisés par des peintres et des photographes.
- **Christie's** et **Sotheby's:** les deux plus célèbres salles des ventes d'objets d'art, à Londres. Christie's a été fondé en 1766 et Sotheby's en 1744.

Colours and Politics

Les couleurs et la politique

- **the colour bar (Brit.), the color line (US):** la discrimination raciale.
- **white trash (US):** les "petits" blancs pauvres (péjoratif).
- **the white man's burden:** le fardeau de l'homme blanc, expression de Rudyard Kipling pour désigner le devoir qu'auraient les colonialistes d'éduquer les autres peuples.
- **the purple:** la pourpre, marque de dignité impériale ; *to be born in the purple:* avoir du sang royal ; *to marry into the purple:* faire un mariage princier.
- **the tricolour:** le drapeau français, tricolore.
- **the black flag:** le drapeau noir, emblème de l'anarchie.
- **Black Power (US):** le "pouvoir des noirs", mouvement militant de libération des noirs.
- **to blackball:** blackbouler, voter contre quelqu'un lorsque son élection dépend de l'unanimité des suffrages ; l'expression fait référence à la boule noire déposée dans une urne pour rejeter un candidat, par opposition à la boule blanche.
- **the grey lobby (US):** le groupe de pression des personnes âgées.
- **a Red:** un rouge, un communiste.
- **a pink socialist (Brit.):** un socialiste modéré.
- **a Green:** un vert, un écologiste.

Idioms and Colourful Expressions

Focus on Colours

- **with flying colours:** haut la main.
- **be off colour:** ne pas être dans son assiette.
- **be colourless:** manquer de personnalité.
- **see something's/someone's true colours:** voir quelque chose/quelqu'un sous son vrai jour.
- **be white as a sheet:** être blanc comme un linge (*a sheet:* un drap).
- **a white lie:** un pieux mensonge.
- **be lily white:** être blanc comme neige (*a lily:* un lys).
- **see in black and white:** être manichéen.
- **black economy:** l'économie souterraine.
- **the black market:** le marché noir.
- **a black list:** une liste noire.
- **a golden opportunity:** une occasion en or.
- **the golden rule:** la règle d'or.
- **the Golden Age:** l'âge d'or.
- **the golden mean:** le juste milieu.
- **worship the golden calf:** adorer le veau d'or.
- **the pink of perfection:** le nec plus ultra.
- **be in the pink:** être en grande forme.
- **be yellow:** être lâche.
- **show the yellow/red card:** donner un avertissement/renvoyer (au football ou dans la vie professionnelle).
- **see red:** voir rouge.
- **go red with embarrassment (coll.):** rougir de honte.
- **paint the town red:** faire une fête à tout casser.
- **be in the red:** avoir un compte débiteur, être à découvert.
- **catch someone red-handed:** prendre quelqu'un la main dans le sac.
- **red tape:** la bureaucratie et sa paperasse.
- **a redneck (US):** un plouc (littéralement, au cou rougi).
- **a red-herring:** une fausse piste, une manœuvre de diversion (*a herring:* un hareng).
- **a blue-blood:** un noble, au sang bleu.
- **a blue-stocking:** un bas bleu, une intellectuelle (péj.).
- **a blue film:** un film pornographique.
- **once in a blue moon:** tous les trente-six du mois.
- **be in a blue funk:** être mort de trouille.
- **appear out of the blue:** arriver de façon inattendue, tomber du ciel.
- **blue pencil:** censurer, corriger.
- **feel blue, have the blues:** avoir le cafard.
- **be green:** être inexpérimenté, être un bleu.
- **be green with envy:** être vert d'envie, mort de jalousie.
- **give somebody the green light:** donner le feu vert à quelqu'un.

Sayings and Proverbs

- **Art improves nature:** L'art embellit la nature.
- **Painters and poets have leave to lie:** Les peintres et les poètes ont le droit de mentir.
- **Beauty is in the eye of the beholder:** Tous les goûts sont dans la nature.
- **Art for art's sake:** L'art pour l'art.

Literary Creation and the World of Books
La création littéraire et le monde des livres

1 The Writer and his Writing — L'écrivain et ses écrits

The Writer — L'écrivain

(!) a short story writer: *un nouvelliste*	• **an author** ['ɔːθə]	• un auteur
	• **a novelist**	• un romancier
	• **a dramatist, a playwright**	• un dramaturge
	• **a poet/a poetess** ['pəʊɪtɪs]	• un poète/une poétesse
	• **a biographer**	• un biographe
	• **a pamphleteer**	• un pamphlétaire
	• **a satirist**	• un satiriste
	• **an essayist**	• un essayiste
a ghost: *un fantôme*	• **a ghost writer**	• un nègre
a pen: *un stylo*	• **a pen name**	• un pseudonyme
the writings of Oscar Wilde: *les écrits d'Oscar Wilde* handwriting: *l'écriture manuscrite*	• **writing**	• l'écriture
	• **creation**	• la création
	• **innovation**	• l'innovation
	• **inspiration**	• l'inspiration
	• **imagination**	• l'imagination
	• **style**	• le style
	• **a(n early) work**	• une œuvre (de jeunesse)

• **write**	• écrire
• **compose**	• composer
• **satirise**	• satiriser
• **innovate**	• innover
• **invent**	• inventer
• **imagine**	• imaginer

Writing a Text — L'écriture d'un texte

	The Main Parts	**Les parties principales**
entitled "Laura": *intitulé "Laura"*	• **a title** ['taɪtl] **a subtitle** ['sʌbtaɪtl]	• un titre un sous-titre
	• **an introduction**	• une introduction
	• **a conclusion**	• une conclusion
in part one: *dans la première partie*	• **a part**	• une partie
in chapter two: *au chapitre deux*	**a chapter**	un chapitre
	a paragraph	un paragraphe
	• **a manuscript**	• un manuscrit
	• **a typescript**	• un tapuscrit

	Words and Syntax	Les mots et la syntaxe
(!) a phrase: *une expression*	• a sentence	• une phrase
	• a word [wɜːd]	• un mot
	a(n in)definite article	un article (in)défini
	a noun	un nom
	a proper/common noun	un nom propre/commun
	a verb	un verbe
	an adverb	un adverbe
	an adjective	un adjectif
	• a letter	• une lettre
	a consonant	une consonne
	a vowel	une voyelle

	• compound	• composé
	• in italics	• en caractères italiques
bold: *téméraire*	• in bold letters	• en caractères gras
	• underlined	• souligné

	Punctuation	La ponctuation
	• a full stop (Brit.), a period	• un point
	• a comma	• une virgule
"Open inverted commas": *"Ouvrez les guillemets"* "Close inverted commas": *"Fermez les guillemets"* (US) "Quote... unquote": *"Ouvrez ... fermez les guillemets"*	inverted commas	des guillemets
	• a colon	• deux points
	a semicolon	un point virgule
	• points of suspension, dots	• des points de suspension
	• a dash	• un tiret
	• a hyphen ['haɪfn]	• un trait d'union
	• a question mark	• un point d'interrogation
	• an exclamation mark	• un point d'exclamation
in brackets: *entre parenthèses* in square brackets: *entre crochets*	• a bracket	• une parenthèse
	• an apostrophe [ə'pɒstrəfɪ]	• une apostrophe
capital Z: *Z majuscule* in capitals: *en majuscules*	• capital letters	• les majuscules

Literary Genres / Les genres littéraires

	Prose	La prose
	• fiction	• la fiction
	prose fiction	la fiction en prose
pulp: *la pâte à papier*	pulp fiction	la littérature de gare
	a work of fiction	une œuvre de fiction
(!) *une nouvelle* : a short story	• a novel	• un roman
	an epic novel	un roman épique
	an adventure novel	un roman d'aventure
	a historical novel	un roman historique
	an epistolary novel [ɪ'pɪstələrɪ]	un roman épistolaire
	a romance	un roman d'amour/médiéval
a cloak: *une cape* a dagger: *une dague, un poignard*	a cloak-and-dagger novel	un roman de cape et d'épée
	a Gothic novel	un roman gothique
a thrill: *un frisson*	a thriller	un roman à suspense

> a spy: *un espion*

> a whodunnit *(contraction familière de* who has done it?*): un polar*

a spy thriller	un roman d'espionnage
a detective story	un roman policier
a sci-fi novel	un roman de science-fiction
a horror novel	un roman d'épouvante
an erotic novel	un roman érotique
a pornographic novel	un roman pornographique
• **a short story**	• une nouvelle
• **a novelette**	• une nouvelle/un roman bon marché
• **a play**	• une pièce de théâtre
a tragedy	une tragédie
a (melo)drama	un (mélo)drame
a comedy (of manners)	une comédie (de mœurs)
a farce	une farce
• **a tale**	• un conte, un récit
a fairy tale	un conte de fées
• **a legend**	• une légende
• **a fable** ['feɪbl]	• une fable
• **an allegory**	• une allégorie
• **a myth** [mɪθ]	• un mythe
• **a(n auto)biography**	• une (auto)biographie
• **a diary** ['daɪərɪ]	• un journal (intime)
• **confessions**	• des confessions
• **memoirs**	• des mémoires
• **a satire** ['sætaɪə]	• une satire
• **a pamphlet**	• un pamphlet
• **a pastiche**	• un pastiche
• **an essay**	• un essai
• **a treatise (on)**	• un traité (sur)
• **a report**	• un rapport
• **a thesis** ['θiːsɪs]	• une thèse (de doctorat)
• **a reference book**	• un ouvrage de référence
• **a dictionary** ['dɪkʃənrɪ]	• un dictionnaire
• **a thesaurus** [θɪ'sɔːrəs]	• un dictionnaire thématique
• **an encyclop(a)edia**	• une encyclopédie
• **an atlas**	• un atlas

> a tall tale: *une histoire à dormir debout*

> "once upon a time": *"Il était une fois"* a fairy: *une fée*

> **(!)** memories: *des souvenirs*

> a satyr: *un satyre (myth.)*

> several the**ses**

> several thes**auri**/ thes**auruses**

• **literary** ['lɪtərərɪ]	• littéraire
• **fictional**	• de fiction, romanesque
• **fictitious**	• fictif
• **tragic**	• tragique
• **dramatic**	• théâtral, dramatique
• **melodramatic**	• mélodramatique
• **comic**	• comique
• **satirical**	• satirique
• **farcical**	• burlesque, grotesque
• **legendary**	• légendaire
• **fabulous**	• fabuleux
• **allegorical**	• allégorique
• **mythical**	• mythique
• **(auto)biographical**	• (auto)biographique
• **encyclop(a)edic** [insaɪklə'piːdɪk]	• encyclopédique

> comical: *involontairement comique*

> a legend: *une légende* **(!)** *une légende (sous un dessin):* a caption

	Poetry	La poésie
	• verse	• les vers/la poésie
	blank verse	les vers blancs, non rimés
a piece of poetry, a poem: *un poème*	• poetry	• la poésie
	• poetic diction	• le langage poétique
an epic: *une épopée*	• an epic poem	• un poème épique
	• a lyrical poem	• un poème lyrique
	• a narrative poem	• un poème narratif
	• a poem in verse	• un poème en vers
	• a poem in prose	• un poème en prose
(US) poetic license	• poetic licence	• la licence poétique
	• a sonnet	• un sonnet
	• an elegy	• une élégie
	• an ode (to)	• une ode (à)
	• a ballad	• une ballade
	• a limerick ['lɪmərɪk]	• un limerick
the nursery: *la chambre d'enfants*	• a nursery rhyme	• une comptine

• recite	• réciter
• versify	• versifier
• rhyme (with)	• rimer (avec)
• rhyme a word with another	• faire rimer un mot avec un autre
• scan	• scander

2 The Anatomy of Style / L'anatomie du style

Conventions and Traditions / Les conventions et les traditions

	• decorum	• la bienséance, le décorum
	• verisimilitude	• la vraisemblance
	• parody	• la parodie
	• caricature ['kærɪkətjʊə]	• la caricature
	• the three unities	• les trois unités
unity of time: *l'unité de temps*	time, place, action	le temps, le lieu, l'action
	• classicism	• le classicisme
	a classicist	un auteur classique
	• romanticism	• le romantisme
	a romantic writer	un auteur romantique
	• naturalism	• le naturalisme
	• (sur)realism [(sə)'rɪəlɪzəm]	• le (sur)réalisme
	• (post)modernism	• le (post-)modernisme

• decorous ['dekərəs]	• bienséant
• plausible, likely	• vraisemblable
• parodic	• parodique
• caricatural	• caricatural
• classical	• classique

	• **romantic**	• romantique
	• **naturalistic**	• naturaliste
	• **(sur)realistic** [(sə)rɪə'lɪstɪk]	• (sur)réaliste
	• **(post)modern**	• (post-)moderne

Characters — Les personnages

	• **a character** ['kærəktə]	• un personnage
round: *rond*	**a round character**	un personnage à plusieurs facettes
flat: *plat*	**a flat character**	un personnage sans profondeur
	an eponymous character	un personnage éponyme
(!) heroin: *l'héroïne (la drogue)*	• **characterization** [kærəktəraɪ'zeɪʃn]	• la caractérisation
	• **a hero** ['hɪərəʊ], **a heroine** ['herəʊɪn]	• un héros, une héroïne
	an anti-hero	un anti-héros
	• **a protagonist**	• un protagoniste
	• **an antagonist**	• un antagoniste
	• **a foil**	• un faire-valoir
the omniscient narrator: *le narrateur omniscient*	• **a stereotype** ['stɪərɪətaɪp]	• un stéréotype
	• **the narrator** [nə'reɪtə]	• le narrateur
	a narrative ['nærətɪv], **an account**	une narration, un récit
a portrait: *un portrait*	• **characterize**	• caractériser (un personnage)
	• **portray**	• faire le portrait de
	• **narrate** [nə'reɪt]	• raconter

The Structure — La structure

	• **a story**	• une histoire
plot: *comploter*	• **a plot**	• une intrigue
	a subplot	une intrigue secondaire
(un)fold: *(dé)plier*	**the unfolding of the plot**	le déroulement de l'intrigue
	• **action**	• l'action
	rising action, complication	la complication (de l'intrigue)
	falling action	le mouvement final vers la résolution
	• **a flashback, an analepsis**	• un flashback, une analepse
	• **a prolepsis**	• une prolepse
(US) dialog	• **a dialogue** ['daɪəlɒg]	• un dialogue
	• **a soliloquy** [sə'lɪləkwɪ]	• un monologue, un soliloque
	• **a description**	• une description
	a descriptive pause [pɔːz]	une pause descriptive
	the atmosphere	l'atmosphère, l'ambiance
	the background	l'arrière-plan, la toile de fond
	• **a(n authorial) comment**	• un commentaire (de l'auteur)
	• **a digression**	• une digression
	• **a transition**	• une transition
	• **the setting**	• le contexte, le décor
	• **a scene**	• une scène
	an exposition scene	une scène d'exposition
	• **an episode** ['episəʊd]	• un épisode
	• **an incident, a twist**	• une péripétie
eventful: *riche en péripéties*	• **the twists and turns (of the plot)**	• les rebondissements (de l'intrigue)

> the punch line: *la chute (de l'histoire)*

• **a climax**	• un point culminant
• **an anticlimax**	• une chute
• **a denouement** [deɪ'nuːmɑ̃ːŋ]	• un dénouement
a happy ending	un dénouement heureux
• **a theme** [θiːm]	• un thème
• **a leitmotiv** ['laɪtməʊtiːf]	• un leitmotiv
• **a point of view, a viewpoint**	• un point de vue

> a fold: *un pli*

• **unfold, unravel**	• se dérouler (pour une intrigue)
• **take place somewhere**	• se dérouler quelque part
• **set the action/a scene somewhere**	• situer l'action, une scène quelque part
• **reach a climax**	• culminer
• **fall into two parts**	• se diviser en deux parties
• **open on**	• s'ouvrir sur
• **close on**	• se clôturer sur

• **narrative**	• narratif
• **descriptive**	• descriptif
• **psychological**	• psychologique
• **sociological**	• sociologique
• **climactic**	• intense, à son apogée
• **thematic**	• thématique

Writing Techniques — Les techniques d'écriture

> a wit: *un bel esprit*
>
> the signified/the signifier: *le signifié/le signifiant*
>
> a rhetorical device: *un procédé rhétorique*
>
> an understatement: *une minimisation*
>
> an overstatement: *une exagération*

• **wit, humour, humor (US)**	• l'esprit, l'humour
• **a pun**	• un jeu de mots
• **the comic aspect**	• le comique
• **irony** ['aɪərənɪ]	• l'ironie
• **ambiguity**	• l'ambiguïté
• **ambivalence**	• l'ambivalence
• **a (linguistic) sign**	• un signe (linguistique)
• **rhetoric**	• la rhétorique
• **an image** ['ɪmɪdʒ]	• une image
• **a symbol**	• un symbole
• **a cliché**	• un cliché
• **a stylistic device**	• une figure de style
• **a figure of speech**	• une figure de rhétorique
a metaphor	une métaphore
a metonymy	une métonymie
a simile ['sɪmɪlɪ], **a comparison**	une comparaison
an anaphora	une anaphore
a synecdoche [sɪ'nekdəkɪ]	une synecdoque
a euphemism ['juːfɪmɪzəm]	un euphémisme
a litotes ['laɪtəʊtiːz]	une litote
a hyperbole [haɪ'pɜːbəlɪ]	une hyperbole
an oxymoron	un oxymore
a zeugma ['zjuːgmə]	un zeugme
an antithesis	une antithèse
a paradox	un paradoxe
a chiasmus [kaɪ'æzməs]	un chiasme

(US) a synesthesia	**a synaesthesia** [sɪnɪs'θiːzɪə]	une synesthésie
	a personification	une personnification
	• **a verse, a stanza**	• une strophe
	• **a quatrain** ['kwɒtreɪn]	• un quatrain
	• **a line**	• un vers
	• **an alexandrine** [ælɪg'zændraɪn]	• un alexandrin
an a-b-b-a rhyme scheme: *des rimes embrassées*; rhyming couplets: *des rimes plates*; alternate rhymes: *des rimes croisées*	• **a rhyme**	• une rime
	• **a rhythm**	• un rythme
	• **the stress**	• l'accent
(US) meter	• **metre** ['miːtə]	• le mètre
	• **a pentameter**	• un pentamètre
several **feet**	**a foot**	un pied
	a syllable	une syllabe
several caesu**ras**/caesu**rae**	**a caesura** [siː'zjʊərə]	une césure
	• **an alliteration**	• une allitération
	• **an assonance**	• une assonance
	• **a consonance**	• une consonance

• **rhyme (with)**	• rimer (avec)
• **stress**	• accentuer
• **symbolize**	• symboliser
• **compare (to/with)**	• comparer (à/avec)

• **witty**	• spirituel
• **ironical**	• ironique
• **ambiguous**	• ambigu
• **ambivalent**	• ambivalent
• **metaphorical**	• métaphorique
• **paradoxical**	• paradoxal

3 Reading and Literary Appreciation / La lecture et l'appréciation

Positive Reading Experiences / Les expériences positives du lecteur

	• **pleasure** ['pleʒə]	• le plaisir
	• **entertainment**	• le divertissement
	• **interest**	• l'intérêt
	• **emotion**	• l'émotion
	• **excitement**	• la passion, l'enthousiasme
	• **thrill**	• le frisson, les émotions fortes
	• **fascination**	• la fascination
	• **suspense**	• le suspense
(US) humor	• **humour**	• l'humour

	• **read (out)**	• lire (à haute voix)
"It's a good read!": *"ça se lit bien !"*	• **read well**	• se lire bien (pour un livre)
	• **browse through (a book)**	• feuilleter (un livre)
	• **take an interest in**	• trouver de l'intérêt à
	• **feel**	• (res)sentir

	• react	• réagir
	• identify (with)	• s'identifier (à)
	• escape	• s'évader

	• pleasant ['pleznt]	• agréable
	• entertaining	• divertissant
	• interesting	• intéressant
	• plausible	• plausible
	• exciting	• passionnant
	• thrilling	• palpitant
	• gripping	• captivant
	• convincing	• convaincant
(US) colorful	• picturesque, colourful	• pittoresque
	• exotic	• exotique, dépaysant
	• original	• original
	• inventive, imaginative	• inventif, imaginatif
strike: *frapper*	• striking	• frappant
	• deep, thought-provoking	• profond, stimulant la réflexion
	• moving	• émouvant
	• sentimental	• sentimental
	• humorous	• humoristique

Negative Reading Experiences / Les expériences négatives du lecteur

	• unpleasant [ʌn'pleznt]	• désagréable
be bored by a boring book: *s'ennuyer à la lecture d'un livre ennuyeux*	• tedious, boring ['tiːdjəs]	• ennuyeux
a commonplace: *un lieu commun*	• commonplace, trite	• banal, ordinaire
	• matter-of-fact, prosaic [prəʊ'zeɪɪk]	• prosaïque
(US) colorless	• colourless, drab	• terne, sans éclat
	• superficial	• superficiel
stilts: *des échasses*	• stilted	• guindé, ampoulé
	• hackneyed ['hæknɪd]	• éculé, rebattu, stéréotypé
	• mawkish	• mièvre, à l'eau-de-rose
	• maudlin ['mɔːdlɪn]	• larmoyant
	• repetitive	• répétitif
(US) labored	• laboured ['leɪbəd]	• poussif
ramble: *faire une randonnée*	• rambling	• décousu
	• obscure	• obscur
	• far-fetched	• tiré par les cheveux
	• incoherent, inconsistent	• incohérent

	• read badly	• se lire mal (pour un livre)
	• tire (of something)	• se fatiguer (de quelque chose)
be bored stiff/to death: *s'ennuyer à mourir*	• bore	• ennuyer

Literary Criticism / La critique littéraire

	• a critic	• un critique
	• a book reviewer [rɪ'vjuːə]	• un critique littéraire
	• (literary) criticism	• la critique (littéraire)

	• a critique	• une critique, une analyse
	• a judgement	• un jugement
	• a criticism, a reproach	• une critique, un reproche
	• a condemnation, a stricture	• une condamnation
	• a review [rɪ'vjuː]	• un compte-rendu
several analyses [ə'næləsiːz]	• an analysis [ə'næləsɪs]	• une analyse
	• an assessment	• une évaluation
	• an interpretation	• une interprétation
	• a comment	• un commentaire
	• an extract, an excerpt (from)	• un extrait (de)
	• a passage	• un passage
	• a quotation	• une citation
	• a summary	• un résumé
	• a praise, a eulogy ['juːlədʒɪ]	• un éloge
	• aesthetics [iːs'θetɪks]	• l'esthétique
	• a concession to the public	• une concession faite au public

	• criticize	• critiquer
	• review (a book) [rɪ'vjuː]	• écrire un compte-rendu (d'un livre)
	• quote	• citer
	• sum up, summarize	• résumer
(US) analyze	• analyse	• analyser
	• interpret	• interpréter
	• comment (upon something)	• commenter (quelque chose)
	• assess	• évaluer
	• judge	• juger
	• praise	• louer, faire l'éloge de
	• reproach sb for sth [rɪ'prəʊtʃ]	• reprocher qqch à qqn
	• condemn [kən'dem]	• condamner
	• run down	• éreinter (un livre)

	• objective	• objectif
	• subjective	• subjectif
	• neutral ['njuːtrəl]	• neutre
	• biassed ['baɪəst]	• partial
	• unbiassed	• impartial

4 The Book Industry — L'industrie du livre

Anatomy of a Book — La composition d'un livre

	• the cover	• la couverture
(also) bound in leather, leather-bound	• a (leather) binding	• une reliure en cuir
	• a hardback, a hard-cover book	• un livre relié
	• a soft-cover book	• un livre broché
a pocket edition: *une édition de poche*	• a paperback	• un livre de poche
	• a blurb	• un aperçu publicitaire
	• the foreword	• l'avant-propos
	• a preface ['prefɪs]	• une préface
	• the acknowledgements	• les crédits, les remerciements

(!) a mark: *une note chiffrée*
to mark a paper: *corriger un devoir*

on page 5 : *à la page 5*

on line 3 : *à la ligne 3*

a capital letter: *une lettre majuscule*
a small letter: *une minuscule*

• **an introduction**	• une introduction
• **the (table of) contents**	• la table des matières
• **a note**	• une note
a footnote	une note de bas de page
(see) below/above	(voir) ci-dessous/ci-dessus
• **an index**	• un index
• **a volume**	• un volume, un tome
• **a collection**	• une collection
• **a page**	• une page
a line	une ligne
an upper-case letter	une majuscule (d'imprimerie)
a lower-case letter	une minuscule (d'imprimerie)
• **an illustration**	• une illustration
• **a caption**	• une légende

Editing and Publishing — L'édition et la publication

an editor: *un rédacteur, un éditorialiste*

the circulation of a newspaper: *le tirage d'un journal*

abridged: *abrégé*

miscellaneous: *divers*

• **an editor, a publisher**	• un éditeur
• **a publishing house**	• une maison d'édition
• **a printer**	• un imprimeur
printing	l'imprimerie (activité)
a printing works	une imprimerie (entreprise)
the impression	le tirage, l'impression
the print run of a book	le (chiffre de) tirage d'un livre
• **an edition**	• une édition
the original edition	l'édition originale
the first edition	la première édition
a limited edition	une édition limitée
• **the publication**	• la publication, la parution
• **an unabridged version**	• une version intégrale
• **a reprint**	• une réimpression
• **a translation**	• une traduction
• **a collection**	• un recueil
• **an anthology,**	• une anthologie,
a miscellany [mɪ'selənɪ]	des morceaux choisis

published by...: *publié par...*

Bowdler: *auteur d'une version expurgée de la Bible, au XIXe siècle en Grande-Bretagne*

• **publish**	• publier
• **revise**	• réviser
• **amend, correct**	• corriger
• **proofread**	• corriger des épreuves
• **censor**	• censurer
• **bowdlerize**	• expurger
• **edit**	• éditer
• **print**	• imprimer

Distribution — La diffusion

(!) a library: *une bibliothèque*
(!) a librarian: *un bibliothécaire*

several shelves

• **a bookshop**	• une librairie
a bookseller	un libraire
a bookstall	un kiosque
a shelf	une étagère
a bookcase	une bibliothèque (meuble)

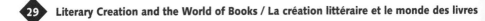

Notes	English	Français
	• a secondhand bookshop a secondhand book	• une librairie de livres d'occasion un livre d'occasion
a blockbuster: *une bombe de forte puissance*	• a best-seller, a blockbuster a best-selling novelist	• un succès de librairie un romancier à succès
	• promotion a book club a literary talkshow	• la promotion un club du livre une émission littéraire
	• in print • out of print	• disponible en stock • épuisé
(irr.) I lent, I have lent	• lend (to)	• prêter (à)
	• borrow (from) • top the charts	• emprunter (à) • être en tête des ventes

PRACTICE

85 Be an Informed Bookseller! Soyez un libraire bien informé !

Match the following titles with their French translation and their literary genre/author.

a. Wuthering Heights	**A.** *Le Meilleur des mondes*	**1.** children's stories by Rudyard Kipling
b. The Great Gatsby	**B.** *La Musique du hasard*	**2.** a 19th-century novel by Emily Brontë
c. Cat on a Hot Tin Roof	**C.** *Les Hauts de Hurlevent*	**3.** a science-fiction novel by Aldous Huxley
d. The Waste Land	**D.** *Gatsby le Magnifique*	**4.** a poem by T.S. Eliot
e. The Music of Chance	**E.** *Le Livre de la jungle*	**5.** an American play by Tennessee Williams
f. Brave New World	**F.** *La Chatte sur un toit brûlant*	**6.** an American novel by Francis Scott Fitzgerald
g. The Jungle Books	**G.** *La Terre vaine*	**7.** an American novel by Paul Auster

86 Be an Informed Reader! Soyez un lecteur averti !

Choose the right answer.

A. Shakespeare's plays are mainly written in:
a. prose
b. unrhymed verse
c. rhymed verse

B. An assonance is:
a. an unpleasant association of sounds
b. an echo of vowels
c. a brief, rhymed poem

C. A pentameter is:
a. a five-foot line
b. a five-line poem
c. a treaty on versification

D. A sonnet is:
a. a long amorous poem
b. a 14-line poem
c. a poem with a particularly musical rhythm

E. An anaphora is:
a. a Greek poem dealing mainly with love
b. a rhetorical question
c. the repetition of the same word at the beginning of a line

F. A leitmotiv is:
a. a recurring image or symbol in a work of art
b. the last speech in a play
c. a harmonious repetition of sounds

G. A synecdoche is a figure of speech which:
a. expresses something in an indirect way
b. alludes to an object through one of its parts
c. associates two words, a concrete one and an abstract one

H. If somebody tells you "I do not hate you", and what he really means is "I love you", this person has used:
a. a zeugma
b. a litotes
c. a synecdoche

87 Test your Eloquence: Testez votre rhétorique

Choose the right answer:

a. Suppose you wanted to sell a product to a prospective customer, select what you would praise it with:
1. a hyperbole
2. a litotes

b. Suppose you had to confess to having broken a valuable machine, select what you would use to this purpose:
1. a hyperbole
2. a litotes

c. Suppose you had to talk about something without referring to its actual name, would you rather use:
1. a metaphor
2. a comparison

▶ Corrigés page 415 ◀

The Contemporary Context

Literary Prizes
Les prix littéraires

- **the Nobel Prize for literature:** le Prix Nobel de littérature.
- **the Pulitzer Prize:** le prix Pulitzer, aux États-Unis, est une distinction prestigieuse décernée chaque année (depuis 1917) à des journalistes, des écrivains et des compositeurs de musique.
- **the Booker Prize:** le prix Booker est un prix littéraire britannique (créé en 1969) récompensant chaque année une œuvre de fiction écrite en langue anglaise.
- **the Whitbread Literary Awards:** prix attribués chaque année dans le domaine de la fiction, des biographies, ainsi qu'en poésie et en littérature enfantine.

Idioms and Colourful Expressions

Focus on Books and Stories

- **a bookworm:** un rat de bibliothèque (*a worm:* un ver de terre).

- **bookish:** intellectuel, érudit, studieux.
- **in my book (coll.):** selon mes critères (*"you're an idiot in my book":* tu es un pauvre imbécile, d'après moi).
- **to go by the book:** suivre le règlement à la lettre.
- **to read somebody like an open book:** lire dans les pensées de quelqu'un comme dans un livre ouvert.
- **to be in somebody's good/bad books:** être dans les petits papiers/ sur la liste noire de quelqu'un.
- **to speak by the book:** citer ses sources, ses autorités.
- **to swear on the (Good) Book:** prêter serment sur la Bible.
- **it suits my book (coll.):** ça m'arrange, ça me convient.
- **it's a closed/sealed book to me:** pour moi, c'est de l'hébreu.
- **that's the story of my life!:** c'est toujours la même chose, avec moi !
- **to cook the books (coll.):** falsifier les livres de comptes.
- **to tell tales:** mentir, inventer, raconter des histoires.
- **a cock-and-bull story:** une histoire à dormir debout (*a cock:* un coq ; *a bull:* un taureau).
- **a likely story!:** elle est bien bonne, celle-là !

Focus on Reading and Writing

- **to read sb's thoughts/mind:** lire dans les pensées de qqn.
- **to read between the lines:** lire entre les lignes.
- **to read sth into a document:** interpréter un document de façon erronée, y voir des choses qui n'y sont pas.
- **to read sb's tea-leaves:** lire dans le marc de café (à noter : d'une langue à l'autre, le passage du "thé" au "café".
- **the writing is on the wall:** la catastrophe est imminente.
- **to see the writing on the wall:** mesurer la gravité d'une situation.
- **to write sth/sb off (coll.):** mettre qqch/qqn au rencart.
- **to write sb off for dead:** tenir qqn pour mort.

Focus on Fictional Characters or Situations

- **an Aladdin's cave:** une caverne d'Ali Baba (*Aladdin:* Aladin).
- **a Rip van Winkle:** un passéiste, comme le personnage qui, après un sommeil de vingt ans, se réveille dans un monde devenu inconnu ; d'après l'œuvre de Washington Irving *The Sketch Book of Geoffrey Crayon, Gent* (1819-1820).
- **a Jekyll-and-Hyde personality:** une personnalité comme celle de Dr Jekyll et Mr Hyde, divisée en deux parties, celle de l'ange et celle du démon, d'après l'œuvre de Robert Louis Stevenson, *Dr Jekyll and Mr Hyde* (1886).
- **a Lovelace:** un séducteur cynique ; d'après le personnage du roman de Samuel Richardson, *Clarisse Harlow* (1748).
- **a Robin Hood policy:** une politique à la Robin des Bois, qui prend aux riches pour donner aux pauvres.
- **a Babbitt (US):** un conformiste, d'après l'œuvre de Sinclair Lewis, *Babbitt* (1922).
- **a Lolita:** une très jeune fille attirante et sensuelle, une Lolita, d'après l'œuvre de Vladimir Nabokov, *Lolita* (1955).
- **a catch-22 situation:** une situation inextricable, où l'on est toujours perdant, quoi que l'on fasse, d'après l'œuvre de Joseph Heller, *Catch-22* (1961).
- **waiting for Godot:** attendre indéfiniment quelqu'un qui ne vient pas ; d'après la pièce de Samuel Beckett, *En attendant Godot* (1953).

Sayings and Proverbs

- **You can't judge a book by its cover:** Les apparences peuvent être trompeuses.
- **Books and friends should be few but good:** Tout comme les amis, les livres devraient être peu nombreux mais de qualité.
- **The pen is mightier than the sword:** La plume est plus forte que le glaive (*mighty:* puissant ; *a sword:* une épée).

Du mot à la phrase

1. Organiser sa pensée

Structurer sa pensée et ses idées

Ordonner ses idées

Premièrement...	**First(ly)... First of all...**
Avant tout...	**First and foremost**
Tout d'abord...	**To begin with...**
Deuxièmement...	**Secondly...**
Puis... Ensuite...	**Then... Next...**
Troisièmement...	**Thirdly...**
En dernier lieu...Finalement...	**Lastly... Finally...**
Le dernier mais non le moindre...	**Last but not least ...**

at last = enfin (expression du soulagement

Faire une transition

Concernant...	**Concerning...**
En ce qui concerne...	**As regards...**
Quant à....	**As for/as to....**
Au fait, à propos...	**By the way...**
Envisageons...	**Let's turn to...**
Maintenant, qu'en est-il de...?	**Now what about...?**

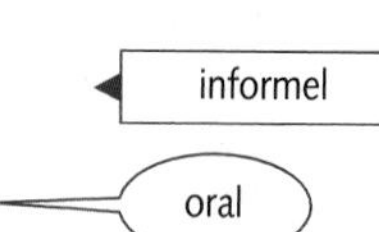

Expliquer

À cause de...	**Because of...**
Par suite de...	**Owing to...**
Du fait de...	**On account of...**
Grâce à...	**Thanks to...**
Faute de...	**For lack of... For want of...**
De crainte de...	**For fear of...**
En raison de...	**On (the) grounds of...**
Vu... Étant donné que...	**In view of... Due to...**
Étant donné que...	**Considering...**
Comme... Puisque...	**Since... As...**
Par conséquent...	**Therefore...**
Donc...	**So...**

Ajouter de nouvelles idées

De plus... En outre...	**In addition... Besides...**
En outre... De plus...	**Moreover... Furthermore...**
De la même façon...	**Likewise... Similarly...**
Sans oublier...	**Not to mention...**
Sur la question de...	**On the question of...**
D'un autre côté...	**On the other hand...**

Est-il besoin d'ajouter que... Nous pourrions également dire que.. Nous devons également prendre en compte que...	**Need we also point out that...** **We could also say that...** **We must also take into account that...**	*need* est ici modal, d'où l'inversion à la forme interrogative

Introduire des exemples

Pour illustrer mon point de vue... Pour prendre/donner un exemple... Par exemple...	**To illustrate my point...** **To take/give an example...** **For example/For instance...**
Cela me rappelle... Je me souviens ...	**It reminds me of...** **I remember...**
Des situations comme celle-ci ou celle-là... Des situations comme celles-ci...	**Situations such as this one or that one....** **Such situations as these...**

Résumer un développement

(Et) pour résumer... En résumé... En un mot, en bref...	**(And) to summarize...** **To sum (things) up...** **In a nutshell... In a word...**	
Pour abréger...	**To cut a long story short...**	informel

Conclure

En conclusion... En guise de conclusion... Tout bien considéré...	**To conclude... In conclusion...** **As a conclusion...** **All things considered...**	
J'aimerais conclure en disant que...	**I'd like to conclude by saying (that)...**	formel

Nuancer sa pensée

Reformuler ses idées

En d'autres termes... Pour dire les choses autrement...	**In other words...** **To put it differently...**
Ceci revient à dire que... Ce qui revient à dire...	**This amounts to saying that...** **It is tantamount to saying...**
C'est-à-dire... Ce que je veux dire, c'est...	**That is to say...** **What I mean is...**

Restreindre son point de vue

Dans une certaine mesure... Jusqu'à un certain point... C'est relativement/quelque peu risqué...	**Up to a point...** **To a certain extent...** **This is somewhat risky...**

Introduire une opposition

En aucun cas nous ne devons... Nous ne devons en aucun cas... Pour rien au monde...	**By no means must we...** **We must by no means...** **Not for any reason...**

Sous aucun prétexte nous ne devrions...	**On no account should we...**
Nous ne devrions sous aucun prétexte...	**We should on no account...**

2. L'expression des opinions

Rapporter l'opinion des autres

Rapporter une opinion

On dit souvent que...	**It is often said that...**
Certains disent que le Président devrait démissionner.	**Some people say (that) the President should resign.**
Il affirme que...	**He asserts (that)...**
Elle maintient/affirme que...	**She maintains/claims (that)...**
Il affirme/déclare avoir un alibi.	**His statement is (that) he has an alibi.** ◀ formel

Rapporter une prise de position

D'après/selon...	**According to...** ◀ ne s'emploie pas avec *me/us*
La plupart des gens sont pour l'abolition de la peine de mort.	**Most people are in favour of/ for abolishing capital punishment.**
Les Verts sont contre la nouvelle autoroute.	**The Greens are against the new motorway.**
Les ouvriers sont contre le nouveau patron.	**The new manager has got the workers against him.**
Je suis contre les expériences sur les animaux.	**I am opposed to animal testing.**

Demander un avis, une opinion

Pour obtenir une opinion

À votre avis...	**In your opinion...**
Que pensez-vous de l'art abstrait ?	**What do you think about abstract art?**
Que pensez-vous du clonage ?	**What are your feelings about cloning?**

Pour obtenir une appréciation

Que pensez-vous du nouveau directeur ?	**What do you think of the new director?**
Comment avez-vous trouvé le film ?	**How did you like the film?**
Pensez-vous qu'elle soit drôle ?	**Do you think she's a funny person?**
Que pensez-vous de ce projet ?	**How do you feel about this plan?**

Exprimer son opinion

Introduire son point de vue

À mon avis...	**In my opinion... To my mind...**
Selon moi...	**As I see it...**
À mon sens...	**The way I see it...**
Il me semble que ...	**It seems to me that...**
Je trouve que...	**My opinion/view is that...** ◀ à utiliser à l'écrit
Pour ma part...	**For my part...**
Personnellement...	**Personally...**

Donner une appréciation

Je trouve que...	**I feel that...**
Je trouve cela...	**I find it...**
J'ai bien peur que...	**I'm afraid (that)...**
Je ne peux m'empêcher de penser que...	**I can't help thinking (that)...**

Valoriser son point de vue

Autant que je sache...	**As far as I know...**
En ce qui me concerne...	**As far as I'm concerned...**
À ma connaissance,...	**To the best of my knowledge,...**

Prendre position

Je pense que...	**I think (that)...**
Je crois que...	**I believe that...**
Je pense qu'il faut être son propre maître.	**I believe in being one's own master.**
Je ne crois pas aux OVNI.	**I don't believe in UFOs.**

Affirmer catégoriquement

Je suis sûr/certain qu'il pleuvra durant le tournoi.	**I'm sure/positive (that) it will rain during the tournament.**
Je suis persuadé que notre maire sera réélu.	**I'm convinced (that) our mayor will be reelected.**
Il ne fait aucun doute que voyager élargit nos horizons.	**There is no doubt (that) travelling broadens the mind.**

Éviter les réponses tranchées, émettre des réserves

Je suppose que... Il me semble que...	**I suppose... I guess that...**
Dans une certaine mesure...	**Up to a point...**
Cela dépend si nous aurons le temps/ si nous aurons ou non le temps.	**It depends if we have time/ whether or not we have time.**
(Tout) cela dépend du temps.	**It (all) depends on the weather.**
Il est difficile de dire si...	**It is hard to tell if...**
Il est difficile de dire si...	**It is difficult to say whether...**
On ne peut pas vraiment dire...	**You can't really tell...**
J'ai des scrupules à....	**I feel reluctant to...**

Ne pas exprimer d'opinion

Je n'en ai pas la moindre idée.	**I haven't got the faintest idea.**
Je n'ai pas d'avis sur la question.	**I have no opinion on this point.**

3. Accord et désaccord

Accord et approbation

Exprimer un accord de principe

Cela m'est égal.	**I don't mind.**
Cela ne m'ennuierait pas de donner mes organes à la science.	**I wouldn't mind donating my organs to science.**
Je dois reconnaître que...	**I have to concede (that)...**
Je n'ai pas d'objection à ce que...	**I have no objection to...**
Je suppose (que oui).	**I suppose so.**
Je ne pense pas.	**I suppose not.**
J'imagine que oui. Je ne pense pas.	**I guess so. I guess not.**

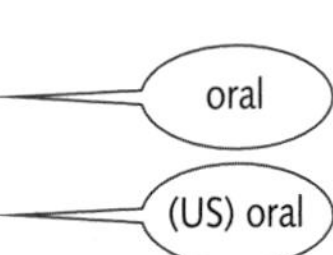

Approuver des idées

Je suis (entièrement) d'accord avec vous sur la plupart des points.	**I (fully) agree with you on most points.**
Vous avez tout à fait raison de...	**You're quite right to...**
J'approuve les changements que le nouveau directeur a effectués.	**I approve of the changes that the new manager has made.**
Je suis pour...	**I'm for/in favour of...**
Je suis vraiment pour les nouvelles technologies.	**I'm all for new technology.**

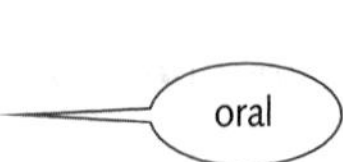

Accepter une proposition

Oui, bien volontiers/cela me ferait plaisir de déjeuner avec vous.	**Yes, I'd love to/I'd be happy to have lunch with you.**
Bien sûr...	**Of course/Sure...**
Quand tu veux...	**Any time (you want)...**

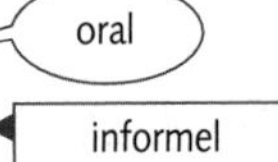

informel

Exprimer une pleine approbation

Tout à fait.	**Definitely.**
Absolument.	**Absolutely.**
Exactement.	**Exactly.**
Indéniablement/Sans aucun doute.	**Undeniably/Without a doubt.**
Je suis on ne peut plus d'accord.	**I couldn't agree more.**
C'est vrai ! Vous avez raison !	**That's right! You're right!**
C'est exactement ce qu'il me faut !	**It's just the job!**

oral

familier

Désaccord et désapprobation

Prendre des précautions pour ménager l'autre point de vue

Je ne crois pas.	**I don't think so.**
(Je suis désolé, mais) vous vous trompez.	**(I'm afraid) you are mistaken.**

Ne pensez-vous pas que ... ?	**Don't you think (that)...?**
Je vois ce que vous voulez dire, mais ...	**I see your point but...**
Je vous l'accorde, mais...	**I'll grant you that, but...**

Affirmer une divergence de point de vue

Je pense que non.	**I think not.**
Je ne suis pas d'accord (avec...)	**I disagree (with...)/I don't agree (with...)**
Il a tort de penser que...	**He's wrong in thinking that...**
Cela m'étonnerait/J'en doute.	**I doubt it.**
Ce n'est pas vrai.	**That's not true.**
C'est faux.	**That's wrong.**

Exprimer une désapprobation directe

Je désapprouve le fait de fumer/ la politique actuelle du gouvernement.	**I disapprove of smoking/ of the current government policy.**
Je désapprouve la prise excessive de médicaments.	**I don't believe in taking too much medication.**
Je suis contre la vivisection.	**I'm against vivisection.**
Je m'insurge contre ces mesures.	**I firmly oppose these measures.**
Je m'oppose catégoriquement à ce projet.	**I'm strongly opposed to this plan.**
Je ne peux tolérer cela.	**I can't accept that.**
C'est inadmissible.	**It is quite unacceptable.**
Quelle honte !	**How shameful! What a disgrace!**
Comment osez-vous (faire cela) ?	**How dare you (do that)?** (oral)

Exprimer un refus catégorique

Désolé, cela m'est impossible.	**I'm sorry, I can't.**
Je crains bien que non.	**I'm afraid not.**
C'est hors de question !	**It's out of the question!**
Jamais de la vie ! Pas question !	**Never! No way!**
Non et non !	**Definitely not!**
Vous plaisantez !	**You must be joking!**

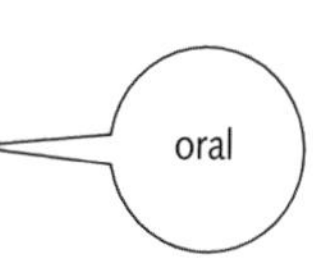

4. De l'indifférence à la préférence

Exprimer le désintérêt

Exprimer de l'indifférence

Cela m'est égal de vivre en banlieue.	**I don't mind living in the suburbs.**
Cela n'a pas d'importance si...	**It doesn't matter if...**
Cela ne change rien.	**It doesn't make any difference.**
Cela ne me fait rien.	**It's all one/the same to me.**
Ce n'est pas la mer à boire !	**No big deal, is it?** (familier)

Exprimer le manque d'intérêt

Je n'aime pas trop (regarder) le sport à la télévision.	**I don't like (watching) sport on TV.**
Je n'aime pas beaucoup...	**I'm not keen on...**
Je n'aime pas beaucoup les sucreries.	**I don't care much for sweet things.**
Ce n'est pas mon truc/ ma tasse de thé.	**It isn't really my thing/ my cup of tea.** (informel)
Je m'en fiche !	**I don't care!** (familier)
Je ne veux pas m'embêter (avec...) !	**I can't be bothered (with...)!** (familier)

Exprimer de l'aversion

Cela me déplaît de...	**I dislike...**
Je ne supporte pas (d'écouter) les discours.	**I can't bear/stand (listening to) speeches.**
Je déteste (jouer aux/) les échecs.	**I hate/I detest (playing) chess.**

Exprimer des goûts

Exprimer une marque d'intérêt

Vous intéressez-vous à la sculpture ?	**Are you interested in sculpture ?**
J'aimerais bien apprendre le chinois.	**I'm interested in learning Chinese.**

Exprimer un goût durable

J'aime bien les arts martiaux.	**I like martial arts.**
J'aime bien utiliser des ordinateurs.	**I like/enjoy using computers.**
J'aime bien (faire de) la randonnée.	**I am keen on trekking.**

Exprimer un goût prononcé

J'aime bien la peinture flamande.	**I am fond of Flemish painting.**
J'aimerais bien visiter l'Asie.	**I am keen on visiting Asia.**
J'adore aller au théâtre.	**I love going to the theatre.**
J'adorerais aller en Chine.	**I'd love to visit China.**
Il adore/est fou de S.F	**He's mad/crazy about sci-fi.**

Exprimer de l'enthousiasme

Ouah !	**Wow!**
Super !	**Super! Smashing!**
Génial !	**Great! Brilliant!**
C'est génial/fantastique !	**That's great/terrific!**
Super ! Cool !	**(US) Neat! Cool!**
Je meurs d'impatience d'essayer le nouveau jeu vidéo.	**I can't wait to try the new video game.**
Je meurs d'envie d'essayer le saut à l'élastique.	**I'm dying to try bungee jumping.**
Je suis impatient de le rencontrer.	**I'm looking forward to meeting him.**

oral

Exprimer des préférences

Je préfère la montagne au bord de mer.	**I like the mountains better than the seaside.**	
Mon écrivain préféré est Henry Miller.	**My favourite writer is Henry Miller.**	
Rien de tel que...	**There's nothing like...**	oral
Il n'y a pas mieux !	**You can't beat it!**	
Je préfère de loin un feu de cheminée au chauffage central.	**I much prefer a real fire to central heating.**	attention aux formes verbales : *I prefer doing* *I'd rather* **do** *(than do)* **I'd** *prefer* **to do**
Je préfère écrire à la main plutôt qu'à la machine.	**I prefer handwriting to typing.**	
J'aimerais mieux que tu...	**I'd prefer you to...**	
Je préfèrerais lire le livre plutôt que de voir le film.	**I'd rather read the book than see the film.**	
Je préfèrerais que tu le fasses maintenant.	**I'd rather you did it now.**	attention à l'emploi des temps !
Je préfèrerais que tu le lui dises toi-même.	**I'd rather you had told him yourself.**	

5. Souhaits et regrets

Exprimer des souhaits

J'aimerais bien apprendre à conduire.	**I'd like to learn to drive.**
J'aimerais avoir plus de temps pour lire.	**I wish I had more time to read.**

Exprimer des regrets

Dans le bon vieux temps, je faisais du vélo.	**In the good old days, I used to ride a bike.**	
Je regrette d'avoir acheté une voiture d'occasion.	**I regret having bought a second-hand car.**	noter l'emploi du verbe en *-ing*
Si seulement (j'avais su)/ j'aurais aimé être là.	**If only (I had known)/ I wish I had been there.**	
J'aurais préféré que tu lui dises la vérité.	**I'd rather you had told him the truth.**	noter l'emploi de *have* + participe passé
Tu aurais dû me le dire.	**You should have told me.**	
Tu aurais quand même pu me le dire.	**You might have told me.**	
Comment as-tu pu dire une telle chose ?	**How could you say such a thing?**	oral
Quel dommage !	**What a shame/pity!**	oral ici, *shame* = dommage

6. Du doute à la certitude

Exprimer le doute ou l'incertitude

J'ai des doutes quant à...	**I have my doubts about...**	
J'en doute.	**I doubt it.**	
Qui sait ?	**Who knows?**	
On ne sait jamais.	**You never know.**	
Je me demande si...	**I'm wondering if...**	
Je suppose... J'imagine...	**I suppose... I guess...**	(US)
Il se peut qu'il ait de l'argent.	**He may have money.**	
Il se pourrait qu'il ait une promotion.	**He might be promoted.**	

Exprimer la probabilité

Peut-être...	**Perhaps... Possibly... Maybe**
Cela arrivera probablement.	**It is likely to happen.**
Il est probable qu'il viendra.	**He is likely to come.**
Il y a peu de chances que cela arrive.	**It is unlikely to happen.**

Exprimer une certitude

Évidemment... Sûrement...	**Obviously... Clearly... Definitely...**	attention à la place des adverbes de modalité !
De toute évidence...	**Certainly...**	
Sans aucun doute...	**Undoubtedly...**	
Il est clair que...	**It is clear that...**	
Il ne fait aucun doute que...	**There can be no doubt that...**	
Je suis sûr/certain (que)...	**I'm sure/positive that...**	
Je suis convaincu (que/de)...	**I'm convinced (that/of)...**	
Cela ne manquera pas de se produire.	**It is bound to happen.**	
Il ne manquera pas de réussir.	**He is bound to succeed.**	
Ils ont dû déménager.	**They must have moved.**	
Ils n'ont pas pu déménager.	**They can't have moved.**	*can't* remplace must à la forme négative

Verbes irréguliers

	Base verbale	Prétérit	Participe passé	
A	abide	abode, abided [ɪd]	abode, abided [ɪd]	se conformer à
	arise [aɪ]	arose [əʊ]	arisen [ɪ]	survenir, surgir
	awake	awoke, awaked [t]	awoken, awaked [t]	(s')éveiller
B	be	was, were	been	être
	bear [eə]	bore [ɔː]	borne, born [ɔː]	porter, supporter
	beat	beat [iː]	beaten	battre
	become	became	become	devenir
	befall	befell	befallen	advenir
	beget	begot	begotten	engendrer
	begin [ɪ]	began [æ]	begun [ʌ]	commencer
	behold	beheld	beheld	contempler
	bend	bent	bent	courber
	bereave	bereft	bereft	déposséder
	beseech [iː]	besought [ɔː]	besought [ɔː]	supplier
	bestride [aɪ]	bestrode [əʊ]	bestridden [ɪ]	enfourcher
	bet	bet	bet	parier
	bid [ɪ]	bade [æ], bid	bid, bidden [ɪ]	enjoindre, proposer
	bind	bound	bound	lier
	bite [aɪ]	bit [ɪt]	bitten [ɪ]	mordre
	bleed [iː]	bled [e]	bled [e]	saigner
	blow	blew	blown	souffler
	break	broke	broken	casser
	breed [iː]	bred [e]	bred [e]	élever
	bring [ɪ]	brought [ɔː]	brought [ɔː]	apporter
	broadcast	broadcast, broadcasted [ɪd]	broadcast, broadcasted [ɪd]	diffuser
	build [ɪ]	built [ɪ]	built [ɪ]	construire
	burn	brunt, burned [d]	burnt, burned [d]	brûler
	burst	burst	burst	éclater
	buy [aɪ]	bought [ɔː]	bought [ɔː]	acheter
C	cast	cast	cast	jeter, lancer
	catch [æ]	caught [ɔː]	caught [ɔː]	attraper
	chide [aɪ]	chid [ɪ]	chide, chidden [ɪ]	réprimander
	choose [uː]	chose [əʊ]	chosen [əʊ]	choisir
	cleave	clove, cleft	cloven, cleft	fendre
	cling	clung	clung	s'accrocher
	clothe	clad, clothed [d]	clad, clothed [d]	habiller, vêtir
	come	came	come	venir
	cost	cost	cost	coûter
	creep [iː]	crept [e]	crept [e]	ramper
	crossbreed	crossbred	crossbred	croiser, métisser
	cut	cut	cut	couper

	Base verbale	Prétérit	Participe passé	
D	deal	dealt	dealt	distribuer
	dig	dug	dug	creuser
	do [uː]	did [ɪ]	done [ʌ]	faire
	draw [ɔː]	drew [uː]	drawn [ɔː]	tirer, dessiner
	dream [iː]	dreamt [e] dreamed [dremt]	dreamt [e] dreamed [dremt]	rêver
	drink	drank	drunk	boire
	drive	drove	driven	conduire
	dwell	dwelt	dwelt	résider
E	eat [iː]	ate [e]	eaten [iː]	manger
F	fall	fell	fallen	tomber
	feed [iː]	fed [e]	fed [e]	(se) nourrir
	feel [iː]	felt [e]	felt [e]	(se) sentir
	fight [aɪ]	fought [ɔː]	fought [ɔː]	se battre
	find [aɪ]	found [aʊ]	found [aʊ]	trouver
	flee [iː]	fled [e]	fled [e]	s'enfuir
	fling	flung	flung	jeter violemment
	fly [aɪ]	flew [uː]	flown [əʊ]	voler
	forbear [eə]	forbore [ɔː]	forborne [ɔː]	s'abstenir
	forbid [ɪ]	forbade [æ]	forbidden [ɪ]	interdir
	forecast	forecast, forecasted [ɪd]	forecast, forecasted [ɪd]	prévoir (le temps)
	forget	forgot	forgotten	oublier
	forgive	forgave	forgiven	pardonner
	forego	forewent	foregone	renoncer à
	forsake [eɪ]	forsook [ʊ]	forsaken [eɪ]	abandonner
	freeze [iː]	froze [əʊ]	frozen [əʊ]	geler
G	gainsay	gainsaid	gainsaid	contredire
	get	got	got, (US) gotten	obtenir, devenir
	gild	gilt, gilded [ɪd]	gilt, gilded [ɪd]	dorer
	gird	girt, girded [ɪd]	girt, girded [ɪd]	ceindre
	give	gave	given	donner
	go [əʊ]	went [e]	gone [ɒ]	aller
	grind [aɪ]	ground [aʊ]	ground [aʊ]	moudre
	grow [əʊ]	grew [uː]	grown [əʊ]	grandir, croître
H	hang	hung	hung	(sus)pendre qqch
	have	had	had	avoir
	hear [ɪə]	heard [ɜː]	heard [ɜː]	entendre
	heave	hove, heaved [d]	hove, heaved [d]	lever, soulever
	hew	hewed [d]	hewn, hewed [d]	tailler
	hide [aɪ]	hid [ɪ]	hidden [ɪ]	cacher
	hit	hit	hit	frapper
	hold	held	held	tenir
	hurt	hurt	hurt	faire mal, blesser
I	inlay [eɪ]	inlaid [eɪ]	inlaid [eɪ]	incruster

	Base verbale	Prétérit	Participe passé	
K	keep [iː]	kept [e]	kept [e]	garder, continuer
	kneel [niːl]	knelt [e]	knelt [e]	s'agenouiller
	knit [nɪt]	knit [ɪ], knitted [ɪd]	knit [ɪ], knitted [ɪd]	tricoter
	know [nəʊ]	knew [juː]	known [əʊ]	connaître, savoir
L	lade	laded [ɪd]	laden	charger
	lay [eɪ]	laid [eɪ]	laid [eɪ]	étendre, poser
	lead [iː]	led [e]	led [e]	mener, conduire
	lean [iː]	leant, leaned [e]	leant, leaned [e]	se pencher
	leap [iː]	leapt, (US) leaped [e]	leapt, (US) leaped [e]	sauter
	learn	learnt, (US) learned	learnt, (US) learned	apprendre
	leave	left	left	laisser, quitter
	lend	lent	lent	prêter
	let	let	let	laisser, permettre
	lie [aɪ]	lay [eɪ]	lain [eɪ]	s'allonger, être allongé
	light	lit, lighted [ɪd]	lit, lighted [ɪd]	allumer
	lose	lost	lost	perdre
M	make	made	made	faire, fabriquer
	mean [iː]	meant [e]	meant [e]	signifier
	meet	met	met	(se) renconrer
	mislay [eɪ]	mislaid [eɪ]	mislaid [eɪ]	égarer
	mislead [iː]	misled [e]	misled [e]	tromper, fourvoyer
	mow	mowed [d]	mowed [d], mown	tondre
P	pay [eɪ]	paid [eɪ]	paid [eɪ]	payer
	put	put	put	poser, mettre
Q	quit	(US) quit, quitted [ɪd]	(US) quit, quitted [ɪd]	quitter, abandonner
R	read [iː]	read [e]	read [e]	lire
	rend	rent	rent	déchirer
	rid	rid	rid	débarrasser
	ride [aɪ]	rode [əʊ]	ridden [ɪ]	aller à cheval/ à bicyclette
	ring [ɪ]	rang [æ]	rung [ʌ]	sonner
	rise [aɪ]	rose [əʊ]	risen [ɪ]	se lever
	rive [aɪ]	rived [aɪ]	riven [ɪ]	(se) fendre
	run [ʌ]	ran [æ]	run [ʌ]	courir
S	saw [ɔː]	sawed [ɔː] [d]	sawed [ɔː] [d], sawn	scier
	say [eɪ]	said [e]	said [e]	dire
	see [iː]	saw [ɔː]	seen [iː]	voir
	seek [iː]	sought [ɔː]	sought [ɔː]	chercher
	sell [e]	sold [əʊ]	sold [əʊ]	vendre
	send	sent	sent	envoyer
	set	set	set	poser, placer
	sew [əʊ]	sewed [əʊ] [d]	sewed [əʊ] [d], sewn	coudre
	shake [eɪ]	shook [ʊ]	shaken [eɪ]	secouer
	shave	shaved [d]	shaved [d], shaven	(se) raser

Base verbale	Prétérit	Participe passé	
shear [ɪə]	sheared [ɪə] [d]	sheared [d], shorn [ɔː]	tondre
shed	shed	shed	perdre, répandre, déverser
shine [aɪ]	shone [ɒ]	shone [ɒ]	briller
shoe [ʊː]	shod [ɒ]	shod [ɒ]	chausser, ferrer (cheval)
shoot [uː]	shot [ɒ]	shot [ɒ]	tirer (avec une arme)
show	showed	shown	montrer
shrink [ɪ]	shrank [æ]	shrunk [ʌ]	(se) rétrécir
shrive	shrove, shrived [d]	shriven, shrived [d]	(se) confesser
shut	shut	shut	fermer
sing [ɪ]	sang [æ]	sung [ʌ]	chanter
sink [ɪ]	sank [æ]	sunk [ʌ]	couler, sombrer
sit	sat	sat	s'asseoir, être assis
slay [eɪ]	slew [uː]	slain [eɪ]	massacrer
sleep	slept	slept	dormir
slide [aɪ]	slid [ɪ]	slid [ɪ]	glisser
sling	slung	slung	lancer, hisser
slink	slunk	slunk	s'éclipser
slit	slit	slit	fendre, inciser
smell	smelled [d], smelt	smelled [d], smelt	sentir (une odeur)
smite [aɪ]	smote [əʊ]	smitten [ɪ]	frapper, tourmenter
sow [ə]	sowed [ə] [d]	sowed [ə] [d], sown	semer
speak	spoke	spoken	parler
speed	speeded [ɪd], sped	speeded [ɪd], sped	aller à toute vitesse
spell	spelled [t], spelt	spelled [t], spelt	épeler
spend	spent	spent	passer (du temps), dépenser
spill	(US) spilled [d], spilt	(US) spilled [d], spilt	renverser (un liquide)
spin [ɪ]	span [æ]	spun [ʌ]	filer (la laine), tournoyer
spit	spat	spat	cracher
split	split	split	fendre, séparer
spoil	spoiled [t], spoilt	spoiled [t], spoilt	gâcher, gâter
spread [e]	spread [e]	spread [e]	(s')étendre, (s')étaler
spring [ɪ]	sprang [æ]	sprung [ʌ]	bondir
stand	stood	stood	se lever, se tenir debout
stave	stove, staved [d]	stove, staved [d]	trouer, percer, défoncer
steal [iː]	stole [əʊ]	stolen [əʊ]	voler, dérober
stick	stuck	stuck	coller
sting	stung	stung	piquer (guêpe)
stink [ɪ]	stank [æ]	stunk [ʌ]	sentir mauvais
strew	strewed [d]	strewed [d], strewn	éparpiller, joncher
stride [aɪ]	strode [əʊ]	stridden [ɪ]	marcher à grands pas
strike	struck	struck	frapper
string	strung	strung	enfiler, tendre une corde
strive [aɪ]	strove [əʊ]	striven [ɪ]	s'efforcer
sublet	sublet	sublet	sous-louer
swear [e]	swore [ɔː]	sworn [ɔː]	jurer
sweep	swept	swept	balayer
swell	swelled [d]	swelled [d], swollen	enfler
swim [ɪ]	swam [æ]	swum [ʌ]	nager
swing	swung	swung	(se) balancer

	Base verbale	Prétérit	Participe passé	
T	**take** [eɪ]	**took** [ʊ]	**taken** [eɪ]	prendre
	teach [iː]	**taught** [ɔː]	**taught** [ɔː]	enseigner
	tear [e]	**tore** [ɔː]	**torn** [ɔː]	déchirer
	tell	**told**	**told**	dire, raconter
	think [ɪ]	**thought** [ɔː]	**thought** [ɔː]	penser, croire
	thrive	**throve, thrived** [d]	**thriven, thrived** [d]	prospérer
	throw	**threw**	**thrown**	lancer, jeter
	thrust	**thrust**	**thrust**	pousser avec force
	tread [e]	**trod** [ɒ]	**trod, trodden** [ɒ]	fouler aux pieds
U	**understand**	**understood**	**understood**	comprendre
	undertake [eɪ]	**undertook** [ʊ]	**undertaken** [eɪ]	entreprendre
	upset	**upset**	**upset**	bouleverser, renverser
W	**wake**	**woke, waked** [t]	**woken, waked** [t]	réveiller
	waylay [eɪ]	**waylaid** [eɪ]	**waylaid** [eɪ]	attaquer, assaillir
	wear [e]	**wore** [ɔː]	**worn** [ɔː]	porter (vêtement)
	weave	**wove**	**woven**	tisser
	weep	**wept**	**wept**	pleurer
	win [ɪ]	**won** [ʌ]	**won** [ʌ]	gagner
	wind [aɪ]	**wound** [aʊ]	**wound** [aʊ]	enrouler, serpenter
	withdraw [ɔː]	**withdrew** [uː]	**withdrawn** [ɔː]	(se) retirer
	withhold	**withheld**	**withheld**	retenir, différer
	withstand	**withstood**	**withstood**	résister
	wring	**wrung**	**wrung**	tordre
	write [aɪ]	**wrote** [əʊ]	**written** [ɪ]	écrire

Corrigés

1 a. disassemble - b. scold - c. rear - d. misbehave - e. assemble - f. strike to the ground - g. make believe - h. take care (of).

2 a. child's play - b. a playground - c. a play-pen - d. a plaything - e. a playmate - f. a playboy - g. foul play - h. horseplay.

3 d. - f. - c. - e. - h. - a. - g. - b.
Then there are the nights I will not eat. My sister, who is four years my senior, assures me that what I remember is fact: **I would refuse to eat,** and my mother would find herself unable to submit to such willfulness - **and such idiocy.** And unable to for my own good. She is only asking me to do something *for my own good* - **and still I say *no*?** Wouldn't she give me the food out of her own mouth, don't I know that by now?
But I don't want the food from her mouth. **I don't even want the food from my plate** - that's the point.
Please! a child with my potential! my accomplishments! my future! [...]
Do I want people to look down on a skinny little boy all my life, or to look up to a man? Do I want to be pushed around **and made fun of,** [...] or do I want to command respect? Which do I want to be when I grow up, weak or strong, a success or a failure, a man or a mouse?
I just don't want to eat, **I answer.**
So my mother sits down in a chair beside me with a long bread knife in her hand [...]. Which do I want to be, weak or strong, **a man or a mouse?**
Doctor, *why*, why oh why oh why oh why does a mother pull a knife on her own son? [...]
How can she (play with me) during those dusky beautiful hours after school, and then at night, because I will not eat some string beans and a baked potato, **point a bread knife at my heart?**

4 a. illiterate - b. uneducated - c. disrespectful - d. non-academic - e. illogical - f. unforgettable - g. unable.

5 a. Cette conférence était passionnante ! - b. David ira à l'université l'année prochaine. - c. Les écoles privées britanniques sont renommées pour leurs résultats scolaires. - d. Ici, la réussite des élèves est une priorité. - e. Diplômes et prix seront remis en juin. - f. Les équipements ont été modernisés.

6 c. - f. - b. - e. - a. - d.
"If anyone comes along," said Miss Brodie, "in the course of the following lesson, remember that it is the hour for English grammar. Meantime I will tell you a little of my life when I was younger than I am now." [...]
She leaned against the elm. [...]
"I was engaged to a young man at the beginning of the War but he fell on Flanders' Field," said Miss Brodie. [...] "He fell the week before Armistice was declared.[...] He was poor. He came from Ayrshire, a countryman, but a hard-working and clever scholar." [...]
The story of Miss Brodie's felled fiancé was well on its way when the headmistress, Miss Mackay, was seen to approach across the lawn. Tears had already started to drop from Sandy's little pig-like eyes and Sandy's tears now affected her friend Jenny [...].
"I am come to see you and I have to be off," [said Miss Mackay]. "What are you little girls crying for?" "They are moved by a story I have been telling them. We are having a history lesson," said Miss Brodie, catching a falling leaf neatly in her hand as she spoke. "Crying over a story at ten years of age!" said Miss Mackay [...]. "I am only come to see you and I must be off. Well, girls, the new term has begun. I hope you all had a splendid summer holiday and I look forward to seeing your splendid essays on

how you spent them. You shouldn't be crying over history at the age of ten. My word!"

7 a. legislative power: a regulation, a law, a bill - executive power: a minister, a Secretary of State, a policeman, an investigation - judiciary power: a court, a judge, an acquittal, a sentence - b. It was Montesquieu.

8 d. - e. - j. - b. - f. - h. - c. - a. - i .- g.

9 a. "10 Downing Street", ∅ - b. the Foreign Affairs, the State Department - c. the Chancellor of the Exchequer, the Secretary of the Treasury - d. the Lord Chancellor, the Attorney General - e. ∅, the White House.

10 **the world of day:** diurn, sunrise, noon, morning - **the world of night:** midnight, pitch-dark, nocturnal - dusk *et* twilight *(=le crépuscule) sont des moments de transition entre le jour et la nuit ; ils appartiennent aux deux mondes et sont donc difficiles à classer.*

11 a. from, of - b. up - c. in, on - d. at - e. by, in/on - f. at, in.

12 a. old, horrible, dreadful.They are negative adjectives. - b. good-looking, young, melancholic - c. Dorian Gray would like to make a pact with the devil. - d. The symbol of eternity.

13 a. (3) anniversary of the birth of Jesus - b. (5) anniversary of the Crucifixion - c. (1) festival of ghosts and witches before All Saints' Day - d. (2) day set apart for giving thanks to God for the foundation of the United States - e. (4) celebration of the last day of the year.

14 Christian - divinity - pious - antisemitic - catholicism.

15 Religion - churchgoers - service - priests - mass - sermons - churches - celebrate - marriages - baptisms - funerals.

16 Portuguese - Nigerian - Vietnamese - Irish - Austrian - Turkish - Dutch - Polish - Ugandan.

17 a. The Netherlands - b. America - c. England - d. The United States - e. Spain - f. Ireland - g. Canada - h. Malta - i. The United Kingdom - j. The Philippines.
Les noms de pays, en tant que noms propres, ne sont pas précédés de l'article défini, sauf lorsqu'ils sont au pluriel ou qu'ils se composent de noms communs.

18 a. dry - b. a snowball - c. a strait - d. a hill.

19 manoeuvre - alliance - inevitable - ammunition - chemical - conventional - execute - pacifism - missile - military - review - parade - cavalry - platoon - offensive - unavoidable - blockade - fatigue.

20 a. Microsoft a continué de se débattre avec ses problèmes de monopole. Le siège de l'entreprise à Tokyo a été pris d'assaut par des militants anti-monopole. - b. Le consortium européen Airbus, qui doit bientôt ne former qu'une seule entreprise, a annoncé une nouvelle attaque contre son rival américain Boeing. - c. La plus grande compagnie d'assurances italienne, Generali, a créé un trésor de guerre pour gagner la bataille qui doit lui permettre d'acquérir le Français A.G.F. - d. Les investisseurs ont quitté la bourse de Kuala Lumpur dans un mouvement de panique à la suite de l'attaque lancée par le Premier Ministre malaisien contre les investisseurs étrangers. - e. Le gouvernement américain a imposé des sanctions contre trois armateurs japonais en représailles contre le protectionnisme japonais.

21 All our friends took their share and fought like men in the great **field**. All day long, whilst the women were praying ten miles away, the lines of the **dauntless** English infantry were receiving and repelling the furious charges of the French **horsemen**. **Guns** which were heard at Brussels were ploughing up their ranks, and comrades falling, and the resolute **survivors** closing in. Towards evening, the attack of the French, repeated and resisted so bravely, slackened in its fury. They had other **foes** besides the British to engage, or were preparing for a

final **onset**. It came at last: the columns of the Imperial Guard **marched** up the hill of Saint-Jean (...) unscared by the thunder of the artillery, which hurled death from the English line. (...) Then at last the English troops rushed from the post from which no enemy had been able to dislodge them, and the Guard turned and fled.
No more firing was heard at Brussels. Darkness came down on the field and city; and Amelia was praying for George, who was lying on his face, dead, with a **bullet** through his heart.

22 NOUNS: [ɪ]: citizen, picker, digger - [iː]: freedom, stream, peace - [aɪ]: asylum, ID-card, hyphen.
VERBS: [ɪ]: kick out, wish - [iː]: keep out, seek, dream, appeal - [aɪ]: apply, tighten, provide, rise, strike.
ADJECTIVES: [ɪ]: civil - [iː]: menial, cheap, eager, legal - [aɪ]: dire.

23 a. alluring - b. to flee - c. affluence - d. to work hard - e. to allow in - f. foreign - g. unwanted - h. a dissident - i. to yearn - j. a stream.

24 f. - b. - g. - e. - h. - d. - a. - c.

25 a. household waste - b. a bottle bank - c. a bird sanctuary - d. an oil slick - e. a game reserve - f. exhaust fumes - g. a rubbish dump.

26 a. a threat, to threaten, threatening - b. hunting/a hunter, to hunt, ∅ - c. breath, to breathe, unbreathable - d. starvation, to starve, starving - e. involvement, to involve, ∅ - f. recycling, to recycle, recyclable - g. scarcity, ∅, scarce - h. poisoning, to poison, poisonous.

27 a. sort out, recycling - b. catalytic, lead-free - c. car-pooling, preserve - d. aware, endangered, ivory, fur - e. renewable, wind farms.

28 **to tell** someone something: *le complément de personne est nécessaire* - **to say :** *peut s'employer seul* (he said that...) *ou avec un complément introduit par une préposition* (he said to me that...) - **to speak**: *peut s'employer avec la préposition* to *et signifie parler à* (I spoke to him) *ou peut s'employer sans préposition* (I speak Italian) - **to talk**: *fait référence à une conversation.*
told - saying - tell - told - said - told - said - tell - tell - said.

29 a. stuttered - b. stresses - c. exposing - d. replied - e. voice - f. laughing at - g. shrieked - h. moaning - i. whispered - j. argue.

30 a. (3) stairs - b. (1) mouth - c. (4) wife - d. (5) table - e. (2) arm.

31 a. (3) loving - b. (5) extremely polite - c. (1) formal - d. (2) delighted - e. (6) sympathizing - f. (4) enthusiastic - g. (8) fair - h. (7) tolerant.

32 passion - darling - devoted - love at first sight - marry - like - enjoy - friendship - passionate - delighted - friends - lovers - everlasting - romantic.

33 a. I was surprised how respectful he was towards his parents. - b. He expressed words of comfort and sympathy. - c. He asked her to marry him yesterday. - d. He is really well-mannered. - e. They are trustworthy. - f. Everyone should be a law-abiding citizen.

34 a. a murderer - b. a kidnapper - c. a robber - d. a blackmailer - e. a pickpocket.

35 painful - threatening - hate - furious - quarrelling - worse - jealous - bondage - unfair - despair.

36 unpleasant - segregation - inconvenience - covetous - injurious - hypocritical - egoist - incensed - arrogant.

37 a. (3) a news bulletin - b. (8) an educational programme - c. (4) a talk show - d. (5) a weather forecast - e. (6) a children's programme - f. (2) a sporting event broadcast - g. (1) a documentary - h. (7) a televised game of chance.

38 a. a newsmaker - b. a newscaster - c. a muckraker - d. a TV addict.

39 a. off - b. in - c. on - d. out - e. of.

40 **written correspondence:** postcard, zip code, e-mail address, stamp, fax - **oral correspondence:** answering machine, engaged, dial, toll-free.

41 a. off - b. in - c. on, through - d. back - e. on, to.

42 b. turn on - d. start a program - h. open a file - g. type a text - f. delete the mistakes - c. get a preview - e. save - a. print.

43 camera - resort - idleness - emergency - individual - accommodation - departure - recreation - facilities - terrorism - operate - destination - museum - accommodate - locomotive - souvenir - international - sensitive.

44 tourism - tourist - tourist - touristy - tourist - tourism.

45 a. Did you have a good journey? - b. Certainly, the train was quite luxurious. - c. Where is your luggage? There isn't much! - d. I don't mind roughing it during the holiday. - e. Would you like to bask in the sun for a while? - f. No, I'd rather sit in the shade, I'm much too sensitive to the sun. - g. Would you like to walk around and see the sights? - h. I'd rather not, you know, I'm accident-prone... I'd better stay here and take a nap.

46 a. (3) a stationer's - b. (5) a newsagent's - c. (4) a baker's - d. (1) a greengrocer's - e. (6) a grocer's - f. (2) a hardware shop.

47 served - clerks - customers - sloppy service - untrained staff - shopping - consuming - money - trained - experienced - concerned.

48 a. faulty, sloppy, deceptive, unavailable - b. catchy, funny, boring, witty - c. deceptive, eyewash, stultifying.

49 c. find a new concept - e. prepare a market survey - g. select the right target - a. take a sample of potential customers - b. have the customers test the product - d. analyse the data - f. adapt the product to the results.

50 a. throwaway - b. a cheque - c. a blockade - d. a voucher - e. a bond.

51 credit - afford - income - hirepurchase - repayments - loan - default - repayment - expensive.

52 [uː]: goose, fruit, tool, prune - [ʌ]: glut, duck, studfarm, flood, cultivate, slump, butter, furrow - [ʊ]: manure, mower, put - [juː]: ewe, produce, mutation.

53 **Text 1:** c. - d. - b. - a. - e.
Scientists at the Boyce Thompson Institute for Plant Research, New York, have succeeded in genetically modifying potatoes to carry a vaccine for hepatitis B. They will use this technique to create the same vaccines in bananas and hope to extend their work to a whole range of diseases. The bananas are expected to be made into purees similar to baby food and will cost a fraction of the price of traditional vaccines.
Text 2: d. - b. - a. - e. - c.
Scientists at Monsanto, an American agrochemical company, have succeeded in inserting blue pigment genes into cotton to produce plants with naturally blue tint. The idea is to use the cotton to make denim jeans without needing dye, saving on all the environmental costs associated with the colouring process. In a few years' time you might not just be eating the latest in designer genes but wearing them as well!

54 tractors - clods - seeds - drought - flood - harvest - crop.

55 a. mining, coal, a gallery, a pit - b. oil, a derrick, offshore drilling, a refinery - c. electricity, a dam, tidal power.

56 a. a gunsmith - b. a thatcher - c. a bricklayer - d. a potterer - e. a goldsmith - f. an electrician - g. a miner.

57 a. a mason - b. energy - c. metallurgy - d. oil - e. a hammer - f. a plumber.

58 a job hunter, work relations, a job offer, industrial relations, a head-hunter, a money offer, a money hunter, a work offer.

59 e. - b. - f. - h.- c. - d. - g. - i. - j. - a. - k.

60 Teleworking - commuting - company - flexible - costs - offices - part-time - commute - responsibility - freedom.

61 a. (3) rugby - b. (1) weightlifting - c. (2) tennis - d. (6) badminton - e. (5) golf - f. (4) karate.

62 a. a golf course - b. a bowling alley or lane - c. a ring - d. a running track and a field - e. a racetrack - f. a tennis court - g. a basketball court - h. a fencing strip - i. a cricket pitch.

63 a. broad-shouldered - b. barrel-chested - c. light-footed - d. able-bodied - e. sharp-sighted.

64 a. (3) asthma - b. (1) a liver problem - c. (5) a cold or a sore throat - d. (2) a heart condition - e. (4) lung cancer - f. (7) kidney trouble - g. (6) fatigue.

65 a pain-killer - a bone operation - a liver operation - a heart operation - a liver injury - a heart injury - a bone injury - a liver complaint - a liver infection - a heart infection - a liver cancer - a bone cancer - a heart transplant - a heart surgeon.

66 b. - j. - e. - d. - f. - i.- h. - a. - c. - g. - k.

67 a. (3) a calculator - b. (4) a telescope - c. (5) a test tube - d. (6) a moon buggy - e. (1) a couch - f. (2) a laser.

68 a. space satellite, space research, space industry, space suit, space war, research satellite, research industry, spy satellite, war suit, war industry - b. weight *(substantif)*; -less *(suffixe privatif qui transforme un substantif en adjectif)*; -ness (*suffixe qui transforme un adjectif en substantif*): weightlessness *(absence de poids, apesanteur). Les autres termes formés de la même façon*: carelessness = *insouciance* (care: *le soin*) ; joblessness = *le chômage* (a job: *un emploi*); restlessness = *agitation* (rest: *le repos*).

69 analysis, to analyse, analytical - experiment, to experiment, experimental - physics, ∅, physical - chart, to chart, (un)charted - man, to man, manly.

70 a. stir - b. whisk, pour - c. melt - d. bake - e. cut, serve.

71 a. salt, to salt, salty - b. sugar, to sugar, sugary/sweet - c. taste, to taste, tasty - d. alcohol, to alcoholize, alcoholic - e. diet, to diet, dietary - f. heat, to heat, hot.

72 a. la crème de la société - b. un homme-sandwich - c. le sel de la terre - d. la politique de la carotte et du bâton - e. pousser comme des champignons - f. rouge comme une pivoine - g. de la petite bière - h. "l'appétit vient en mangeant" - i. le fruit défendu - j. de bon/mauvais goût.

73 [æ]: a hamlet, avenue, mansion, to fashion, narrow, pattern - [ɑː]: plaster, marble, castle, to carve - [ei]: ornate, to shape, lane, spacious, graceful.

74 a. a Southern-looking house - b. a multi-storied house - c. a high-ceilinged room - d. an egg-shaped element - e. bronze-coloured glass - f. pastel-coloured bedrooms.

75 a. cottage (*maison de campagne*) - b. shopping district (*quartier commerçant)* - c. shutters (*des volets*) - d. Colonial (*style colonial américain*) - e. slums (*des taudis*) - f. grounds (*parc*).

76 a. (5) sweater - b. (6) suit - c. (4) jacket - d. (3) skirt - e. (2) stick - f. (1) stockings.

77 a. underpants, trousers, brogues - b. a suspender belt, stockings, high-heeled shoes - c. a bra, a pullover, an overcoat - d. a shirt, a tie, a waistcoat.

78 a. nylon - b. to take off - c. a kilt - d. a jumper - e. a plain shirt.

79 **the wind section:** a saxophone, an oboe, a horn - **the strings:** an electric guitar, a violin, a harpsichord, a cello - **the percussion instruments:** the drums.

80 a. A real moviegoer prefers the subtitled version to the dubbed one. - b. For his film, the director can choose among several types of camera movement : close-ups, high-angle shots, low-angle shots, tracking shots, etc. - c. This novel was screened; I saw the writer's name in the credits. - d. Fred Astaire is my favourite tap dancer. He is a star of dancing and an excellent actor. I have seen all his feature-length films.

81 comedies - historical tragedies - tragedies - <u>Hamlet</u> - <u>Macbeth</u> - stages - play.

82 a. a reel, a slide - b. charcoal, an eraser - c. stone, wood - d. copper - e. gouache, a canvas, a brush.

83 A. (b) blue and yellow - B. (b) an engraving technique which requires acid - C. (a) an engraving made thanks to a special type of stone - D. (a) a work made of three different paintings - E. (b) a wide-angle lens - F. (c) a painting done on a wall - G. (a) you have allowed too much light into the lens.

84 a. painter, to paint, a painting - b. engraver, to engrave, an engraving - c. photographer, to photograph, a photograph - d. drawer, to draw, a drawing - e. sculptor, to sculpt, a sculpture.

85 a. Wuthering Heights, *Les Hauts de Hurlevent*, a 19th-century novel by Emily Brontë - b. The Great Gatsby, *Gatsby le Magnifique*, an American novel by Francis Scott Fitzgerald - c. Cat on a Hot Tin Roof, *La Chatte sur un toit brûlant*, an American play by Tennessee Williams - d. The Waste Land, *La Terre vaine*, a poem by T.S. Eliot - e. The Music of Chance, *La Musique du hasard*, an American novel by Paul Auster - f. Brave New World, *Le Meilleur des mondes*, a science-fiction novel by Aldous Huxley - g. The Jungle Books, *Le Livre de la jungle*, children's stories by Rudyard Kipling.

86 A. (b) unrhymed verse - B. (b) an echo of vowels - C. (a) a five-foot line - D. (b) a 14-line poem - E. (c) the repetition of the same word at the beginning of the line - F. (a) a recurring image or symbol in a work of art - G. (b) alludes to an object through one of its parts - H. (b) a litotes.

87 a. (1) a hyperbole - b. (2) a litotes - c. (1) a metaphor.

Sigles et abréviations

A

AA .... Alcoholics Anonymous
AAA .... American Automobile Association
AAAA ..... American Association of Advertising Agencies
ABC .... 1. American Broadcasting Corporation; 2. Associated British Cinema
ABS .... anti-lock braking system
a/c .... account current
A.C .... ante Christum (before Christ)
AC/DC .... alternative current/direct current
A.D. .... anno domini
A/D .... analog to digital
ADP .... automatic data processing
ADT .... (US) Atlantic daylight time
AEA .... (Brit.) Atomic Energy Authority
AEC .... (US) Atomic Energy Commission
a.f. .... audio frequency
AGM ...... annual general meeting
AI .... 1. artificial intelligence; 2. artificial insemination; 3. Amnesty International
AIDS ...... acquired immune deficiency syndrome
AIH .... artificial insemination by husband
a.k.a, AKA also known as
a.m. .... ante meridiem (before noon)
AM .... 1. amplitude modulation; 2. air mail
AMEX .... American Stock Exchange
ANSI ...... American National Standard Institute
a/o .... account of
AOB .... any other business
AP .... Associated Press
APEX ..... advance purchase excursion
ASA .... 1. American Standards Association; 2. Advertising Standards Authority
a.s.a.p. ..... as soon as possible
ASCII ..... American standard code for information interchange
ASPCA .... American Society for the Prevention of Cruelty to Animals
AST .... (US) Atlantic standard time
AT .... alternative technology
ATV .... 1. (US) all-terrain vehicle; 2. Associated Television
AV .... 1. audiovisual ; 2. authorized version
AYH .... American Youth Hostels
AYLI .... as you like it

B

BA .... Bachelor of Arts
BAFTA .... British Academy of Film and Television Arts
BASIC ..... Beginners All-purpose Symbolic Instruction Code
B and B ... (Brit.) bed and breakfast
BBC .... British Broadcasting Corporation
BBQ .... barbecue
B.C. .... Before Christ
b/f, B/F ... brought forward
BLT, b-l-t .. bacon, lettuce, and tomato
BP .... blood pressure
BR .... British Railways
Bros .... brothers
B.S.E. ...... bovine spongiform encephalopathy
BSI .... British Standards Institution
BST .... British summer time
BT .... British Telecom
B & W ..... black and white
BYOB ...... (slang) bring your own bottle

C

C/A, c/a .. current account
CAB .... (Brit.) Citizens' Advice Bureau
CAD .... computer-aided design
CADCAM computer-aided design and manufacture
CAE .... computer-aided engineering
CAI .... computer-aided instruction
CAP .... common agricultural policy
CAT .... computer-aided teaching
CB .... Citizens' Band (radio)
CBE .... Companion (of the Order) of the British Empire
CBI .... Confederation of British Industries
CBS .... Columbia Broadcasting System
CBT .... 1. computer-based training; 2. common basic training
C & C ..... cash and carry
CC .... 1. Chamber of Commerce; 2. County Council
CCTV ..... closed-circuit television
CD .... 1. compact disc; 2. Civil Defence
CD-I ...... compact disc interactive

Cdr.	commander
CD-ROM	compact disc read-only memory
CDV	compact disc video
CENTO	Central Treaty Organization
CEO	(US) chief executive officer
CET	central European time
CIA	(US) Central Intelligence Agency
CID	Criminal Investigation Department
CJD	Creutzfeld-Jakob disease
CNAA	Council for National Academic Awards
CND	Campaign for Nuclear Disarmament
CNN	(US) Cable News Network
C of C	Chamber of Commerce
C of E	Church of England
C of I	Church of Ireland
C of S	Church of Scotland
c/o	care of
CO	commanding officer
Co.	company
COI	Central Office of Information
CORE	(US) Congress Of Racial Equality
CPI	(US) Consumer Price Index
CPU	central processing unit
CRE	(Brit.) Commission for Racial Equality
CSE	(Brit.) Certificate of Secondary Education
CST	(US) central standard time
CUCme	see you, see me
CWO	1. cash with order; 2. chief warrant officer

D

DA	(US) District Attorney
D-day	Disembarkation day
dec.	deceased
Dem.	(US) Democrat
DHSS	(Brit.) Department of Health and Social Services
DI	1. donor insemination; 2. detective inspector
DIY	do it yourself
DJ	1. disc jockey; 2. Dow Jones
D.Lit.	Doctor of Literature
D.Mus.	Doctor of Music
DMZ	demilitarized zone
DNS	domain name system
DOA	dead on arrival
d.o.b.	date of birth
DOE	1. (Brit.) Department of the Environment; 2. (US) Department of Energy
DOS	disc operating system
DP	data processing
D.Phil.	Doctor of Philosophy
DPI	dots per inch
D-RAM	dynamic random access memory
D.Sc.	Doctor of Science
DST	(US) daylight saving time
DT	data transmission
DTP	desktop publishing
DVD	digital versatile disc

E

EA	(US) Educational age
EBRD	European Bank for Reconstruction and Development
EC	European Community
ECG	electrocardiogram
ECU	European Currency Unit
EDC	European Defence Community
EDI/ EDP	electronic data interchange/ processing
EDT	(US) Eastern daylight time
EEC	European Economic Community
EEG	electroencephalogram
EEOC	Equal Employment Opportunities Commission
EET	Eastern European time
EFL	English as a foreign language
EFTA	European Free Trade Association
e.g.	for example
EKG	(US) electrocardiogram
ELT	English Language Teaching
EMS	European Monetary System
EMU	Economic and Monetary Union
ENEA	European Nuclear Energy Agency
ENT	ear, nose, and throat
EOC	Equal Opportunities Commission
EOT	end of transmission
EPA	(US) Environmental Protection Agency
ESA	European Space Agency
ESL	English as a second language
ESP	extrasensory perception
Esq.	(Brit.) Esquire

EST	1. (US) Eastern standard time; 2. electro shock treatment
est.	established
ET	(US) Eastern time
ETA	estimated time of arrival
ETD	estimated time of departure
ETV	(US) Educational Television
EU	European Union

F

FAQ	frequently asked questions
FBI	(US) Federal Bureau of Investigation
FCO	Foreign and Commonwealth Office
FDA	(US) Food and Drug Administration
FDD	floppy disc drive
FE	further education
FIS	(Brit.) family income supplement
FLOPs	floating point operations per second
FM	1. frequency modulation; 2. Foreign Minister; 3. Field Marshall
FO	(Brit.) Foreign Office
FPA	Family Planning Association
FTP	file transfer protocol
FYI	for your information

G

GATT	General Agreement on Tariffs and Trade
GCE	(Brit.) General Certificate of Education
GCSE	(Brit.) General Certificate of Secondary Education
GDI/GDP	gross domestic income/product
GI	Government issue (soldier)
GMT	Greenwich mean time
GNP	gross national product
GP	general practitioner

H

HAND	have a nice day
HD(D)	hard disc (drive)
HE	His/Her Excellency
HF	high frequency
HH	His Holiness
H.I.V.	human immuno-deficiency virus
HMS	His/Her Majesty's ship/service
HND	higher national diploma
HP	hire purchase
HQ	headquarters
HR	(US) House of Representatives
HRH	His/Her Royal Highness
Http	hyper text transfer protocol

I

IAEA	International Atomic Energy Agency
IBA	(Brit.) Independent Broadcasting Authority
IBRD	International Bank for Reconstruction and Development
i/c	in charge of
ICU	intensive care unit
ID	Identification
IDD	international direct dialling
IMF	International Monetary Fund
Inc.	incorporated
inc, incl.	included/including/inclusive
I/O	input/output
IOU	I owe you
IQ	intelligence quotient
IRA	Irish Republican Army
IRC	Internet relay chat
IRS	(US) Internal Revenue Service
ISBN	International Standard Book Number
ISO	International Standards Organization
IT	information technology
ITC	1. International Trade Centre; 2. (Brit.) Independent Television Commission
IUD, IUCD	intra-uterine (contraceptive) device
IV	intravenous
IVF	in vitro fertilization

J

J.C.	Jesus Christ
JFK	John Fitzgerald Kennedy
JITP	just in time production
Jnr, Jr	Junior
JP	Justice of the Peace
JSA	job seeker's allowance

K

K, Kt	(Brit.) Knight
KBE	Knight of the British Empire
KKK	Ku Klux Klan
KO	knock out
KP	Kaposi's sarcoma

L

L.A.	Los Angeles
Lab	Labour
lab	laboratory
LAX	Los Angeles Airport
lb	libra (= pound)

LC	(US) Library of Congress
L/C	letter of credit
LCD	liquid-crystal display
LCM	lowest/least common multiple
Ld	(Brit.) Lord
LLB	Bachelor of Laws
LP	long-playing (record)
LT	low tension
Ltd	limited (liability)
LW	long wave

M

MA	1. Master of Arts; 2. (US) Military Academy
MASH	mobile army surgical hospital
MC	1. Master of Ceremonies; 2. (US) Member of Congress; 3. military cross
MD	1. Managing Director; 2. Doctor of Medicine
MEP	member of the European Parliament
MF	medium frequency
MFA	Master of Fine Arts
MFN	most-favoured nation
mfrs.	manufacturers
mgr	manager
MHR	member of the House of Representatives
MI5, MI6	(Brit.) Military Intelligence 5/Intelligence 6
MIA	missing in action
MIT	Massachusetts Institute of Technology
MLit	Master of Literature
MN	Merchant Navy
MO	medical officer
MODEM	modulator-demodulator
MOH	(Brit.) medical officer of health
MoMA	Museum of Modern Arts
MORI	Market and Opinion Research Institute
MP	1. (Brit.) Member of Parliament; 2. Military Police
M.Phil	Master of Philosophy
MRC	Medical Research Council
MRI	magnetic resonance imaging
M.Sc.	Master of Science
MST	(US) Mountain standard time
Mt	mount
MVP	(US) most valuable player
MW	medium waves

N

NAACP	National Association for the Advancement of Colored People
NAAFI	(Brit.) Navy, Army and Air-Force Institute
NAFTA	North American Free Trade Agreement
NASA	(US) National Aeronautics and Space Administration
NATO	North Atlantic Treaty Organization
NBA	(US) National Basketball Association
NCCL	(Brit.) National Council for Civil Liberties
NDP	net domestic product
NEB	new English Bible
NFL	(US) National Football League
NG	1. (Brit.) National Gallery; (US) National Guard
NGO	non-governmental organization
NHS	National Health Service
NLQ	near letter quality
NMR	nuclear magnetic resonance
NPG	(Brit.) National Portrait Gallery
NSB	National Savings Bank
NSC	National Security Council
NSPCC	(Brit.) National Society for the Prevention of Cruelty to Children
NT	1. (Brit.) National Trust; 2. New Testament
NUS	(Brit.) National Union of Students
NUT	(Brit.) National Union of Teachers
NYSE	New York Stock Exchange

O

OAP	old-age pensioner
OAU	Organization of African Unity
OBE	Officer (of the order) of the British Empire
OCR	optical character recognition
OE	old English
OECD	Organization for Economic Cooperation and Development
OHMS	(Brit.) On His/Her Majesty's Service
OLE	object linking and embedding
OM	Order of Merit
OPEC	Organization of Petroleum Exporting Countries
OT	Old Testament
OU	1. Oxford University; 2. Open University

OXFAM	Oxford Committee for Famine Relief
oz	ounce
P	
p.a.	per annum (yearly)
p.c., pct	per cent
p/c	price current
PA	personal assistant
P.A.	Press Association
PAYE	pay-as-you-earn
PBX	private branch exchange
PC	1. personal computer; 2. police constable; 3. politically correct
PD	1. police department; 2. postal district
pd	paid
p & h	(US) postage and handling
P & L	profits and loss
PDT	(US) Pacific daylight time
PE	physical education
PG	1. parental guidance; 2. post graduate
Ph.D.	Doctor of Philosophy
PLC	public limited company
PM	Prime Minister
p.m.	post meridiem
POB	post office box
POS	point of sale
POW	prisoner of war
p.p.	1. per procurationem; 2. post paid
p & p	postage and packaging
PPE	Philosophy, Politics, and Economics
PR(O)	public relations (officer)
PROM	programmable read-only memory
PST	(US) Pacific standard time
PSV	public service vehicle
pt	1. pint; 2. point; 3. part
PTA	(Brit.) Prevention of Terrorism Act ; Parent-Teacher Association
Pte	private
PTO, p.t.o.	please turn over
Q	
QE2	Queen Elizabeth II (paquebot)
QKt	Queen's Knight
qnty	quantity
R	
RA	Royal Academy
RAC	Royal Automobile Club
RADA	Royal Academy of Dramatic Art
RAM	1. random access memory; 2. Royal Academy of Music
R and B	rhythm and blues
RC	1. Roman Catholic; 2. Red Cross
R & D	research and development
RE	1. (Brit.) religious education ; 2. Royal Exchange
REM	rapid eye movement
Rep.	1. Republican; 2. Representative
RIP	rest in peace
RM	(Brit.) Royal Marines
RN	1. (Brit.) Royal Navy; 2. (US) registered nurse
ROM	read-only memory
RPI	Retail Price Index
RR	(US) railroad
RRP	recommended retail price
RSC	Royal Shakespeare Company
RSPB	(Brit.) Royal Society for the Protection of Birds
RSPCA	(Brit.) Royal Society for the Prevention of Cruelty to Animals
RV	revised version (of the Bible)
S	
s.a.e.	stamped addressed envelope
SAYE	(Brit.) save-as-you-earn
SCE	Scottish Certificate of Education
SCSI	small computer systems interface
SCUBA	self-contained underwater breathing apparatus
SEATO	South East Asia Treaty Organization
SEC	(US) Securities and Exchange Commission
Sen.	senator
Sgt	Sergeant
s/he	she or he
SHAPE	Supreme Headquarters Allied Powers in Europe
SIDS	sudden infant death syndrome
s/o	standing order
Soc.	society
SOP	standard operating procedure
S.O.S.	save our souls
Sr	1. Senior; 2. sister
SRC	(Brit.) Science Research Council
SRN	State registered nurse
SS	(Brit.) steamship
St	1. street; 2. saint

STD	sexually transmitted disease
stg	sterling
STV	single transferable vote
SW	1. short wave; 2. south-west
SWALK	sealed with a loving kiss (mail)
SWAPO	South-West Africa People's Organization

T

TA	1. (US) teaching assistant; 2. (Brit.) Territorial Army
TD	(US) Treasury Department
TEFL	teaching of English as a foreign language
TESL	teaching of English as a second language
TESOL	(US) teaching of English as a second or other language
TGIF	thank God it's Friday
TLC	tender loving care
TM	1. trademark; 2. transcendental meditation
TOEFL	test of English as a foreign language
TU	trade union
TUC	(Brit.) Trades Union Congress
TVR	television rating
UB40	(Brit.) unemployment benefit 40

U

UCLA	University of California at Los Angeles
UEFA	Union of European Football Associations
UFO	unidentified flying object
UHF	ultra-high frequency
UHT	ultra heat treated
ULC	ultra-large carrier
UN	United Nations
UNESCO	United Nations Educational, Scientific and Cultural Organization
UNICEF	United Nations International Children's Emergency Fund
UNO	United Nations Organization
URL	uniform resource locator
USAF	United States Air Force
USN	United States Navy
USS	United States Ship
usu.	usually
UT	universal time

V

VA	(US) Veterans Administration
VAT	value-added tax
VC	1. (Brit.) Victoria Cross; 2. vice-chancellor
VCR	video cassette recorder
VD	1. veneral disease; 2. Victorian Decoration
VDT	visual display terminal
VDU	visual display unit
vet	1. veterinarian; 2. (US) veteran
VHF	very high frequency
VHS	video home system
VIP	very important person
VISTA	Volunteers in Service to America
VLF	very low frequency
VLSI	very large-scale integration
VP	vice-president
VR	virtual reality
VSO	(Brit.) Voluntary Service Overseas

W

WASP	white anglo-saxon protestant
WB	World Bank
WCC	World Council of Churches
w/e	week end(ing)
WEA	(Brit.) Workers' Educational Association
WEU	Western European Union
WHO	World Health Organization
wk	week
w/o	without
WO	warrant officer
WORM	write only read many
WP	1. word processor; 2. weather permitting; 3. Warsaw Pact
WPC	1. (Brit.) Woman Police Constable; 2. World Peace Council
wpm	words per minute
WWF	World Wildlife Fund
WWI, WWII	World War One/Two
WWW	World Wide Web
WYSIWYG	what you see is what you get

X

X	1. large; 2. adults only
XL	extra large
Xmas	Christmas

Y

yd.	yard
YHA	Youth Hostels Association
YMCA	Young Men's Christian Association
YP	young prisoner
yr.	year
YWCA	Young Women's Christian Association

A

B

C

Index culturel

I

J

K

L

M

N

Index culturel

A

B

C

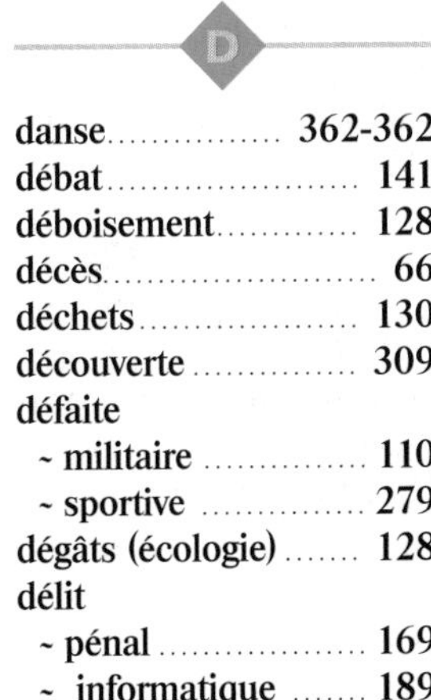

D

O

P

Q

R

S

T

U

V

Illustrations :
Claude-Henri Saunier (pages 41, 73, 79, 115, 136, 151, 158, 162, 176, 209, 219, 244, 245, 257, 270, 315, 353, 394)
Robin Sarian (pages 55, 187, 236, 246, 273, 284, 286, 335, 340, 360)
Peters Day (pages 150, 329)
Laurent Blondel (pages 85, 187, 246, 340)
Anne-Sophie Pawlas (page 20)
Photographie page 75 : Sonneville/Archives Nathan.
The Laughing Cow (page 146) est une marque déposée des Fromageries BEL.

Couverture : Grégoire Bourdin

Conception graphique : Thierry Méléard
Relectures : Seonaid Cruikshank, Catherine McMillan
Édition : Meriem Varone, Anne-Sophie Pawlas
Fabrication : Jacques Lannoy

Les auteurs remercient M. Guy Pham – Thanh pour ses relectures attentives.

N° d'éditeur 10145676
Dépôt légal : Août 2007
Imprimé en France par I.M.E. 25110 Baume-les-Dames